JN256562

復刻版 韓国併合史研究資料 ⑫②

朝鮮刑務提要 (上)

龍溪書舎

本復刻版製作に際しては、東京経済大学図書館のご好意により、同図書館所蔵本を影印台本とした。ここに深甚の謝意を表する次第である。

朝鮮總督府看守教習所編纂

朝鮮刑務提要（上）

朝鮮司法協會發行

凡例

一、本書ハ大正十二年三月一日現行ノ法令、訓達、通牒等ヲ輯錄シタリ

一、法令等ノ前文ハ之ヲ省略シ題號件名、日附及番號ノミヲ揚ク、其ノ總令トアルハ朝鮮總督府令、總訓トアルハ同訓令官通ハ官通牒ノ略語ナリ

一、本文中括【　】弧ヲ附シタルハ法令ノ改廢ニ由リ異動アリタルコトヲ示ス

刑務提要目次

第一編　憲法

第一章　憲法

	發布年月	法文種類	番號	頁
一　憲法發布勅語				一
二　大日本帝國憲法				一
三　請願令	六、四	勅令	三七	五
四　請願ニ關スル件	六、七	官通	一三〇	六
五　請願書取扱方ノ件	六、九	官通	一七一	六
六　刑事事件ニ關スル請願書ノ取扱ニ關スル件	一〇、四	法通		七

第二章　皇室典範

	發布年月	法文種類	番號	頁
一　皇室典範	二二、二			八
二　皇室典範增補	四〇、二			一〇

第三章　詔書

	發布年月	法文種類	番號	頁
一　韓國ヲ帝國ニ併合ノ件	四三、八	詔書		一四
二　韓國ノ國號ヲ改メ朝鮮ト稱スル件	四三、八	勅令	三一八	一四
三　前韓國皇帝ヲ册シテ王ト爲スノ件	四三、八	詔書		一四

四　李堈及李熹ヲ公ト爲ス件……四三、八　詔書　一四
五　王族及公族ノ稱呼……四三、八　宮廷錄事　一五

第二編　法例

第一章　法例

一　朝鮮ニ施行スヘキ法令ニ關スル件……四四、三　法律　三〇　一七
二　朝鮮ニ於ケル法令ノ效力ニ關スル件……四三、八　制令　一　一七
三　明治四十三年制令第一號ニ依ル命令ノ區分ニ關スル件……四三、一〇　制令　八　一七
四　制令ニ於テ法律ニ依ルノ規定アル場合ニ其ノ法律ノ改正アリタルトキノ效力ニ關スル件……四四、六　訓令　一一　一八
五　法例ヲ朝鮮ニ行施スルノ件……四五、三　勅令　二一　一八
六　法例……三一、六　法律　一〇　一八
七　法例第十三條ノ疑義ニ關スル件……四、九　官通　二六七　二〇
八　警務總長等ノ發スル命令ノ罰則ニ關スル件……四三、九　勅令　三七六　二一

第二章　共通法

一　共通法……七、四　法律　三九　二三
二　共通法ノ一部ヲ施行スルノ件……七、五　勅令　一四四　二四
三　共通法第三條等改正法律施行期日……一〇、六　令　二八三　二四

第三章 公布式

一 公布式……四〇、二 勅令 六 二五
二 制令公布式……四三、八 統令 五〇 二七
三 朝鮮總督府令公文式……四三、一〇 總令 一 二七
四 朝鮮總督府通令公文式……四三、一〇 總令 二 二七
五 朝鮮總督府島令公文式……四、五 總令 四三 二八

第三編 官規

第一章 官制

一 朝鮮總督府官制……四三、九 勅令 三五四 二九
二 拓殖局事務官制……一一、一一 勅令 四七六 三一
三 朝鮮總督府監獄官制……四三、一〇 勅令 二四三 三一
四 奏任及判任待遇朝鮮總督府監獄職員定員……九、五 總令 七〇 三三
五 朝鮮總督府監獄ニ看守部長及女監取締部長ノ職ヲ置クノ件……一一、四 總訓 一七 三三
六 看守部長選任ニ關スル件……七、 典會指示 三三
七 女監取締部長設置ニ關スル件……一一、四 法通 三三

第二章 分掌規程

一　朝鮮總督府事務分掌規程……………………四、五　總訓　二六　三四
二　拓殖事務局分課規程……………………一一、一一　拓事局長　三八
三　朝鮮總督府委任事項規程……………………九、四　內訓　四　三九
四　朝鮮總督府所屬官署委任事項規程……………………一〇、一二　內訓　五　四九
五　所屬官署委任事項中署名ニ關スル件……………………四五、六　官通　二二七　五四
六　典獄委任事項ノ攝行ニ關スル件……………………九、四　法通　五四
七　朝鮮總督府監獄事務分掌及處務ニ關スル規程……………………五、一〇　總內訓　一七　五四
八　主任制度施行ニ關スル件……………………五、一〇　司秘　三五九　五六
九　監獄事務專決施行ニ關スル件……………………五、一〇　司秘　三八二　五六
一〇　事務簡捷ニ關スル件……………………一〇、　典會指示　五六
一一　處務ノ敏活適正ヲ圖ルノ件……………………六、　典會指示　五七
一二　朝鮮總督府及所屬官署ノ民事訴訟ニ關シ國ヲ代表スルノ件……………………三九、七　勅令　一八四　五七
一三　本府所屬官署ノ司掌事務ニ係ル民事訴訟ニ付國ヲ代表スル件……………………四三、一〇　總令　四二　五七
一四　民事訴訟提起ニ關シ認可申請方ノ件……………………四、二　官通　四六　五七

第三章　官等俸給

一　高等官官等俸給令……………………四三、三　勅令　一三四　五八
二　初敍官等ノ制限ヲ受ケサル高等文官他ノ高等文官ト爲ル場合ノ官等ニ關スル件……………………三六、一二　勅令　二八五　七九

三	文武判任官等級令	四三、六	勅令	二六七	八〇
四	朝鮮總督府監獄醫教誨師及教師ノ官等等級配當ノ件	八、二	勅令	三三	八一
五	奏任官又ハ判任官ノ待遇ヲ受クル監獄醫教誨師及教師ノ官等等級配等ノ件	七、九	勅令	三四七	八一
六	判任官俸給令	四三、三	勅令	一三五	八二
七	判任官待遇者俸給ニ關スル件	四〇、六	勅令	二四四	八四
八	文官俸給支給細則	二五、一二	大藏省令	一	八四
九	俸給受領ニ關スル件	一一、一〇	庶通		八五
一〇	判任官以下定期昇級發令期ノ件	元、一一	官通	一三五	八五
一一	陸海軍准士官以下ノ受恩給者文官ニ任用ノ場合俸給支給方	三、三三	勅令	一三三	八五
一二	准士官以下受恩給者文官ニ任用ノ場合俸給計算方	三三、四	大藏省令	一九	八五
一三	准士官以下ノ受恩給者文官ニ任用ノ合諸給與及納金計算方	三三、六	勅令	三三七	八六
一四	文官ニシテ陸海軍ニ召集セラレタル者ノ俸給ニ關スル件	三七、九	勅令	二〇六	八六
一五	朝鮮臺灣及樺太在勤文官加俸令	四三、三	勅令	一三七	八六
一六	朝鮮總督府及所屬官署職員ノ加俸ニ關スル件	二、三	總令	三六	八七
一七	加俸支給方ニ關スル件	六、一	官通	一七	八八
一八	加俸支給ニ關スル件	六、二	官通	二一	八八
一九	俸給支給ニ關スル通牒廢止ノ件	一二、一	官通	四	八九
二〇	俸給日割計算方ノ件	四、四	官通	一一	八九
二一	文官ニシテ陸海軍ニ召集中ノ者俸給支給方ノ件	二、七	官通	二一	八九

二二　軍役ニ在ルモノ召集セラレタルトキ通報方ノ件……三、八　官　通　三〇五　九〇
二三　陸海軍應召者ノ給與ニ關スル件……三、八　官　通　三一三　九〇
二四　陸海軍應召者遺族扶助法納金算定ニ關スル件……七、一二　官　通　一八一　九〇
二五　文官懲戒令ニ依ル減俸ノ件……元、八　官　通　一九　九一
二六　減俸處理方ノ件……元、九　官　通　四五　九一
二七　俸給半減支給上疑義ノ件……二、五　官　通　一五四　九一
二八　朝鮮人死亡者ノ俸給其ノ他仕拂順位ノ件……三、一〇　官　通　三九六　九一

第四章　給與　諸手當

一　奏任及判任待遇朝鮮總督府監獄職員給與令……四二、一〇　勅　令　二五一　九三
二　奏任及判任待遇監獄職員給與令ノ改正ニ關スル件……一一、一〇　法　通　九三
三　朝鮮人タル看守及女監取締ノ給與ニ關スル件……八、一〇　總　令　一六七　九三
四　奏任及判任待遇監獄職員給與令……一一、一〇　勅　令　四三八　九三
五　監獄職員給與令ノ解釋ニ關スル件……四、一〇　司長回答　九五
六　朝鮮總督府及所屬官署雇員規程……一一、一〇　府　令　一四一　九五
七　朝鮮總督府及所屬官署ノ囑託員ニ關スル件……一一、一〇　府　令　一四二　九七
八　巡査看守等俸給支給方ノ件……二、一〇　官　通　三一六　九七
九　看守ニ對スル昇給ノ件……五、　長官通　九七
一〇　俸給支給ニ關スル件……九、四　官　通　三二　九八

一一	各廳雇等日給ノ者休暇日ニモ給額支給	八、六	太達	一一四	九八
一二	傭員俸給ヲ傭員其ノ他ニ給スル諸手當支給方ノ件	二六、二	勅令	一七	九八
一三	日給者給料支給ニ關スル件	四四、二	官通	一	九八
一四	雇員以下月俸支給方ニ關スル件	四四、三	官通	四〇	九八
一五	傭人月俸給金額及支給方ニ關スル件	四四、四	官通	七七	九八
一六	雇員以下可成日給採用ノ件	二、七	官通	二〇三	九九
一七	雇員又ハ傭人ニシテ在郷陸海軍軍人タル者應召中給料支給ニ關スル件	七、七	官通	一一七	九九
一八	判任官以下ノ職員ニシテ朝鮮語ニ通スル者ニ特別手當ヲ給スル件	一〇、三	勅令	三四	九九
一九	朝鮮總督府及所屬官署職員朝鮮語奬勵規程	一〇、五	總訓	二八	九九
二〇	臨時朝鮮語奬勵手當支給取扱方ニ關スル件	一一、七	官通	六六	一〇一
二一	臨時朝鮮語奬勵手當支給方ニ關スル件	一一、九	官通	七七	一〇三
二二	特別手當支給ニ關スル件	一〇、四	法通		一〇三
二三	通譯兼掌者特別手當ニ關スル件	四四、四	官通	七五	一〇三
二四	朝鮮總督府看守及朝鮮總督府女監取締非番勤務手當及特別手當支給規則	八、一一	總訓	五四	一〇三
二五	監丁ニ對スル時間外勤務手當給與ニ關スル件	七、九	官秘	二三七	一〇四
二六	交通至難ノ場所ニ在勤スル職員ニ手當給與ノ件	九、九	勅令	四〇五	一〇四
二七	勤勉手當給與令	九、一一	勅令	五四五	一〇五

二八	朝鮮總督府及所屬官署勤勉手當支給規則	一一、八	總訓	四〇	一〇六
二九	勤勉手當支給方ニ關スル件	九、四	官通	三一	一〇七
三〇	勤勉手當ニ關スル件	一一、九	官通	八一二	一〇七
三一	勤勉手當ニ關スル件	一一、二	庶通		一〇七
三二	朝鮮陸接國境地方ニ在勤スル朝鮮總督府及其ノ所屬官署職員ノ臨時特別手當給與ニ關スル件	九、九	勅令	四〇〇	一〇八
三三	年額又ハ月額ノ手當金支給方	三三、一	大省令	一	一〇八
三四	傳染病豫防救治ニ從事スル官吏雇官吏及傭員月手當支給ノ件	二八、六	勅令	七一	一〇八
三五	政府ヨリ恩給ヲ受クル者召集中手當支給ノ件	三八、六	勅令	一七九	一〇八
三六	朝鮮總督府及所屬官署職員ノ宿舍料ニ關スル件	四三、九	勅令	三九二	一〇八
三七	宿舍料支給規程	四、一二	總訓	六三	一〇九
三八	宿舍料支給方ノ件	四四、五	官通	一〇四	一一一
三九	宿舍料支給方ノ件	四四、五	官通	一一九	一一一
四〇	宿舍料支給ニ關スル疑義件	四四、五	官通	一三四	一一一
四一	宿舍料支給ニ關スル件	元、一一	官通	一二六	一一一
四二	宿舍料支給規則ニ關スル件	二、五	官通	一五三	一一二
四三	宿舍料及賄料ノ給與ニ關スル件	二、五	官通	一六九	一一二
四四	宿舍料支給ニ關スル件	四、一二	官通	三五五	一一二
四五	宿舍料支給方ノ件	五、二	官通	二一	一一三

四六	宿舍料支給ニ關スル件	五、四	官通	六一	一一三
四七	宿舍料支給ニ關スル件	五、九	官通	一四六	一一三
四八	宿舍料支給方ニ關スル件	七、九	官通	一四八	一一四
四九	宿舍料支給方ニ關スル件	八、五	官通	七一	一一五
五〇	宿直又ハ徹夜勤務者食料及特別文具ニ關スル件	二四、三	勅令	二七	一一五
五一	朝鮮總督府及所屬官署賄料支給規程	二、三	總訓	一二	一一五
五二	朝鮮總督府看守女監取締給與品及貸與品規則	四二、一〇	總令	五三	一一六
五三	看守以下給與品ニ關スル件	八、一	司通	五二	一一八
五四	看守防寒外套使用ニ關スル件	一〇、一〇	官通	九〇	一一八
五五	看守敎習所卒業生ノ給與品等ニ關スル件	七、一〇	司通	一三二〇	一一八
五六	監獄授業手被服給與規程	四、三	總訓	一三	一一九
五七	看守女監取締及授業手被服代料支給ニ關スル件	八、一	官通	一	一二〇
五八	看守女監取締及授業手給與品代料渡ニ關スル件	八、四	官通	五二	一二〇
五九	授業手給與品代料渡ノ件	八、一	官通	六	一二〇
六〇	傭人被服代料渡ニ關スル件	四、一一			一二一
六一	監丁給與靴代料渡ノ件	四、一〇	官通	二七四	一二一
六二	監丁脚袢代料給與ノ件	四、一一	官通	一二三〇	一二一
六三	監丁被服代料ニ關スル件	八、六	官通	八七	一二一

第五章　旅費

一	內國旅費規則	四三、六	勅令	二七四	一二三
二	內國旅費規則第二條ニ依リ鐵道賃船賃ニ關スル件	九、五	大省令	一六	一二四
三	大藏省所管旅費支給規則	四三、七	大省令	三三	一二五
四	大藏省所管經費支辨ニ屬スル各廳員朝鮮臺灣及樺太內旅費支給規則	四三、七	大省令	三五	一二七
五	朝鮮總督府旅費規則	四、三	府令	二四	一二八
六	朝鮮總督府減額旅費規程	三、八	訓令	四五	一三〇
七	間島琿春安東地方ヘ出張スル者ノ旅費ニ關スル件	九、一〇	總訓	四七	一三七
八	同上旅費支給上疑義ノ件	一一、二	官通	一九	一三八
九	出張命令申請書記載方ニ關スル件	六、一〇	官通	一七七	一三八
一〇	下關釜山間連絡船賃ニハ辨當代ノ實費ヲ含ム件	一〇、一	庶部決定		一三八
一一	家族移轉料支給上家族ノ順位及赴任手當ニ關スル件	九、九	官通	八八	一三八
一二	赴任旅費ニ關スル件	一〇、四	官通	三四	一三八
一三	旅費減額ノ件	一〇、三	官通	二三	一三八
一四	旅費支給ニ關スル件	一一、六	官通	五五	一四〇
一五	移轉料ノ件	四三、一〇	朝乙發	五八	一四〇
一六	旅費年度區分ノ件	元、一一	伺		一四〇
一七	支度料ヲ支給セサル件	四、一二	總長通		一四一
一八	赴任旅費及歸鄉旅費ニ關スル件	二、二	協定事項		一四一
一九	旅費支給ニ關スル件	四、五	總長決定		一四一

二〇	在勤廳所在地ニ關スル件	三、四	官通	一〇八	一四一
二一	旅費支給方ニ關スル件	六、	官通	一一六	一四二
二二	陸路旅行行程ノ件	四四、九	總	一三五八	一四三
二三	旅費支給上里程計算ニ關スル件	五、八	官通	一三一	一四三
二四	遞信地圖使用ニ關スル件	一一、三	官通	一八	一四三
二五	旅行證明ニ關スル件	四三、	協定事項		一四三
二六	京城海州間旅行順路追加ニ關スル件	七、三	官通	四一	一四三
二七	里程證明ニ關スル件	三、	伺指令		一四四
二八	歸國旅費支給ニ以スル件	四三、	協定事項		一四四
二九	朝鮮總督府旅費規則第十條ノ勤續二年ノ解釋ノ件	四四、三	會議決定		一四四
三〇	歸鄕旅費支給ニ關スル件	五、二			一四四
三一	歸鄕旅費支給ニ關スル件				一四四
三二	歸任旅費支給ニ關スル件	五、六			一四四
三三	汽車汽船ノ路程ニ關スル件	元、一			一四五
三四	旅費支給ニ關シ證明書省略ノ件				一四五
三五	出廷旅費支出ニ關スル件	二、二	官通	四一	一四五
三六	出廷旅費ニ關スル件	四、六	官通	二〇二	一四五
三七	女監取締旅費ノ件回答	四、八	總長回		一四五
三八	女監取締歸鄕旅費ノ件	六、六	伺指令		一四六

三九	授業手出張旅費ノ件	二、六	伺指令		一四六
四〇	旅費概算渡精算ノ件	四四、七	官通	二〇四	一四六
四一	歸國旅費支給ニ關スル勤續年數通算ノ件	四三、一一	協定事項		一四六
四二	減額旅費規程中解釋ノ件	三、一〇	會課長決		一四六
四三	減額旅費規程中疑義ノ件	三、九	會主式伺		一四六
四四	日額旅費ヲ受クル者用務地滯在中他ノ用務ノ爲其ノ用務地内ヲ旅行シタル場合旅費支給ニ關スル件	三、	會議決定		一四八
四五	日額旅費ヲ受クル者勤務演習ニ召集セラレタルトキノ支給方ノ件	七、九	會主伺		一四八
四六	海上距離ニ關スル件	二、七	庶收	一〇九六七	一四八
四七	旅費減額支給ニ關スル件	一〇、二	法局通		一四八
四八	旅費支給ニ關スル件	一〇、八	官通	七五	一四九
四九	旅費減額支給ノ件	一一、四	法局通		四一九
五〇	朝鮮各道府面里程表使用ニ關スル件	一一、四	官通	二六	一五〇
五一	旅費減額ニ關スル件	一一、四	西監達	七	一五〇

第六章　任免　休職　死亡

一	文官任用令	二、八	勅令	二六一	一五一
二	奏任文官特別任用令	九、五	勅令	一六〇	一五二

三	文官試補及見習ニ關スル件	四三、六	勅令	二七五	一五六
四	判任文官特別任用令	九、八	勅令	三五七	一五七
五	朝鮮人タル官吏ノ特別任用ニ關スル件	四三、九	勅令	三九六	一五八
六	海軍准士官及下士官ヲ判任官ニ任用ノ件	一一、一〇	勅令	四三二	一五九
七	陸軍准士官及下士ヲ判任文官ニ任用ノ件	一一、一〇	勅令	四三一	一五九
八	文官技倆證明書ヲ有スル者ノ採用ニ關スル件	一〇、一	法通		一五九
九	文官任用令上疑義ノ件	三、一〇	官通	三六三	一六〇
一〇	職員採用手續ノ件	四五、六	官通	二一八	一六〇
一一	高等官勤務指定報告ニ關スル件	九、四	官通	二七	一六〇
一二	官吏休職轉勤退官等ノ事由詳具方ノ件	四四、八	官通	二四七	一六〇
一三	大正八年勅令第三八六號施行ノ際別ニ辭令書ニ交付セラレサルモノ、勤務箇所ノ件	八、八	總訓	三三	一六〇
一四	給與令改正ニ伴フ履歴書整理ノ件	九、一〇	監	二、三五九	一六〇
一五	裁判所書記試驗合格者判任官見習ニ關スル件	四、四一	官通	一六	一六〇
一六	朝鮮總督府看守採用規則	四四、五	總令	五八	一六一
一七	朝鮮總督府看守採用手續	四四、六	總訓	一五	一六三
一八	朝鮮總督府看守採用規則施行細則	七、八	西監達	二二	一六三
一九	看守採用試驗ニ關スル件	七、六	監	八六六	一六七
二〇	朝鮮總督府看守ノ採用等ニ關スル件	七、四	司秘補	一三	一六八
二一	看守採用ニ關スル件	五、	典會		一六八

二二	女監取締採用ニ關スル件	四、七	司秘	二二五	一六八
二三	看守免官ニ關スル具申方ノ件	一〇、一	法通		一六九
二四	在鄕陸軍軍人採用ニ關スル件	四五、三	官通	八一	一六九
二五	雇員定員ニ關スル件	四三、一二	司庶通	三、二〇三	一六九
二六	給仕採用ニ關スル件	二、二	官通	三三	一七〇
二七	監獄職員ノ進退及身分帳簿取扱方ノ件	一〇、六	法通		一七〇
二八	陸軍軍人服務令施行規則ニ依ル屆出履行方ニ關スル件	一〇、二	官通	一五	一七七
二九	履歷書記載例ニ關スル件	一一、一二	官通	一〇二	一七七
三〇	戰時事變ノ際巡査看守休職ニ關スル件	三七、二	勅令	三三	一八一
三一	巡査看守休職ノ件	三、八	人	一、七四一	一八一
三二	巡査看守休職給ニ關スル件	三、九	官秘通	二八五	一八一
三三	休職看守ニ對スル復職並定員ノ補充ニ關スル件	三、九	官通	三三八	一八一
三四	休職又ハ退職ノ者ノ採用ニ關シ身分取調ノ件	三、一〇	官通	三六七	一八二
三五	監獄醫教誨師及敎師ノ休職ニ關スル件	七、一〇	勅令	三六六	一八三
三六	休職看守ノ復職ニ關スル件	七、一二	監	一、六三三	一八三
三七	職員疾病ニ因リ辭職出願ニ關スル件	四四、二	司庶發	九二	一八三

第七章　試驗教習

一	高等試驗令	七、一	勅令	七	一八四
二	普通試驗令	七、一	勅令	八	一八六

三 高等試驗令施行細則……七、二 閣令 一 一八六
四 朝鮮人判任文官試驗規則……四四、六 總令 七九 一八七
五 朝鮮總督府看守長特別任用學術試驗及實務考查規程……九、一一 總令 一六九 一八八
六 看守成績表ニ關スル件……九、一〇 法秘 一、〇六七 一八九
七 朝鮮總督府看守敎習規程……七、五 總訓 二三 一九〇
八 看守採用試驗採點標準ノ件……四四、一二 司刑 一、二三七 一九一
九 朝鮮總督府看守敎習所生徒心得……七、九 西監達示 二七 一九一
一〇 朝鮮總督府看守敎習細則……七七、 西監達 一九 一九三
一一 看守ノ復習訓練ニ關スル件……四、 典會訓示 一九五
一二 看守訓練ニ關スル件……五、 典會訓示 一九六
一三 看守學術試驗成績ニ關スル件……六、 典會注意 一九六
一四 看守敎習ニ關スル件……七、 典會指示 一九六
一五 職員ノ訓練敎養ニ關スル件……一〇、 典會指示 一九六
一六 朝鮮總督府及所屬官署職員朝鮮語奬勵規程……一〇、五 總訓 二八 一九六
一七 朝鮮語奬勵試驗執行ニ關スル件……一一、一 秘課長 一九八
一八 國語及朝鮮語奬勵ニ關スル件……三、 典會指示 一九九
一九 朝鮮語奬勵ニ關スル件……六、 典會注意 一九九

第八章 分限、服務、休暇、儀禮、服忌

一 文官分限令……三二、三 勅令 六二 二〇〇

二	官吏服務紀律	二〇、七	勅令	三九	二〇一
三	官紀振肅ニ關スル件	六、六	官通	一一四	二〇二
四	官吏服務紀律ニ關スル件	六、一〇	官通	一八四	二〇二
五	官吏職務外ニ公衆ニ對シ演說又ハ敍述スルヲ得	二二、一	內閣訓令		二〇二
六	不用品拂下ノトキ其ノ官廳所屬官吏ノ入札禁止	八、八六	政官達	一五二	二〇二
七	官吏服務心得書配布ノ件	四五、四	官通	一四八	二〇二
八	官吏服務心得書署名方ノ件	四五、五	官通	一八二	二〇三
九	服務心得書格納容器ノ件	四五、	人	四六七	二〇三
一〇	服務心得書名狀況報告方ノ件	四、五六	官通	二三〇	二〇三
一一	服務心得配付ノ件	元、一一	官通	一三三	二〇三
一二	服務規律及服務書心得讀聞セ方ノ件	元、一二	官通	一六八	二〇四
一三	職員ノ服務ニ關スル訓告ハ文書ヲ以テ之ヲ爲スヘキ件	二、一	官通	一〇	二〇四
一四	服務心得書末尾ノ總督名ハ誦讀ヲ省略ノ件	五、一二	人通	二、三五七	二〇四
一五	總督訓示	四三、一〇	總訓	四四	二〇四
一六	官吏ニ對スル訓諭	五、一二	總訓		二〇五
一七	官吏ニ對スル訓諭	六、五	內閣訓令	一	二〇五
一八	官吏ニ對スル訓諭	七、八	總訓		二〇七
一九	監獄醫敎誨師敎師藥劑師看守及女監取締職務規程	三、五	總訓	一一	二〇七
二〇	看守及女監取締勤務規程	三、五	總內訓	一〇	二一〇
二一	官紀振肅ニ關スル件	三、	典會訓示		二一一

二二	官紀振肅ニ關スル件	三、	典會注意		二一一
二三	監獄職員會議ニ關スル件	三、	典會指示		二一一
二四	監獄醫以下職員ノ執務ニ關スル件	三、	典會指示		二一一
二五	內外勤職員配置ニ關スル件	三、	典會指示		二一一
二六	職員ハ上訴ヲ慫慂シ又ハ投書密告ヲ戒ムル件	三、	典會注意		二一二
二七	分監ニ於ケル事務簡便ヲ計ルヘキ件	四、	典會指示		二一二
二八	看守及女監取締ノ職務上携帶セル物品使用保管ニ關スル件	四、	典會注意		二一二
二九	訓示及指示ノ勵行ニ關スル件	五、	典會訓示		二一二
三〇	訓示指示事項ノ勵行ニ關スル件	六、	典會指示		二一二
三一	監獄ノ事務ハ裁判所警察官署ト連絡ニ關スル件	六、	典會指示		二一二
三二	內勤看守配置按排ニ關スル件	六、	典會注意		二一三
三三	勤務演習召集演習召集及簡閱點呼ノ免除ニ付餘人ヲ以テ代フヘカラサル職務ヲ奉スル者ニ關スル件	八、二	勅令	二一	二一三
三四	大正八年勅令第二十一號ニ依ル職務ヲ奉スル者指定	八、三	內閣告示	二	二一三
三五	官吏召集免除ノ件	八、三	人	六七四	二一三
三六	召集免除ニ關スル件	七、五	司秘	三九八	二一三
三七	召集免除ノ具申書式ニ關スル件	七、六	司長通		二一三
三八	勤務演習簡閱點呼免除內申書類ニ關スル件	一一、七	秘補	一、九八七	二一四
三九	官廳奉職又ハ雇傭中ノ在鄉軍人召集等ノ場合ニ關スル件	六、八	官通	二一五	二一四
四〇	召集免除認可通報方ノ件	七、九	人	二一八四	二一五

四一	召集及點呼免除者取扱方ノ件	七、九	官通	一五三	二一五
四二	官吏召集及點呼免除ニ關スル件	七、一二	人	二、八二〇	二一五
四三	官吏召集及點呼免除ニ關スル件	八、六	人	一、五六	二一六
四四	官吏演習召集及簡閲點呼免除具狀方ニ關スル件	八、二	官通	一六	二一六
四五	官吏勤務演習及點呼免除ニ關スル件	八、三	人	六九四	二一六
四六	召集及點呼免除者通報廢止ニ關スル件	一〇、一一	秘補	二、三五三	二一七
四七	應召者通報方ノ件	七、八	官通	一三二	二一七
四八	應召者通報方ノ件	七、九	監	一、一八五	二一七
四九	官廳執務時間	一一、七	閣令	六	二一八
五〇	朝鮮總督府及其所屬廳ノ執務時間ニ關スル件	四三、一二	閣令	一六	二一八
五一	朝鮮總督府及所屬官署執務時間	一一、七	府令	一〇三	二一八
五二	執務時間ノ勵行ニ關スル件	一一、七	文	四九	二一九
五三	休暇報告ニ關スル件	一一、七	法長通		二二〇
五四	休暇報告ニ關スル件	一一、八	法長通		二二〇
五五	休暇日	六、一	太政告示	二	二二〇
五六	日曜日休暇	九、三	太政達	二七	二二〇
五七	官員父母祭日休暇	六、九	太政達	三一八	二二〇
五八	休日ニ關スル件	元、九	勅令	一九	二二〇
五九	朝鮮總督府始政記念日	四、六	總告	一五一	二二一
六〇	始政記念日ノ件	四、六	官通	二〇一	二二一

六一	囑託員ノ請暇ニ關スル件	四四、三	官通	三三	一三二
六二	拜謁敬禮式ノ件	四四、一〇	朝乙發	八〇	一三二
六三	天長節ニ於ケル賀表捧呈ニ關スル件	二、七	宮省告示	一五	一三三
六四	天長節祝日ニ關スル件	二、八	官通	二六五	一三三
六五	三大節賀表差出方ノ件	四三、一〇	朝乙發	三二	一三三
六六	賀表奉呈方ノ件	二、一二	宮內省告	三一	一三三
六七	三大節賀表奉呈方ノ件	一〇、一二	官通	一四〇	一三三
六八	判任官席次ノ件	四三、一一	司庶人	一三八	一三四
六九	國旗揭揚ノ件	四三〇一〇	司庶	二三三	一三四
七〇	廢廳中四人ノ服役及死刑執行ニ關スル件	元、七	勅令	二	一三四
七一	服忌令京家ノ制及產穢混穢廢止	七、一〇	太政布告	一〇八	一三四
七二	僧尼服忌ノ制	五、六	太政布告	一七六	一三八
七三	忌濟ノ節除服出仕宣下ヲ止メ忌服屆出及忌濟日出仕方	三、一	太政布告		一三八
七四	各省奏任官除服出仕達方	六、二	太政布告	五二	一三八
七五	遠地出張在勤官吏忌服中出仕方	六、一〇	太政布告	三四七	一三八
七六	地方官除服出仕方	八、一	太政官達	一〇	一三八
七七	除服出仕ニ關スル件	二、九	官通	二九八	一三九
七八	除服出仕ニ關スル件	九、二	官通	一五	一三九

第九章　服制、點檢、禮式

一	朝鮮總督府監獄職員服制	一〇、三	勅令	四〇	二三〇
二	朝鮮總督府監獄職員服裝規則	一一、一	總訓	二	二四二
三	朝鮮總督府看守防寒外套制式	四、一二	總令	一二八	二四三
四	看守防寒外套使用ニ關スル件	四、一三	官通	三四八	二四三
五	女監取締服裝ニ關スル件	二、七	官通	二四一	二四三
六	女監取締ノ被服ニ關スル件	四、七	官通	二二八	二四五
七	功六級、勳七等以下服裝ニ關スル件	八、二	內閣告示	一	二四五
八	官廳職員ノ服裝ニ關スル件	八、八	人	一、五五〇	二四五
九	朝鮮總督府及所屬官署文官禮式	四四、一一	總訓	八七	二四六
一〇	屋外最敬禮ノ件	四、一〇	人秘	二、〇五六	二四六
一一	看守點檢ニ關スル件	五、	典會訓示		二四七

第十章　檢閲、監督

一	朝鮮總督府所屬官署事務檢閲規程	三、八	總訓	四三	二四八
二	事務檢閲規程中疑義ノ件	三、一〇	監	二一二	二四八
三	檢閲ノ勵行ニ關スル件	六、	典會指示		二四九
四	分監(課所)ノ事務ニ付檢閲ヲ行ヒタル場合ニ於ケル件	三、	典會指示		二四九
五	事務ノ監督ニ關スル件	三、	典會訓示		二四九
六	指示注意事項ノ部下職員ニ傳達及狀況報告ノ件	三、	典會指示		二四九
七	分監事務監督ノ周到ヲ期スヘキ件	五、	典會訓示		二四九

八 範ヲ部下ニ示スヘキ件……五、 典會訓示 二四九
九 分監事務ノ監督ニ關スル件……六、 典會指示 二五〇

第四編 位勳、褒章、救恤、恩給、賞罰

第一章 位勳、褒章

一 敍位條例……二〇、五 勅令 一〇 二五一
二 敍位條例施行細則……九、一二 閣令 一八 二五一
三 文武官敍位進階內則……二、四八 內閣總訓 二五二
四 在京者ノ定期敍位ニ關スル件……一一、九 祕書課通 二五五
五 朝鮮貴族ノ敍位ニ關スル件……四三、八 皇室令 一六 二五五
六 朝鮮人官吏ノ敍位ニ關スル件……九、四 閣議 六二 二五五
七 有位者改姓名轉貫轉居死亡等宮內省ヘ屆出方……二四、六 宮賞達 二一 二五六
八 婦人ノ勳勞アル者ニ瑞寶章ヲ賜フノ件……八、五 勅令 二三二 二五六
九 敍勳內則……二五、一二 閣達 二五六
一〇 敍勳內則取扱手續……元、八 賞勳 五三 二五六
一一 朝鮮人官吏ノ定例敍勳ニ關スル件……九、四 閣議 六一 二六四
一二 韓國併合記念章制定ノ件……四五、四 勅令 五六 二六五
一三 勳章佩用式……二一、一一 勅令 七六 二六五

一四	勳章記章佩用心得	二二、二	賞勳告示	一	二六六
一五	功六級勳七等以下ノ勳章及記章褒賞ノ佩用ニ關スル件	八、二	閣告示	一	二六七
一六	外國勳章佩用願規則	一八、一一	太政布告	三五	二六七
一七	略章略綬佩用心得	二二、二	賞勳告示	二	二六七
一八	勳章記章褒章ノ佩用取締ニ關スル件	四一、一二	勅令	二九二	二六八
一九	舊韓國勳章及記章ノ佩用ニ關スル件	四三、八	勅令	三三四	二六八
二〇	勳章褫奪令	四一、一二	勅令	二九一	二六八
二一	勳章褫奪令施行細則	四一、一二	閣令	二	二六九
二二	勳章還納手續	二二、三	閣令	九	二七二
二三	帶勳者犯罪ニ關スル往復文書經由ノ件	四五、二	官通	三六	二七二
二四	褒章條例	一四、一二	太政布告	六三	二七二
二五	褒章條例取扱手續	二七、一	閣令	一	二七四
二六	褒章條例取扱手續等ニ依リ府縣知事及主務大臣ノ職務ヲ行フ官吏	四四、一一	閣令	一三	二七四
二七	褒賞ニ關スル件	四五、一	官通	三	二七四
二八	褒賞ニ關スル件	四五、七	官通	二七二	二七五
二九	金銀木杯金圓賜與手續第二條ニ依ル褒賞取扱方ニ關スル件	二、一二	官通	四一二	二七五
三〇	褒賞ニ關スル件	四五、七	官通	二四九	二七五
三一	敍勳者等族籍氏名變更屆出方	三、一二	閣告示	六	二七五
三二	勳等進敍ノ節同種下級ノ勳章還納方	二二、三	勅令	三八	二七六

三三 寄附者行賞ニ關スル件……九、五 官通 四一 二七六
三四 勳章記章褒章等受領者諸屆出手續……三一、一〇 賞勳告示 一 二七六
三五 舊韓國勳章受領ノ朝鮮人犯罪申牒ノ件……四四、七 官通 二〇六 二七六
三六 勳章勳記功記年金證書又ハ外國勳章佩用免許證沒收ノ場合ニ行テ犯人ノ本籍戶籍吏ニ通知ノ件……四三、三 統訓 一 二七六
三七 朝鮮警察賞與規程……四四、六 總令 七六 二七七

第二章 救恤

一 官吏療治料給與ノ件……二五、九 勅令 八〇 二七八
二 朝鮮總督府看守及朝鮮總督府女監取締ノ療治料給助料及弔祭料給與ニ關スル件……四四、七 勅令 二〇二 二七八
三 巡查看守療治料給助料及弔祭料給與令……三四、七 勅令 一四九 二七八
四 巡查看守弔祭料計算方ノ件……二、七 官通 二三一 二七九
五 巡查看守療治料給助料及弔祭料給與令ノ解釋ニ關スル件……六、三 會第 八一三 二七九
六 明治三十三年法律第十五號及同年法律第三十號ノ一部ヲ朝鮮ニ施行スルノ件……四四、一〇 勅令 二七二 二八〇
七 傳染病豫防救治ニ從事スル者ノ手當金ニ關スル件……三三、三 法律 三〇 二八〇
八 明治三十三年法律第三十號第五條ノ療治料ノ件……五、一二 總令 一〇四 二八一
九 傳染病豫防救治ニ從事スル者ノ療治料ニ關スル件……五、一二 官通 二二九 二八一
一〇 各廳技術工藝ノ者就業上死場ノ手當內規……一二、二 太政官達 四 二八一

第三章　恩給、退隱料、扶助料

一	官吏恩給法	二三、六	法律	四三	二八三
二	官吏恩給法施行規則	二三、七	閣令	三	二八五
三	文官傷痍疾病等差例	一八、三	太政達	一六	二八七
四	官吏遺族扶助法	二三、六	法律	四四	二八九
五	官吏遺族扶助法施行規則	二三、七	閣令	四	二九〇
六	官吏恩給法及官吏遺族扶助法補則	二九、三	法律	三六	二九一
七	官吏恩給法及官吏遺族扶助法補則施行規則	二九、三	閣令	二	二九二
八	恩給扶助料等ノ增額ニ關スル件	九、七	法律	一〇	二九二
九	大正九年法律第十號ニ依ル恩給扶助料等ノ增額及明治二十三年勅令第二五四號ニ依ル休職給ノ增額ニ關スル件	九、八	勅令	二七八	二九四
一〇	大正九年法律第十號施行手續	九、九	總令	一四八	二九六
一一	大正九年法律第十號施行手續	九、八	閣令	八	二九六
一二	大正九年法律第十號ニ依リ更正ニ係ル恩給等支給規則	九、九	遞省令	八〇	二九七
一三	增加恩給等ノ增額ニ關スル件	一一、三	法律	一八	二九七
一四	大正十一年法律第十八號施行手續	一一、七	府令	一〇一	二九八
一五	大正十一年法律第十八號施行手續	一一、五	閣令	五	二九八
一六	大正十一年法律第十八號ニ依ル增加恩給等ノ增額ニ關スル件	一一、五	勅令	二八四	二九九

一七	増加恩給等ノ増加金額支給規則	一一、六	遞省令	四二	三〇一
一八	朝鮮總督府及關東(都督府)等在勤官吏ノ恩給及遺族扶助料ニ關スル件	四〇、五	法律	四八	三〇二
一九	明治四十年法律第四八號ヲ適用セサル官吏ニ關スル件	四〇、五	勅令	一八八	三〇二
二〇	朝鮮人官吏ノ恩給退隱料及遺族扶助料等ニ關スル件	七、四	法律	三〇	三〇二
二一	恩給退隱料及扶助料等請求書式其ノ他ニ關スル件	一一、五	官通	三七	三〇三
二二	看守女監取締退隱料扶助料等請求ニ關シ關係官署ヘ附箋照會事項ノ概要	自一〇、四 至一一、四	調		三一五
二三	戸籍謄本提出ニ關スル件	八、三	官通	三六	三一六
二四	恩給退隱料證書等郵送ニ關スル件	七、八	官通	一三三	三一六
二五	巡査看守死亡者履歴書下付ニ關スル件	九、五	秘	一三一四	三一七
二六	傭人扶助令	七、一一	勅令	三八二	三一八
二七	巡査看守退隱料及遺族扶助料法	三四、七	法律	三八	三一九
二八	巡査看守退隱料及遺族扶助料法施行令	三四、七	勅令	一四八	三二二
二九	朝鮮總督府等在勤ノ內地人タル警部補巡査看守及女監取締ノ退隱料及遺族扶助料ニ關スル件	四〇、五	法律	四九	三二三
三〇	朝鮮總督府巡査、看守退隱料及遺族扶助料取扱ニ關スル件	四四、六	總令	七一	三二四
三一	內閣恩給局長管掌ニ屬スル巡査、看守退隱料及遺族扶助料取扱規程	三四、六	閣令	一	三二四

三二　明治四十年法律第四十九號ヲ適用セサル巡査、看守及女監取締ニ關スル件……四〇、五　勅令　一八九　三二六

三三　文官判任以上ノ者退官賜金ノ件……二三、六　勅令　九八　三二六

三四　朝鮮人官吏ノ文官退官賜金ニ關スル件……七、四　勅令　六二　三二六

三五　文官退官賜金年數計算方ノ件……元、一一　官通　一一七　三二七

三六　退官賜金及死亡賜金支出關係書類提出方ノ件……二、七　官通　二三〇　三二七

三七　郵便官署ヲシテ年金、恩給等ノ支給事務ヲ取扱ハシムル件……四三、三　勅令　二五　三二八

三八　年金恩給支給規則……四三、三　遞省令　六　三二八

三九　郵便局ニ於テ取扱フ年金、恩給、遺族扶助料及退隱料等ノ支給期日……四三、三　遞省告　三四一　三三一

四〇　退官賜金及死亡賜金ニ關スル件……元、九　人　二四五　三三一

四一　退官賜金支拂ニ關スル件……二、一　官通　一二　三三一

四二　朝鮮人官吏ノ文官退官賜金ニ關スル件……七、四　人　八八一　三三一

四三　退官賜金死亡賜金ニ關スル件……八、五　官通　六八　三三二

四四　行政整理又ハ軍備制限整理ニ際シ職ヲ離レシメラレタル者ノ特別賜金等ニ關スル件……一一、一一　勅　四七九　三三二

四五　大正十一年勅令第四百七十九號ニ依リ特別ノ賜金又ハ手當ヲ國債ヲ以テ付交スル場合ニ於ケル交付價格ニ關スル件……一一、一一　大藏省　五六　三三三

第四章　賞與、懲戒

一	朝鮮總督府看守及朝鮮總督府女監取締精勤證書授與規則	四四、六	總訓	五一	三三四
二	看守及女監取締精勤證書雛形ニ關スル件	二、五	官通	一六六	三三五
三	看守及女監取締精勤證書雛形ニ關スル件	四四、六	官通	一七五	三三五
四	看守精勤證書ニ關スル件	四四、六	司刑發	四〇二	三三五
五	看守等精勤證書授與規則ニ依ル勤續期間ニ關スル件	四四、六	司刑發	三七六	三三五
六	看守及女監取締精勤證書授與又ハ無効ニ歸シタル場合ニ報告ヲ要スル件	五、一	監	八七	三三六
七	年末賞與辭令書式ノ件	六一、一	人	二、五八九	三三六
八	文官懲戒令	三二、三	勅令	六三	三三六
九	朝鮮總督府監獄所屬職員中奏任待遇者ノ懲戒ニ關スル件	四四、五	總令	六三	三三九
一〇	臺灣總督府朝鮮總督府及關東廳ノ巡査及判任待遇監獄職員ノ懲戒ニ關スル件	九、八	勅令	三六二	三三九
一一	判任待遇(統監府)監獄職員ノ懲戒ニ關スル件	四二、一一	統令	四九	三三九
一二	監獄判任待遇職員懲戒規程	三六、三	司法省令	七	三三九
一三	免官免職及停職者免除ノ件	三〇、一二	勅令	一四	三四〇
一四	懲戒又ハ懲罰ノ免除ニ關スル件	元、一〇	勅令	三〇	三四〇

一五　恩赦令及大正元年勅令第三十號ノ解釋ニ關スル件……二、一〇　官通　三三五　三四〇
一六　朝鮮總督府及所屬官署雇員ノ懲戒免除ニ關スル件……元、一〇　官通　九二　三四一
一七　官吏待遇者及雇員懲戒ニ由ル減俸處理ノ件……元、一〇　官通　一〇九　三四一
一八　懲戒又ハ懲罰ノ免除ニ關スル件……四、一一　勅令　二〇六　三四一
一九　本府及所屬官署雇員ノ懲戒免除ニ關スル件……四、一一　官通　三一八　三四二
二〇　傭人ノ懲戒又ハ懲罰免除ニ關スル件……四、一一　官通　三二七　三四二

第五編　文書、統計、報告、指紋

第一章　文書、官印

一　朝鮮總督府公文書規程……四五、三　總訓　三六　三四三
二　經由文書進達ニ關スル件……三、七　官通　二七八　三四七
三　朝鮮總督府監獄書類保存規程……四四、一二　總訓　九三　三四八
四　公文書ノ宛名等ニ關スル件……一〇、一二　官通　一一二　三五〇
五　總督政務總監宛文書封筒ノ件……六、一一　總　四五八　三五一
六　文書發送方ニ關スル件……四四、二　官通　一四　三五一
七　鐵道部及法務局主管ニ係ル文書取扱方ノ件……八、九　官通　一一五　三五一
八　土木部主管ニ係ル文書取扱方ノ件……九、一一　官通　九八　三五一
九　信書ノ宛名表記方ノ件……九、一〇　民　五〇　三五一

一〇	信書ノ宛名表記方ニ關スル件	九、一〇	民	五〇	三五三
一一	檢事長經由ノ文書ニ關スル件	九、一〇	監通	二、三九六	三五三
一二	文書ノ取扱ニ關スル件	一〇、一〇	法通牒		三五三
一三	人事ニ關スル文書取扱方ノ件	四三、一二	朝乙發	二、一三五	三五四
一四	人事ニ關スル文書提出方ノ件	四四、七	官通	二三六	三五四
一五	朝鮮總督府官報編纂規程	九、二	總訓	一〇	三五四
一六	官報通牒ニ同文通牒掲載ニ關スル件	四四、二	總訓	一三	三五七
一七	官報通牒ニ關スル件	四四、一〇	文	二一七	三五七
一八	朝鮮司法協會雜誌ノ掲載ヲ以テ一般通牒ニ代フル件	一一、一	法通牒		三五七
一九	朝鮮司法協會雜誌掲載ノ一般通牒ニ關スル件	一一、三	法通牒		三五八
二〇	官報原稿送付方ノ件	元、七	官通	二八三	三五八
二一	官報等ニ關スル文書發送方	二、六	印刷局		三五八
二二	內地官報ニ廣告掲載方ノ件	四四、一	官通	一九	三五八
二三	出張辭令ノ官報原稿送付方ノ件	三、二	官通	五一	三五八
二四	職員出張ニ關スル官報報告方ノ件	九、三	官通	一九	三五八
二五	所屬官署ヘ印刷物發送ノ件	四五、五	官通	一八四	三五九
二六	往復用紙使用方ノ件	四、五	官通	一六六	三五九
二七	寫眞送付ノ件	九、一一	文通	四九三	三五九
二八	外國ニ提出スル爲發給スル證明書取扱方ノ件	六、九	官通	一五一	三五九
二九	書類綴方ノ件	四四、一	朝乙發	四七六	三六〇

三〇　文書取扱方ニ關スル件……五、三　官通　三四　三六〇
三一　提出書類ノ編綴方ノ件……三、　典會注意　三六〇
三二　文書進行番號ノ件……元、八　總　一　三六〇
三三　成案ノ記號ニ關スル件……一一、七　文書課長　三六〇
三四　用字例及文例ニ關スル件……四四、三　官通　一八　三六〇
三五　電信略符號ノ使用等ニ關スル件……三、二　官通　四四　三七一
三六　公文書ニ學位ヲ記載セサルノ件……九、七　政秘　一、七一〇　三七一
三七　外國ニ歸化シタル朝鮮人ノ取扱ニ關スル件……四、一〇　總內訓　二〇　三七一
三八　內勤職員ニ關スル件……一〇、六　法通牒　三七一
三九　事務整理ニ關スル件……一一、八　文　五二　三七一
四〇　文書事務簡捷ノ件……二、　典會指示　三七四
四一　帳簿事務ノ簡捷ヲ圖ル件……五、　典會注意　三七五
四二　朝鮮ノ標準時……四四、一一　府告　三三八　三七五
四三　文書誤記、脫字等注意ノ件……四、　典會注意　三七五
四四　宿直員ノ用紙取締ノ件……四、　典會注意　三七五
四五　改正例規ノ整理ニ關スル件……四、　典會注意　三七五
四六　收受ノ文書ノ查閱ニ關スル件……五、　典會注意　三七五
四七　文書、帳簿ノ整理保存ノ件……六、　典會注意　三七五
四八　監獄ノ沿革吏編纂ノ件……七、　典會注意　三七六
四九　簿册ノ整理ノ件……一〇、　典會指示　三七六

五〇	新年用門松ニ關スル件	五、一二	總	四三二	三七六
五一	官印寸法	三一、八	閣令	五	三七六
五二	公文書ニ用フル印章ニ關スル件	四、三	官通	七三	三七六
五三	公文書ニ用井ル印鑑届出ニ關スル件	一一、三	法通牒		三七六
五四	典獄補ノ印章ニ關スル件	一〇、一〇	法通牒		三七七
五五	元號ノ稱呼	元、七	內閣告示	一	三七七

第二章　統計、報告

一	朝鮮總督府統計事務取扱方	七、九	總訓	四七	三七八
二	朝鮮總督府報告例	元、一一	訓令	二〇	三七八
三	報告例ノ電報報告中略符號使用ノ件	二、一一	官通	三九二	三七九
四	監獄統計中央集査實施ニ關スル件	一一、五	法通牒		四八〇
五	監獄統計小票取扱ニ關スル件	一一、一〇	法通牒		四一七
六	統計ノ進步改善ニ關スル件	五、五	內閣訓令	一	四一七
七	監獄統計報告ノ調製及提出	四、	典會注意		四一七
八	監獄統計ノ注意	六、	典會注意		四一八
九	書類ノ淨書校合等ノ件	三、	典會注意		四一八
一〇	監獄統計從事者ノ養成ニ關スル件	一一、五	監	二一	四一八
一一	統計主任ニ關スル件	五、三	官通	三八	四一八
一二	統計主任ニ關スル件	七、九	官通	一四九	四一九

一三	統計主任ニ關スル件	一〇、七	庶務部長		四一九
一四	統計ニ關スル件	七、四	監	三五三	四一九
一五	統計ニ關スル件	七、三	監	三五三	四二〇
一六	監獄統計ニ關スル件	九、一	法通	一四七	四二四
一七	統計ニ關スル件	一〇、五	法通牒		四二四
一八	看守轉勤ノ報告方ニ關スル件	一一、一〇	法通牒		四二五
一九	職員死亡報告ニ關スル件	九、一	官通	四	四二五
二〇	職員死亡報告ニ關スル件	一〇、四	法通牒		四二五
二一	職員勤務指定報告ニ關スル件	九、一	法	三四	四二五
二二	監獄事務報告ニ關スル件	一〇、一	法通牒		四二六
二三	月報提出ニ關スル件	一一、五	法通牒		四二六
二四	死刑ノ執行ニ依リ出監シタル者ノ小票記入方ニ關スル件	一一、五	法通牒		四二六
二五	期限內ニ事務報告提出ノ件	三、	典會注意		四二六
二六	統計事務ノ整備ニ關スル件	五、五	官通	七五	四二七
二七	監獄統計報告ノ調製	五、	典會注意		四二七
二八	職員定員及現員配置對照表提出ノ件	一〇、二	秘書課長		四二七
二九	監獄醫以下現員現給ノ件	一〇、四	法通牒		四二七
三〇	資格者ノ履歷等提出ノ件	三、	典會注意		四二八
三一	朝鮮語奬勵手當ヲ受クル者ニ關スル件	一一、五	鮮語試	一〇七	四二八
三二	監獄事務報告書ノ調製	二、	典會指示		四二八

三三 作業科程、工錢ノ増減ノ報告……六、 典會注意 四一八
三四 事變報告ノ件……四三、一二 刑 八九九 四一八
三五 在監人ニ關スル電報報告ニ日鮮人等ノ區別記載ノ件……四四、一〇 司 刑 八五四 四一九
三六 在監者ニ關スル報告文書ノ件……四三、一一 檢 發 一、四〇八 四一九
三七 施政上ノ參考ニ資スヘキ事項報告ノ件……五、 典會注意 四一九
三八 本府ニ定期報告期日勵行ノ件……五、 典會注意 四一九
三九 例規ノ設定改廢報告ノ件……五、 典會注意 四一九
四〇 監獄ニ關連スル事項ニ付テノ報告ノ件……六、 典會注意 四一九
四一 事務報告ノ調製ニ關スル件……六、 典會注意 四一九
四二 復命書ノ寫ヲ提出スヘキ件……六、 典會注意 四二〇
四三 朝鮮總督府月報材料報告ニ關スル件……四四、五 司 庶 四五一 四二〇
四四 朝鮮彙報ニ關スル規程……六、九 總 訓 三九 四二〇

第三章 指紋

一 指紋取扱規程……一〇、一二 訓 令 七一 四三二
二 指紋原紙取扱心得及記載例ノ件……一一、一 法 通 牒 四三九
三 指紋押捺ニ關スル件……一一、一 法 通 牒 四四一
四 指紋原紙編綴ニ關スル件……一一、一 法 通 牒 四四一
五 指紋取扱ニ關スル件……一一、五 法 通 牒 四四一
六 受刑者指紋對照ノ件……七、一〇 監 一、二九三 四四一

七　內地受刑者ノ指紋對照ノ件……七、九　監　一、二九三　四四三
八　受刑者指紋原紙作成ノ件通知……七、一一　司省監丙　六七二　四四四
九　指紋利用ニ關スル件……八、二　監　二六六　四四四
一〇　指紋原紙記載事項異動報告ニ關スル件……六、三　監　四一〇　四四五
一一　指紋原紙記載事項異動報告ニ關スル件……五、三　監　三四四　四四五
一二　指紋分類番號ニ關スル件……一〇、三　法通牒　四四五
一三　指紋原紙提出ノ件……三、　典會注意　四四五
一四　指紋取扱及習熟ニ關スル件……三、　典會指示　四四五
一五　指紋ノ對照ニ關スル件……二、　典會指示　四四五
一六　指紋ノ研究ニ關スル件……六、　典會指示　四四六
一七　指紋再捺ニ關スル件……三、　典會注意　四四六
一八　指紋ノ改捺ニ關スル件……三、　典會注意　四四六
一九　指紋印象徵取方ニ關スル件……三、　典會注意　四四六
二〇　指紋原紙印象鮮明ナルヘキ件……三、　典會注意　四四六
二一　指紋原紙ニ記載事項ニ關スル件……三、　典會注意　四四六
二二　指紋原紙上ノ自署ニ關スル件……三、　典會注意　四四六
二三　指紋ノ確實ナルヘキ件……三、　典會注意　四四七
二四　指紋原紙特徵欄ノ記載方ノ件……三、　典會注意　四四七
二五　指紋取扱上注意ヲ要スル件……四、　典會注意　四四七
二六　指紋疑義アル場合照會ニ於ケル符箋使用ノ件……三、　典會注意　四五七

二七　指紋取扱上注意ヲ要スル件……　五、　典會注意　四四七
二八　内地人受刑者ノ指紋原紙作製ノ件……　九、三　監　五七四　四四八

第六編　會計

第一章　通則

一　朝鮮ニ施行スル法律ニ關スル件……　四三、九　勅　四一二　四四九
二　朝鮮總督府特別會計ニ關スル件……　四三、九　勅　四〇六　四四九
三　朝鮮總督府特別會計規則……　四、三九　勅　四〇七　四五〇
四　會計法……　一〇、四　法律　四二　四五一
五　會計法施行期日ノ件……　一〇、一二　勅　四八六　四五五
六　會計規則……　一一、一　勅　一　四五五
七　會計規則及特別會計規則ノ規定ニ依リ調製スルコトヲ要スル帳簿ノ樣式及記入方ニ關スル件……　一一、三　大省令　二〇　七四三
八　朝鮮總督府及所屬官署會計事務章程……　三、八　總訓　四二　五〇三
九　會計事務章程中取扱方ニ關スル件……　三、九　官通　三二四　六〇二
一〇　國庫出納金端數計算法ヲ朝鮮、臺灣、樺太ニ施行ノ件……　五、三　勅　五七　六〇二
一一　國庫出納金端數計算法……　五、一　法律　二　六〇二
一二　國庫出納金端數計算法ヲ適用セサル種目……　五、三　勅令　五六　六〇三

一三　共公團體ノ收入及仕拂ニ關シ國庫出納金端數計算法準用ノ件……五、八　勅令　二〇九　六〇三
一四　國庫出納金端數計算法ニ關スル件……五、四　官通　五七　六〇四
一五　國庫金ノ收支上厘位切捨ニ關スル取扱方ノ件……四四、一　會局長通朝會發　一　六〇四
一六　政府ト私人トノ債務ノ相殺ニ關スル件……一一、四　大省訓　一五　六〇四
一七　朝鮮總督府官報ノ發行及發賣ニ關スル件……四三、八　統告　一九七　六〇四
一八　朝鮮總督府官報廣告掲載ノ件……元、一〇　總告　七三　六〇五
一九　豫定經費算出概則……三三、六　閣令　一九　六〇五
二〇　歲入歲出豫算概定順序……三三、三　閣令　一二　六〇六
二一　豫算編成順序並第二豫備金支出要求手續……一一、五　總訓　二五　六〇六
二二　豫算概算ニ關スル件……四、三　監五三法長通　六〇七
二三　監獄經費實費調ノ件……一〇、四　法長通　六一五
二四　一般會計所屬歲入豫算資料報告方ノ件……七、六　司　四九九　六一八
二五　大正十一年度歲出豫算中第一豫備金ヲ以テ補充シ得ヘキ費途ノ件……一一、六　勅令　三三二　六一九
二六　大正十一年度歲入歲出科目解疏……六一九

第二章　歲入

一　歲入事務ニ關スル法令ノ効力ニ關スル件……四四、三　朝乙發　二、三二五　六二七
二　在監者遺留物品賣却代金歲入科目整理方ノ件……三、八　官通　二八九　六二七

三	分監ノ收入事務ニ關スル件	一〇、四	法長通		六一七
四	囚徒工錢製作收入調ノ件	一〇、四	法長通		六一七
五	囚徒工錢製作收入調ノ件	一〇、七	法長通		六一八
六	證券ヲ以テスル歳入納付ニ關スル法律ヲ朝鮮、臺灣及樺太ニ施行スルノ件	五、一二	勅	二五五	六一八
七	證券ヲ以テスル歳入納付ニ關スル件	五、三	法律	一〇	六一八
八	證券ヲ以テスル歳入納付ニ關スル法律施行期日	五、一二	勅令	二五四	六一八
九	證券ヲ以テスル歳入納付ニ關スル法律施行細則	五、一二	大省令	三二	六一九
一〇	證券ヲ以テ納付シ得ル歳入ノ科目及其ノ納付ニ關スル制限	六、三	總令	二二	六二一
一一	證券ヲ以テスル歳入納付ニ關スル件	六、四	官通	七九	六三二
一二	歳入納付ニ使用スル證券ニ關スル件	五、一二	勅令	二五六	六三三
一三	證券ノ納付ニ關スル制限	五、一二	大省令	三〇	六三四
一四	證券ヲ以テスル歳入納付ニ關スル件	六、五	官通	九四	六三五
一五	渡切經費出納擔任者及物品取扱主任死亡ノ場合ニ關スル件	六、五	官通	九七	六三六
一六	印紙ヲ以テスル歳入金納付ニ關スル件	九、六	勅令	一九〇	六三六
一七	歳入歳出國庫內移換收支取扱手續ノ件	四、四	官通	一三一	六三七
一八	諸收入收納取扱規程	三三、四	大省令	二七	六四〇
一九	告知書類ノ刷色、寸法等ノ件	二、三	官通	五二	六四三
二〇	歳入金年度記載方注意ノ件	四五、二	官通	五五	六四四

二一	物件賣拂代金延納規則	一一、一	府令	一	六四四
二二	朝鮮臺灣及樺太ニ施行スル法律ニ關スル件	四四、四	勅令	一二〇	六四五
二三	租税外諸收入金整理ニ關スル件	四四、三	法律	五八	六四五
二四	明治四十四年法律第五十八號施行規則	四四、四	勅令	一二一	六四六
二五	貸付金取扱規程	四四、四	大省令	一七	六四六
二六	租税外諸收入金ヲ貸付金ニ編入方ノ件	四、九	官通	二五八	六四八
二七	貸付金ニ編入稟申ノ際添附スヘキ書類ノ件	四四、六	官通	一六七	六四八
二八	租税外未收入金ヲ貸付金ニ編入ノ件	六、三	官通	五四	六四九
二九	歳入繰越整理ニ關スル件	四四、三	官通	二四	六四九
三〇	三月三十一日繰越額計算表提出方ノ件	九、四	官通	三八	六四九
三一	歳入調定濟額ニシテ翌年六月末日マテニ收入整理ヲ了セサルモノ取扱方	二四、八	大省訓	六八	六四九
三二	收入金繰越手續	二五、五	大省訓	二五	六五一
三三	歳入年度等誤謬ノ場合訂正手續	一一、四	大省令	三八	六五一
三四	襲用豫算歳入ノ收入濟額ト(金庫)ノ收入額ト不突合ノ事由調査ニ關スル件	四四、一〇	官通	三〇九	六五三
三五	歳入金月計對照表ニ關スル件	四四、一一	官通	三一七	六五四
三六	告知書類ニ記載ノ納人住所又ハ氏名誤謬ノ場合措置方ノ件	四五、一	官通	二五	六五四
三七	歳入金額收高月計通知書ニ關スル件	四五、六	官通	二二三	六五四

三八	歳入金誤謬訂正ニ關スル件	七、六	官通	一〇八	六五四
三九	歳入年度所管廳等誤記訂正請求方ノ件	九、五	官通	四四	六五五
四〇	歳入金領收濟通知書ニ關スル件	五、五	官通	七八	六五六
四一	徵收報告書提出方ニ關スル件	九、八	官通	六四	六五六
四二	歳入金月計對照表ニ關スル件	九、九	官通	八九	六五六
四三	徵收報告書ト〔金庫〕月計對照表トノ差額整理方ノ件	一〇、六	官通	五八	六五六
四四	歳入金月計對照表ニ關スル件	一一、三	官通	一九	六五七
四五	徵收報告書ニ關スル件	一一、五	官通	四一	六五七
四六	歳入金月計突合表取扱方ノ件	一一、五	官通	四四	六五七
四七	徵收報告書及徵收總報告書記載方ノ件	一一、六	官通	五三	六五八
四八	徵收報告書整理方ノ件	一一、七	官通	七〇	六五八
四九	徵收報告書整理ニ關スル件	一一、八	官通	七一	六五八
五〇	歳入徵收額計算書ニ添附スル證憑書ノ件	一一、九	官通	八一	六五八
五一	歳入徵收官交替ノトキ通知方	三三、五	大省訓	四五	六五八
五二	國庫納金徵收方ノ件	二、五	官通	一一七	六五九
五三	四徒工錢製作及收入調ノ件	一〇、四	法長通		六五九

第三章　歳出

一	官廳ニ於テ印刷局製造品買入レニ關スル件	四〇、二	法律	五	六六〇
二	支出官事務章程	一一、一	大省令	一	六六〇

三　（支拂命令及金額氏名表）記載方ニ關スル件……四二、二　大省通往　二、〇一〇　六六七
四　諸支出金仕拂ニ關スル件……四五、六　會　二、〇〇三　六六七
五　會計事務章程第三十九條ノ二ニ依リ支出官ヨリ提出スヘキ補充費途ニ屬スル經費經理ノ實蹟報告ニ關スル件……一一、八　官通　七二　六六七
六　國廣納金ニ關スル小切手振出ノ件……一一、七　官通　六五　六六八
七　繰替拂ニ關シ注意ノ件……四四、二　通朝乙　八七二　六六八
八　資金前渡官吏隔地ノ債主ニ對シ支拂ヲ爲ス場合ニ於ケル取扱手續ノ件……一一、九　官通　八四　六六八
九　現金前渡官吏遠隔ノ地ノ債主ニ對シ仕拂ヲ爲ス場合ニ關スル件……四四、三　官通　二八　六六八
一〇　現金前渡官吏送金方ノ件……四四、一〇　官通　三〇三　六六九
一一　送金拂ノ正當領收證保存ニ關スル件……八、六　官通　八四　六六九
一二　豫算ニ關スル現在員比較調ノ件……四四、三　官通　四一　六六九
一三　豫算ニ對スル現在員比較調作成方ニ關スル件……四四、一〇　官通　三〇七　六七〇
一四　水道其ノ他設備ニ關スル經費區分ノ件……四四、一二　官通　三七八　六七〇
一五　歳出金繰替拂通知書ニ關スル件……二、一　官通　二二　六七一
一六　印刷所ニ對スル注文及代金支拂ニ關スル件……四五、四　官通　一一六　六七一
一七　支出濟額報告書調製方等ニ關スル注意事項……一一、五　財務司通　六七一
一八　經費節約ニ關スル件……二、　典會指示　六七三
一九　經費節約ニ關スル件……五、　典會訓示　六七三

二〇	官報法令全書等代價納付方ノ件	二、一〇	官通	三三七	六七三
二一	〔仕拂命令官〕署名ニ關スル件	九、四	官通	二八	六七三
二二	電報送金ニ關スル件	九、一〇	會	五九九一	六七四
二三	歳出金繰替拂證票發行ニ付遞信局ヘ通牒方ノ件	一〇、一	官通	三	六七四
二四	前渡金仕拂殘額ヲ歳入ニ納付シタル場合支出計算書記載方ノ件	一〇、七	官通	六五	六七四
二五	豫算繰越ニ關スル件	一一、三	官通	一三	六七五
二六	國庫納金ニ關スル小切手振出ノ件	一一、七	官通	六五	六七五
二七	小切手振出日附ニ關スル件	一一、五	官通	四〇	六七五
二八	會計事務章程第三十九條ノ二ニ依リ支出官ヨリ提出スヘキ補充費途ニ屬スル經費經理ノ實蹟報告ニ關スル件	一一、八	官通	七二	六七五
二九	米豆購入ニ關スル件	七、	典會注意		六七七

第四章　物品

一	物品會計規則	二二、六	勅令	八四	六七八
二	物品出納簿記帳方ノ件	四四、一一	官通	三四九	六七九
三	在監者食料品出納ニ關スル件	五、七	官通	一〇六	六七九
四	物資購入ニ關スル件	三、九	會	四、一二七	六八〇
五	經費支辨區分ノ件	三、一	會	一五〇	六八〇
六	生産品價格算定ニ關スル件	二、一〇	會	六、〇〇一	六八〇

七　物品辨償債務免除ノ件…………　元、一二　官通　一七五　六八一
八　物品取扱主任及專用者ノ辨償責任免除ノ件…………　四、一二　官通　三四六　六八一
九　琺瑯燒修理ニ關スル件…………　六、一一　監　一、四〇五　六八二
一〇　度量衡器ノ供給ニ關スル件…………　一〇、四　官通　二六　六八二

第五章　契約

一　入札又ハ契約ノ保證金ニ關スル件…………　四三、九　勅令　三四〇　六八三
二　一般ノ競爭ニ加ラムトスル者ニ必要ナル資格ニ關スル件…………　一一、六　府令　九〇　六八三
三　一般ノ競爭ニ加ラムトスル者ニ必要ナル資格ニ關スル件…………　一一、四　大省令　三三　六八四
四　入札人及請負人心得竝契約書案ノ件…………　四四、四　官通　六六　六八五
五　豫算繰越ニ關スル契約方ノ件…………　四四、六　官通　一八六　六九七
六　契約書省略ニ關スル件…………　一一、九　官通　七九　六九七
七　擔保トシテ政府ニ納ムヘキ國債等ノ價格算定ニ關スル件…………　四一、一一　勅令　二八七　六九七
八　印紙納付ニ關スル疑義ノ件…………　八、六　官通　八八　六九七

第六章　供託、預金、保管

一　供託ニ關スル件…………　元、八　制令　一　六九九
二　大正十一年制令第二號ニ依リ指定シタル供託所…………　一一、三　總令　三八　七〇〇
三　朝鮮總督府供託局ノ豫金取扱店…………　一一、四　總告　九一　七〇〇
四　大正十年法律第六十九號供託法中改正法律施行ニ關スル

件……………………………………一一、二　勅令　二八　七〇〇
五　供託法第三條ニ依ル供託金利息……………………一一、三　府令　三六　七〇〇
六　供託物ノ還付又ハ取戻ヲ請求スル場合ニ關スル件……………一一、三　勅令　七五　七〇〇
七　朝鮮總督府供託局供託物取扱規則……………………一一、三　總令　三四　七〇〇
八　指定供託所供託物取扱規則……………………元、一一　總令　三八　七一〇
九　入札保證金寄託ノ件……………………七、八　官通　一三八　七一九
一〇　期滿失效期日通知書樣式及寄託通知書、送付書、拂渡證書等用紙寸法竝制色制限ニ關スル件……………………八、二　官通　二五　七二〇
一一　保管金拂出方ノ件……………………一一、五　官通　四二　七二一
一二　寄託金ノ權利移轉又ハ其ノ他ノ事故ノ爲期滿失效期日ニ變更ヲ生シタル場合（金庫）ニ通知方ノ件……………………四五、六　官進　二〇五　七二一
一三　保管金規則ヲ朝鮮ニ施行スルノ件……………………四四、四　勅令　六三　七二一
一四　保管金規則……………………二三、一　法律　一　七二三
一五　保管金取扱規程……………………一一、二　大省令　五　七二三
一六　預金部貯金取扱規程……………………一一、二　大省令　六　七二七
一七　政府所有有價證券取扱規程……………………一一、二　大省令　七　七四〇
一八　政府保管有價證券取扱規程……………………一一、二　大省令　八　七四三
一九　供託有價證券取扱規程……………………一一、二　大省令　九　七四九

第七章　出納官吏

一　出納官吏事務規程	一一、一	大藏省令	二	七五一
二　朝鮮總督府遞信官署現金受拂規則	一一、四	總令	五七	七六三
三　歳入歳出外現金出納官吏現金取扱方ノ件	二、四	官通	八九	七六四
四　出納官吏銀行又ハ一私人ニ現金保管ヲ託セシ場合ニ於テ該預金ニ對スル利子ヲ受取リタルトキノ取扱方	明三三、七	大藏訓令	五六	七六五
五　預金利子收入取扱方ノ件	三、七	官通	二五六	七六五
六　證明上添付書類省略ノ件	八、二	官通	二一	七六五
七　出納官吏現金保管ニ關スル件	一一、九	官通	八〇	七六五
八　出納官吏辨償責任ノ免除ニ關スル件	元、一一	勅令	四一	七六五
九　仝件	元、一一	官通	一五〇	七六六
一〇　仝件	四、一一	勅令	二〇七	七六六
一一　仝件	五、一	官通	一〇	七六六

第八章　國庫

一　日本銀行國庫金取扱規	一一、三	大藏省令	一〇	七六八
二　日本銀行政府有價證券取扱規程	一一、三	大藏省令	一一	七八五

第九章　計算證明

一	計算證明規程	一一、三	會檢達	一	七九六
二	計算證明規程第二十三條及第四十一條ノ調書竝報告書ノ書式ノ件	一一、六	官通	六三	八三三
三	會計實地檢査ノ結果說明ニ關スル件	一〇、八	法長通牒		八三六
四	會計法規ニ基ク出納計算ノ數字及記載事項ノ訂正ニ關スル件	一一、五	大藏省令	四三	八三六
五	計算證明上指定竝省略ニ關スル件	一一、五	官通	四六	八三七
六	「仕拂」證明証憑書ニ關スル件	二、一二	官通	四〇一	八四三
七	同件	八、五	官通	七〇	八四四
八	朝鮮總督府會計監査規程	二、七	總訓	四四	八四四
九	會計監査ニ關スル件	二、七	官通	二四七	八四五
一〇	檢査員休日又ハ退廳後臨檢スルモ檢査ニ應スヘキノ件	明二五、五	大藏訓令	三五	八四五
一一	會計ニ關スル協定事項報告ノ件	元、七	官通	二	八四六
一二	計算書報告書誤記又ハ遺算ニ關スル注意ノ件	明四五、三	官通	七四	八四六
一三	證明書類調理及發送方注意ノ件	明四四、一一	官通	三二三	八四六
一四	歲入歲出ノ報告書提出方ノ件	一二、一	官通	六	八四六

一五	諸計算書及証憑書保存年限ノ件	五、三	官通	四〇	八四七
一六	歳入證明ニ關スル件	明四四、七	官通	二二二	八八五
一七	歳入徴收額証明方注意事項	七、六	官通	九一	八八八
一八	一般會計歳入徴收報告書提出方ノ件	七、八	官通	一二九	八八八
一九	會計檢査院ニ對スル証明書類提出方ニ關スル件	明四五、六	官通	二三一	八八八
二〇	收入計算及檢定書調製方ノ件	一〇、六	官通	五〇	八八九
二一	歳入証憑書枚數記載ニ關スル件	明四四、三	官通	一九	八八九
二二	証明書類調理上注意事項ノ件	明四四、四	官通	九三	八九〇
二三	証明書類調理上注意事項追加ノ件	明四四、六	官通	一七三	八九五
二四	証明書類調理上注意ノ件	一〇、八	官通	七七	八九六
二五	証明書類調理ニ關スル件	明四四、四	官通	六一	八九七
二六	仕拂計算書提出方ノ件	三、七	官通	二五五	八九七
二七	最終支出計算書副本提出方ノ件	六、四	官通	八三	八九七
二八	仕拂計算書ニ檢定書添付ノ件	明二五、五	大藏訓	三〇	八九七
二九	出納官吏檢査規程	明四五、五	官通	一九五	八九八
三〇	物品出納計算委託檢査成績報告書ニ關スル件	六、五	官通	九九	八九九
三一	物品檢査書提出方ノ件	明四四、一一	總	一、九九三	八四七

第七編　官有財産

第一章　管理

一	朝鮮官有財産管理規則	明四四、七	勅令	二〇〇	九〇一
二	官有財産ノ整理區分、臺帳其ノ他ノ様式竝圖面調製標準	四、一	總訓	二	九〇三
三	各省管理官有財産ノ管理ニ關スル件	一一、二〇	官通	九二	九〇三
四	官廳ノ所管ニ係ル不動産登記ノ囑託ニ關スル件	一〇、八	府令	一二三	九〇三
五	官有財産第一回目錄調製ニ關スル件	七、四	官通	五九	九〇四
六	官有財産ニ關スル件	明四五、四	官通	九〇	九〇四
七	官有財産保存竝取毀ニ關スル件	明四四、一〇	官通	二九七	九〇四
八	火災豫防ニ關シ改善及注意ノ件	四、一二	官通	三三一	九〇四
九	火災豫防ニ關シ注意ノ件	五、一一	官通	一九二	九〇八
一〇	火災豫防ニ關シ注意ノ件	六、一一	官通	一九六	九〇九
一一	火ノ元取締巡視ノ件	六、一一	會	第四、一一〇	九一〇

第二章　土地　建物　營繕

一	朝鮮總督府建築標準	大五、一一	總訓	四三	九一一
二	工事竣功ノ場合報告通知ニ關スル件	大四、一〇	營	二六七五	九一七
三	監獄營繕工事施行ニ付注意スヘキ件	大四、七	司監通牒		九一七

四　物品出納簿記載方ノ件……二、一〇　官通　三二二　九一八
五　他廳ノ官用地及建物保管換ノ場合ニ於ケル手續ノ件……明四四、五　官通　一一三　九一八
六　官有財産貸付及使用報告ノ件……明四四、一一　官通　三三五　九一八
七　官有財産貸付及賣拂ニ關スル契約書文例改正ノ件……六、一一　官通　二〇五　九二三
八　國有林野産物及土石採收等ノ件……明四四、九　官通　二七三　九二九
九　監獄所屬ノ土地建物ノ坪數等增減變更ノ場合通報方ノ件……明四四、五　司刑發　三二三　九三〇
一〇　朝鮮總督府官舍規程……二、七　總訓　四〇　九三一
一一　官舍電話官給ニ關スル件……一〇、五　庶長通牒　九三四
一二　營繕工事進捗程度報告ニ關スル件……明四三、一二　刑　九二〇　九三四
一三　獄務ト獄舍ノ設備……五、　典會訓示　九三四
一四　廳舍其他現在調提出方ノ件……明四五、四　監　七六　九三五
一五　監獄構内ノ空地使用ノ件……五、　典會注意　九三五

第八編　監　獄

第一章　監獄令及監獄令施行規則

一　朝鮮監獄令……明四五、三　制令　一四　九三七
二　監獄法……明四一、三　法律　二八　九三七
三　朝鮮監獄令施行規則……明四五、三　總令　三四　九四二

四	監獄令等發布ニ關シ注意ノ件	明四五、三	司刑	八七一	九五五

第二章 收監 名籍

一	監獄及監獄分監ノ名稱位置	明四三、一〇	總令	一一	九五七
二	朝鮮軍陸軍軍法會議處斷囚徒ヲ普通監獄ニ拘禁スル件	八、四	官通	五六	九五八
三	浦塩臨時軍法會議判決囚收監ニ關スル件	九、七	監	一四一一	九五八
四	監獄收容區分變更ニ關スル件	六、三	官通	六七	九五九
五	受刑者收容區分ニ關スル件	九、九	官通	八〇	九六〇
六	特殊受刑者集禁ニ關スル件	一一、九	官通	八六	九六〇
七	特殊受刑者ノ集禁區分ニ關スル件	一一、一二	官通	一〇九	九六一
八	分類集禁ニ關スル件	一、〇	典會指示		九六二
九	刑事被告人滯獄日數調査ノ件	三、九	法檢長通牒		九六二
一〇	收監ノ際書類帳簿ノ對照ニ關スル件	四、	典會指示		九六二
一一	囑託婦女又ハ外國人ノ拘禁費用ニ關スル件	七、八	官通	一三九	九六二
一二	監獄ニ於テ入監簿其ノ他備付ノ件	四、二	總訓	六	九六二
一三	身分帳簿名籍表中氏名記載方ノ件	七、一一	監	一、四八三	九九四
一四	在監者ノ身分帳簿人相表ニ關スル件	五、六	司長通牒		九九四
一五	無籍者就籍ニ關スル件	六、七	法	三二八	九九四
一六	證明令第三條ノ四親等內ノ親族ニ關スル件	明四五、七	官通	四二六	九九四

一七　行狀錄ノ記載方ノ件……　二、　典會指示　九九六
一八　身分帳ノ整理ニ關スル件……　四、　典會注意　九九六
一九　身上票ノ作成ニ關スル件……　五、　典會注意　九九六
二〇　身上票ノ作成ニ關スル件……　六、　典會注意　九九六
二一　身上照會ハ短刑期モ可成之ヲ爲スヘキ件……　六、　長官注意　九九七
二二　笞刑ノ前科ヲ名籍表ニ記載ノ件……　四、七　監　二九一　九九七
二三　民籍ノ身位ニ關スル件……　六、五　官通　一〇七　九九七
二四　在監者行狀視察ニ關スル件……　四、　典會指示　九九九
二五　在監者ノ行狀審査ノ査定標準一定ノ件……　五、八　監　八五九　九九九
二六　短期囚ノ行狀表作製省畧ノ件……　五、八　監　八五九　九九九
二七　行狀審査期算出方ノ件……　四、一〇　司秘　二六九　九九九

第三章　參觀　情願

一　情願書進達ニ關スル件……　六、　典會注意　一〇〇一

第四章　領　置

一　領置品ノ評價格ニ關スル件……　四、　典會注意　一〇〇三
二　領置品ノ評價格ニ關スル件……　六、　典會注意　一〇〇三
三　携入品ノ消毒勵行ニ關スル件……　七、　典會注意　一〇〇三

四 交付洩領置品處分ニ關スル件…… 四、一 官通 八 一〇〇二
五 領置金交付洩ニ關スル件…… 四、六 海發 五四九 一〇〇二
六 沒入品廢棄品ノ利用ニ關スル件…… 二、 典會指示 一〇〇二
七 期間ヲ經過シタル遺留品ハ速カニ處分スヘキ件…… 四、 典會注意 一〇〇三
八 煙草器械卷紙ノ引繼ニ關スル件…… 一〇、八 專庶 五八七 一〇〇三
九 沒入廢棄簿ニ關スル件…… 八、三 監 四七二 一〇〇三

第五章 戒護 處遇 押送

一 監獄職員銃器携帶ニ關スル件…… 明四二、一〇 統令 四八 一〇〇四
二 豫審廷ニ於テ看守退廷ノ件…… 明四五、一 司刑 一七五 一〇〇四
三 豫審廷ニ於テ看守退廷ノ件…… 四、一一 監 六六六 一〇〇四
四 監房別異ニ關スル件…… 二、 典會訓示 一〇〇四
五 在監人文身取締方ノ件…… 二、一一 京覆檢事長三ノ二六八 一〇〇四
六 拘禁ニ關スル件…… 三、 典會指示 一〇〇五
七 工場其ノ他ノ建物ヲ監房ニ代用スル場合ハ報告ヲ要スル件…… 四、 典會注意 一〇〇五
八 入監釋放時ノ獨居拘禁ニ關スル件…… 四、 典會指示 一〇〇五
九 刑事被告人ヲ既決監ニ移ストキノ措置處遇ニ關スル件…… 四、 典會指示 一〇〇五
一〇 監房工場ニ於ケル在監者ノ座席ニ關スル件…… 四、 典會指示 一〇〇六
一一 監獄ニ於ケル事故ハ卽報ヲ要スル件…… 五、 典會注意 一〇〇六

一二　非常時ニ處スル演習ニ關スル件……五、典會注意　一〇〇六
一三　非常時ニ處スル設備及訓練演習ニ關スル件……七、典會指示　一〇〇六
一四　監房工場ノ取締ヲ嚴ニスヘキ件……五、典會指示　一〇〇六
一五　經費節約及戒護上ニ關スル件……七、監　二〇九　一〇〇六
一六　監獄事務ノ改善ニ關スル件……七、典會訓示　一〇〇七
一七　監獄構內出入者ノ檢査監督ヲ嚴ニスヘキ件……七、典會注意　一〇〇七
一八　在監者衣類檢査監房及工場ノ搜檢ニ關スル件……七、典會指示　一〇〇七
一九　戒議職員士氣ノ振作及戒具ニ關スル件……一〇、典會指示　一〇〇七
二〇　支那人在監者斷髮ニ關スル件……六、九　監　一〇六一　一〇〇八
二一　累犯者處遇ニ關スル件……二、典會指示　一〇〇八
二二　紀律アル慣習養成ニ關スル件……二、典會指示　一〇〇八
二三　過四ニ付注意ノ件……三、典會指示　一〇〇八
二四　遇四ニ付注意ノ件……三、典會訓示　一〇〇八
二五　在監者處遇ニ關スル件……四、總督訓示　一〇〇九
二六　未成年者ノ特別處遇ニ關スル件……四、典會指示　一〇〇九
二七　獄務ノ改善ニ關スル件……五、典會指示　一〇〇九
二八　行刑內容充實シ其效果發揚スベキ件……六、典會訓示　一〇〇九
二九　累犯入監者ノ處遇ニ關スル件……七、典會指示　一〇一〇
三〇　長期囚ニ對スル保護監督ニ關スル件……七、典會指示　一〇一〇

三一 政治的犯罪囚ニ對スル處遇ノ件…… 一〇、 典會指示 〇一〇一
三二 刑事被告人ニ對スル處遇ノ件…… 一〇、 典會局長指示 一〇一〇
三三 囚人及被告人護送規則…… 明四二、一〇 統令 五一 一〇一一
三四 護送中ノ在監者逃走ニ關スル件…… 五八、 官通 一三九 一〇一三
三五 鐵道乘車賃割引ニ關スル件…… 七三、 官通 三八 一〇一三
三六 鐵道乘車賃割引ニ關スル件…… 七七、 司法部長 一、〇五三 一〇一四
三七 護送者取扱方ニ關スル件…… 八五、 官通 六六 一〇一四
三八 在監者移監ノ場合添付スヘキ書類ノ件…… 五、六 司法部長通牒 一〇一四
三九 受刑者移監ニ關スル件…… 九、九 監 一九七六 一〇一四
四〇 護送中ノ囚人ニ關スル件…… 六、 典會注意 一〇一五
四一 在監者民事訴訟ニ關シ出廷ノ件…… 明四四、六 京監照 一〇一五
四二 民事訴訟ニ關シ裁判所ノ呼出ニ對シ在監者出廷ノ件…… 明四四、八 司民 七 一〇一六
四三 自動車取締規則…… 一〇、七 府令 一一三一 一〇二六

第六章 作業

一 作業規程設定ノ件…… 五、八 監 八五九 一〇二四
二 試行ニ係ル作業報告ニ關スル件…… 一一、七 法務長通牒 一〇二四
三 日曜日ノ作業ニ關スル件…… 一一、六 監 三三 一〇二四
四 日曜日ノ作業ニ關スル件…… 三、七 刑 七四四 一〇二四

五　日曜日ノ作業ニ關スル件……一一、六　監　三三　一〇二四
六　委託業ニ關スル件……七、七　監　一、一六九　一〇二五
七　作業新設又ハ受負作業ニ關スル認可申請書ニ關スル件……二、　典會指示　一〇二五
八　監獄傭夫ノ使用人員減少ニ關スル件……三、　典會指示　一〇二五
九　監傭夫ノ選擇ニ注意ヲ票スヘキ件……七、　典會注意　一〇二六
一〇　理髮工新設ニ關スル件……七、一二　監　一、六八一　一〇二六
一一　理髮工新設ニ關スル件……七、一　監　六五回答　一〇二六
一二　理髮工新設ニ關スル件……七、一　檢發　一五五照　一〇二六
一三　在監者ノ請負工事出役ニ關スル件……二、　典會指示　一〇二六
一四　共進會出品物ニ關スル件……四、五　法發　一二回答　一〇二六
一五　監獄作業中危險豫防ニ關スル件……二、　典會指示　一〇二七
一六　監獄作業ノ指導督勵ニ關スル件……四、　典會訓示　一〇二七
一七　作業ノ施設ニ關スル件……四、　典會指示　一〇二七
一八　監獄作業ノ種類目的ニ關スル件……二、　典會訓示　一〇二七
一九　作業ノ選擇ニ關スル件……五、　典會注意　一〇二八
二〇　作業ノ督勵及發展ニ關スル件……六、　典會指示　一〇二八
二一　作業ノ新設就役費ヲ有利ニ運用スヘ件……六、　典會注意　一〇二八
二二　作業ノ成績向上ヲ計ルヘキ件……六、　典會注意　一〇二八
二三　業種ノ選擇工錢ノ科定施業及督勵ノ方法ニ關スル件……七、　典會注意　一〇二八

二四 工場増築ニ關スル件……七、 典會注意 一〇二九
二五 豚ノ飼養奬勵ニ關スル件……七、 典會注意 一〇二九
二六 作業ノ新設及請負作業ノ契約ニ關スル件……一〇、 典會指示 一〇二九
二七 製作品委託販賣ノ件……六、一〇 會 三、一三四 一〇三〇
二八 在監者主食物及作業素品産出ニ關スル件……四、 典會指示 一〇三〇
二九 製産品價格算定ニ關スル件……二、一 會 六、〇〇一 一〇三〇
三〇 製品賣價算定ニ關スル件……六、一〇 監 一、三三九 一〇三一
三一 作業收支表ニ關スル件……六、六 監 八一八 一〇三一
三二 監獄作業收入額調ノ件……一〇、四 法長通牒 一〇三一
三三 作業月表及全年表作成ニ關スル件……四、七 官通 二九〇 一〇三二
三四 作業工錢引上ニ關スル件……二、 典會指示 一〇三二
三五 各監獄ニ於ケル見積工錢權衡ヲ保ツヘキ件……二、 典會指示 一〇三二
三六 受負人ノ工錢滯納ノ措置ニ關スル件……四、 典會指示 一〇三二
三七 作業工錢ノ改廢ニ關スル報告ニ關スル件……五、 典會注意 一〇三二
三八 監獄傭夫ノ就業者ノ監督ニ關スル件……五、 典會指示 一〇三二
三九 在監人作業科程ノ了否査定ニ關スル件……四、二 刑 一三九 一〇三二
四〇 看病夫科程良否ニ關スル件……四、 監 二九一 一〇三三
四一 即決官署ノ囑託ニ係ル留置者ノ作業ニ關スル件……四、一二 監 八二五 一〇三三
四二 作業賞與金不計算日ニ關スル件……明四四、一一 司刑發 七四 一〇三三

四三　作業賞與金不計算ニ關スル件……　五、　典會注意　一〇三三
四四　假出獄ノ取消又ハ刑執行停止者再入ノ場合作業賞與金ノ計算ニ關スル件……　五、六　司長通牒　一〇三四
四五　刑ノ執行停止ニ依ル出監者ノ作業賞與金等ニ關スル件……　七、九　監　一、一六八　一〇三四
四六　作業賞與金ノ計算ニ際シ行狀査定適正ヲ要スル件……　二、　典會指示　一〇三四
四七　刑事被告人中ノ就業日數ハ受刑後ニ通算スヘキ件……　四、七　官通　二九一　一〇三四
四八　累犯者ノ作業賞與金計算方ニ關スル件……　四、八　監　二九一　一〇三四
四九　累犯者タルコト發見ノ場合ニ於ケル作業賞與金計算方ノ件……　四、七　官通　二九一　一〇三五
五〇　作業賞與金計算高ノ減削ニ關スル件……　四、七　官通監　二九一　一〇三五
五一　作業賞與金給與洩ノ場合ニ於ケル取扱方ノ件……　明四四、七　司刑發　四六三　一〇三五

第七章　教誨　教育

一　教誨ノ方法ニ關スル件……　五、　典會訓示　一〇三六
二　鮮語及國語ノ習熟ニ關スル件……　二、　典會指示　一〇三六
三　教師教誨師ハ鮮語ノ修習ヲ要スヘキ件……　一〇、　典會指示　一〇三六
四　個人教誨ノ周到ヲ期スヘキ件……　五、　典會指示　一〇三六
五　教誨原簿ノ記載方ノ件……　二、　典會指示　一〇三七
六　受刑者ノ教育ニ關スル件……　七、一二　監　一、六五七　一〇三七
七　十八歳未滿ノ受刑者ノ教育ノ監督ニ關スル件……　三、　典會指示　一〇三七

八	幼年者敎育ノ適切ヲ期スヘキ件	六、	典會指示		一〇三七
九	鮮人受刑者ノ國語普及ヲ圖ルヘキ件	七、	典會指示		一〇三七
一〇	看讀書籍ノ選擇ニ關スル件	二、	典會訓示		一〇三七
一一	敎務主任會協同議事項決議ニ關スル件	六、一〇	監	一、三三五	一〇三八

第八章　給　與

一	自弁糧食ノ許否ニ關スル件	四、	典會指示		一〇四二
二	自弁糧食ノ許否ニ關スル件	五、	典會指示		一〇四二
三	留置中ノ囚人及刑事被告人ニ給與スル食料額ノ件	明四四、八	總　訓	六九	一〇四二
四	留置中ノ囚人及刑事被告人タル朝鮮人ニ給與スル食料額ノ件	六、九	警訓甲	二五	一〇四二
五	監獄事務報告附表ニ關スル件	一〇、四	法長通牒		一〇四二
六	在監者食料品出納ニ關スル件	五、七	官　通	一〇六	一〇四二
七	糧食取扱方ニ關スル件	五、六	司長通牒		一〇四三
八	在監者保健上給養ノ改善ヲ期スヘキ件	七、	典會注意		一〇四三
九	副食物ノ献立ニ關スル件	二、	典會指示		一〇四三
一〇	副食物ノ配合ニ關スル件	三、	典會指示		一〇四三
一一	內鮮人糧食ノ差別撤廢ノ件	五、	典會注意		一〇四四
一二	在監者衣類臥具製式ニ關スル件	八、二	官　通	二一六	一〇四四
一三	十八歲未滿囚衣類製式ニ關スル件	一一、五	監	一二	一〇四七

一四 在監人ノ使用ニ供スル團扇使用ノ件……明四四、八 司刑 二四 一〇四七
一五 在監者雜具品目增加ノ件……明四五、二 京城監伺 一〇四八
一六 在監者使用雜具增加ノ件……五、八 總督 一〇四八
一七 在監者使用雜具增加ノ件……五、八 釜山監 一〇四八

第九章 衛生 醫療

一 傳染病豫防令……四、六 制令 二 一〇四九
二 傳染病豫防令施行規則……四、七 總令 六九 一〇五一
三 傳染病豫防手續……四、七 警訓甲 三六 一〇五三
四 清潔方法及消毒方法……四、七 總令 七一 一〇五八
五 肺結核豫防ニ關スル件……七、一 總令 四 一〇六二
六 種痘規則……開五〇四、七〇 內令 八 一〇六三
七 朝鮮總督府痘苗賣下規則……明四三、一二 總令 六八 一〇六五
八 受刑者ノ定期健康診斷ノ時期ニ關スル件……七、五 監 六一〇 一〇六五
九 慈惠醫院長會議注意事項ニ關スル件……明四五、七 刑 六二六 一〇六五
一〇 中毒患者施療ニ關スル件……明四五、四 刑 五三 一〇六六
一一 傳染病者ノ隔離消毒ニ關スル件……二、 典會指示 一〇六六
一二 在監者健康狀態及保健的施設ニ關スル件……三、 典會指示 一〇六六
一三 在監者保健的施設ヲ周到ナラシムヘキ件……四、 典會指示 一〇六六

一四	監獄衛生上ノ施設ニ關スル件	七、	典會注意		一〇六六
一五	診療ニ偏セズ一般衛生ノ周到ヲモ期スヘキ件	五、	典會指示		一〇六七
一六	監獄醫ノ診察ニハ懇切ナル取扱ヲ爲スヘキ件	一〇、	典會指示		一〇六七
一七	壞血病者ニ關スル件	五、	典會注意		一〇六七
一八	患者月報記載方ノ件	明四五、一	司刑	三九三	一〇六七
一九	監獄醫ノ帳簿整理ニ關スル件	五、	典會注意		一〇六七
二〇	死刑ノ執行濟報告ニ關スル件	五、五	官通	六二	一〇六七
二一	刑死者ノ墳墓祭祀肖像等ノ取締ニ關スル件	九、一〇	府令	一六〇	一〇六八
二二	流行性感冒豫防救治ニ從事シ感染又ハ死亡シタル者ニ對スル手當給與ニ關スル件	九、六	官通	五三	一〇六八
二三	死刑執行又ハ拘禁中ノ死亡ニ因ル民籍ノ取扱等ニ關スル件	六、二	官通	二九	一〇六八
二四	墓地火葬場埋葬及火葬取締規則	明四五、六	總令	一二三	一〇六九
二五	遺骸取扱埋葬方法ニ關スル件	五、	典會注意		一〇七一
二六	醫務主任會同協議事項ニ關スル件	六、八	監	九八八	一〇七一

第十章　接見　書信

一	刑事被告人ノ發受スル信書ニ關スル件	九、一〇	監	一三八三	一〇七三
二	書信及接見ノ制限期間ニ關スル件	四、七	官通	二九一	一〇七三
三	廢棄スヘキ信書ニ關スル件	五、六	司長通牒		一〇七三

第十一章　賞罰

一　在監者ニ對スル處遇ニ關スル件……四、　典會指示　一〇七四
二　賞遇ハ假出獄又ハ刑執行停止ニ依リ効力ヲ失フヘキ件……四、七　官通　二九一　一〇七四
三　懲罰期間計算ニ關スル件……七、七　官通　一、一六九　一〇七四
四　刑ノ執行ノ寛嚴宜シキヲ要スル件……四、　典會指示　一〇七四
五　在監者紀律違反ニ對スル措置ニ關スル件……五、　典會注意　一〇七四
六　在監者處罰執行ニ關スル件……六、九　監　一、一三三　一〇七五
七　作業賞與金減削懲罰ニ關スル件……六、　典會注意　一〇七五
八　作業賞與金減削罰ノ適用ノ件……十、　典會注意　一〇七五

第十二章　恩赦　假出獄　釋放

一　朝鮮舊刑所犯ノ罪囚ニ對シ大赦ヲ行フノ件……明四四、一　司刑發　六〇　一〇七六
二　赦免ノ恩典ニ浴シタルモノニ關シ更ニ犯罪事件ヲ受理セシ場合ノ報告……明四、三八　勅令　三二五　一〇七八
三　朝鮮舊刑所犯ノ罪囚ニ對シ大赦ヲ行フノ件施行手續……明三四、八　統訓　一七　一〇七九
四　恩赦令……元、九　勅令　二三　一〇八〇
五　恩赦令施行規則……元、一〇九　總令　二〇　一〇八〇
六　大赦令……元、九　勅令　二四　一〇八一
七　赦免證明……元、九　總告　四六　一〇八二

八 減刑ニ關スル件……三、五 勅令 一〇四 一〇八二
九 減刑ニ關スル件……四、一一 勅令 二〇五 一〇八三
一〇 在監人員表ニ恩赦出獄者數揭記方ノ件……四、一一 官通 三一五 一〇八四
一一 王世子李垠ト方子女王トノ結婚ニ丁リ惠澤ヲ施サムカ爲朝鮮人ニ對シ特ニ恩赦ヲ行フノ件……九、四 勅令 一二〇 一〇八四
一二 李王世子殿下ト梨本宮方子女王殿下トノ御婚儀ニ關スル件……九、四 總訓 二〇 一〇八五
一三 無期刑ノ恩赦減刑ヲ得タル者ニ係ル他ノ有期刑ノ執行ニ關スル件……五、六 司秘 二七〇 一〇八五
一四 恩赦出獄人員ニ關スル件……九、七 法秘 八六三 一〇八六
一五 假出獄取締規則……明四五、三 總令 三三 一〇八六
一六 假出獄及假出場ニ關スル取扱手續……明四五、 總訓 一六 一〇九〇
一七 假出獄取締規則ニ關スル件……七、三 官通 四四 一〇九二
一八 刑期三分ノ一應答日算出方ニ關スル件……明四三、一〇 刑 二八九 一〇九三
一九 朝鮮人タル受刑者ニ對スル刑期三分ノ一應答日算出方……明四三、一一 刑 四六二 一〇九三
二〇 二個以上ノ刑ノ言渡ヲ受ケタル者ノ刑期三分ノ一算出ニ關スル件……五、一一 司秘 三九六 一〇九三
二一 行狀査定ノ標準ニ關スル件……二、 典會訓示 一〇九四
二二 假出獄具申書ノ記載方ノ件……三、 典會注意 一〇九四
二三 假出獄具申書記載方ノ件……五、 典會注意 一〇九四

二四　假出獄及假出場ノ具申書作成ノ件……七、　典會注意　一〇九四
二五　假出獄具申書樣式設定ノ件……一〇、四　法長通　一〇九四
二六　短期受刑者ニ對スル假出獄具申ノ件……七、　指示　一〇九五
二七　分監ノ假出獄具申ハ典獄ヲ經由シテ分監長爲スモ妨ナキ件……六、　典會注意　一〇九五
二八　假出獄ノ言渡ニ注意スヘキ件……七、一　監　六六　一〇九五
二九　假出獄者官報掲載ニ關スル件……七、四　監　五〇五　一〇九五
三〇　假出獄及假出場執行報告ニ關スル件……七、一　監　三五　一〇九五
三一　出獄後ノ視察及保護ニ關スル件……三、　典會指示　一〇九六
三二　假出獄出監者再入監ノ場合通報方ノ件……六、六　司秘　一一二　一〇九六
三三　假出獄處分取消ニ關スル件……九、三　法局長　六二一　一〇九六
三四　假出獄具申書ニ添付スヘキ行狀錄ニ關スル件……四、七　監　二九一　一〇九六
三五　假出獄具申書ニ添付スヘキ判決書ノ件……五、八　監　八五九　一〇九七
三六　假出獄具申書ニ添付スヘキ行狀表ニ關スル件……一一、四　法長通牒　一〇九七
三七　假出獄許可者釋放時通報ニ關スル件……六、一〇　監　一、二四九　一〇九七
三八　受刑者釋放ノ際所轄警察官署ヘ通知方ノ件……明四四、五　司刑發　三三七　一〇九八
三九　受刑者釋放ノ際所轄警察署ヘ通知ノ件……四、一一　監　七七五　一〇九八
四〇　出獄者通報ニ關スル件……四、一一　警務總長　一〇九八
四一　受刑者釋放ノ際所轄警察官署ヘ通知ノ件……六、三　監　二〇六　一〇九八
四二　通知ノ場合ハ面洞里名ヲ記載スル件……三、　典會注意　一〇九八

四三　出獄者通報ニ關スル件……九、六　監　一、九三一　一〇九九
四四　癩病者及精神病者ノ釋放時ニ於ケル取扱方ニ關スル件……一〇、一〇　通牒　一〇九九
四五　出獄後ニ於ケル保護監督……七、　典會指示　一〇九九

第十三章　保護

一　免囚保護事業補助金下付手續……二、五　總内訓　五　一一〇一
二　免囚保護會收支計算書ノ件……五、　典會注意　一一〇八
三　免囚保護事業成績表ニ關スル件……五、　典會注意　一一〇九
四　免囚保護事業援助ニ關スル件……三、　典會指示　一一〇九
五　免囚保護事業補助金下付手續ニ關スル件……三、　典會注意　一一〇九
六　免囚保護事業創始發展ニ關スル件……四、　典會訓示　一一〇九
七　免囚保護方針ニ關スル件……四、　典會指示　一一〇九
八　免囚保護會ノ監督ニ關スル件……四、　典會指示　一一一〇
九　免囚保護會ノ名稱ニ關スル件……四、　典會注意　一一一〇
一〇　免囚保護範圍ニ關スル件……七、　典會注意　一一一〇
一一　免囚保護事務ニ付雙互連絡ヲ計ルヘキ件……一〇、　典會指示　一一一〇
一二　恩赦出獄人保護ニ關スル件……四、一一　監　七三一　一一一〇
一三　釋放者保護ニ關スル件……三、　典會指示　一一一一

第九編　裁判執行　刑期計算

第一章　裁判執行

一	刑ノ執行指揮ニ關スル取扱規程	四、二	總訓	四	一一二
二	上訴期間内ニ上訴ノ取下ヲナシタル場合ノ刑ノ執行方ニ關スル件	明四五、五	監會決		一一七
三	管外ノ監獄ニ對スル刑執行又ハ出監指揮ニ關スル件	明四五、五	檢監會決		一一八
四	刑ノ執行停止ニ關スル件	二、一〇	刑	六四九	一一八
五	刑ノ執行停止指揮ニ關スル件	四、六	發	三、一二三	一一八
六	刑事上告取下ニ關スル件	四、六	檢事長通		一一九
七	行刑ノ實情調査ニ關スル件	三、五	總督訓示		一一九
八	併科刑ノ執行ニ關スル件	三、八	高發	一、一四八	一一九
九	執行指揮書ニ添付スベキ判決書ノ送付方ノ件	四、	長官注意		一二〇
一〇	刑ノ執行指揮書ニ添付スベキ判決謄本抄本ニ關スル件	六、一〇	司會注意		一二二
一一	刑ノ執行指揮書ニ罪名其他記入方ノ件	七、七	官通	一一三	一二二
一二	殘刑執行指揮書ノ記載方ニ關スル件	八、二	官通	一四	一二二
一三	刑ノ執行指揮書ニ添付スベキ判決抄本ノ扱抄方ニ關スル件	九、一一	刑	四九	一二二
一四	刑ノ執行指揮ニ關スル件	一〇、五	司會注意		一二三
一五	內地裁判所ノ檢事ニ對スル刑ノ執行囑託ニ關スル件	四、一	高發	一一一	一二三

一六	刑執行受託ノ件	四、九	監	四八〇	一二三
一七	受刑者ニ對スル勾引狀ノ執行ニ關スル件	九、九	監	一、九七六	一二三
一八	無期刑ノ恩赦減刑ヲ得タル者ニ係ル他ノ有期刑ノ執行ニ關スル件	五、六	司　秘	二〇七	一二三
一九	累犯加重決定ノ執行ニ關スル件	五、一一	高　發	三、〇〇五	一二三
二〇	被告人ノ性格及犯罪ノ因由情狀等監獄ニ通知ニ關スル件	六、	司會指示		一二四
二一	刑ノ執行猶豫者ニ對スル出監指揮書ノ記載方ニ關スル件	七、九	官　通	一五五	一二四
二二	刑事闕席判決ノ決定日ニ關スル件	十、一二	司　秘	一、〇四八	一二五
二三	軍法會議ニ於テ財產刑ヲ科セラレタル者ノ勞役場留置執行方ニ關スル件	七、一二	法	三二八	一二六
二四	罰金科料納付方ノ件	一一、四	法務回答		一二六
二五	勞役場留置ト刑事訴訟法第三百十七條トノ關係ニ關スル件	四、九	高檢發	二、三六四	一二七
二六	勞役場留置ニ關スル件	六、四	監	四二四	一二八
二七	勞役場留置ニ關スル件	五、三	司部長官		一二八
二八	加重刑執行ニ關スル件	四、一二	高　發	三、三四七	一二八
二九	刑事判決ノ正本謄本抄本ノ手數料	元、八	總　令	三	一二八
三〇	作業賞與金ヲ以テスル公訴裁判費用支辦ニ關スル件	二、	刑	四八八	一二九

第二章　刑期計算

一	逃走又ハ釋放當日ノ刑期算入ニ關スル件	明四四、三	司刑發	一六七	一三〇
二	刑法第二十一條ノ未決勾留ノ解釋ニ關スル件	二、二	刑	一一	一三〇
三	加重刑ノ刑期計算ニ關スル件	二、六	高檢發	八七五	一三〇
四	刑期計算ニ關スル件	三、一〇	刑	八六三	一三一
五	殘刑期計算ニ關スル件	九、九	刑	八	一三三
六	殘刑起算日ニ關スル件	八、九	高檢	六、一四三	一三四
七	恩赦ニ浴シタル者ノ刑期計算方ニ關スル件	九、一〇	官通	九六	一三四
八	勞役場留置執行中ニ於ケル殘日數ノ計算方ニ關スル件	一〇、五	法長通		一三四
九	刑事令施行前刑法大全ノ刑ニ處セラレタル者ノ刑期計算ニ關スル件	明四五、五	高檢發	七九八	一三五

第一編　憲法

第一編　憲法

第一章　憲法

一　憲法發布勅語

朕國家ノ隆昌ト臣民ノ慶福トヲ以テ中心ノ欣榮トシ朕カ祖宗ニ承クルノ大權ニ依リ現在及將來ノ臣民ニ對シ此ノ不磨ノ大典ヲ宣布ス

惟フニ我カ祖我カ宗ハ我カ臣民祖先ノ協力輔翼ニ倚リ我カ帝國ヲ肇造シ以テ無窮ニ垂レタリ此レ我カ神聖ナル祖宗ノ威德ト竝ニ臣民ノ忠實勇武ニシテ國ヲ愛シ公ニ殉ヒ以テ此ノ光輝アル國史ノ成跡ヲ貽シタルナリ朕我カ臣民ハ即チ祖宗ノ忠良ナル臣民ノ子孫ナルヲ回想シ其ノ朕カ意ヲ奉體シ朕カ事ヲ奬順シ相與ニ和衷協同シ益々我カ帝國ノ光榮ヲ中外ニ宣揚シ祖宗ノ遺業ヲ永久ニ鞏固ナラシムルノ希望ヲ同クシ此ノ負擔ヲ分ツニ堪フルコトヲ疑ハサルナリ

二　大日本帝國憲法

朕祖宗ノ遺烈ヲ承ケ萬世一系ノ帝位ヲ踐ミ朕カ親愛スル所ノ臣民ハ即チ朕カ祖宗ノ惠撫慈養シタマヒシ所ノ臣民ナルヲ念ヒ其ノ康福ヲ增進シ其ノ懿德良能ヲ發達セシメムコトヲ願ヒ又其ノ翼賛ニ依リ與ニ倶ニ國家ノ進運ヲ扶持セムコトヲ望ミ乃チ明治十四年十月十二日ノ詔命ヲ履踐シ茲ニ大憲ヲ制定シ朕カ率由スル所ヲ示シ朕カ後嗣及臣民及臣民ノ子孫タル者ヲシテ永遠ニ循行スル所ヲ知ラシム

國家統治ノ大權ハ朕カ之ヲ祖宗ニ承ケテ之ヲ子孫ニ傳フル所ナリ朕及朕カ子孫ハ將來此ノ憲法ノ條章ニ循ヒ之ヲ行フコトヲ愆ラサルヘシ

朕ハ我カ臣民ノ權利及財產ノ安全ヲ貴重シ及之ヲ保護シ此ノ憲法及法律ノ範圍內ニ於テ其ノ享有ヲ完全ナラシムヘキコトヲ宣言ス

帝國議會ハ明治二十三年ヲ以テ之ヲ召集シ議會開會ノ時ヲ以テ此ノ憲法ヲシテ有效ナラシムルノ期トスヘシ

將來若此ノ憲法ノ或ル條章ヲ改定スルノ必要ナル時宜ヲ見ルニ至ラハ朕及朕カ繼統ノ子孫ハ發議ノ權ヲ執リ之ヲ議會ニ付シ議會ハ此ノ憲法ニ定メタル要件ニ依リ之ヲ議決スルノ外朕カ子孫及臣民ハ敢テ之カ紛更ヲ試ミルコトヲ得サルヘシ

朕カ在廷ノ大臣ハ朕カ爲ニ此ノ憲法ヲ施行スルノ責ニ任スヘク朕カ現在及將來ノ臣民ハ此ノ憲法ニ對シ永遠ニ從順ノ義務ヲ負フヘシ

御名御璽

明治二十二年二月十一日

內閣總理大臣　伯爵　黑田清隆
樞密院議長　伯爵　伊藤博文
外務大臣　伯爵　大隈重信
海軍大臣　伯爵　西鄉從道
農商務大臣　伯爵　井上馨
司法大臣　伯爵　山田顯義
大藏大臣兼內務大臣　伯爵　松方正義
陸軍大臣　伯爵　大山巖

文部大臣　子爵　森　有禮
遞信大臣　子爵　榎本武揚

大日本帝國憲法

第一章　天皇

第一條　大日本帝國ハ萬世一系ノ天皇之ヲ統治ス

第二條　皇位ハ皇室典範ノ定ムル所ニ依リ皇男子孫之ヲ繼承ス

第三條　天皇ハ神聖ニシテ侵スヘカラス

第四條　天皇ハ國ノ元首ニシテ統治權ヲ總攬シ此ノ憲法ノ條規ニ依リ之ヲ行フ

第五條　天皇ハ帝國議會ノ協賛ヲ以テ立法權ヲ行フ

第六條　天皇ハ法律ヲ裁可シ其ノ公布及執行ヲ命ス

第七條　天皇ハ帝國議會ヲ召集シ其ノ開會閉會停會及衆議院ノ解散ヲ命ス

第八條　天皇ハ公共ノ安全ヲ保持シ又ハ其災厄ヲ避クル爲緊急ノ必要ニ由リ帝國議會閉會ノ場合ニ於テ法律ニ代ルヘキ勅令ヲ發ス

此ノ勅令ハ次ノ會期ニ於テ帝國議會ニ提出スヘシ若議會ニ於テ承諾セサルトキハ政府ハ將來ニ向テ其ノ效力ヲ失フコトヲ公布スヘシ

第九條　天皇ハ法律ヲ執行スル爲ニ又ハ公共ノ安寧秩序ヲ保持シ及臣民ノ幸福ヲ增進スル爲ニ必要ナル命令ヲ發シ又ハ發セシム但シ命令ヲ以テ法律ヲ變更スルコトヲ得ス

第十條　天皇ハ行政各部ノ官制及文武官ノ俸給ヲ定メ及文武官ヲ任免ス但シ此ノ憲法又ハ他ノ法律ニ特例ヲ揭ケタルモノハ各々其ノ條項ニ依ル

第十一條　天皇ハ陸海軍ヲ統帥ス

第十二條　天皇ハ陸海軍ノ編制及常備兵額ヲ定ム

第十三條　天皇ハ戰ヲ宣シ和ヲ講シ及諸般ノ條約ヲ締結ス

第十四條　天皇ハ戒嚴ヲ宣告ス

戒嚴ノ要件及效力ハ法律ヲ以テ之ヲ定ム

第十五條　天皇ハ爵位勳章及其ノ他ノ榮典ヲ授與ス

第十六條　天皇ハ大赦特赦減刑及復權ヲ命ス

第十七條　攝政ヲ置クハ皇室典範ノ定ムル所ニ依ル

攝政ハ天皇ノ名ニ於テ大權ヲ行フ

第二章　臣民權利義務

第十八條　日本臣民タルノ要件ハ法律ノ定ムル所ニ依ル

第十九條　日本臣民ハ法律命令ノ定ムル所ノ資格ニ應シ均ク文武官ニ任セラレ及其ノ他ノ公務ニ就クコトヲ得

第二十條　日本臣民ハ法律ノ定ムル所ニ從ヒ兵役ノ義務ヲ有ス

第二十一條　日本臣民ハ法律ノ定ムル所ニ從ヒ納稅ノ義務ヲ有ス

第二十二條　日本臣民ハ法律ノ範圍內ニ於テ居住及移轉ノ自由ヲ有ス

第二十三條　日本臣民ハ法律ニ依ルニ非スシテ逮捕監禁審問處罰ヲ受クルコトナシ

第二十四條　日本臣民ハ法律ニ定メタル裁判官ノ裁判ヲ受クルノ權ヲ奪ハルヽコトナシ

第二十五條　日本臣民ハ法律ニ定メタル場合ヲ除ク外其ノ許諾ナクシテ住所ニ侵入セラレ及搜索セラルヽコトナシ

第二十六條　日本臣民ハ法律ニ定メタル場合ヲ除ク外信書ノ秘密ヲ侵サ

ル、コトナシ

第二十七條　日本臣民ハ其ノ所有權ヲ侵サルヽコトナシ

公益ノ爲必要ナル處分ハ法律ノ定ムル所ニ依ル

第二十八條　日本臣民ハ安寧秩序ヲ妨ケス及臣民タルノ義務ニ背カサル限ニ於テ信敎ノ自由ヲ有ス

第二十九條　日本臣民ハ法律ノ範圍內ニ於テ言論著作印行集會及結社ノ自由ヲ有ス

第三十條　日本臣民ハ相當ノ敬禮ヲ守リ別ニ定ムル所ノ規程ニ從ヒ請願ヲ爲スコトヲ得

第三十一條　本章ニ揭ケタル條規ハ戰時又ハ國家事變ノ場合ニ於テ天皇大權ノ施行ヲ妨クルコトナシ

第三十二條　本章ニ揭ケタル條規ハ陸海軍ノ法令又ハ紀律ニ牴觸セサルモノニ限リ軍人ニ準行ス

第三章　帝國議會

第三十三條　帝國議會ハ貴族院衆議院ノ兩院ヲ以テ成立ス

第三十四條　貴族院ハ貴族院令ノ定ムル所ニ依リ皇族華族及勅任セラレタル議員ヲ以テ組織ス

第三十五條　衆議院ハ選擧法ノ定ムル所ニ依リ公選セラレタル議員ヲ以テ組織ス

第三十六條　何人モ同時ニ兩議院ノ議員タルコトヲ得ス

第三十七條　凡テ法律ハ帝國議會ノ協贊ヲ經ルヲ要ス

第三十八條　兩議院ハ政府ノ提出スル法律案ヲ議決シ及各々法律案ヲ提出スルコトヲ得

第三十九條　兩議院ノ一ニ於テ否決シタル法律案ハ同會期中ニ於テ再ヒ提出スルコトヲ得ス

第四十條　兩議院ハ法律又ハ其ノ他ノ事件ニ付各々其ノ意見ヲ政府ニ建議スルコトヲ得但シ其ノ採納ヲ得サルモノハ同會期中ニ於テ再ヒ建議スルコトヲ得ス

第四十一條　帝國議會ハ每年之ヲ召集ス

第四十二條　帝國議會ハ三箇月ヲ以テ會期トス必要アル場合ニ於テハ勅命ヲ以テ之ヲ延長スルコトアルヘシ

第四十三條　臨時緊急ノ必要アル場合ニ於テ常會ノ外臨時會ヲ召集スヘシ

臨時會ノ會期ヲ定ムルハ勅命ニ依ル

第四十四條　帝國議會ノ開會閉會會期ノ延長及停會ハ兩院同時ニ之ヲ行フヘシ

衆議院解散ヲ命セラレタルトキハ貴族院ハ同時ニ停會セラルヘシ

第四十五條　衆議院解散ヲ命セラレタルトキハ勅命ヲ以テ新ニ議員ヲ選擧セシメ解散ノ日ヨリ五箇月以內ニ之ヲ召集スヘシ

第四十六條　兩議院ハ各々其ノ總議員三分ノ一以上出席スルニ非サレハ議事ヲ開キ議決ヲ爲スコトヲ得ス

第四十七條　兩議院ノ議事ハ過半數ヲ以テ決ス可否同數ナルトキハ議長ノ決スル所ニ依ル

第四十八條　兩議院ノ會議ハ公開ス但シ政府ノ要求又ハ其ノ院ノ決議ニ依リ祕密會ト爲スコトヲ得

第四十九條　兩議員ハ各々天皇ニ上奏スルコトヲ得

第五十條　兩議院ハ臣民ヨリ呈出スル請願書ヲ受クルコトヲ得

第五十一條　兩議院ハ此ノ憲法及議院法ニ掲クルモノヽ外内部ノ整理ニ必要ナル諸規則ヲ定ムルコトヲ得

第五十二條　兩議院ノ議員ハ議院ニ於テ發言シタル意見及表決ニ付院外ニ於テ責ヲ負フコトナシ但シ議員自ラ其ノ言論ヲ演説刊行筆記又ハ其ノ他ノ方法ヲ以テ公布シタルトキハ一般ノ法律ニ依リ處分セラルヘシ

第五十三條　兩議院ノ議員ハ現行犯罪又ハ内亂外患ニ關ル罪ヲ除ク外會期中其ノ院ノ許諾ナクシテ逮捕セラルヽコトナシ

第五十四條　國務大臣及政府委員ハ何時タリトモ各議院ニ出席シ及發言スルコトヲ得

第四章　國務大臣及樞密顧問

第五十五條　國務各大臣ハ天皇ヲ輔弼シ其ノ責ニ任ス

凡テ法律勅令其ノ他國務ニ關ル詔勅ハ國務大臣ノ副署ヲ要ス

第五十六條　樞密顧問ハ樞密院官制ノ定ムル所ニ依リ天皇ノ諮詢ニ應ヘ重要ノ國務ヲ審議ス

第五章　司法

第五十七條　司法權ハ天皇ノ名ニ於テ法律ニ依リ裁判所之ヲ行フ

裁判所ノ構成ハ法律ヲ以テ之ヲ定ム

第五十八條　裁判官ハ法律ニ定メタル資格ヲ具フル者ヲ以テ之ニ任ス

裁判官ハ刑法ノ宣告又ハ懲戒ノ處分ニ由ルノ外其ノ職ヲ免セラルヽコトナシ

懲戒ノ條規ハ法律ヲ以テ之ヲ定ム

第五十九條　裁判ノ對審判決ハ之ヲ公開ス但シ安寧秩序又ハ風俗ヲ害スルノ虞アルトキハ法律ニ依リ又ハ裁判所ノ決議ヲ以テ對審ノ公開ヲ停ムルコトヲ得

第六十條　特別裁判所ノ管轄ニ屬スヘキモノハ別ニ法律ヲ以テ之ヲ定ム

第六十一條　行政官廳ノ違法處分ニ由リ權利ヲ傷害セラレタリトスルノ訴訟ニシテ別ニ法律ヲ以テ定メタル行政裁判所ノ裁判ニ屬スヘキモノハ司法裁判所ニ於テ受理スルノ限ニ在ラス

第六章　會計

第六十二條　新ニ租税ヲ課シ及税率ヲ變更スルハ法律ヲ以テ之ヲ定ムヘシ

但シ報償ニ屬スル行政上ノ手數料及其ノ他ノ收納金ハ前項ノ限ニ在ラス

國債ヲ起シ及豫算ニ定メタルモノヲ除ク外國庫ノ負擔トナルヘキ契約ヲ爲スハ帝國議會ノ協贊ヲ經ヘシ

第六十三條　現行ノ租税ハ更ニ法律ヲ以テ之ヲ改メサル限ハ舊ニ依リ之ヲ徵收ス

第六十四條　國家ノ歳出歳入ハ毎年豫算ヲ以テ帝國議會ノ協贊ヲ經ヘシ

豫算ノ款項ニ超過シ又ハ豫算ノ外ニ生シタル支出アルトキハ後日帝國議會ノ承諾ヲ求ムルヲ要ス

第六十五條　豫算ハ前ニ衆議院ニ提出スヘシ

第六十六條　皇室經費ハ現在ノ定額ニ依リ毎年國庫ヨリ之ヲ支出シ將來增額ヲ要スル場合ヲ除ク外帝國議會ノ協贊ヲ要セス

第六十七條　憲法上ノ大權ニ基ツケル既定ノ歳出及法律ノ結果ニ由リ又

ハ法律上政府ノ義務ニ屬スル歲出ハ政府ノ同意ナクシテ帝國議會之ヲ廢除シ又ハ削減スルコトヲ得ス

第六十八條 特別ノ須要ニ因リ政府ハ豫メ年限ヲ定メ繼續費トシテ帝國議會ノ協贊ヲ求ムルコトヲ得

第六十九條 避クヘカラサル豫算ノ不足ヲ補フ爲ニ又ハ豫算ノ外ニ生シタル必要ノ費用ニ充ツル爲ニ豫備費ヲ設クヘシ

第七十條 公共ノ安全ヲ保持スル爲緊急ノ需要アル場合ニ於テ內外ノ情形ニ因リ政府ハ帝國議會ヲ召集スルコト能ハサルトキハ勅令ニ依リ財政上必要ノ處分ヲ爲スコトヲ得

前項ノ場合ニ於テハ次ノ會期ニ於テ帝國議會ニ提出シ其ノ承諾ヲ求ムルヲ要ス

第七十一條 帝國議會ニ於テ豫算ヲ議定セス又ハ豫算成立ニ至ラサルトキハ政府ハ前年度ノ豫算ヲ施行スヘシ

第七十二條 國家ノ歲出歲入ノ決算ハ會計檢査院之ヲ檢査確定シ政府ハ其ノ檢査報告ト倶ニ之ヲ帝國議會ニ提出スヘシ

會計檢査院ノ組織及職權ハ法律ヲ以テ之ヲ定ム

第七章 補則

第七十三條 將來此ノ憲法ノ條項ヲ改正スルノ必要アルトキハ勅命ヲ以テ議案ヲ帝國議會ノ議ニ付スヘシ

此ノ場合ニ於テ兩議院ハ各々其ノ總員三分ノ二以上出席スルニ非サレハ議事ヲ開クコトヲ得ス

出席議員三分ノ二以上ノ多數ヲ得ルニ非サレハ改正ノ議決ヲ爲スコトヲ得ス

第七十四條 皇室典範ノ改正ハ帝國議會ノ議ヲ經ルヲ要セス

皇室典範ヲ以テ此ノ憲法ノ條規ヲ變更スルコトヲ得ス

第七十五條 憲法及皇室典範ハ攝政ヲ置クノ間之ヲ變更スルコトヲ得ス

第七十六條 法律規則命令又ハ何等ノ名稱ヲ用ヰタルニ拘ラス此ノ憲法ニ矛盾セサル現行ノ法令ハ總テ遵由ノ效力ヲ有ス

歲出上政府ノ義務ニ係ル現在ノ契約又ハ命令ハ總テ第六十七條ノ例ニ依ル

三 請願令

大正六年四月
勅令第三十七號

朕樞密顧問ノ諮詢ヲ經テ請願令ヲ裁可シ玆ニ之ヲ公布セシム

請願令

第一條 請願ハ法律勅令ニ別段ノ規定アルモノヲ除クノ外本令ニ依リ之ヲ爲スヘシ

第二條 請願ハ文書ヲ以テ之ヲ爲スヘシ

請願書ニハ侮辱誹毀ニ渉リ又ハ秩序風俗ヲ紊ル文辭ヲ用ウルコトヲ得ス

第三條 請願書ノ文字ハ端正鮮明ナルコトヲ要ス

第四條 請願書ニハ請願ノ要旨、理由、年月日、請願者ノ族稱、職業、住所、年齡ヲ記載シ請願者各自之ニ署名捺印スヘシ

第五條 法人請願者ナルトキハ其ノ名稱及住所ヲ記載シ法定ノ代表者各自請願書ニ署名捺印スヘシ

第六條 法人ハ其ノ目的ノ遂行ニ關係アル事項ニ非サレハ請願ヲ爲スコトヲ得ス

第七條 未成年者及禁治産者ノ請願ハ其ノ法定代理人ニ於テモ之ヲ爲スコトヲ得
前項ノ場合ニ於テハ請願書ニ代理ノ事由及法定代理人ノ族稱、職業、住所、年齢ヲ記載シ法定代理人之ニ署名捺印スヘシ
第八條 署名スルコト能ハサル者ハ他人ヲシテ代署セシムルコトヲ得此ノ場合ニ於テハ代署者請願書ニ其ノ事由ヲ附記シ且其ノ族稱、職業、住所、年齢ヲ記載シ之ニ署名捺印スヘシ
第九條 請願ハ第七條ノ場合ヲ除クノ外代理人ニ依リテ之ヲ爲スコトヲ得ス
第十條 天皇ニ奉呈スル請願書ハ封皮ニ請願ノ二字ヲ朱書シ内大臣府ニ宛テ其ノ他ノ請願書ハ請願ノ事項ニ付職權ヲ有スル官公署ニ宛テ郵便ヲ以テ差出スヘシ
第十一條 左ニ掲クル事項ニ付テハ請願ヲ爲スコトヲ得ス
一 皇室典範及帝國憲法ノ變更ニ關スル事項
二 裁判ニ干預スル事項
第十二條 相當ノ敬禮ヲ守ラス又ハ本令ノ規定ニ違反スル請願書ハ之ヲ却下ス但シ官公署ニ對スル請願書ハ第三條乃至第五條、第七條第二項又ハ第八條ノ規定ニ違反スルモ之ヲ却下セサルコトヲ得
第十三條 請願ニ對シテハ指令ヲ與ヘス
第十四條 天皇ニ奉呈スル請願書ハ内大臣奏聞シ旨ヲ奉シテ之ヲ處理ス
第十五條 請願ニ關シ官公署ノ職員ニ強テ面接ヲ求メタル者ハ二月以下ノ禁錮若ハ五十圓以下ノ罰金又ハ拘留若ハ科料ニ處ス
二人以上共ニ前項ノ罪ヲ犯シタルトキハ六月以下ノ禁錮又ハ百圓以下ノ罰金ニ處ス
第十六條 行幸ノ際沿道又ハ行幸地ニ於テ直願ヲ爲サムトシタル者ハ一年以下ノ懲役ニ處ス行啓ノ際沿道又ハ行啓地ニ於テ直願ヲ爲サムトシタル者亦同シ
第十七條 請願ヲ爲サシムル爲他人ヲ誘惑若ハ煽動シ又ハ名義ノ何タルヲ問ハス請願ニ關スル運動ノ爲金錢其ノ他ノ利益ヲ收受シ、要求シ若ハ其ノ收受ヲ約束シタル者ハ六月以下ノ懲役又ハ百圓以下ノ罰金ニ處ス

四 請願ニ關スル件

大正六年七月
官通第百三十號

政務總監

所屬官署長宛

總督ニ對スル請願ハ請願令第十條ニ依リ本府ニ宛テ郵便ヲ以テ差出スヘキモノニシテ明治四十三年府令第五號ヲ適用スヘキモノニ無之從テ請願ニシテ地方長官ヲ經由スルモノ又ハ所屬官署ニ差出スモノハ請願令ニ違反スルモノトシ同令第十二條ニ依リ處理相成ヘク爲念及通牒候也

五 請願書取扱方ノ件

大正六年九月
官通第百七十一號

總務局長

各部長官、官房局課長、所屬官署ノ長宛

請願書ノ取扱ハ從來區區ニ亙ル向有之ヤニ被認候條爾今左記ニ依リ處理相成度及通牒候也

記

一　歎願書、情願書、哀願書等ノ名稱ヲ用ヒ進達スルモノト雖其ノ内容ヲ請願ト認ムルトキハ之ヲ請願書トシテ處理スルコト

二　請願書ハ其ノ形式內容ヲ調査シ請願令第十二條ニ依リ却下スヘキモノハ必ラス其ノ手續ヲ爲スコト

三　請願書却下ハ左ノ樣式ニ依リ符箋ヲ以テスルコト

請願令第十二條ニ依リ却下ス 大正　年　月　日 官署　名　印

四　受理スヘキ請願書ヲ却下シ又ハ受理シタル請願書ヲ請願人ニ返付セサルコト

六　刑事事件ニ關スル請願書ノ取扱ニ關スル件

大正十年四月裁判所ノ長、檢事局ノ長宛法務局長通牒

刑事事件ノ豫審又ハ公判ニ繫屬中被告事件ニ關係ナキ者ヨリ被告人ノ爲寬大ノ處分ヲ要請シ又ハ前審裁判ヲ非議シテ行政上ノ干涉ヲ求メムトスル等裁判ニ干與スル事項ニ付請願書ヲ提出シタル場合ニ於テハ請願令及大正六年九月二十九日附官通牒第一七一號ノ趣旨ニ依リ夫々御處理相成居候儀トハ思料候得共往々右樣ノ請願書ヲ受理シ其ノ儘訴訟記錄中ニ編綴セラルヽ向有之司法ノ威信ニ關スル場合モ可有之思考候將來斯ノ如キコト無之樣御留意相成度爲念此ノ段及通牒候也

第二章　皇室典範

一　皇室典範

明治二十二年
二月十一日

天佑ヲ享有シタル我カ日本帝國ノ寶祚ハ萬世一系歷代繼承シ以テ朕カ躬ニ至ル惟フニ祖宗肇國ノ初大憲一タヒ定マリ昭ナルコト日星ノ如シ今ノ時ニ當リ宜ク遺訓ヲ明徵ニシ皇家ノ成典ヲ制立シ以テ丕基ヲ永遠ニ鞏固ニスヘシ茲ニ樞密顧問ノ諮詢ヲ經皇室典範ヲ裁定シ朕カ後嗣及子孫ヲシテ遵守スル所アラシム

皇室典範

第一章　皇位繼承

第一條　大日本國皇位ハ祖宗ノ皇統ニシテ男系ノ男子之ヲ繼承ス

第二條　皇位ハ皇長子ニ傳フ

第三條　皇長子在ラサルトキハ皇長孫ニ傳フ皇長子及其ノ子孫皆在ラサルトキハ皇次子及其ノ子孫ニ傳フ以下皆之ニ例ス

第四條　皇子孫ノ皇位ヲ繼承スルハ嫡出ヲ先ニス

皇庶子孫ノ皇位ヲ繼承スルハ皇嫡子孫皆在ラサルトキニ限ル

第五條　皇子孫皆在ラサルトキハ皇兄弟及其ノ子孫ニ傳フ

第六條　皇兄弟及其ノ子孫皆在ラサルトキハ皇伯叔父及其ノ子孫ニ傳フ

第七條　皇伯叔父及其ノ子孫皆在ラサルトキハ其ノ以上ニ於テ最近親ノ皇族ニ傳フ

第八條　皇兄弟以上ハ同等内ニ於テ嫡ヲ先ニシ庶ヲ後ニシ長ヲ先ニシ幼ヲ後ニス

第九條　皇嗣精神若ハ身體ノ不治ノ重患アリ又ハ重大ノ事故アルトキハ皇族會議及樞密顧問ニ諮詢シ前數條ニ依リ繼承ノ順序ヲ換フルコトヲ得

第二章　踐祚卽位

第十條　天皇崩スルトキハ皇嗣卽チ踐祚シ祖宗ノ神器ヲ承ク

第十一條　卽位ノ禮及大嘗祭ハ京都ニ於テ之ヲ行フ

第十二條　踐祚ノ後元號ヲ建テ一世ノ間ニ再ヒ改メサルコト明治元年ノ定制ニ從フ

第三章　成年立后立太子

第十三條　天皇及皇太子皇太孫ハ滿十八年ヲ以テ成年トス

第十四條　前條ノ外ノ皇族ハ滿二十年ヲ以テ成年トス

第十五條　儲嗣タル皇子ヲ皇太子トス皇太子在ラサルトキハ儲嗣タル皇孫ヲ皇太孫トス

第十六條　皇后皇太子皇太孫ヲ立ツルトキハ詔書ヲ以テ之ヲ公布ス

第四章　敬稱

第十七條　天皇太皇太后皇太后皇后ノ敬稱ハ陛下トス

第十八條　皇太子皇太子妃皇太孫皇太孫妃親王親王妃內親王王王妃女王ノ敬稱ハ殿下トス

第五章　攝政

第十九條　天皇未タ成年ニ達セサルトキハ攝政ヲ置ク天皇久キニ亘ルノ故障ニ由リ大政ヲ親ラスルコト能ハサルトキハ皇族會議及樞密顧問ノ議ヲ經テ攝政ヲ置ク

第二十條　攝政ハ成年ニ達シタル皇太子又ハ皇太孫之ニ任ス

第二十一條　皇太子皇太孫アラサルカ又ハ未タ成年ニ達セサルトキハ左ノ順序ニ依リ攝政ニ任ス

第一　親王及王

第二　皇后

第三　皇太后

第四　太皇太后

第五　內親王及女王

第二十二條　皇族男子ノ攝政ニ任スルハ皇位繼承ノ順序ニ從フ其ノ女子ニ於ケルモ亦之ニ準ス

第二十三條　皇族女子ノ攝政ニ任スルハ其ノ配偶アラサル者ニ限ル

第二十四條　最近親ノ皇族未タ成年ニ達セサルカ又ハ其ノ他ノ事故ニ由リ他ノ皇族攝政ニ任シタルトキハ後來最近親ノ皇族成年ニ達シ又ハ其ノ事故既ニ除クト雖皇太子及皇太孫ニ對スルノ外其任ヲ讓ルコトナシ

第二十五條　攝政又攝政タルヘキ者精神若ハ身體ノ重患アリ又ハ重大ノ事故アルトキハ皇族會議及樞密顧問ノ議ヲ經テ其ノ順序ヲ換フルコトヲ得

第六章　太傅

第二十六條　天皇未タ成年ニ達セサルトキハ太傅ヲ置キ保育ヲ掌ラシム

第二十七條　先帝遺命ヲ以テ太傅ヲ任セサリシトキハ攝政ヨリ皇族會議及樞密顧問ニ諮詢シ之ヲ選任ス

第二十八條　太傅ハ攝政及其ノ子孫之ニ任スルコトヲ得ス

第二十九條　攝政ハ皇族會議及樞密顧問ニ諮詢シタル後ニ非サレハ太傅ヲ退職セシムルコトヲ得ス

第七章　皇族

第三十條　皇族ト稱フルハ太皇太后皇太后皇后皇太子皇太子妃皇太孫皇太孫妃親王親王妃內親王王王妃女王ヲ謂フ

第三十一條　皇子ヨリ皇玄孫ニ至ルマテハ男ヲ親王女ヲ內親王トシ五世以下ハ男ヲ王女ヲ女王トス

第三十二條　天皇支系ヨリ入テ大統ヲ承クルトキハ皇兄弟姉妹ノ王女王タル者ニ特ニ親王內親王ノ號ヲ宣賜ス

第三十三條　皇族ノ誕生命名婚嫁薨去ハ宮內大臣之ヲ公告ス

第三十四條　皇統譜及前條ニ關ル記錄ハ圖書寮ニ於テ尚藏ス

第三十五條　皇族ハ天皇之ヲ監督ス

第三十六條　攝政在任ノ時ハ前條ノ事ヲ攝行ス

第三十七條　皇族男女幼年ニシテ父ナキ者ハ宮內ノ官寮ニ命シ保育ヲ掌ラシム事宜ニ依リ天皇ハ其ノ父母ノ選擧セル後見人ヲ認可シ又ハ之ヲ勅選スヘシ

第三十八條　皇族ノ後見人ハ成年以上ノ皇族ニ限ル

第三十九條　皇族ノ婚嫁ハ同族又ハ勅旨ニ由リ特ニ認許セラレタル華族ニ限ル

第四十條　皇族ノ婚嫁ハ勅許ニ由ル

第四十一條　皇族ノ婚嫁ヲ許可スルノ勅書ハ宮內大臣之ニ副署ス

第四十二條　皇族ハ養子ヲ爲スコトヲ得ス

第四十三條　皇族國疆ノ外ニ旅行セムトスルトキハ勅許ヲ請フヘシ

第四十四條　皇族女子ノ臣籍ニ嫁シタル者ハ皇族ノ列ニ在ラス但シ特旨

ニ依リ仍内親王女王ノ稱ヲ有セシムルコトアルヘシ

第八章　世傳御料

第四十五條　土地物件ノ世傳御料ト定メタルモノハ分割讓與スルコトヲ得ス

第四十六條　世傳御料ニ編入スル土地物件ハ樞密顧問ニ諮詢シ勅書ヲ以テ之ヲ定メ宮内大臣之ヲ公告ス

第九章　皇室經費

第四十七條　皇室諸般ノ經費ハ特ニ常額ヲ定メ國庫ヨリ支出セシム

第四十八條　皇室經費ノ豫算決算檢査及其ノ他ノ規則ハ皇室會計法ノ定ムル所ニ依ル

第十章　皇族訴訟及懲戒

第四十九條　皇族相互ノ民事ノ訴訟ハ勅旨ニ依リ宮内省ニ於テ裁判員ヲ命シ裁判セシメ勅裁ヲ經テ之ヲ執行ス

第五十條　人民ヨリ皇族ニ對スル民事ノ訴訟ハ東京控訴院ニ於テ之ヲ裁判ス但シ皇族ハ代人ヲ以テ訴訟ニ當ラシメ自ラ訟廷ニ出ルヲ要セス

第五十一條　皇族ハ勅許ヲ得ルニ非サレハ勾引シ又ハ裁判所ニ召喚スルコトヲ得ス

第五十二條　皇族其ノ品位ヲ辱ムルノ所行アリ又ハ皇室ニ對シ忠順ヲ缺クトキハ勅旨ヲ以テ之ヲ懲戒シ其ノ重キ者ハ皇族特權ノ一部又ハ全部ヲ停止シ若ハ剝奪スヘシ

第五十三條　皇族蕩產ノ所行アルトキハ勅旨ヲ以テ治產ノ禁ヲ宣告シ其ノ管財者ヲ任スヘシ

第五十四條　前二條ハ皇族會議ニ諮詢シタル後之ヲ勅裁ス

第十一章　皇族會議

第五十五條　皇族會議ハ成年以上ノ皇族男子ヲ以テ組織シ内大臣樞密院議長宮内大臣司法大臣大審院長ヲ以テ參列セシム

第五十六條　天皇ハ皇族會議ニ親臨シ又ハ皇族中ノ一員ニ命シテ議長タラシム

第十二章　補則

第五十七條　現在ノ皇族五世以下親王ノ號ヲ宣賜シタル者ハ舊ニ依ル

第五十八條　皇位繼承ノ順序ハ總テ實系ニ依ル現在皇養子皇猶子又ハ他ノ繼嗣タルノ故ヲ以テ之ヲ混スルコトナシ

第五十九條　親王内親王王女王ノ品位ハ之ヲ廢ス

第六十條　親王ノ家格及其ノ他此ノ典範ニ牴觸スル例規ハ總テ之ヲ廢ス

第六十一條　皇族ノ財產歲費及諸規則ハ別ニ之ヲ定ムヘシ

第六十二條　將來此ノ典範ノ條項ヲ改正シ又ハ增補スヘキノ必要アルニ當テハ皇族會議及樞密顧問ニ諮詢シテ之ヲ勅定スヘシ

二　皇室典範增補

明治四十年二月十一日

御告文

皇朕レ謹ミ畏ミ
皇祖
皇宗ノ神靈ニ告ケ白サク皇室典範ハ
皇祖
皇宗ノ遺範ヲ明徵ニシ天壤無窮ノ宏基ヲ鞏固ニスル所以ニシテ紹述以來爰ニ十有九年皇朕レ我カ諸昆ト倶ニ之ヲ欽遵シテ敢テ違越スルコトナシ

今ヤ國祺倍々昌隆ニシテ
皇祖
皇宗ノ威靈遐ク四裔ニ顯赫タルノ時ニ膺リ進運ヲ照察シ成典ヲ增益シ以テ尊嚴保維ノ圖ヲ廓ニシ子孫率由ノ道ヲ裕ニスルハ亦
皇祖
皇宗聖謨ノ存スル所ニ外ナラス皇朕レ茲ニ皇室典範增補ヲ制定シ仰テ
皇祖
皇宗ノ神祐ヲ禱リ永遠ニ履行シテ愆ラサラムコトヲ誓フ庶幾クハ
神靈此ヲ鑒ミタマヘ

天佑ヲ享有シタル我カ日本帝國皇家ノ成典ハ祖宗ノ洪範ヲ紹述シテ敢テ違フコトアルナシ而シテ人文ノ發展ハ寰宇ノ進運ニ隨ヒ制度ノ燦備ハ條章ノ增廣ヲ必トス是ノ時ニ當リ朕ハ祖宗ノ丕基ヲ永遠ニ鞏固ニスル所以ノ良圖ヲ惟ヒ且憲章ニ由テ以テ皇族ノ分義ヲ昭ニセムコトヲ欲シ茲ニ皇族會議及樞密顧問ノ諮詢ヲ經テ皇室典範增補ヲ裁定シ朕カ子孫及臣民ヲシテ之ニ率由シテ愆ルコトナキヲ期セシム

皇室典範增補

第一條 王ハ勅旨又ハ情願ニ依リ家名ヲ賜ヒ華族ニ列セシムルコトアルヘシ

第二條 王ハ勅許ニ依リ華族ノ家督相續人トナリ又ハ家督相續ノ目的ヲ以テ華族ノ養子トナルコトヲ得

第三條 前二條ニ依リ臣籍ニ入リタル者ノ妻直系卑屬及其ノ妻ハ其ノ家ニ入ル但シ他ノ皇族ニ嫁シタル女子及其ノ直系卑屬ハ此ノ限ニ在ラス

第四條 特權ヲ剝奪セラレタル皇族ハ勅旨ニ由リ臣籍ニ降スコトアルヘシ

前項ニ依リ臣籍ニ降サレタル者ノ妻ハ其ノ家ニ入ル

第五條 第一條第二條第四條ノ場合ニ於テハ皇族會議及樞密顧問ノ諮詢ヲ經ヘシ

第六條 皇族ノ臣籍ニ入リタル者ハ皇族ニ復スルコトヲ得ス

第七條 皇族ノ身位其ノ他ノ權義ニ關スル規程ハ此ノ典範ニ定メタルモノノ外別ニ之ヲ定ム

皇族ト人民トニ渉ル事項ニシテ各々適用スヘキ法規ヲ異ニスルトキハ前項ノ規程ニ依ル

第八條 法律命令中皇族ニ適用スヘキモノトシタル規定ハ此ノ典範又ハ之ニ基ツキ發スル規則ニ別段ノ條規ナキトキニ限リ之ヲ適用ス

三 皇室祭祀令

明治四十一年九月
皇室令第一號

朕皇室祭祀令ヲ裁可シ茲ニ之ヲ公布セシム

皇室祭祀令

第一章 總則

第一條 皇室ノ祭祀ハ他ノ皇室令ニ別段ノ定アル場合ヲ除クノ外本令ノ定ムル所ニ依ル

第二條 祭祀ハ大祭及小祭トス

第三條 祭祀ハ附式ノ定ムル所ニ依リ之ヲ行フ

第四條 天皇喪ニ在ル間ハ祭祀ニ御神樂及東游ヲ行ハス

第五條 喪ニ在ル者ハ祭祀ニ奉仕シ又ハ參列スルコトヲ得ス

但シ特ニ除服セラレタルトキハ此ノ限ニ在ラス

第六條　祭祀ニ奉仕スル者ハ大祭ニハ其當日及前二日小祭ニハ其當日齋戒スヘシ

第七條　陵墓祭及官國幣社奉幣ニ關スル規程ハ本令又ハ他ノ皇室令ニ別段ノ定アルモノヲ除クノ外宮内大臣勅裁ヲ經テ之ヲ定ム

第二章　大　祭

第八條　大祭ニハ天皇皇族及官僚ヲ率ヰテ親ラ祭典ヲ行フ

天皇喪ニ在リ其他事故アルトキハ前項ノ祭典ハ皇族又ハ掌典長ヲシテ之ヲ行ハシム

第九條　大祭及其期日ハ左ノ如シ

元始祭　一月三日
紀元節祭　二月十一日
春季皇靈祭　春分日
春季神殿祭　春分日
神武天皇祭　四月三日
秋季皇靈祭　秋分日
秋季神殿祭　秋分日
神嘗祭　十月十七日
新嘗祭　十一月二十三日ヨリ二十四日ニ亙ル
先帝祭　毎年崩御日ニ相當スル日
先帝以前三代ノ式年祭、崩御日ニ相當スル日
先后ノ式年祭、崩御日ニ相當スル日
皇妣タル皇后ノ式年祭、崩御日ニ相當スル日

第十條　式年ハ崩御ノ日ヨリ三年五年十年二十年三十年四十年五十年百年及爾後毎百年トス

神武天皇祭及先帝祭前項ノ式祭ニ當ルトキハ式年祭ヲ行フ

第十一條　元始祭ハ賢所皇靈殿神殿ニ於テ之ヲ行フ

第十二條　紀元節祭春季皇靈祭神武天皇祭秋季皇靈祭先帝以前三代ノ式年祭先后ノ式年祭及皇妣タル皇后ノ式年祭ハ皇靈殿ニ於テ之ヲ行フ但シ先帝祭ハ一周年祭ヲ訖リタル次年ヨリ之ヲ行フ

神武天皇祭先帝以前三代ノ式年祭先后ノ式年祭及皇妣タル皇后ノ式年祭ノ當日ニハ其山陵ニ奉幣セシム

第十三條　春季神殿祭及秋季神殿祭ハ神殿ニ於テ之ヲ行フ

第十四條　神嘗祭ハ神宮ニ於ケル祭典ノ外仍賢所ニ於テ之ヲ行フ

神嘗祭ノ當日ニハ天皇神宮ヲ遙拜シ且ツ之ニ奉幣セシム

第十五條　新嘗祭ハ神嘉殿ニ於テ之ヲ行フ

新嘗祭ノ當日ニハ賢所皇靈殿神殿ニ神饌ヲ奉ラシメ且神宮及官國幣社ニ奉幣セシム

第十六條　新嘗祭ヲ行フ前一日綾綺殿ニ於テ鎭魂ノ式ヲ行フ但シ天皇喪ニ在ルトキハ之ヲ行ハス

第十七條　新嘗祭ハ大嘗祭ヲ行フ年ニハ之レヲ行ハス

第十八條　神武天皇及先帝ノ式年祭ハ陵所及皇靈殿ニ於テ之ヲ行フ但シ皇靈殿ニ於ケル祭典ハ掌典長之ヲ行フ

第十九條　左ノ場合ニ於テハ大祭ニ準シ祭典ヲ行フ

一　皇室又ハ國家ノ大事ヲ神宮賢所皇靈殿神殿神武天皇山陵先帝山陵ニ親告スルトキ

二　神宮ノ造營ニ因リ新宮ニ奉遷スルトキ

三　賢所皇靈殿神殿ノ造營ニ因リ本殿又ハ假殿ニ奉遷スルトキ

四　天皇太皇太后皇太后ノ靈代ヲ皇靈殿ニ奉遷スルトキ

前項ノ規定ニ依リ祭典ヲ行フ期日ハ之ヲ勅定シ宮内大臣之ヲ公告ス

第三章　小　祭

第二十條　小祭ニハ天皇皇族及官僚ヲ率ヰ親ラ拜禮シ掌典長祭典ヲ行フ

天皇喪ニ在リ其他事故アルトキハ前項ノ拜禮ハ皇族又ハ侍從ヲシテ之ヲ行ハシム

第二十一條　小祭及其期日ハ左ノ如シ

歲旦祭　一月一日
新年祭　二月十七日
賢所御神樂　十二月中旬
天長節祭　每年天皇ノ誕生日ニ相當スル日
先帝以前三代ノ例祭　每年崩御日ニ相當スル日
先后ノ例祭　每年崩御日ニ相當スル日
皇妣タル皇后ノ例祭　每年崩御日ニ相當スル日
綏靖天皇以下先帝以前四代ニ至ル歷代天皇ノ式年祭　崩御日ニ相當スル日

第二十二條　前條ノ例祭ハ式年ニ當ルトキハ之ヲ行ハス

第二十三條　歲旦祭新年祭及天長節祭ハ賢所皇靈殿神殿ニ於テ之ヲ行フ

歲旦祭ノ當日ニハ之ニ先タチ四方拜ノ式ヲ行ヒ新年祭ノ當日ニハ神宮及官國幣社ニ奉幣セシム但天皇喪ニ在リ其他事故アルトキハ四方拜ノ式ヲ行ハス

第二十四條　賢所御神樂ハ賢所ニ於テ之ヲ行フ

第二十五條　例祭及式年祭ハ皇靈殿ニ於テ之ヲ行フ但シ例祭ハ一周年祭ヲ訖リタル次年ヨリ之ヲ行フ

第十條第一項ノ規定ハ前項ノ式年ニ之ヲ準用ス

第二十六條　皇后皇太子皇太子妃皇太孫皇太孫妃親王親王妃內親王王王妃女王ノ靈代ヲ皇靈殿ニ遷ストキハ小祭ニ準シ祭典ヲ行フ此場合ニ於テハ特旨ニ由ルノ外拜禮ヲ行ハス

前項ノ規定ニ依リ祭典ヲ行フ期日ハ之ヲ勅定ス

（附式略ス）

第三章　詔　書

一　韓國ヲ帝國ニ併合ノ件　明治四十三年八月二十九日詔書

朕東洋ノ平和ヲ永遠ニ維持シ帝國ノ安全ヲ將來ニ保障スルノ必要ナルヲ念ヒ又常ニ韓國カ禍亂ノ淵源タルニ顧ミ曩ニ朕ノ政府ヲシテ韓國政府ト協定セシメ韓國ヲ帝國ノ保護ノ下ニ置キ以テ禍源ヲ杜絶シ平和ヲ確保セムコトヲ期セリ

爾來時ヲ經ルコト四年有餘其ノ間朕ノ政府ハ鋭意韓國施政ノ改善ニ努メ其ノ成績亦見ルヘキモノアリト雖韓國ノ現制ハ尚未タ治安ノ保持ヲ完スルニ足ラス疑懼ノ念毎ニ國内ニ充溢シ民其ノ堵ニ安セス公共ノ安寧ヲ維持シ民衆ノ福利ヲ増進セムカ爲ニハ革新ヲ現制ニ加フルノ避ク可カラサルコト瞭然タルニ至レリ

朕ハ韓國皇帝陛下ト與ニ此ノ事態ニ鑑ミ韓國ヲ擧テ日本帝國ニ併合シ以テ時勢ノ要求ニ應スルノ已ムヲ得サルモノアルヲ念ヒ茲ニ永久ニ韓國ヲ帝國ニ併合スルコトトナセリ

韓國皇帝陛下及其ノ皇室各員ハ併合ノ後ト雖相當ノ優遇ヲ受クヘク民衆ハ直接朕カ綏撫ノ下ニ立チテ其ノ康福ヲ増進スヘク産業及貿易ハ治平ノ下ニ顯著ナル發達ヲ見ルニ至ルヘシ而シテ東洋ノ平和ハ之ニ依リテ愈愈其ノ基礎ヲ鞏固ニスヘキハ朕ノ信シテ疑ハサル所ナリ

朕ハ特ニ朝鮮總督ヲ置キ之ヲシテ朕ノ命ヲ承ケテ陸海軍ヲ統率シ諸般ノ政務ヲ總轄セシム百官有司克ク朕ノ意ヲ體シテ事ニ從ヒ施設ノ緩急其ノ宜キヲ得以テ衆庶ヲシテ永ク治平ノ慶ニ頼ラシムルコトヲ期セヨ

二　韓國ノ國號ヲ改メ朝鮮ト稱スル件　明治四十三年八月二十九日勅令第三百十八號

朕韓國ノ國號ヲ改メ朝鮮ト稱スルノ件ヲ裁可シ茲ニ之ヲ公布セシム

韓國ノ國號ハ之ヲ改メ爾今朝鮮ト稱ス

附　則

本令ハ公布ノ日ヨリ之ヲ施行ス

三　前韓國皇帝ヲ冊シテ王ト爲スノ件　明治四十三年八月二十九日詔書

朕天壤無窮ノ丕基ヲ弘クシ國家非常ノ禮數ヲ備ヘムト欲シ前韓國皇帝ヲ冊シテ王ト爲シ昌德宮李王ト稱シ嗣後此ノ隆錫ヲ世襲シテ以テ其ノ宗祀ヲ奉セシメ皇太子及將來ノ世嗣ヲ王世子トシ太皇帝ヲ太王ト爲シ德壽宮李太王ト稱シ各其ノ儷匹ヲ王妃太王妃又ハ王世子妃トシ竝ニ待ツニ皇族ノ禮ヲ以テシ特ニ殿下ノ敬稱ヲ用ヰシム世家率循ノ道ニ至リテハ朕ハ當ニ別ニ其ノ軌儀ヲ定メ李家ノ子孫ヲシテ奕葉之ニ頼リ福履ヲ増綏シ永ク休祉ヲ享ケシムヘシ茲ニ有衆ニ宣示シ用テ殊典ヲ昭ニス

四　李堈及李熹ヲ公ト爲ス件　明治四十三年八月二十九日詔書

朕惟フニ李堈及李熹ハ李王ノ懿親ニシテ令問夙ニ彰ハレ槿域ノ瞻望タリ

宜ク殊遇ヲ加錫シ其ノ儀稱ヲ豐ニスヘシ玆ニ特ニ公ト爲シ其ノ配匹ヲ公妃トシ竝ニ待ツニ皇族ノ禮ヲ以テシ殿下ノ敬稱ヲ用ヰシメ子孫ヲシテ此ノ榮錫ヲ世襲シ永ク寵光ヲ享ケシム

五　王族及公族ノ稱呼

明治四十三年八月二十九日
官報號外宮廷錄事

王族及公族ノ稱呼左ノ通御治定相成リタリ

昌德宮李王殿下
德壽宮李太王殿下
王世子李垠殿下
李堈公殿下
李熹公殿下

第二編　法例

第二編　法例

第一章　法例

一　朝鮮ニ施行スヘキ法令ニ關スル件

明治四四年三月
法律第三〇號

第一條　朝鮮ニ於テハ法律ヲ要スル事項ハ朝鮮總督ノ命令ヲ以テ之ヲ規定スルコトヲ得

第二條　前條ノ命令ハ內閣總理大臣ヲ經テ勅裁ヲ請フヘシ

第三條　臨時緊急ヲ要スル場合ニ於テ朝鮮總督ハ直ニ第一條ノ命令ヲ發スルコトヲ得

前項ノ命令ハ發布後直ニ勅裁ヲ請フヘシ若勅裁ヲ得サルトキハ朝鮮總督ハ直ニ其ノ命令ノ將來ニ向テ效力ナキコトヲ公布スヘシ

第四條　法律ノ全部又ハ一部ヲ朝鮮ニ施行スルヲ要スルモノハ勅令ヲ以テ之ヲ定ム

第五條　第一條ノ命令ハ第四條ニ依リ朝鮮ニ施行シタル法律及特ニ朝鮮ニ施行スル目的ヲ以テ制定シタル法律及勅令ニ違背スルコトヲ得ス

第六條　第一條ノ命令ハ制令ト稱ス

附　則

本法ハ公布ノ日ヨリ之ヲ施行ス

二　朝鮮ニ於ケル法令ノ效力ニ關スル件

明治四三年八月
制令第一號

朝鮮總督府設置ノ際朝鮮ニ於テ其ノ效力ヲ失フヘキ帝國法令及韓國法令ハ當分ノ內朝鮮總督ノ發シタル命令トシテ尚其ノ效力ヲ有ス

附　則

本令ハ公布ノ日ヨリ之ヲ施行ス

三　明治四十三年制令第一號ニ依ル命令ノ區分ニ關スル件

明治四三年一〇月
制令第八號

明治四十三年制令第一號ニ依リ現ニ效力ヲ有スル命令ニシテ其ノ制令ヲ以テ定ムルコトヲ要スル事項ヲ規定シタルモノハ制令、其ノ朝鮮總督府令ヲ以テ定ムルコトヲ得ル事項ヲ規定シタルモノハ朝鮮總督府令、其ノ警務總監部令ヲ以テ定ムルコトヲ得ル事項ヲ規定シタルモノハ警務總監部令、其ノ道令ヲ以テ定ムルコトヲ得ル事項ヲ規定シタルモノハ道令、其ノ警務部令ヲ以テ定ムルコトヲ得ル事項ヲ規定シタルモノハ警務部令ヲ以テ定メタルモノトス

附　則

本令ハ公布ノ日ヨリ之ヲ施行ス

四　制令ニ於テ法律ニ依ルノ規定アル場合ニ其ノ法律ノ改正アリタルトキノ效力

ニ關スル件

明治四四年六月
制令第一一號

制令ニ於テ法律ニ依ルノ規定アル場合ニ於テ其ノ法律ノ改正アリタルトキハ改正法律施行ノ日ヨリ其ノ改正法律ニ依ル但シ別段ノ規定アル場合ハ此ノ限ニ在ラス

附　則

本令ハ公布ノ日ヨリ之ヲ施行ス

五　法例ヲ朝鮮ニ施行スルノ件

明治四五年三月
勅令第二一號

法例ハ之ヲ朝鮮ニ施行ス

附　則

本令ハ明治四十五年四月一日ヨリ之ヲ施行ス

六　法　例

明治三一年六月
法律第一〇號

第一條　法律ハ公布ノ日ヨリ起算シ滿二十日ヲ經テ之ヲ施行ス但法律ヲ以テ之ニ異ナリタル施行時期ヲ定メタルトキハ此限ニ在ラス

臺灣、北海道、沖繩縣其他島地ニ付テハ勅令ヲ以テ特別ノ施行時期ヲ定ムルコトヲ得

第二條　公ノ秩序又ハ善良ノ風俗ニ反セサル習慣ハ法令ノ規定ニ依リテ認メタルモノ及ヒ法令ニ規定ナキ事項ニ關スルモノニ限リ法律ト同一ノ效力ヲ有ス

第三條　人ノ能力ハ其本國法ニ依リテ之ヲ定ム

外國人カ日本ニ於テ法律行爲ヲ爲シタル場合ニ於テ其外國人カ本國法ニ依レハ無能力者タルヘキトキト雖モ日本ノ法律ニ依レハ能力者タルヘキトキハ前項ノ規定ニ拘ハラス之ヲ能力者ト看做ス

前項ノ規定ハ親族法又ハ相續法ノ規定ニ依ルヘキ法律行爲及ヒ外國ニ在ル不動産ニ關スル法律行爲ニ付テハ之ヲ適用セス

第四條　禁治産ノ原因ハ禁治産者ノ本國法ニ依リ其宣告ノ效力ハ宣告ヲ爲シタル國ノ法律ニ依ル

日本ニ住所又ハ居所ヲ有スル外國人ニ付キ其本國法ニ依リ禁治産ノ原因アルトキハ裁判所ハ其者ニ對シテ禁治産ノ宣告ヲ爲スコトヲ得但日本ノ法律カ其原因ヲ認メサルトキハ此限ニ在ラス

第五條　前條ノ規定ハ準禁治産ニ之ヲ準用ス

第六條　外國人ノ生死カ分明ナラサル場合ニ於テハ裁判所ハ日本ニ在ル財産及ヒ日本ノ法律ニ依ルヘキ法律關係ニ付テノミ日本ノ法律ニ依リテ失踪ノ宣告ヲ爲スコトヲ得

第七條　法律行爲ノ成立及ヒ效力ニ付テハ當事者ノ意思ニ從ヒ其何レノ國ノ法律ニ依ルヘキカヲ定ム

當事者ノ意思カ分明ナラサルトキハ行爲地法ニ依ル

第八條　法律行爲ノ方式ハ其行爲ノ效力ヲ定ムル法律ニ依ル

行爲地法ニ依リタル方式ハ前項ノ規定ニ拘ハラス之ヲ有效トス但物權其他登記スヘキ權利ヲ設定シ又ハ處分スル法律行爲ニ付テハ此限ニ在ラス

第九條　法律ヲ異ニスル地ニ在ル者ニ對シテ爲シタル意思表示ニ付テハ

其通知ヲ發シタル地ヲ行爲地ト看做ス
契約ノ成立及ヒ效力ニ付テハ申込ノ通知ヲ發シタル地ヲ行爲地ト看做ス若シ其申込ヲ受ケタル者カ承諾ヲ爲シタル當時申込ノ發信地ヲ知ラサリシトキハ申込者ノ住所地ヲ行爲地ト看做ス

第十條　動産及ヒ不動産ニ關スル物權其他登記スヘキ權利ハ其目的物ノ所在地法ニ依ル
前項ニ揭ケタル權利ノ得喪ハ其原因タル事實ノ完成シタル當時ニ於ケル目的物ノ所在地法ニ依ル

第十一條　事務管理、不當利得又ハ不法行爲ニ因リテ生スル債權ノ成立及ヒ效力ハ其原因タル事實ノ發生シタル地ノ法律ニ依ル
前項ノ規定ハ不法行爲ニ付テハ外國ニ於テ發生シタル事實カ日本ノ法律ニ依レハ不法ナラサルトキハ之ヲ適用セス
外國ニ於テ發生シタル事實カ日本ノ法律ニ依テハ不法ナルトキト雖モ被害者ハ日本ノ法律カ認メタル損害賠償其他ノ處分ニ非サレハ之ヲ請求スルコトヲ得ス

第十二條　債權讓渡ノ第三者ニ對スル效力ハ債務者ノ住所地法ニ依ル

第十三條　婚姻成立ノ要件ハ各當事者ニ付キ其本國法ニ依リテ之ヲ定ム但其方式ハ婚姻擧行地ノ法律ニ依ル
前項ノ規定ハ民法第七百七十七條ノ適用ヲ妨ケス

第十四條　婚姻ノ效力ハ夫ノ本國法ニ依ル
外國人カ女戸主ト入夫婚姻ヲ爲シ又ハ日本人ノ婿養子ト爲リタル場合ニ於テハ婚姻ノ効力ハ日本ノ法律ニ依ル

第十五條　夫婦財產制ハ婚姻ノ當時ニ於ケル夫ノ本國法ニ依ル
外國人カ女戸主ト入夫婚姻ヲ爲シ又ハ日本人ノ婿養子ト爲リタル場合ニ於テハ夫婦財產制ハ日本ノ法律ニ依ル

第十六條　離婚ハ其原因タル事實ノ發生シタル時ニ於ケル夫ノ本國法ニ依ル但裁判所ハ其原因タル事實カ日本ノ法律ニ依ルモ離婚ノ原因タルトキニ非サレハ離婚ノ宣告ヲ爲スコトヲ得ス

第十七條　子ノ嫡出ナルヤ否ヤハ其出生ノ當時母ノ夫ノ屬シタル國ノ法律ニ依リテ之ヲ定ム若シ其夫カ子ノ出生前ニ死亡シタルトキハ其最後ニ屬シタル國ノ法律ニ依リテ之ヲ定ム

第十八條　私生子認知ノ要件ハ其父又ハ母ニ關シテハ認知ノ當時父又ハ母ノ屬スル國ノ法律ニ依リテ之ヲ定メ其子ニ關シテハ認知ノ當時子ノ屬スル國ノ法律ニ依リテ之ヲ定ム
認知ノ效力ハ父又ハ母ノ本國法ニ依ル

第十九條　養子緣組ノ要件ハ各當事者ニ付キ其本國法ニ依リテ之ヲ定ム
養子緣組ノ效力及ヒ離緣ハ養親ノ本國法ニ依ル

第二十條　親子間ノ法律關係ハ父ノ本國法ニ依ル若シ父アラサルトキハ母ノ本國法ニ依ル

第二十一條　扶養ノ義務ハ扶養義務者ノ本國法ニ依リテ之ヲ定ム

第二十二條　前九條ニ揭ケタルモノノ外親族關係及ヒ之ニ因リテ生スル權利義務ハ當事者ノ本國法ニ依リテ之ヲ定ム

第二十三條　後見ハ被後見人ノ本國法ニ依ル日本ニ住所又ハ居所ヲ有スル外國人ノ後見ハ其本國法ニ依レハ後見開始ノ原因アルモ後見ノ事務ヲ行フ者ナキトキ及ヒ日本ニ於テ禁治產ノ宣告アリタルトキニ限リ日本ノ法律ニ依ル

第二十四條　前條ノ規定ハ保佐ニ之ヲ準用ス
第二十五條　相續ハ被相續人ノ本國法ニ依ル
第二十六條　遺言ノ成立及ヒ效力ハ其成立ノ當時ニ於ケル遺言者ノ本國法ニ依ル
遺言ノ取消ハ其當時ニ於ケル遺言者ノ本國法ニ依ル
前二項ノ規定ハ遺言ノ方式ニ付キ行爲地法ニ依ルコトヲ妨ケス
第二十七條　當事者ノ本國法ニ依ルヘキ場合ニ於テ其當事者カ二箇以上ノ國籍ヲ有スルトキハ最後ニ取得シタル國籍ニ依リテ其本國法ヲ定ム但其一カ日本ノ國籍ナルトキハ日本ノ法律ニ依ル
國籍ヲ有セサル者ニ付テハ其住所地法ヲ以テ本國法ト看做ス其住所カ知レサルトキハ其居所地法ニ依ル
地方ニ依リ法律ヲ異ニスル國ノ人民ニ付テハ其者ノ屬スル地方ノ法律ニ依ル
第二十八條　當事者ノ住所地法ニ依ルヘキ場合ニ於テ其住所カ知レサルトキハ其居所地法ニ依ル
前條第一項及ヒ第三項ノ規定ハ當事者ノ住所地法ニ依ルヘキ場合ニ之ヲ準用ス
第二十九條　當事者ノ本國法ニ依ルヘキ場合ニ於テ其國ノ法律ニ從ヒ日本ノ法律ニ依ルヘキトキハ日本ノ法律ニ依ル
第三十條　外國法ニ依ルヘキ場合ニ於テ其規定カ公ノ秩序又ハ善良ノ風俗ニ反スルトキハ之ヲ適用セス
(明治三十一年六月二十二日勅令第百二十三號ヲ以テ同年七月十六日ヨリ施行)

七　法例第十三條ノ疑義ニ關スル件

大正四年九月
官通第二六七號
政務總監

各道長官宛

京畿道長官照會首題ノ件左記ノ通了知可相成及通牒候也

記

問　朝鮮在住ノ外國人間ニ於テ婚姻ヲ爲シタル場合ニ於テ法例第十三條ノ所謂婚姻ノ方式ハ如何ナル手續ヲ要スルヤ朝鮮ニ於テハ宿泊及居住規則第三條第二項ニ依ル非戸主ノ届出ヲ以テ其ノ方式ト認メ處理可然哉

答　居住ノ届出ヲ受ケタル府尹又ハ面長ニ婚姻ノ届出ヲ爲スコトヲ以テ方式トス其ノ届書ハ府尹又ハ面長ニ於テ之ヲ保存スルモノトス宿泊居住規則第三條ニ依ル届出ヲ以テ婚姻ノ届出ニ代フルコトヲ得ス

八　朝鮮總督府警務總長ノ命令ヲ以テ定メタル事項ニ關スル件

大正八年八月
總令第一三二號

朝鮮總督府警務總長ノ命令ヲ以テ定メタル事項ハ朝鮮總督府令ヲ以テ定メタルモノトス

附　則

本令ハ發布ノ日ヨリ之ヲ施行ス

第二章　共通法

一　共通法

大正七年四月
法律第三九號

改正　一二年三第二五號

第一條　本法ニ於テ地域ト稱スルハ内地、朝鮮、臺灣、關東州又ハ南洋群島ヲ謂フ

前項ノ内地ニハ樺太ヲ包含ス

第二條　民事ニ關シ一ノ地域ニ於テ他ノ地域ノ法令ニ依ルコトヲ定メタル場合ニ於テハ各地域ニ於テ其ノ地ノ法令ヲ適用ス二以上ノ地域ニ於テ同一ノ他ノ地域ノ法令ニ依ルコトヲ定メタル場合ニ於テ其ノ相互ノ間亦同シ

民事ニ關シテハ前項ノ場合ヲ除クノ外法例ヲ準用ス此ノ場合ニ於テハ各當事者ノ屬スル地域ノ法令ヲ以テ其ノ本國法トス

第三條　一ノ地域ノ法令ニ依リ其ノ地域ノ家ニ入ル者ハ他ノ地域ノ家ヲ去ル

一ノ地域ノ法令ニ依リ家ヲ去ルコトヲ得サル者ハ他ノ地域ノ家ニ入ルコトヲ得ス

陸海軍ノ兵籍ニ在ラサル者及兵役ニ服スル義務ナキニ至リタル者ニ非サレハ他ノ地域ノ家ニ入ルコトヲ得ス但シ徴兵終決處分ヲ經テ第二國民兵役ニ在ル者ハ此ノ限ニ在ラス

第四條　一ノ地域ニ於テ成立シタル法人ハ他ノ地域ニ於テ其ノ成立ヲ認ム

前項ノ法人ハ他ノ地域ノ法令ニ依リ同種又ハ類似ノ法人ノ爲スコトヲ得サル事項ハ其ノ地ニ於テ之ヲ爲スコトヲ得ス

第五條　一ノ地域ノ法人ハ其ノ事務所若ハ營業所ヲ他ノ地域ニ移轉シ又ハ從タル事務所若ハ營業所ヲ他ノ地域ニ於テ設立スルコトヲ得但シ主タル事務所又ハ營業所ノ移轉ハ移轉地ニ於テ設立スルコトヲ得ヘキ法人ト同種ノ法人ニ限リ之ヲ爲スコトヲ得

前項ノ移轉又ハ設立ニ必要ナル條件ハ各地域ノ法令ノ定ムル所ニ依ル

第六條　一ノ地域ノ法人カ其ノ事務所若ハ營業所ヲ他ノ地域ニ移轉シ又ハ從タル事務所若ハ營業所ヲ他ノ地域ニ於テ設立シタルトキハ四週間内ニ各其ノ地ノ法令ニ依リ登記ヲ爲スコトヲ要ス

前項ノ規定ハ法人ニ關シ一ノ地域ニ於テ生シタル事項ニ付他ノ地域ニ於テ登記ヲ爲スヘキ場合ニ之ヲ準用ス

第七條　一ノ地域ノ會社ハ他ノ地域ノ會社ト合併ヲ爲スコトヲ得此ノ場合ニ於テハ前條第一項ノ規定ヲ準用ス

前項ノ合併ニ必要ナル條件ハ各地域ノ法令ノ定ムル所ニ依ル

第八條　一ノ地域ノ法人ノ役員ノ行爲ニ付定メタル過料ノ規定ハ其ノ地域ニ於テ他ノ地域ノ同種又ハ類似ノ法人ノ役員ノ爲シタル行爲ニ之ヲ適用ス

前項ノ役員トハ發起人、理事、監事及之ニ準スヘキ者竝清算人ヲ謂フ

第九條　民事訴訟及非訟事件ニ付一ノ地域内ニ住所ヲ有セサル者ノ裁判管轄又ハ他ノ地域ノ法人ノ裁判管轄ニ關シテハ民事訴訟法、人事訴訟手續法及非訟事件手續法中日本ニ住所ヲ有セサル者又ハ外國法人ノ裁判管轄ニ關スル規定ヲ準用ス

前項ノ規定ノ適用ニ付裁判管轄ノ指定ニ關スル司法大臣ノ職務ハ朝鮮臺灣、關東州又ハ南洋群島ニ在リテハ朝鮮總督、臺灣總督、關東長官又ハ南洋廳長官之ヲ行フ

第十條　一ノ地域ニ主タル營業所又ハ住所ヲ有スル者ニ對シテハ其ノ地域ニ於テノミ破産ノ宣告ヲ爲スコトヲ得

一ノ地域ニ於テ爲シタル破産ノ宣告ノ效力ハ他ノ地域ニ及フ

第十一條　一ノ地域ニ於テ民事訴訟、非訟事件又ハ破産事件ニ關シテ爲シタル訴訟行爲、裁判、處分其ノ他ノ手續上ノ行爲ハ他ノ地域ニ於ケル法令ノ適用ニ關シテハ其ノ地ノ法令ニ依リ爲シタルモノト同一ノ效力ヲ有ス但シ其ノ地ノ公ノ秩序又ハ善良ノ風俗ニ反スルトキハ此ノ限ニ在ラス

前項ノ規定ハ民事爭訟調停ニ付之ヲ準用ス民事爭訟調停ニ關スル規定ナキ地域ニ於テハ其ノ調停ハ民事訴訟法ニ依リテ爲シタル和解ト同一ノ効力ヲ有ス

第十二條　一ノ地域ニ於テ作成シタル公正證書其ノ他法令ニ依リ官署公署ノ作成シタル文書ハ他ノ地域ニ於テ其ノ地ノ法令ニ依リ作成シタルモノト同一ノ効力ヲ有ス

第十三條　一ノ地域ニ於テ罪ヲ犯シタル者ハ他ノ地域ニ於テ之ヲ處罰スルコトヲ得

第十四條　刑事ニ關シ一ノ地域ニ於テ他ノ地域ノ法令ニ依ルコトヲ定メタル場合ニ於テハ各地域ニ於テ其ノ地ノ法令ヲ適用ス二以上ノ地域ニ於テ同一ノ他ノ地域ノ法令ニ依ルコトヲ定メタル場合ニ於テ其ノ相互ノ間亦同シ

一ノ地域ニ於テ他ノ地域ノ犯罪ヲ處斷スル場合ニ於テハ前項ノ場合ヲ除クノ外犯罪地ノ法令ニ依ル但シ笞刑ニ關スル規定ハ此ノ限ニ在ラス

犯罪地ノ法令ニ依リ處斷スル場合ニ於テ處斷地ノ法令ニ笞刑ニ關スル規定アルトキハ其ノ規定ニ依リ笞刑ノ言渡ヲ爲スコトヲ得

第十五條　一ノ地域ノ法人ノ役員又ハ支配人ノ行爲ニ付定メタル刑罰ノ規定ハ其ノ地域ニ於テ他ノ地域ノ同種ノ法人ノ役員又ハ支配人ノ爲シタル行爲ニ之ヲ適用ス

前項ノ役員ニハ第八條第二項ニ掲クル者ノ外檢査役ヲ包含ス

第十六條　一箇ノ刑事事件又ハ牽連スル數箇ノ刑事事件地域ヲ異ニスル數箇ノ裁判官廳ノ管轄ニ屬スルトキハ刑事訴訟法第五條及第十條第一項ノ規定ヲ準用ス

第十七條　一ノ地域ノ檢事、檢察官又ハ其ノ職務ヲ行フ者他ノ地域ノ管轄裁判官廳ニ於テ事件ヲ審理スルコトヲ適當ト認ムルトキハ其ノ地域ノ檢事、檢察官又ハ其ノ職務ヲ行フ者ニ之ヲ送致スルコトヲ得

一ノ地域ノ豫審又ハ第一審ノ裁判官廳他ノ地域ノ管轄裁判官廳ニ於テ事件ヲ審理スルコトヲ適當ト認ムルトキハ檢事、檢察官又ハ其ノ職務ヲ行フ者ノ請求ニ因リ決定ヲ以テ其ノ地域ノ管轄裁判官廳ニ之ヲ移送スルコトヲ得

第十八條　一ノ地域ニ於テ刑事ノ訴訟若ハ即決處分又ハ假出獄ニ關シテ爲シタル裁判、處分其ノ他ノ手續上ノ行爲ハ他ノ地域ニ於ケル法令ノ適用ニ關シテハ其ノ地ニ於テ爲シタルモノト同一ノ效力ヲ有ス

第十一條第一項但書ノ規定ハ私訴ニ之ヲ準用ス

第十九條　一ノ地域ニ於テ爲シタル刑ノ執行猶豫ノ言渡又ハ假出獄ノ處

分ハ他ノ地域ニ於テ其ノ地ノ法令ニ依リ之ヲ取消スコトヲ得

附　則

本法施行ノ期日ハ勅令ヲ以テ之ヲ定ム但シ第三條ニ付テハ別ニ其ノ施行期日ヲ定ムルコトヲ得

本法ハ本法施行前ニ生シタル事項ニ付亦之ヲ適用ス但シ第十一條第一項及第十八條第一項ノ規定ノ適用ニ付テハ人ノ資格ニ基ク既成ノ効果ヲ妨ケス

本法施行前ニ宣告シタル破産ニ付テハ仍従前ノ例ニ依ル

二　共通法ノ一部ヲ施行スルノ件

大正七年五月
勅令第一四四號

共通法ハ同法第三條ノ規定ヲ除クノ外大正七年六月一日ヨリ之ヲ施行ス

三　共通法第三條等改正法律施行期日ノ件

大正一〇年六月
勅令第二八三號

共通法第三條ノ規定及大正十年法律第四十八號ハ大正十年七月一日ヨリ之ヲ施行ス

第三章 公布式

一 公式令

明治四十年二月
勅令第六號

改正 一〇年四第一四五號

第一條 皇室ノ大事ヲ宣誥シ及大權ノ施行ニ關スル勅旨ヲ宣誥スルハ別段ノ形式ニ依ルモノヲ除クノ外詔書ヲ以テス

詔書ニハ親署ノ後御璽ヲ鈐シ其ノ皇室ノ大事ニ關スルモノニハ宮內大臣年月日ヲ記入シ內閣總理大臣ト俱ニ之ニ副署ス其ノ大權ノ施行ニ關スルモノニハ內閣總理大臣年月日ヲ記入シ之ニ副署シ又ハ他ノ國務各大臣ト俱ニ之ニ副署ス

第二條 文書ニ由リ發スル勅旨ニシテ宣誥セサルモノハ別段ノ形式ニ依ルモノヲ除クノ外勅書ヲ以テス

勅書ニハ親署ノ後御璽ヲ鈐シ其ノ皇室ノ事務ニ關スルモノニハ宮內大臣年月日ヲ記入シ之ニ副署ス其ノ國務大臣ノ職務ニ關スルモノニハ內閣總理大臣年月日ヲ記入シ之ニ副署ス

第三條 帝國憲法ノ改正ハ上諭ヲ附シテ之ヲ公布ス

前項ノ上諭ニハ樞密顧問ノ諮詢及帝國憲法第七十三條ニ依ル帝國議會ノ議決ヲ經タル旨ヲ記載シ親署ノ後御璽ヲ鈐シ內閣總理大臣年月日ヲ記入シ他ノ國務各大臣ト俱ニ之ニ副署ス

第四條 皇室典範ノ改正ハ上諭ヲ附シテ之ヲ公布ス

前項ノ上諭ニハ皇族會議及樞密顧問ノ諮詢ヲ經タル旨ヲ記載シ親署ノ後御璽ヲ鈐シ宮內大臣年月日ヲ記入シ國務各大臣ト俱ニ之ニ副署ス

第五條 皇室典範ニ基ツク諸規則、宮內官制其ノ他皇室ノ事務ニ關シ勅定ヲ經タル規程ニシテ發表ヲ要スルモノハ皇室令トシ上諭ヲ附シテ之ヲ公布ス

前項ノ上諭ニハ親署ノ後御璽ヲ鈐シ宮內大臣年月日ヲ記入シ之ニ副署ス國務大臣ノ職務ニ關連スル皇室令ノ上諭ニハ內閣總理大臣又ハ內閣總理大臣及主任ノ國務大臣ト俱ニ之ニ副署ス

皇族會議及樞密顧問又ハ其ノ一方ノ諮詢ヲ經タル皇室令ノ上諭ニハ其ノ旨ヲ記載ス

第六條 法律ハ上諭ヲ附シテ之ヲ公布ス

前項ノ上諭ニハ帝國議會ノ協賛ヲ經タル旨ヲ記載シ親署ノ後御璽ヲ鈐シ內閣總理大臣年月日ヲ記入シ之ニ副署シ又ハ他ノ國務各大臣若ハ主任ノ國務大臣ト俱ニ之ニ副署ス

樞密顧問ノ諮詢ヲ經タル法律ノ上諭ニハ其ノ旨ヲ記載ス

第七條 勅令ハ上諭ヲ附シテ之ヲ公布ス

前項ノ上諭ニハ親署ノ後御璽ヲ鈐シ內閣總理大臣年月日ヲ記入シ之ニ副署シ又ハ他ノ國務各大臣若ハ主任ノ國務大臣ト俱ニ之ニ副署ス

樞密顧問ノ諮詢ヲ經タル勅令及貴族院ノ諮詢又ハ議決ヲ經タル勅令ノ上諭ニハ其ノ旨ヲ記載シ帝國憲法第八條第一項又ハ第七十條第一項ニ依リ發スル勅令ノ上諭ニハ其ノ旨ヲ記載ス

帝國議會ニ於テ帝國憲法第八條第一項ノ勅令ヲ承諾セサル場合ニ於テ其ノ效力ヲ失フコトヲ公布スル勅令ノ上諭ニハ同條第二項ニ依ル旨ヲ記載ス

第八條 國際條約ヲ發表スルトキハ上諭ヲ附シテ之ヲ公布ス

前項ノ上諭ニハ樞密顧問ノ諮詢ヲ經タル旨ヲ記載シ親署ノ後御璽ヲ鈐シ內閣總理大臣年月日ヲ記入シ主任ノ國務大臣ト俱ニ之ニ副署ス

第九條　豫算及豫算外國庫ノ負擔トナルヘキ契約ヲ爲スノ件ハ上諭ヲ附シテ之ヲ公布ス

前項ノ上諭ニハ帝國議會ノ協贊ヲ經タル旨ヲ記載シ親署ノ後御璽ヲ鈐シ內閣總理大臣年月日ヲ記入シ主任ノ國務大臣ト俱ニ之ニ副署ス

第十條　閣令ニハ內閣總理大臣年月日ヲ記入シ之ニ署名ス

省令ニハ各省大臣年月日ヲ記入シ之ニ署名ス

宮內省令ニハ宮內大臣年月日ヲ記入シ之ニ署名ス

第十一條　皇室令、勅令、閣令及省令ハ別段ノ施行時期アル場合ノ外公布ノ日ヨリ起算シ滿二十日ヲ經テ之ヲ施行ス

第十二條　前數條ノ公文ヲ公布スルハ官報ヲ以テス

第十三條　國書其ノ他外交上ノ親書、條約批准書、全權委任狀、外國派遣官吏委任狀、名譽領事委任狀及外國領事認可狀ニハ親署ノ後國璽ヲ鈐シ主任ノ國務大臣之ニ副署ス

外務大臣ニ授クル全權委任狀ニハ內閣總理大臣之ニ副署ス

第十四條　親任式ヲ以テ任スル官ノ官記ニハ親署ノ後御璽ヲ鈐シ內閣總理大臣年月日ヲ記入シ之ニ副署ス宮內官ニ付テハ宮內大臣年月日ヲ記入シ之ニ副署ス

內閣總理大臣ヲ任スルノ官記ニハ他ノ國務大臣又ハ內大臣、宮內大臣ヲ任スルノ官記ニハ內大臣年月日ヲ記入シ之ニ副署ス

前二項ニ依ルモノノ外勅任官ノ官記ニハ御璽ヲ鈐シ內閣總理大臣年月日ヲ記入シ之ヲ奉ス　宮內官ニ付テハ宮內大臣年月日ヲ記入シ之ヲ　奉ス

奏任官ノ官記ニハ內閣ノ印ヲ鈐シ內閣總理大臣年月日ヲ記入シ之ヲ宣ス宮內官ニ付テハ宮內省ノ印ヲ鈐シ宮內大臣年月日ヲ記入シ之ヲ宣ス

第十五條　親任式ヲ以テ任シタル官ヲ免スルノ辭令書ニハ御璽ヲ鈐シ內閣總理大臣年月日ヲ記入シ之ヲ奉ス

宮內官ニ付テハ宮內大臣年月日ヲ記入シ之ヲ奉ス

內閣總理大臣ヲ免スルノ辭令書ニハ他ノ國務大臣又ハ內大臣、宮內大臣ヲ免スルノ辭令書ニハ內大臣年月日ヲ記入シ之ヲ奉ス

前二項ニ依ルモノノ外勅任官ヲ免スルノ辭令書ニハ內閣總理大臣年月日ヲ記入シ之ヲ奉ス宮內官ニ付テハ宮內大臣年月日ヲ記入シ之ヲ奉ス

奏任官ヲ免スルノ辭令書ニハ內閣總理大臣年月日ヲ記入シ之ヲ宣ス宮內官ニ付テハ宮內大臣年月日ヲ記入シ之ヲ宣ス

第十六條　爵記ニハ親署ノ後御璽ヲ鈐シ宮內大臣年月日ヲ記入シ之ニ副署ス

第十七條　一位ノ位記ニハ親署ノ後御璽ヲ鈐シ宮內大臣年月日ヲ記入シ之ニ副署ス

二位以下四位以上ノ位記ニハ御璽ヲ鈐シ宮內大臣年月日ヲ記入シ之ヲ奉ス五位以下ノ位記ニハ宮內省ノ印ヲ鈐シ宮內大臣年月日ヲ記入シ之ヲ宣ス

第十八條　爵位ノ返上ヲ命シ又ハ允許スルノ辭令書ニハ宮內大臣年月日ヲ記入シ之ヲ奉ス

第十九條　勳二等功三級以上ノ勳記ニハ親署ノ後國璽ヲ鈐シ勳三等功四

級以下ノ勳記ニハ國璽ヲ鈐シ内閣總理大臣旨ヲ奉シ賞勳局總裁ヲシテ年月日ヲ記入シ之ニ署名セシム

勳記ニハ勳章ノ種別ニ從ヒ號數ヲ附シ簿册ニ記入スル旨ヲ附記シ賞勳局ノ印ヲ鈐シ賞勳局書記官之ニ署名ス

第二十條 記章ノ證狀竝外國勳章及記章ノ佩用免許ノ證狀ニハ内閣總理大臣旨ヲ奉シ賞勳局總裁ヲシテ年月日ヲ記入シ賞勳局ノ印ヲ鈐シ之ニ署名セシム

證狀ニハ其ノ種別ニ從ヒ號數ヲ附シ簿册ニ記入スル旨ヲ附記シ賞勳局ノ印ヲ鈐シ賞勳局書記官之ニ署名ス

第二十一條 勳章及記章竝外國勳章及記章ノ佩用免許ノ證狀ヲ褫奪スルノ辭令書ニハ内閣總理大臣旨ヲ奉シ賞勳局總裁ヲシテ年月日ヲ記入シ之ニ署名セシム

附　則

本令ハ公布ノ日ヨリ之ヲ施行ス

公文式ハ之ヲ廢止ス

二　制令公布式

明治四十三年八月
統令第五十號

第一條 朝鮮總督ノ發スル制令ハ其ノ制令ナルコトヲ明記シ朝鮮總督之ニ署名シ公布ノ年月日ヲ記入シテ之ヲ公布ス

第二條 制令ハ朝鮮總督府官報ヲ以テ之ヲ布告ス

第三條 制令ハ特ニ施行期日ヲ掲クルモノヲ除クノ外其ノ各官廳ニ到達シタル翌日ヨリ起算シ滿七日ヲ經テ之ヲ施行ス

附　則

本令ハ公布ノ日ヨリ之ヲ施行ス

三　朝鮮總督府令公文式

明治四十三年十月
總令第一號

第一條 朝鮮總督府令ハ其ノ朝鮮總督府令ナルコトヲ明記シ總督之ニ署名シ公布ノ年月日ヲ記入シテ之ヲ公布ス

第二條 朝鮮總督府令ハ朝鮮總督府官報ヲ以テ之ヲ布告ス

第三條 朝鮮總督府令ハ特ニ施行期日ヲ掲クルモノヲ除クノ外其ノ各官廳ニ到達シタル翌日ヨリ起算シ滿七日ヲ經テ之ヲ施行ス

附　則

本令ハ公布ノ日ヨリ之ヲ施行ス

四　朝鮮總督府道令公文式

明治四十三年十月
總令第二號

第一條 朝鮮總督府道長官ノ發スル命令ハ其ノ道令ナルコトヲ明記シ道長官之ニ署名シ公布ノ年月日ヲ記入シテ之ヲ公布ス

第二條 道令ヲ布告スル方法ハ道長官之ヲ定ム

第三條 道令ハ特ニ施行期日ヲ掲クルモノヲ除クノ外公布ノ日ヨリ起算シ滿七日ヲ經テ之ヲ施行ス

附　則

本令ハ公布ノ日ヨリ之ヲ施行ス

五　朝鮮總督府島令公文式

大正四年五月
總令第四十三號

第一條　朝鮮總督府島司ノ發スル命令ハ其ノ島令ナルコトヲ明記シ島司之ニ署名シ公布ノ年月日ヲ記入シテ之ヲ公布ス
第二條　島令ヲ公布スル方法ハ島司之ヲ定ム
第三條　島令ハ特ニ施行期日ヲ揭クルモノヲ除クノ外公布ノ日ヨリ起算シ滿七日ヲ經テ之ヲ施行ス

附　則

本令ハ發布ノ日ヨリ之ヲ施行ス

第三編　官規

第三編　官　規

第一章　官　制

一　朝鮮總督府官制

明治四三年九月
勅令第三五四號

改正
四四年第一三六號
四年第六〇號
六年第二〇七號
八年八第三八六號
一二年六第二九六號
四五年第二二號
五年第一九二號
七年第一六二號
一〇年二第二二號
大正二年第一一四號
六年第一七八號
八年第二四〇號
入第三五六號

第一條　朝鮮總督府ニ朝鮮總督ヲ置ク
總督ハ朝鮮ヲ管轄ス

第二條　總督ハ親任トス

第三條　總督ハ諸般ノ政務ヲ統轄シ內閣總理大臣ヲ經テ上奏ヲ爲シ及裁可ヲ受ク

第三條ノ二　總督ハ安寧秩序ノ保持ノ爲必要ト認ムルトキハ朝鮮ニ於ケル陸海軍ノ司令官ニ兵力ノ使用ヲ請求スルコトヲ得

第四條　總督ハ其ノ職權又ハ特別ノ委任ニ依リ朝鮮總督府令ヲ發シ之ニ一年以下ノ懲役若ハ禁錮、拘留、二百圓以下ノ罰金又ハ科料ノ罰則ヲ附スルコトヲ得

第五條　總督ハ所轄官廳ノ命令又ハ處分ニシテ制規ニ違ヒ公益ヲ害シ又ハ權限ヲ犯スモノアリト認ムルトキハ其ノ命令又ハ處分ヲ取消シ又ハ停止スルコトヲ得

第六條　總督ハ所部ノ官吏ヲ統督シ奏任文官ノ進退ハ內閣總理大臣ヲ經テ之ヲ上奏シ判任文官以下ノ進退ハ之ヲ專行ス

第七條　總督ハ內閣總理大臣ヲ經テ所部文官ノ敍位敍勳ヲ上奏ス

第八條　總督府ニ政務總監ヲ置ク
政務總監ハ親任トス
政務總監ハ總督ヲ保佐シ府務ヲ統理シ各部局ノ事務ヲ監督ス

第九條　總督府ニ總督官房及左ノ六局ヲ置ク

內務局
財務局
殖産局
法務局
學務局
警務局

第十條　總督官房ニ庶務部、土木部及鐵道部ヲ置ク
總督官房、各局及各部ノ事務ノ分掌ハ總督之ヲ定ム

第十一條　總督府ニ左ノ職員ヲ置ク

局長		六人	勅任	
部長		三人	勅任	
參事官	專任	三人	奏任	內一人ヲ勅任ト爲スコトヲ得
秘書官	專任	二人	奏任	
監察官	專任	二人	奏任	內一人ヲ勅任ト爲スコトヲ得

事務官	專任	四十六人	奏任	内二人ヲ勅任ト爲スコトヲ得
視學官	專任	四人	奏任	
編修官	專任	五人	奏任	
鑑査官	專任	一人	奏任	
技師	專任	四十四人	奏任	内三人ヲ勅任ト爲スコトヲ得
通譯官	專任	十人	奏任	
屬	專任	二百八十人	判任	
編修書記	專任	六人	判任	
技手	專任	百六十人	判任	
通譯生	專任	四人	判任	

第十二條 局長ハ各局ノ長ト爲リ總督及政務總監ノ命ヲ承ケ局務ヲ掌理シ部下ノ官吏ヲ指揮監督ス

第十三條 部長ハ上官ノ命ヲ承ケ部務ヲ掌理ス

第十四條 參事官ハ上官ノ命ヲ承ケ審議立案ヲ掌リ又ハ各部局ノ事務ヲ助ク

第十五條 秘書官ハ總督ノ命ヲ承ケ機密ニ關スル事務ヲ掌ル

第十六條 監察官ハ總督及政務總監ノ命ヲ承ケ總督府部内ノ行政事務ノ監察ヲ掌ル

第十七條 事務官ハ上官ノ命ヲ承ケ府務ヲ掌ル

第十七條ノ二 視學官ハ上官ノ命ヲ承ケ學事ニ關スル視察及事務ヲ掌ル

第十七條ノ三 編修官ハ上官ノ命ヲ承ケ教科用圖書ノ編修及檢定ニ關スル事務ヲ掌ル

第十七條ノ四 鑑査官ハ上官ノ命ヲ承ケ學術技藝ノ參考トナルヘキ資料ノ蒐集、保存、鑑査、解説及陳列ニ關スル事項ヲ掌ル

第十八條 技師ハ上官ノ命ヲ承ケ技術ヲ掌ル

第十九條 通譯官ハ上官ノ命ヲ承ケ通譯ヲ掌ル

第二十條 屬、編修書記、技手又ハ通譯生ハ上官ノ指揮ヲ承ケ庶務、教科用圖書ノ編修及檢定ニ關スル事務、技術又ハ通譯ニ從事ス

第二十一條 内務局ニ行政講習所ヲ置キ地方行政官吏ノ養成ニ關スル事務ヲ掌ラシム

第二十二條 行政講習所長ハ朝鮮總督府高等官ヲ以テ之ニ充ツ

第二十三條 學務局ニ觀測所ヲ置キ氣象ニ關スル事務ヲ掌ラシム

第二十四條 觀測所長ハ朝鮮總督府技師、測候所長ハ朝鮮總督府技手ヲ以テ之ニ充ツ

觀測所ニ附屬測候所ヲ置クコトヲ得

第二十五條 觀測所及測候所ノ名稱及位置ハ總督之ヲ定ム

第二十六條 殖産局ニ地質調査所ヲ置キ地質ノ調査ニ關スル事務ヲ掌ラシム

第二十七條 地質調査所長ハ朝鮮總督府技師ヲ以テ之ニ充ツ

附　則

本令ハ明治四十三年十月一日ヨリ之ヲ施行ス

明治四十三年勅令第三百十九號ハ其ノ官立學校ニ關スルモノヲ除クノ外之ヲ廢止ス

附　則（大正四年五月勅令第六〇號）

本令ハ公布ノ日ヨリ之ヲ施行ス

本令施行ノ際現ニ朝鮮總督府書記官ノ職ニ在ル者別ニ辭令書ヲ交付セラ

レサルトキハ朝鮮總督府事務官ニ同官等俸給ヲ以テ任セラレタルモノトス

本令施行ノ際現ニ朝鮮總督府事務官ノ職ニ在ル者別ニ辭令書ヲ交付セラレサルトキハ現ニ受クル俸給額ニ相當スル級俸ヲ受クルモノトス

附　則（大正八年八月勅令第三八六號）

本令ハ公布ノ日ヨリ之ヲ施行ス

別ニ定ムルモノヲ除クノ外他ノ勅令中朝鮮總督府各部長官トアルハ朝鮮總督府各局長、朝鮮總督府度支部長官トアルハ朝鮮總督府財務局長、朝鮮總督府農商工部長官トアルハ朝鮮總督府殖産局長、朝鮮總督府司法部長官トアルハ朝鮮總督府法務局長、朝鮮總督府ノ鐵道局長トアルハ朝鮮總督府鐵道部長トス

附　則（大正一二年六月勅令二九六號）

本令ハ公布ノ日ヨリ之ヲ施行ス

二　拓殖事務局官制

大正一一年一一月
勅令第四七六號

第一條　拓殖事務局ハ内閣總理大臣ノ管理ニ屬シ朝鮮總督府、臺灣總督府、樺太廳、關東廳及南洋廳ニ關スル事務ヲ掌ル但シ別段ノ規定アルモノニ付テハ此ノ限ニ在ラス

第二條　拓殖事務局ニ左ノ職員ヲ置ク

局長			勅任
書記官	專任	三人	奏任
屬	專任	十人	判任

第三條　局長ハ内閣總理大臣又ハ内閣書記官長ノ命ヲ承ケ局務ヲ掌理ス

第四條　書記官ハ上官ノ命ヲ承ケ局務ヲ分掌ス

第五條　屬ハ上官ノ指揮ヲ承ケ庶務ニ從事ス

附　則

本令ハ公布ノ日ヨリ之ヲ施行ス

拓殖局官制ハ之ヲ廢止ス

三　朝鮮總督府監獄官制

明治四三年一〇月
勅令第二四三號

改正　四三年九第三六六號　四四年五第一五九號　四五年三第三號　大正二年五第八五號　七年四第一〇二號　八年四第一四三號　九年一〇第四九九號　一〇年七第三〇六號　一二年五第二〇一號

第一條　朝鮮總督府監獄ハ朝鮮總督ノ管理ニ屬ス

監獄ノ設置及廢止ハ朝鮮總督之ヲ定ム

第二條　覆審法院檢事長ハ朝鮮總督ノ命ヲ承ケ其ノ管轄區域内ニ在ル監獄ヲ監督ス

第三條　監獄ヲ通シ左ノ職員ヲ置ク

典獄	專任	十三人	奏任
典獄補	專任	八人	奏任
看守長・技手・通譯生	專任	百三十三人	判任

第四條　監獄ノ長ハ典獄又ハ典獄補ニ以テ之ニ充ツ

監獄ノ長ハ朝鮮總督及覆審法院檢事長ノ指揮ヲ承ケ監獄ノ事務ヲ掌理シ部下ノ職員ヲ指揮監督ス

第四條ノ二　典獄補ハ監獄ノ長又ハ分監ノ長タル者ヲ除クノ外上官ノ指揮ヲ承ケ監獄ノ事務ヲ掌ル

第五條　看守長ハ分監ノ長タル者ヲ除クノ外上官ノ指揮ヲ承ケ監獄ノ事務ニ從事ス

第五條ノ二　技手ハ上官ノ指揮ヲ承ケ技術ニ從事ス

第六條　通譯生ハ上官ノ指揮ヲ承ケ飜譯及通譯ニ從事ス

第七條　監獄ハ第三條ニ掲ケタル職員ノ外保健技師、保健技手、敎誨師敎師、藥劑師、看守及女監取締ヲ置ク其ノ定員、職務及懲戒ニ關スル規定ハ朝鮮總督之ヲ定ム

保健技師ハ奏任官ノ待遇トシ敎誨師ハ奏任官又ハ判任官ノ待遇トシ保健技手、敎師、藥劑師、看守及女監取締ハ判任官ノ待遇トス

第八條　朝鮮總督ハ必要ニ應シ分監ヲ置クコトヲ得

分監ノ長ハ典獄補又ハ看守長ヲ以テ之ニ充ツ

分監ノ長ハ監獄ノ長ノ指揮監督ヲ承ケ分監ノ事務ヲ掌リ部下ノ職員ヲ指揮監督ス

第九條　監獄ノ長事故アルトキハ典獄補又ハ上席ノ看守長其ノ職務ヲ代理シ分監ノ長事故アルトキハ上席ノ看守長又ハ看守其ノ職務ヲ代理ス

附　則

本令ハ明治四十二年十一月一日ヨリ之ヲ施行ス

附　則（明治四三年九月勅令第三六六號）

本令ハ明治四十三年十月一日ヨリ之ヲ施行ス

本令施行ノ際現ニ統監府典獄、看守長及通譯生ノ職ニ在ル者ハ別ニ辭令ヲ用ヰス朝鮮總督府典獄、看守長及通譯生ニ各同官等俸給ヲ以テ任セラレタルモノトス

附　則

本令施行ノ際現ニ朝鮮總督府監獄醫ノ職ニ在ル者別ニ辭令ヲ發セラレサルトキハ奏任官ノ待遇ヲ受クル者ハ保健技師ニ判任官ノ待遇ヲ受クル者ハ保健技手ニ同辭令ヲ以テ任セラレタルモノトス

四　奏任及判任待遇朝鮮總督府監獄職員定員

大正九年五月
總令第七〇號

改正　一一年四第四三號　一二年三第五七號

奏任及判任待遇朝鮮總督府監獄職員定員左ノ通定ム

保健技師	二十七人
保健技手	
敎誨師	二十人
敎師	七人
藥劑師	十二人
看守	千八百十七人
女監取締	六十五人

敎習中ノ看守ハ定員外トス

附　則

本令ハ發布ノ日ヨリ之ヲ施行ス

明治四十四年朝鮮總督府令第五十三號ハ之ヲ廢止ス

五　朝鮮總督府監獄ニ看守部長及女監取締部長ノ職ヲ置クノ件

大正一一年四月
總訓第一七號

朝鮮總督府監獄ニ看守部長及女監取締部長ノ職ヲ置キ看守部長ハ看守、女監取締部長ハ女監取締ノ中ヨリ典獄之ヲ命ス
看守部長又ハ女監取締部長ハ看守又ハ女監取締ノ上班トシ看守長ノ職務ヲ補助ス

六　看守部長選任ニ關スル件

大正七年
典獄會議指示

二　看守部長ノ職ハ司獄官中重要ノ位置ニ在リ就中戒護事務ニ在リテハ其ノ活動ニ俟ツモノ頗ル多シ故ニ各位一層之カ選任ヲ愼重ニスヘク殊ニ分監ニ於ケル部長ノ能否ハ其ノ成績ニ影響スル所多大ナリ將來之カ補充交迭ヲ行フ場合ニ當リテハ努メテ優秀ナル者ヲ配置シ以テ分監事務ノ改善ヲ期スヘシ

七　女監取締部長設置ニ關スル件

大正一一年四月
法務局長

各監獄典獄宛

今回首題ノ件訓令相成候處女監取締部長ハ左記第三項ノ場合ヲ除クノ外本監又ハ分監ノ配置定員中ヨリ一名ヲ限リ左記ノ例ニ依リ補職シ其ノ勤務ニ關シテハ單ニ監督事務ヲ補助セシムルニ止マラス普通女監取締トシテ從事スヘキ本然ノ職務ヲモ執ラシムル樣御取計相成度此ノ段及通牒候也

記

一、配置定員五名以上ヲ有スル場合
二、配置定員三名以上ヲ有シ五年以上勤續シテ精勤ヲ表彰セラレ且其成績佳良他ノ模範タルヘキ者アル場合
三、配置定員ノ數如何ニ拘ラス十年以上勤續シ特ニ勤勞アリト認ムル者又ハ特別ナル功績ヲ有スル者ヲ退職セシムル場合

以上

第二章　分掌規程

一　朝鮮總督府事務分掌規程

大正四年五月
總訓第二六號

改正
五年三第九號　六年三第九號　六年七第三二號
七年五第二八號　八年八第三〇號　八年一二第五四號
九年四第一九號　九年六第二四號　九年八第三一號
九年一一第五七號　一〇年四第二一號　同二二號
同六第三七號　同七第四五號　同一〇第五三號
同一二第六九號　一一年三第五號　同年四一三號
一一年一〇第五〇號　一二年一第五號　三第二〇號
六第三九號

第一條　總督官房ニ秘書課、參事官室、監察官室及外事課ヲ置ク

第二條　秘書課ニ於テハ左ノ事務ヲ掌ル

一　機密ノ文書及電信ニ關スル事項
二　官吏囑託員及雇員ノ進退身分ニ關スル事項
三　王族公族及朝鮮貴族ニ關スル事項
四　李王職職員ノ進退身分ニ關スル事項
五　敍位敍勳ニ關スル事項
六　褒賞ニ關スル事項
七　恩給及遺族扶助料ニ關スル事項
八　特命ニ依ル機密事務ニ關スル事項

參事官室ニ於テハ左ノ事務ヲ掌ル

一　法令ノ審議立案ニ關スル事項
二　法令ノ解釋適用ニ關スル事項
三　重要ナル處分ノ審議ニ關スル事項
四　特命ニ依ル調査ニ關スル事項

監察官室ニ於テハ部內行政事務ノ監察ニ關スル事項ヲ掌ル

外事課ニ於テハ左ノ事務ヲ掌ル

一　領事館及外國人ニ關スル事項
二　海外移民及在外朝鮮人ニ關スル事項
三　外國文書ノ起草及飜譯ニ關スル事項
四　前各號ノ外渉外事項

第三條　總督官房庶務部ニ文書課、會計課及調査課ヲ置ク

文書課ニ於テハ左ノ事務ヲ掌ル

一　文書ノ接受、發送、査閱、編纂及保存ニ關スル事項
二　官印ノ管守ニ關スル事項
三　官報ニ關スル事項
四　削除
五　圖書ニ關スル事項
六　他部局課ノ主管ニ屬セサル事項

會計課ニ於テハ左ノ事務ヲ掌ル

一　出納及用度ニ關スル事項
二　削除
三　削除
四　保管物ニ關スル事項
五　削除

六 廳舍及官舍等小破修繕ニ關スル事項
七 府中取締ニ關スル事項
調査課ニ於テハ左ノ事務ヲ掌ル
一 統計ノ調査及監督ニ關スル事項
二 内外事情ノ調査及紹介ニ關スル事項
三 各種報告並印刷物ニ關スル事項
第四條 總督官房土木部ニ土木課、工事課及建築課ヲ置ク
土木課ニ於テハ左ノ事務ヲ掌ル
一 道路、河川、港灣、運河、砂防用地、水利、上水、下水等ニ關スル事項
二 水面埋築及使用ニ關スル事項
三 都市計畫ニ關スル事項
四 土地收用ニ關スル事項
五 土木會議ニ關スル事項
六 官有財産ニ關スル事項
七 部内他課ノ主管ニ屬セサル事項
工事課ニ於テハ左ノ事務ヲ掌ル
一 道路、河川、港灣其ノ他ノ技術ニ關スル事項
二 直轄土木工事ノ調査、設計及施行ニ關スル事項
三 地形圖調製ニ關スル事項
建築課ニ於テハ左ノ事務ヲ掌ル
一 營繕ニ關スル事項
二 地方營繕工事ノ監督ニ關スル事項
第四條ノ二 總督官房鐵道部ニ監理課及工務課ヲ置ク
監理課ニ於テハ左ノ事務ヲ掌ル
一 鐵道ノ一般計畫ニ關スル事項
二 鐵道及軌道ノ業務ノ監督ニ關スル事項
三 私設鐵道ノ免許、補助及軌道ノ許可ニ關スル事項
四 私設鐵道及軌道ノ抵當及登錄ニ關スル事項
五 國有鐵道財産ニ關スル事項
六 部内他課ノ主管ニ屬セサル事項
工務課ニ於テハ左ノ事務ヲ掌ル
一 鐵道及軌道ノ技術ニ關スル事項
二 鐵道線路ノ調査ニ關スル事項
三 國有鐵道ノ建設及改良工事ノ計畫ニ關スル事項
四 鐵道及軌道ノ工事及保存ノ監督ニ關スル事項
第五條 內務局ニ地方課及社會課ヲ置ク
地方課ニ於テハ左ノ事務ヲ掌ル
一 道府郡島面ノ行政ニ關スル事項
二 道地方費、學校組合及學校費ニ關スル事項
三 臨時恩賜金ニ關スル事項
四 兵事ニ關スル事項
五 局內他課ノ主管ニ屬セサル事項
社會課ニ於テハ左ノ事務ヲ掌ル
一 賑恤及慈善ニ關スル事項
二 社會事業ニ關スル事項
三 地方改良ニ關スル事項

四　鄕校財産管理ニ關スル事項
五　水利組合ニ關スル事項
第六條　（削除）
第七條　財務局ニ稅務課、關稅課、司計課及理財課ヲ置ク
稅務課ニ於テハ左ノ事務ヲ掌ル
一　租稅ノ賦課及徵收ニ關スル事項
二　土地臺帳及林野臺帳ニ關スル事項
三　驛屯土ニ關スル事項
四　稅外諸收入及諸貸付金ニ關スル事項
五　稅法違反者ノ處分ニ關スル事項
六　道府郡島面ノ他地方團體及公共組合ノ公課ニ關スル事項
七　局內他課ノ主管ニ屬セサル事項
關稅課ニ於テハ左ノ事務ヲ掌ル
一　關稅移出入稅噸稅及稅關諸收入ニ關スル事項
二　關稅ノ取締及犯則者處分ニ關スル事項
三　上屋保稅倉庫及稅關倉庫ノ管理監督ニ關スル事項
四　前各號ノ外關稅行政ノ管理監督ニ關スル事項
五　外國貿易ノ調査ニ關スル事項
司計課ニ於テハ左ノ事務ヲ掌ル
一　豫算決算ニ關スル事項
二　支拂豫算ニ關スル事項
三　收入支出ノ科目ニ關スル事項
四　豫備金支出及豫算流用ニ關スル事項
五、年度開始前支出及定額繰越ニ關スル事項
六、歲入簿及歲出簿登記ニ關スル事項
七、徵收報告書及支出濟額報告書ニ關スル事項
八　會計法第十一條ニ依ル翌年度ニ亘ル契約ニ關スル事項
九　豫算配付ニ關スル事項
一〇　國費、道地方費其ノ他特別經濟ノ會計監査ニ關スル事項
一一　李王職經費ノ會計審査ニ關スル事項
理財課ニ於テハ左ノ事務ヲ掌ル
一　國債及借入金ニ關スル事項
二　貨幣及兌換券ニ關スル事項
三　一般金融ニ關スル事項
四　銀行其ノ他金融機關ニ關スル事項
五　地方團體及公共組合ノ起債ニ關スル事項
第八條　殖産局ニ農務課、山林課、水産課、商工課、鑛務課及土地改良課及燃料選鑛研究所ヲ置ク
農務課ニ於テハ左ノ事務ヲ掌ル
一　農業及蠶業ニ關スル事項
二　畜産及狩獵ニ關スル事項
三　勸業模範場及獸疫血淸製造所ニ關スル事項
四　局內他課ノ主管ニ屬セサル事項
山林課ニ於テハ左ノ事務ヲ掌ル
一　森林山野ニ關スル事項
二　營林廠ニ關スル事項

水産課ニ於テハ左ノ事務ヲ掌ル
一　水産ニ關スル事項
二　水産組合及漁業組合ニ關スル事項
三　水産市場ニ關スル事項
商工課ニ於テハ左ノ事務ヲ掌ル
一　商工業ニ關スル事項
二　會社、商業會議所及重要物産同業組合ニ關スル事項
三　博覽會、共進會及商品陳列館ニ關スル事項
四　度量衡ニ關スル事項
五　中央試驗所ニ關スル事項
鑛務課ニ於テハ左ノ事務ヲ掌ル
一　鑛業及鑛業令ニ依ル土地ノ使用、收用ニ關スル事項
二　（削除）
三　地質調査所ニ關スル事項
土地改良課ニ於テハ左ノ事務ヲ掌ル
一　農業水利ニ關スル事項
二　前號ノ外開墾其ノ他土地改良ニ關スル事項
三　國有未墾地ニ關スル事項
燃料選鑛研究所ニ於テハ左ノ事務ヲ掌ル
一　炭田ノ調査ニ關スル事項
二　石炭利用方法ノ調査研究ニ關スル事項
三　其他燃料ノ調査研究ニ關スル事項
四　選鑛製錬試驗ニ關スル事項

第九條　法務局ニ民事課、刑事課及監獄課ヲ置ク
民事課ニ於テハ左ノ事務ヲ掌ル
一　民事及非訟事件ニ關スル事項
二　民事及非訟事件ノ裁判事務ニ關スル事項
三　裁判所ノ設置、廢止及管轄區域ニ關スル事項
四　辯護士、公證人及破産管財人ニ關スル事項
四ノ二　供託ニ關スル事項
五　民籍ニ關スル事項
六　局内他課ノ主管ニ屬セサル事項
刑事課ニ於テハ左ノ事務ヲ掌ル
一　刑事ニ關スル事項
二　刑事ノ裁判事務及檢察事務ニ關スル事項
三　恩赦及刑ノ執行ニ關スル事項
四　犯罪人ノ引渡ニ關スル事項
監獄課ニ於テハ左ノ事務ヲ掌ル
一　監獄ニ關スル事項
二　假出獄及出獄人保護ニ關スル事項
三　犯罪人ノ異同識別ニ關スル事項
第十條　學務局ニ學務課、編輯課、宗教課及古蹟調査課ヲ置ク
學務課ニ於テハ左ノ事務ヲ掌ル
一　教育學藝ニ關スル事項
二　教員ニ關スル事項
三　學校、幼稚園及圖書館ニ關スル事項

四　經學院ニ關スル事項
四ノ二朝鮮總督府觀測所ニ關スル事項
四ノ三　古圖ノ保管ニ關スル事項
五　局内他課ノ主管ニ屬セサル事項
編輯課ニ於テハ左ノ事務ヲ掌ル
一　教科用圖書ニ關スル事項
二　民曆ノ出版及頒布ニ關スル事項
宗教課ニ於テハ左ノ事務ヲ掌ル
一　神社及寺院ニ關スル事項
二　宗教及享祀ニ關スル事項
古蹟調査課ニ於テハ左ノ事務ヲ掌ル
一　古蹟、古社寺、名勝及天然記念物等ノ調査及保存ニ關スル事項
二　博物館ニ關スル事項
第十一條　警務局ニ警務課、高等警察課、保安課及衞生課ヲ置ク
警務課ニ於テハ左ノ事務ヲ掌ル
一　警察區劃及配置ニ關スル事項
二　警察被服及附屬品ニ關スル事項
三　警察ノ服務及紀律ニ關スル事項
四　警衞及警備ニ關スル事項
四ノ二　警察官ノ被服ニ關スル事項
五　局内他課ノ主管ニ屬セサル事項
高等警察課ニ於テハ左ノ事項ヲ掌ル
一　高等警察ニ關スル事項
二　新聞雜誌、出版物及著作物ニ關スル事項
保安課ニ於テハ左ノ事務ヲ掌ル
一　行政警察ニ關スル事項
二　消防ニ關スル事項
三　犯罪卽決ニ關スル事項
衞生課ニ於テハ左ノ事務ヲ掌ル
一　公衆衞生ニ關スル事項
二　醫師、醫生、藥劑師、產婆、看護婦及種痘認許員ニ關スル事項
三　病院ニ關スル事項
四　藥品、營業、入齒、理髮、按摩及針灸術營業ニ關スル事項
五　墓地及埋火葬ニ關スル事項

附　則

本令ハ發布ノ日ヨリ之ヲ施行ス

二　拓殖事務局分課規程　（大正十一年十一月）

拓殖事務局分課規程ヲ左ノ如ク定メタリ

拓殖事務局分課規程

第一條　拓殖事務局ニ左ノ三課ヲ置ク
庶務課
第一課
第二課
第二條　庶務課ニ於テハ左ノ事務ヲ掌ル
一　機密ニ屬スル事項

二 人事ニ關スル事項
三 官印及局印ノ管守ニ關スル事項
四 公文書ノ接受發送ニ關スル件
五 各課成案文書ノ監査及進達ニ關スル事項
六 公文書ノ編纂及保存ニ關スル事項
七 局內取締ニ關スル事項
八 各課ノ主掌ニ屬セサル事項

第三條 第一課ニ於テハ左ノ事項ヲ掌ル
一 朝鮮總督府及關東廳ニ關スル事項
二 特種會社ニ關スル事項

第四條 第二課ニ於テハ臺灣總督府、樺太廳及南洋廳ニ關スル事務ヲ掌ル

三 朝鮮總督府委任事項規程 大正九年四月 內訓第四號

朝鮮總督府委任事項規程左ノ通定メ朝鮮總督府主管事項規程ハ之ヲ廢止ス

第一條 政務總監ハ左ノ事項ヲ專行スヘシ
一 定例アル告示ノ制定
二 判任官、同等待遇職員及囑託ノ進退、懲戒及賞與
三 奏任官以下ニ對スル療治料及死傷手當ノ給與
四 公立學校職員恩給審査規程第三條及在外指定學校職員恩給審査規程第二條ニ依ル具申ノ裁決
五 一件ノ金額十萬圓以下ノ國庫補助
六 繼續工事ニ屬スル年度內實施計畫ノ決定及其ノ變更

七 土地其ノ他ノ寄附採納
八 官有財産管理規則ニ依ル處分
九 河川取締規則、大正三年府令第四十七號及官有水面埋立規則ニ依ル許可 但シ主要ナル河川及港灣ニ關スル重要ナル處分ヲ除ク
十 道路規則第四條ノ認可、第六條但書ノ指定
十一 大正四年訓令第五十號第一條中計畫又ハ設計變更ノ認可及第三條、第五條ニ依ル認可
十二 市區改正及下水ニ關スル認可
十三 地方鐵道法第四條、第六條乃至第九條、第二十條、第二十一條、第二十六條及第二十七條第一項ノ許可又ハ認可
十四 地方鐵道法第十一條ニ依ル免許及許可條件ノ變更、第十二條第二項ニ依ル期限ノ伸長
十五 朝鮮私設鐵道令施行規則第八條、第九條第三十五條及第三十八條ノ許可又ハ認可
十五ノ二 朝鮮專用鐵道規程第八條ノ許可及專用鐵道ニ對スル認可事項中前三號ニ準スヘキ事項
十五ノ三 軌道ノ運輸開始、運賃ノ認可、營業ノ廢止及休止ノ許可、許可又ハ認可ノ取消
十五ノ四 朝鮮私設鐵道補助法施行規則第十條、第十一條及第十五條ノ認可
十六 國有鐵道ノ運賃及諸料金割引ノ認可
十七 國有鐵道運輸營業ノ開始、廢止、停車場ノ新設、移轉、廢止、他ノ交通機關トノ連絡運輸ノ開始、廢止、變更竝列車發着時刻制定

改廢ノ認可

十八　地方費ニ屬スル夫役及現品賦課ノ認可

十九　地方費特別會計設定ノ認可

二十　地方費繼續費設定又ハ變更ノ認可

二十一　府ニ於ケル使用料、手數料ノ新設及增額ノ許可

二十二　府、面、學校組合及水利組合起債ノ許可又ハ認可　但シ起債額十萬圓以上ノモノヲ除ク

二十三　學校組合ノ設置、分合、廢止、區域ノ變更ニ關スル許可及之カ爲組合規約ノ設定變更若ハ財產處分ヲ要スル場合ノ許可

二十四　水利組合規約變更ノ認可　但シ合併分割及廢止ニ關スルモノヲ除ク

二十五　水利組合事業ノ認可

二十六　面相談役定員ノ認可

二十七　面賦課金制限外賦課ノ認可

二十八　面ノ區域變更ノ場合ニ於ケル財產處分ノ認可

二十九　恩賜罹災救助基金ノ支出

三十　朝鮮保稅倉庫令ニ依リ保稅倉庫法第十八條ノ特許、同二十四條ノ認可、同第三十條ノ特許取消竝朝鮮保稅倉庫令施行規則第十九條ノ認可

三十一　釜山稅關棧橋使用規則、稅關所屬曳船使用規則及仁川船渠使用規則各第五條ニ依ル認可

三十二　稅關特許手數料ノ減額又ハ納付方法變更ノ認可及外國貿易船不開港出入特許手數料減額ノ認可

三十三　大正七年府令第二十一號第一條ニ依ル認可

三十四　第二豫備金支出ノ要求

三十五　朝鮮銀行及朝鮮殖產銀行內規諸規則ノ制定又ハ變更ノ認可若ハ承認

三十六　朝鮮銀行ノ代理店及其ノ他銀行ノ支店、代理店、出張所、派出所ノ設置竝普通銀行ノ商號及本支店所在地變更ノ認可又ハ命令

三十七　朝鮮銀行及朝鮮殖產銀行重役ノ兼職竝朝鮮商業銀行、漢城銀行重役就任ノ認可及朝鮮商業銀行支配人ノ進退及懲戒

三十八　普通銀行資本總額變更ノ許可

三十九　朝鮮銀行貸付金ノ利子竝手形割引步合ノ認可及朝鮮殖產銀行法定貸付金最高利子步合ノ承認

四十　朝鮮銀行券發行準備價格及保證價格ノ認可

四十一　朝鮮銀行及朝鮮殖產銀行利益金配當ノ認可

四十二　朝鮮銀行及朝鮮殖產銀行業務檢查ノ命令

四十三　金融組合ノ設立許可竝解散及合併ノ認可

四十四　金融組合令第十一條第一項及第十五條ニ依ル命令

四十五　金融組合基本金ノ使用認可及返納命令

四十六　金融組合聯合會理事長、理事及精算人ノ進退竝之カ給料及手當金ノ指定

四十七　國有未墾地利用法及同施行規則ニ依ル處分　但シ五百町步ヲ超ユル國有未墾地ノ貸下、付與、拂下及貸下許可ノ取消ヲ除ク

四十八　五百町步以下ノ國有森野ニ對スル乙種要存豫定林野及第一種不要存林野ノ區分決定及解除

四十九　千町歩以下ノ國有林野貸付、森林令第七條、森林令施行規則第十六條、第十七條ニ依ル處分及五百町歩以下國有林野ノ賣却讓與交換及其ノ取消、解除

五十　國有林野産物一件ノ金額五千圓以下又ハ材積五千尺締以下ノ賣却、讓與及其ノ取消、解除

五十一　漁業組合設立ノ許可

五十二　一件ノ採捕物金額五千圓以下ノ免許漁業ニ關スル處分

五十三　免許漁業ノ採捕物見積價格ノ變更

五十四　水産組合役員ノ選任、解任、決議ノ認可及取消命令　但シ組合長及定款變更並解散ニ關スル場合ヲ除ク

五十五　商業會議所令及同施行規則ニ依ル處分　但シ設立、解散、定款變更ノ認可及商業會議所令第十六條ニ依ル處分ヲ除ク

五十六　重要物産同業組合令及同施行規則ニ依ル處分　但シ設置、解散ノ認可及重要物産同業組合令第十九條第二項、第二十條ニ依ル處分ヲ除ク

五十七　市場規則取扱手續第一條第二號ニ依ル處分

五十八　鑛業令第十條、第十四條、第三十二條第一項、第三十五條第二項ニ依ル處分

五十九　土石採取規則ニ依ル處分

六十　公立高等女學校ノ修業年限、學則及維持方法變更ノ認可並公立實業專修學校ノ學則及維持方法變更ノ認可

六十一　私立學校規則第二條、第三條ニ依ル認可　但シ中等程度以上ノ學校ノ設置認可ヲ除ク私立學校規則第十五條ニ依ル中等程度以上ノ學校ニ對スル命令及同第十六條ニ依ル初等程度學校ノ閉鎖命令

六十二　高等普通學校、女子高等普通學校、實業學校ノ學則及維持方法ノ變更及專門學校規則第三條ニ依ル認可

六十三　官費留學生規程ニ依ル處分

六十四　教科用圖書檢定規程ニ依ル處分

六十五　教科用圖書ノ編纂依囑

六十六　本府出版教科用圖書、朝鮮民曆ノ定價及賣下價格ノ決定

六十七　寺刹令及同施行規則ニ依ル處分　但シ寺法ノ認可ヲ除ク

第二條　各局長、官房各部長、秘書課長、首席參事官、首席監察官及外事課長ハ左ノ事項ヲ專行スヘシ

一　部下職員勤務ノ指定　但シ課長及之ニ準スヘキ者ヲ除ク

二　部下職員ノ例規ノ請暇休暇及休暇中旅行ノ許否

三　部下職員ノ除服出仕

四　部下職員ノ官吏服務紀律ニ依ル出願ノ許否

五　部下職員ノ出張　但シ外國出張ノ場合ヲ除ク

六　部下雇員ノ進退及賞與

七　事業費所屬傭人ノ進退及賞與

八　補助工事設計ノ變更　但シ一萬圓ヲ超ユル補助金ノ增加ヲ要スル場合ヲ除ク

九　報告及屆書ノ處理　但シ重要ナルモノハ卽時ニ總督ノ閱覽ニ供スヘシ

十　事務上定例アルカ若ハ輕易ノ事項ニ關スル照會、回答並通知

第三條　內務局長ハ左ノ事項ヲ專行スヘシ

一　地方費及臨時恩賜金ニ關シ定例アル豫算ノ追加更定、一時借入金翌年度歳入ノ繰上使用、豫備費ノ支出、豫算各項金額ノ流用及臨時恩賜金基金編入金使用ノ認可
二　地方費豫算ヲ以テ定ムルモノノ外地方費ノ負擔トナルヘキ義務負擔及權利抛棄ノ認可
三　地方費制限外現金前渡ノ認可
四　道内ニ於ケル府郡島書記定員變更ノ認可
五　寄附金品募集ノ認可
六　府協議會員任命ノ認可
七　府條例ノ許可　但シ府税ノ新設及課率ノ増額竝使用料、手數料ノ新設及増額ニ關スルモノヲ除ク
八　第一條第二十三號ニ規定セル以外ノ學校組合規約ノ變更、一廉五千圓未滿ノ起債、起債ノ方法、利息ノ定率及償還方法ノ變更竝借替ニ關スル許可
九　府及水利組合ニ於ケル起債ノ方法、利率、償還方法ノ變更及借替ノ認可
十　水利組合ノ起債ニ依ラサル事業及其ノ變更ノ認可　但シ變更ノ為起債ヲ要スルモノヲ除ク
十一　水利組合設置認可條件ニ基ク事項ノ認可
十二　水利組合ニ關シ道知事ノ經伺事項ニ關スル承認
十三　面ニ於ケル使用料、手數料ノ新設増額及變更ノ認可
十四　面吏員ノ匪徒被害者遺族弔慰金ノ支出
十五　恩賜賑恤資金ノ支出
十六　行旅病人救護資金ノ支出
十七　郷校財産管理規則第二條ニ依ル認可

第四條　財務局長ハ左ノ事項ヲ專行スヘシ
一　租税ノ減免
二　租税、驛屯賭收入及地方費賦課金亡失ノ責任解除處分
三　所得税法規則施行第三條第二項ニ依ル納税地ノ指定
四　煙草税事務取扱手續第七條及第二十條ノ禀議ニ對スル處分
五　漁業税令第三條ニ依ル捕鯨頭數ノ決定
六　國有地小作人組合ニ關スル處分
七　驛屯土無料貸付ノ承認
八　一件一萬坪以下驛屯土特殊貸付
九　驛屯土ヲ公用又ハ公共用地ニ編入ノ承認
十　一件ノ評定價格五千圓以下驛屯土ノ處分
十一　決裁ヲ經タル標準價格ニ依ル生産物件ノ處分
十二　朝鮮保税倉庫令施行規則第二十一條但書ニ依ル許可
十三　金銀貨幣、同地金、同製品及同合金ノ輸出許可
十四　補助費途ニ屬スル豫算ノ不足ニ對シ豫備金ノ支出
十五　歳入歳出科目ノ設置及變更竝豫算各目ノ流用
十六　仕拂豫算金庫ヘノ令達及會計檢査院ヘノ通知
十七　歳計剩餘金額國庫移替又ハ資金組入ノ請求
十八　歳入繰越計算表及増減計算表大藏省ヘ提出
十九　年度經過後誤謬發見ニ係ル歳入ノ整理
二十　豫算繰越承認ノ要求

二十一　第一豫備金ヲ以テ補充スヘキ費途ニ對スル剩餘金支出ノ要求

二十二　明治四十四年法律第五十八號ニ依ル定期貸及据置貸ニ關スル事項

二十三　朝鮮銀行及朝鮮殖産銀行ノ臨時休業竝朝鮮殖産銀行及普通銀行營業時間變更ノ許可又ハ認可

二十四　朝鮮商業銀行定款竝內規諸規則ノ變更及職員ノ進退其ノ他身分ニ關スル認可　但シ支配人ノ進退及懲戒ヲ除ク

二十五　朝鮮殖産銀行、朝鮮商業銀行及漢城銀行ノ他ノ銀行若ハ會社ノ業務代理又ハ朝鮮商業銀行ノ公共團體ノ金錢出納取扱ノ認可

二十六　朝鮮銀行ノ「コルレス」締結ノ認可

二十七　朝鮮銀行ノ貸付及其ノ他ノ銀行貸付又ハ借入ニ關スル認可、承認及指定

二十八　朝鮮銀行及朝鮮殖産銀行ノ買入又ハ擔保トスヘキ有價證券ノ種類竝朝鮮商業銀行ノ公債私債又ハ株式ノ引受、應募、賣買ニ關スル指定又ハ認可

二十九　朝鮮銀行ノ債務辨償ノ爲メ引受ケタル物件ノ處分及朝鮮殖産銀行ノ債券ノ買入、銷却ニ關スル認可

三十　朝鮮殖産銀行餘裕金預入銀行ノ指定

三十一　朝鮮商業銀行及漢城銀行ノ利益金分配竝積立金使用ノ認可

三十二　朝鮮商業銀行所有物ノ價格變更、賣買及建物ノ新築改築等ニ關スル認可

三十三　朝鮮商業銀行ノ信用狀發行、支拂保證及漢城銀行ノ甲號株式ノ讓渡又ハ質入ニ關スル認可

三十四　銀行、會社總會ニ於ケル政府持株式代表者出席ノ委任

三十五　普通銀行業務檢査命令

三十六　金融組合令第六條及第七條竝金融組合業務監督規程第二條、第九條、第十條第二項及第六十一條ニ關スル認可又ハ承認

三十七　金融組合及金融組合聯合會ノ借入金及定款變更ノ認可

三十八　金融組合理事、清算人ノ進退及設立準備委員ノ推薦竝之カ給與及手當金ノ指定

三十九　金融組合理事竝金融組合聯合會理事長及理事服務及懲戒規程ニ依ル許可

四十　金融組合及金融組合聯合會ノ業務及清算事務ノ檢査命令

四十一　金融組合ニ對スル定例アル國庫補助

四十二乃至四十八　削除

四十九　會社令施行規則第三條及第三條ノ二ニ依ル許可

第五條　殖産局長ハ左ノ事項ヲ專行スヘシ

一　國有未墾地利用法及同施行規則ニ依ル五十町歩以下國有未墾地ニ關スル處分

二　二百町歩以下國有未墾地ニ關スル利用權移轉及擔保權設定ノ許否、貸付料ノ減免、損害補償金額ノ裁定、事業計畫ノ變更、利用方法ノ改良命令又ハ事業ノ停止

三　國有未墾地ノ定例ニ依ル付與及拂下

四　米穀檢査規則第一條第一項、第二項第五條第一項、第二項、第二十條ニ關スル認可及第十八條ニ依ル承認

五　朝鮮蠶業令第八條、第十二條第二項、第十五條第二項、同令施行

規則第十九條第二項及第六十一條ニ依ル許可

六　百町歩以下國有林野ノ貸付、森林令第七條、森林令施行規則第十六條、第十七條ニ依ル處分及五十町歩以下國有林野ノ賣却、讓與、交換及其ノ取消、解除　但シ要存豫定林野ヲ除ク

七　大正元年勅令第六號第三條第二號ニ依ル國有林野ノ貸付

八　永年禁養國有林野ノ讓與

九　學校林及面模範設置ノ爲ニスル國有林野ノ讓與

十　一件ノ金額千圓又ハ材積一千尺締以下國有林野產物ノ賣却、讓與及其ノ取消、解除

十一　國有林野及產物ノ處分又ハ貸付ニ關シ定例アル違約金辨償金、賠償金ノ決定

十二　入會區域ノ指定又ハ變更並國有林野保護命令

十三　森林令施行規則第十三條、第十九條、第二十五條乃至第二十七條、第二十八條第二項及第三十三條第一項ノ處分

十四　國有林野ノ保管轉換

十五　國有林野及其ノ產物ノ競爭入札ニ依ル契約締結及之ニ基ク輕易ナル處分

十六　漁業權ノ讓渡、共有、抵當又ハ貸付ノ許可並漁業令施行規則第十條ノ許可

十七　免許漁業一件ノ採捕物五千圓ヲ超エサル場合ニ於ケル見積價格ノ變更

十八　漁業免許狀又ハ漁業許可狀ノ訂正又ハ再下付

十九　漁業著手ノ延期又ハ休業ノ認可

二十　漁業出願代表者ノ變更又ハ指定

二十一　漁業組合ニ關スル處分　但シ設立ノ許可ヲ除ク

二十二　漁撈又ハ養殖ノ調査、試驗ノ認可

二十三　鑛業ニ關スル出願ノ處分　但シ先願者ニ許可スルヲ要セサル鑛業出願中競願アルモノヲ除ク

二十四　鑛業令第八條、第十九條、第二十六條、第二十七條ニ依ル處分、第二十八條ニ依ル鑛區ノ減區訂正ニ關スル處分、第二十九條第六號ノ事由ニ因ル鑛業權ノ取消、第三十一條第一項、第四十一條ニ依ル處分並第二十五條ノ處分中砂金鑛業ニ關スル豫防命令

二十五　鑛業令施行規則ニ依ル處分但シ第四十二條ニ依ル處分ヲ除ク

二十六　國有土石採取規則ニ依ル採取物見積價格千圓以下ノ土石ニ關スル處分

二十七　商業會議所令第十一條第二項ニ依ル決議ノ認可

二十八　度量衡器販賣ノ委託及其ノ解除

二十九　度量衡器輸移入販賣、修理ノ特許及其ノ取消

三十　委託度量衡器ノ交付、保管及返納命令

三十一　度量衡器ノ直接販賣、檢定、修理及修理料ノ決定

三十二　衡器修理材料ノ販賣及破損度量衡器ノ燒却並破損又ハ亡失度量衡器ノ賠償

三十三　度量衡器檢定官吏ノ命免

三十四　商品陳列館ニ出品ノ許否及陳列品寄贈ノ諾否

三十五　輸出制限品ニ關スル許可

三十六　會社令施行規則第三條及第三條ノ二ニ依ル許可

第六條　法務局長ハ左ノ事項ヲ專行スヘシ
一　裁判所、檢事局及監獄ノ職員ヨリ提出スル輕易ナル請訓及具申ノ措置
二　民籍事務ニ關シ道知事ヨリ提出スル輕易ナル具申ノ措置
三　辯護士名簿登錄換ノ認可
四　公證人法ニ依リ措置スヘキ事項
五　破產管財人ノ任免
六　明治四十四年法律第五十一號第三條ニ依ル命令
七　朝鮮總督府裁判所令第二十一條ノ四ニ依ル檢事代理ノ命免
八　監獄參觀ノ許可
九　監獄判任官待遇以下職員ノ配置
十　看守ノ任免及朝鮮總督府看守敎習規程第六條ノ認可
十一　看守長任用考試規則ニ依ル處分
十二　在監者情願ノ處分
十三　在監者移監ノ處分
十四　在監者ニ對スル手當金給與ノ認可
十五　免囚保護事業補助金下付手續第三條ノ認可
十六　假出獄及假出獄者ニ關スル處分
十七　監獄作業ノ新設、變更及廢止
第七條　學務局長ハ左ノ事項ヲ專行スヘシ
一　一件ノ金額千圓以下ノ國庫補助
二　官立學校職員ノ勤務規程竝學校細則、生徒服制、修學旅行、生徒募集ノ認可
三　總督府中學校ノ學科竝其ノ程度、學級編成及臨時休業ノ認可
四　總督府中學校附屬臨時小學校敎員養成所規程第十一條ニ依ル認可
五　公立高等女學校規則第八條、第九條公立實業專修學校ニ付公立實業專修學校及公立簡易實業專修學校規則第八條、第九條ニ依ル認可
六　高等普通學校敎員速成科ノ敎科目、課程及授業時間數ノ認可
七　高等普通學校、女子高等普通學校、實業學校ノ臨時休業及授業料ノ認可
八　初等程度ノ私立學校ニ對シ私立學校規則第二條ニ依ル認可、但シ設立ノ認可ヲ除ク
九　小學校及普通學校敎員試驗及合格證書ノ下付
十　官費留學生ノ檢定、留學期間ノ延長及學資金定額ノ決定
十一　官立學校生徒學資金償還竝卒業者服務義務ノ免除又ハ猶豫ノ許否
十二　高等師範學校生徒ノ薦擧
十三　中等敎員ノ豫備試驗
十四　旣版ノ敎科用圖書ノ增刷
十五　敎科用圖書ノ支給、頒與及貸與竝發賣
十六　敎科用圖書ノ檢定願ノ却下竝檢定ノ取消
十七　敎科用圖書使用ノ認可
十八　朝鮮民曆元賣捌人ノ指定
十九　寺刹令第五條ノ處分中十町步以下ノ森林又ハ一件ノ金額五百圓以下ノ林產物ノ處分
二十　神社寺院規則第五條、第七條、第八條、第十條第一項第四號、第五號及第十五條第二號ニ依ル處分

二十一　神祠ニ關スル處分
二十二　布教規則第九條及第十條ノ許可

第八條　警務局長ハ左ノ事項ヲ專行スヘシ

一　出版物取締ニ關スル事項
二　醫師、齒科醫師竝藥劑師ノ免許
三　醫師規則附則第三項及第五項ノ醫業者免許
四　醫生ノ免許
五　內地人巡査ノ任免
六　警察職員定員變更ノ認可
七　警察官吏ノ道外應援派遣
八　警察事務ニ關スル道知事ヨリ提出スル輕易ナル請訓及具申ノ措置
九　檢疫委員ノ職務章程ノ制定
十　勞働者募集取締規則第一條及第七條ニ依ル許可及同規則取扱手續第二條、第十條及第十四條ノ指令
十一　銃砲火藥類取締令施行規則第三條、第五條、第八條、第二十九條及第三十三條ノ許可、許可ノ取消竝銃砲火藥類取締ニ關スル命令取扱手續第二十一條ノ指令
十二　引火質物貯藏所取締規則取扱手續第七條ノ指令
十三　汽罐汽機發動機取締規則取扱手續第四條ノ二ノ指令
十四　貸座敷娼妓取締規則取扱心得第一條ノ指令
十五　自動車取締規則取扱手續第一條ノ指令
十六　信用告知業取締規則第二條第一項、第十條及第十一條ノ處分
十七　寄附金品募集取締規則第一條ニ依ル許可
十八　市街地建築取締規則取扱手續第三條ノ指令
十九　狩獵免狀及特別許可ニ關スル取扱手續第十一條ノ指令
二十　行政執務令及同施行規則取扱心得第四條、第五條ノ指揮
二十一　獸疫豫防令第九條及第十條ノ處分
二十二　阿片取締令取扱手續第二條ノ指定
二十三　大正三年府令第六十三號第一條ニ依ル漁業從事船舶寄港地ノ指定

第九條　庶務部長ハ左ノ事項ヲ專行スヘシ

一　收受、發送文書ノ行違其ノ他文字誤脫、訂正等ニ關スル照會及回答
二　規定ニ依ル文書ノ取扱方ニ關シ各局部及所屬官署ヘノ指示
三　官報ノ編成
四　定例ニ依ル定期刊行物ノ編成
五　刊行物ノ配付
六　個人ノ記錄文書閲覽若ハ謄寫願ノ許否
七　物件賣拂代金ノ延納
八　留置豫算ノ配賦
九　諸計算書及其ノ證憑書類ノ檢査及推問
十　諸計算書及報告書其ノ他諸證明書類大藏省及會計檢査院ヘノ提出
十一　會計檢査院ノ審理ニ對スル答辯
十二　過年度支出及歲入金過誤納拂戾
十三　物件ノ賣買、貸借、運搬、廢棄其ノ他ノ處分
十四　傭人ニ關スル事項
十五　廳舍及官舍ニ關スル事項

十六　被服帶具ノ貸與及給與
十七　修繕工事ノ施行
十八　工事及物件檢査員、現場督役員ノ命免
十九　會計官吏及會計檢査官吏ノ命免
二十　朝鮮總督府所屬官署會計事務章程第五條第三項、第八條第二項、第九十八條及第百四十六條第二項ノ認可
二十一　朝鮮總督府及所屬官署減額旅費規程第三條第二項ノ認可
二十一ノ二　朝鮮總督府警察官旅費規則第七條ノ認可
二十二　獸疫檢疫委員手當及旅費支給規程第二條第二項ノ認可
二十三　大正五年府令第百四號ニ依リ給料ヲ受ケサル者ニ支給スル療治料額ノ決定
二十四　他局部課ノ主管ニ屬セサル輕易事項

第十條　土木部長ハ左ノ事項ヲ專行スヘシ
一　一件ノ金額一萬圓以下ノ國庫補助
二　國庫補助工事ノ竣工認可竝殘金處分
三　道路規則ニ依ル處分　但シ道路規則第二條竝第三條ノ決定、第四條ノ認可及第六條但書ノ指定ヲ除ク
四　鑛業令第五條ニ依ル許可
五　官有水面埋立規則、河川取締規則、大正三年府令第四十七號ニ依ル處分　但シ埋立及占用面積千坪ヲ超ユルモノヲ除ク
六　蒙利面積二百町歩以下灌漑排水事業ニ關スル認可
七　水利組合補助規程ニ依ル調査申請ニ關スル處理
八　大正四年訓令第五十號第六條ノ認可
九　官營水道工作物ノ變更竝增設工事ニ關スル認可
十　官營水道給水工事費及料金減免ニ關スル認可
十一　豫算ノ範圍內ニ於テ既定計畫ニ屬スル事業ノ施行
十二　工事及物件檢査員ノ命免
十三　工事用土地及價格五千圓以下ノ土地、建物又ハ物件ノ寄附願ニ關スル處分
十四　官有財產ノ保管ノ分任、轉換及組替
十五　一件ノ豫定價格又ハ評定價額五千圓以下ノ官有財產ノ處分
十六　建物及二千坪以下土地ノ期間三年ヲ超エサル貸付又ハ使用ノ許可
十七　官有財產ノ登記證明ノ囑託
十八　官有財產臺帳ノ登錄及變更
十九　官有財產目錄及其ノ異動報告

第十一條　鐵道部長ハ左ノ事項ヲ專行スヘシ
一　地方鐵道法第十三條、第二十二條ノ認可
二　地方鐵道法第十一條ニ依ル認可條件ノ變更及第十三條第二項ニ依ル期限ノ伸長
三　朝鮮私設鐵道令第四條ノ認可
四　朝鮮私設鐵道令施行規則第十六條、第十九條、第二十條、第二十四條、第二十五條、第三十二條及第四十條ノ認可
五　朝鮮專用鐵道規程第五條、第六條、第九條ノ許可又ハ認可及專用鐵道運轉開始ノ認可竝專用鐵道ニ對スル認可事項中前四號ニ準スヘキ事項

五ノ二　鐵道營業法第二十條、第二十三條竝鐵道運輸規程第十六條、第三十四條、第百五條及第百十五條ノ認可
五ノ三　朝鮮私設鐵道建設規程及朝鮮私設鐵道運轉保安信號規程ニ依ル許可又ハ認可
五ノ四　軌道ノ工事施行、工事方法、線路ノ變更、停留場聯絡所信號所ノ新設廢止、位置變更、運轉度數、營業時間、發著時刻ノ認可
五ノ五　軌道ノ車輛檢査方法車輛進行速度及係員職制ノ認可
五ノ六　朝鮮私設鐵道補助法施行規則第十二條、第十三條ノ認可及補助金交付條件ニ依ル認可
五ノ七　地方鐵道法第二十三條ニ依ル監査員ノ命免
六　國有鐵道ノ運送取扱ニ關スル規定ノ認可
七　國有鐵道列車ノ運轉、信號及保安ニ關スル規定ノ認可
八　國有鐵道工事ノ請負ニ關スル規定ノ認可
九　國有鐵道ニ屬スル官有財産ノ保管ニ關スル規定ノ認可
十　豫算ノ範圍內ニ於ケル國有鐵道建設及改良工事設計竝工事費ノ認可
十一　官有財産ノ保管轉換
十二　一件ノ豫定價格又ハ評定價格五千圓以下ノ官有財産ノ處分
十三　官有財産ノ登記證明ノ囑託
十四　官有財産臺帳ノ登錄及其ノ變更
十五　會社令施行規則第三條及第三條ノ二ニ依ル許可

第十二條　秘書課長ハ左ノ事項ヲ專行スヘシ
一　篤行者ノ定例褒賞
二　定例アル敍位、敍勳ノ申請
三　官吏恩給遺族扶助料及一時扶助金請求書ノ進達
四　定例アル退官賜金及死亡賜金ノ給與
五　定例アル巡査、看守退隱料、一時金及遺族扶助料ノ給與
六　定例アル學校職員ノ退隱料、退職給與金、遺族扶助料及一時扶助金ノ給與
七　朝鮮軍人扶助金ノ給與
八　官吏遺族扶助法施行規則第一條ニ依ル履歷書及同規則第三條ニ依ル證據書類ノ下付
九　勤務演習、簡閱點呼召集、免除ノ申請

第十三條　土木部出張所長ハ左ノ事項ヲ專行スヘシ
一　所員勤務ノ指定　但シ工營所主任タル者ヲ除ク
二　所員ノ例規請暇及休暇中旅行ノ許否　但シ高等官朝鮮外旅行ノ場合ヲ除ク
三　所員ノ除服出仕
四　所員ノ管內及所屬工事現場ヘノ出張
五　工事費豫算ノ範圍內ニ於テ既定計畫ニ屬スル工事ノ施行及二千圓以下ノ設計變更
六　一件ノ見積價格五百圓以下ノ不用物件ノ處分
七　工事及物件檢査員ノ命免
八　傭人ノ進退竝賞與
九　傭人ニ對シ定例ニ依ル扶助金ノ給與
十　工事用土地寄附ニ關スル處分

十一　事務上定例アルカ又ハ輕易ノ事項ニ關スル照會、同答竝通知

第十四條　削除

第十五條　削除

第十六條　鑛務課出張所長ハ左ノ事項ヲ專行スヘシ

一　所員勤務ノ指定

二　所員ノ除服出仕

三　所員ノ例規請暇及休暇中旅行ノ許否　但シ所長旅行ノ場合ヲ除ク

四　所員ノ左ノ地域內ニ於ケル出張尙州出張所ニ於テハ尙州郡內及金泉郡金泉驛ニ至ル間新興出張所ニ於テハ咸興郡及新興郡內

五　試掘費豫算內一件ノ金額五百圓以下ノ工事施行及其ノ設計變更

六　一件ノ見積價格百圓以下ノ不用物件ノ處分

七　工事用土地寄附ニ關スル處分

八　傭人ノ進退竝賞與

九　傭人ニ對シ定例ニ依ル扶助金ノ給與

十　事務上定例アルカ又ハ輕易ノ事項ニ關スル照會、同答竝通知

第十七條　山林課出張所長ハ左ノ事項ヲ專行スヘシ

一　所員勤務ノ指定

二　所員ノ除服出仕

三　所員ノ例規請暇及休暇中旅行ノ許否　但シ所長旅行ノ場合ヲ除ク

四　所員ノ受持森林內ノ出張

五　公金拂込又ハ受領ノ爲金庫又ハ通信官署所在地ヘノ出張

六　裁判所又ハ檢事局ノ要求ニ依リ裁判所所在地ヘノ出張

七　一件ノ金額百圓以下又ハ材積百尺締以下ノ國有林野產物ノ賣却及讓與ニ關スル處分

八　國有林經營費豫算內一件ノ金額五百圓以下ノ工事ノ施行及其ノ設計變更

九　一件ノ見積價格百圓以下ノ不用物件ノ處分

十　傭人ノ進退竝賞與

十一　傭人ニ對シ定例ニ依ル扶助金ノ給與

十二　事務上定例アルカ又ハ輕易ノ事項ニ關スル照會、同答竝通知

第十八條　前各條ニ揭クル委任事項ニ比シ輕易ナルモノハ之ヲ專行ヘスシ

前各條ニ揭クル委任事項中重要ナルモノハ意見ヲ具シ上官ノ決裁ヲ受クヘシ

第十九條　第二條ノ各局部課長ハ其ノ委任事項ト雖他ノ局部課ニ關聯スルモノハ合議ノ手續ヲ爲スヘシ

第二十條　委任事項ニ屬スル同答、通牒、照會等ニシテ定例ナク且依命ノ文詞ヲ用フルモノハ上官ノ決裁ヲ受クヘシ

第二十一條　委任事項ニシテ總督名又ハ總督府名ヲ以テ施行スヘキモノハ豫メ定例ヲ作リ總督ノ決裁ヲ受クヘシ

第二十二條　各局部長ハ委任事項中豫メ總督ノ決裁ヲ經テ更ニ之ヲ部下ノ課長、出張所長若ハ派出所長ニ行ハシムルコトヲ得

四　朝鮮總督府所屬官署委任事項規程

大正十年十二月
內訓第五號

改正　一一年一二月迄

中樞院議長
遞信局長
專賣局長
高等法院長
高等法院檢事長
覆審法院長
覆審法院檢事長
地方法院長
地方法院檢事正
典獄
醫院長
濟生院長
勸業模範場長
中央試驗所長
營林廠長
平壤鑛業所長
道知事
稅關長
觀測所長
地質調査所長
獸疫血清製造所長
警察官講習所長
海員審判所長
水產試驗場長
高等土地調査委員會委員長
林野調査委員會委員長

朝鮮總督府所屬官署委任事項規程左ノ通定メ朝鮮總督府所屬官署主管事項規程ハ之ヲ廢止ス

五　朝鮮總督府所屬官署委任事項規程

第一條　各官署ノ長ハ特ニ規定スルモノノ外此ノ規程ニ依リ專行スヘシ

第二條　各官署ノ長ハ左ノ事項ヲ專行スヘシ

一　部下職員勤務ノ指定　但シ道ニ在リテハ部長、遞信官署ニ在リテハ遞信局課長、遞信吏員養成所長、郵便爲替貯金管理所長及管理事務分掌郵便局長、專賣局ニ在リテハ專賣局課長、專賣支局長、裁判所ニ在リテハ豫審判事、監獄ニ在リテハ分監ノ長ヲ除ク

二　部下職員ノ例規請暇休暇及休暇中旅行ノ許否

三　部下職員ノ除服出仕

四　部下職員ノ官吏服務紀律ニ依ル願出ノ許否

五　部下職員ノ出張但シ鴨綠江、豆滿江對岸以外ノ外國出張ヲ除ク

第三條　遞信局長ハ左ノ事項ヲ專行スヘシ

一　部下竝所轄ノ判任官、同待遇職員ノ進退及賞與

二　部下竝所轄職員ノ死傷及退官ニ關スル賜金、手當及諸給與

三　所轄職員ニ係ル第二條ノ事項

四　部下竝所轄職員海事事務ノ爲關東州ヘノ出張

五　電信電話線及機械維持上管理事務分掌郵便局ノ受持區域ニ依ルヲ

不便トスル區間ノ受持指定
六　官損處分
七　官有財産臺帳ノ登錄及其ノ變更
八　官有財産ノ增築、改築、移築、移轉、取拂、模樣替及用途ノ變更
九　建物及二千坪以下土地ノ期間三年ヲ超エサル貸付又ハ使用ノ許可
十　官有財産ニ屬スル土地以外ノ見積價格二千圓ヲ超エサル不用物件ノ處分
十一　見積價格千五百圓ヲ超エサル土地、工作物其ノ他ノ物件寄附ノ採納
十二　官廳用及私設電信電話施設ノ許可
十三　電氣事業取締規則第十二條、第十三條、第十五條、第十六條、第三十四條第二項、第百六條及第百七條ニ依ル許可、認可又ハ承認
十四　電信電話線建設條例第三條並第七條ノ事項及第五條ニ依ル許可
十五　航海命令ノ遂行監督
十六　船舶再檢査ノ處理
十七　船舶檢査法第五條第二項及朝鮮外國船舶檢査規則ニ依ル船舶檢査官吏ノ指定
十八　船舶積量測度法第三條乃至第六條ニ依ル指定
十九　船舶職員試驗受驗資格ニ關スル外國海技免狀、機關工場、履歷及學校等ノ認定
二十　海技免狀ノ授與
二十一　朝鮮船舶職員令施行規則第四條第一項ニ依ル航路ノ指定及同規則第五條ニ依ル船舶職員乘組ニ關スル認可
二十二　船燈、信號器、救命具製造及販賣ノ免許及其ノ取消
二十三　戰時船舶管理令ニ依ル各種命令及許可ニ關シ戰時船舶管理局トノ交涉
二十四　戰時船舶管理令施行規則第三條ニ依ル船舶ノ外國諸港間航行ノ許可
二十五　會社令施行規則第三條及第三條ノ二ニ依ル許可

第三條ノ二　專賣局長ハ左ノ事項ヲ專行スヘシ
一　部下並所轄ノ判任官、同待遇職員ノ進退及賞與
二　部下並所轄職員ノ死傷及退官ニ關スル賜金、手當及諸給與
三　所轄職員ニ係ル第二條ノ事項
四　官有財産ノ增築、改築、移築、移轉、取拂、模樣替及用途ノ變更
五　建物及二千坪以下土地ノ期間三年ヲ超エサル貸付又ハ使用ノ許可
六　官有財産ニ屬スル土地以外ノ見積價格二千圓ヲ超エサル不用物件ノ處分
六ノ二　見積價格千五百圓ヲ超エサル土地工作物其ノ他ノ物件寄附ノ採納
七　朝鮮煙草專賣令第四條ノ耕作區域內ニ於テ每年耕作スヘキ煙草ノ種類及耕作面積ノ決定
八　煙草ノ輸移入ノ命令
九　人蔘種子ノ輸移入ノ許可
十　人蔘種子及水蔘ノ輸移出ノ許可
十一　醫藥用阿片ノ買入、賣下、買戻及價格ノ決定

第四條　高等法院長、同檢事長、醫院長、濟生院長、勸業模範場長、中

央試驗所長、營林廠長、獸疫血清製造所長、警察官講習所長、林業試驗場長、高等土地調査委員會委員長及林野調査委員會委員長ハ左ノ事項ヲ專行スヘシ

一　部下判任官、同待遇職員ノ進退及賞與

二　部下職員ノ死傷及退官ニ關スル賜金、手當及諸給與

水産試驗場長ハ前項第二號ノ事項ヲ專行スヘシ

第五條　覆審法院長、同檢事長ハ左ノ事項ヲ專行スヘシ

一　部下判任官、同待遇職員ノ進退及賞與

二　部下並地方法院長、同檢事正ノ死傷及退官ニ關スル賜金、手當及諸給與

三　地方法院長、同檢事正ニ係ル第二條第二號乃至第四號ノ事項

覆審法院長、同檢事長ハ所轄職員ニ係ル第二條第五號ノ事項ヲ行フコトヲ得

第六第　地方法院長、同檢事正ハ左ノ事項ヲ專行スヘシ

一　部下並所轄判任官、同待遇職員ノ進退及賞與

二　部下並所轄職員ノ死傷及退官ニ關スル賜金、手當及諸給與

第七條　高等法院長、覆審法院長、地方法院長ハ工事費五百圓ヲ超エサル建物ノ取拂、移轉又ハ模樣替ヲ專行スヘシ

第八條　典獄ハ左ノ事項ヲ專行スヘシ

一　部下判任待遇職員ノ進退及賞與但シ看守ノ任免ヲ除ク

二　部下判任官、同待遇職員ノ死傷及退官ニ關スル賜金、手當及諸給與

三　工事費千圓ヲ超エサル建物ノ增築、改築、移築、移轉、取拂又ハ模樣替

四　作業上必要アル官有土地ノ面積三百坪以下期間三年ヲ超エサル貸付又ハ使用ノ許可

五　在監者ニ給與スル糧食ノ種類及分量ノ變更

六　所在地外ノ裁判所ノ召喚ニ依リ出頭セシメタル場合ニ於ケル受刑者移監ノ處分

第九條　削除

第十條　稅關長ハ左　事項ヲ專行スヘシ

一　部下並所轄ノ判任官、同待遇職員ノ進退及賞與

二　部下並所轄職員ノ死傷及退官ニ關スル賜金、手當及諸給與

三　稅關監吏賞罰規則ニ依ル賞罰但シ免職ノ場合ヲ除ク

四　工事費千圓ヲ超エサル建物ノ增築、改築、移築、移轉、取拂又ハ模樣替

五　建坪五十坪以下ノ建物及五百坪以下ノ土地ノ期間三年ヲ超エサル貸付又ハ使用ノ許可

但シ保稅地域内ニ於ケル五十坪ヲ超ユル土地ノ使用許可ノ場合ヲ除ク

第十一條　觀測所長ハ朝鮮總督府氣象信號規程ニ依ル認可、認可ノ取消管理者變更ノ命令及諸屆出ノ處理ヲ專行スヘシ

第十二條　道知事ハ左ノ事項ヲ專行スヘシ

一　削除

二　部下並所轄職員ノ死傷及退官ニ關スル賜金、手當及諸給與但シ公立學校職員退官ニ關スルモノヲ除ク

三　所轄職員ニ係ル第二條ノ事項但シ慈惠醫院長、府尹、郡守、島司及高等官タル警察署長ニ係ル同條第一號ノ事項ヲ除ク

四　部下並所轄職員警察用務ノ爲滿洲ヘノ出張

五　市町村立小學校教員退隱料及遺族扶助料支給規則第十八條並公立學校職員退隱料及遺族扶助料支給規則第二十條ニ依ル就職及退職ノ證明

六　褒賞條例第八條第二項ノ千圓未滿ノ寄附ニ對スル褒狀ノ賜與

七　一、二等道路臨時修繕ノ施行但シ特ニ指定シタルモノヲ除ク

七ノ二　河川取締規則ニ依リ指定シタル河川ニ於ケル氷雪採取ノ爲ニスル敷地又ハ流水占用ノ許否　但シ軌道又ハ道路ノ築設其他重要ナル施設ヲ爲スモノヲ除ク

八　官有財産ノ增築、改築、移築、移轉、取拂、模樣替及用途ノ變更

九　建坪五十坪以下ノ建物及千坪以下ノ土地ノ期間三年ヲ超エサル貸付又ハ使用ノ許可

十　官有財産ニ屬スル土地以外ノ見積價格五百圓ヲ超エサル不用物件ノ處分

十一　道路、河川、堤防等ノ工事ニ要スル土地ノ寄附採納但シ本府直轄施行ノ工事ニ係ルモノヲ除ク

十二　十町歩ヲ超エサル國有未墾地ニ關シ國有未墾地利用法及施行規則ニ依ル處分

十二ノ二　免許漁業ニ關スル處分但シ第一種免許漁業中大敷網漁業大臺網漁業及角網漁業中ノ八角網漁業、第二種免許漁業中魚類及養殖業介類養殖業及雜種業第六種免許漁業免許及其ノ免許事項變更ノ許可並以上ニ揭クル以外ノ免許漁業ニシテ其ノ漁場カ二以上ノ地方長官ノ管轄ニ跨リ又ハ漁場ヲ管轄スル地方長官明確ナラサルモノニ關スル處分ヲ除ク

十三　警察官派出所及警察官駐在所受持區域ノ設定

十四　巡査定員配置

十五　種痘認許員免狀ノ下付

十六　公醫ノ命免

十七　檢疫委員ノ命免

十八　公立普通學校及公立簡易實業學校ノ設置及廢止ノ認可

第十三條　各官署ノ長ハ委任事項ト雖重要ナルモノハ特ニ意見ヲ具シ總督ノ承認ヲ受クヘシ

第十四條　委任事項ニシテ總督名又ハ總督府名ヲ以テ施行スヘキモノハ豫メ定例ヲ作リ總督ノ決裁ヲ受クヘシ

第十五條　中樞院議長、遞信局長、專賣局長、濟生院長、道知事、高等土地調査委員會委員長及林野調査委員會委員長ハ總督ノ承認ヲ受ケ委任事項中輕易ナルモノヲ部下ノ職員又ハ所轄官署ノ長ヲシテ行ハシムルコトヲ得

覆審法院長及覆審法院檢事長ハ總督ノ承認ヲ受ケ委任事項中輕易ナルモノヲ所轄官署ノ長ヲシテ行ハシムルコトヲ得

第十六條　地方法院長、地方法院檢事正、典獄、勸業模範場長、營林廠長、稅關長、觀測所長ハ其ノ委任事項中支廳、支廳檢事分局、分監、支場、支廠、支署、測候所又ハ出張所ニ關スルモノヲ部下ノ支廳上席ノ判事及檢事、分監、支場、支廠、支署、測候所又ハ出張所ノ長ヲシテ行ハシムルコトヲ得

五　所屬官署委任事項中署名ニ關スル件

明治四五、六、官通第二二七號
所屬官署ノ長宛　政務總監

所屬官署委任規程第十條（現行第十四條）ニ依リ第二條及第三條（現行第二條、第四條乃至第六條）ニ規定スル專行事項ノ定例ニ關シテハ第二條及第三條ハ內訓ノ形式ヲ以テ其ノ他ハ公文書規程ノ記載例樣式七及樣式九（現樣式第六及第八）ニ依リ當該官署長又ハ當該官署名ニテ處理可相成此ノ段及通牒候也

追テ本件ニ付テハ此ノ後仰裁ニ不及候爲念申添候也

六　典獄委任事項ノ攝行ニ關スル件

大正九年四月　法務局長

各監獄典獄宛

今般內訓第五號ヲ以テ所屬官署委任事項規程制定セラレ候處新ニ委任セラレタル事項ニ付テハ攝行後即報相成ヘク尙第八條第三號ニ付テハ左記事項御含ミノ上施行相成度此段及通牒候也

追テ從來檢事長ノ主管事項タリシ作業ノ新設變更及廢止ニ關スル事項ハ今回法務局長ノ委任事項ニ變更セラレ候條了知相成度爲念申添候

記

一、第八條第三號ニ付テハ監獄ノ戒護及將來ノ計畫ニ影響スル場合ニ於テハ豫メ本官ノ承認ヲ得ラレ度コト

七　朝鮮總督府監獄事務分掌及處務ニ關スル規程

大正五年一〇
總內訓第一七號

改正　一一年一第三二號

朝鮮總督府監獄事務分掌及處務ニ關スル規程

第一條　監獄ニ庶務係、計理係、用度係、戒護係、作業係、教務係及醫務係ヲ置ク庶務係ニ於テハ左ノ事務ヲ掌ル

一　廳印及官印ノ管守ニ關スル事項
二　文書ノ接受、發送、編纂及保存ニ關スル事項
三　統計及報告ニ關スル事項
四　職員ノ進退、身分及傭人ニ關スル事項
五　看守及女監取締ノ採用試驗ニ關スル事項
六　在監者ノ收監及釋放ニ關スル事項
七　指紋ニ關スル事項
八　領置物及差入物ニ關スル事項
九　他係ノ主管ニ屬セサル事項

計理係ニ於テハ經費及諸收入其ノ他金錢ノ出納ニ關スル事務ヲ掌ル

用度係ニ於テハ左ノ事務ヲ掌ル

一　物品ノ賣買、貸借、出納及保管ニ關スル事項
二　建築、修繕及官有財產ニ關スル事項
三　在監者ノ給養ニ關スル事項

戒護係ニ於テハ左ノ事務ヲ掌ル

一　監獄ノ紀律及在監者ノ戒護、拘禁ニ關スル事項
二　在監者ノ接見及信書ニ關スル事項
三　在監者ノ行狀及賞罰ニ關スル事項
四　看守及女監取締ノ訓練及點檢ニ關スル事項

作業係ニ於テハ作業及作業賞與金計算ニ關スル事務ヲ掌ル

教務係ニ於テハ左ノ事務ヲ掌ル

一 在監者ノ教誨、教育及其ノ閲讀スル文書圖畫ニ關スル事項

二 出獄後ノ保護ニ關スル事項

醫務係ニ於テハ左ノ事務ヲ掌ル

一 監獄ノ衞生ニ關スル事項

二 在監者ノ醫療及調劑ニ關スル事項

領置物及差入物ニ關スル事務繁劇ナル監獄ニ於テハ第一項及第二項ノ規定ニ拘ラス特ニ領置係ヲ置クコトヲ得

第二條 各係ニ主任ヲ置ク

庶務係、計理係、用度係、戒護係、作業係及領置係ノ主任ハ看守長ヲ以テ之ニ充ツ但シ已ムヲ得サル場合ニ於テハ看守部長ヲ以テ之ニ充ツルコトヲ得

教務係主任ハ教誨師、醫務係主任ハ監獄醫ヲ以テ之ニ充ツ

第二項ノ各係主任ハ之ヲ兼攝セシムルコトヲ得但シ計理係主任ト用度係主任トハ互ニ兼攝スルコトヲ得ス

第三條 各係主任ハ典獄之ヲ命シ其ノ旨ヲ報告スヘシ

第四條 公文書ハ庶務係主任ニ於テ取纏メ毎日一定ノ時期ニ於テ之ヲ典獄ニ提出スヘシ但シ至急ヲ要スルモノ及上級官廳又ハ裁判所ヨリ送付ニ係ルモノハ直ニ典獄ニ提出スヘシ

第五條 典獄ハ前條ノ文書ヲ查閲シ之ヲ各係主任ニ交付シテ其ノ處分ヲ指示スヘシ

第六條 典獄ハ毎週三回以上各係主任及必要ト認ムル職員ヲ集メ會議ヲ開クヘシ會議ノ時間ハ通例一時以内トス

第七條 典獄ハ會議ニ於テ上級官廳ノ訓令指令通牒其他ノ文書中必要ト認ムルモノヲ告知シ各係ノ事務ニ關スル報告及意見ヲ聞キ又ハ諮問訓示ヲ爲スヘシ

一 特赦、減刑、假出獄、假出場ニ關スルコト

二 在監者ノ行狀査定ニ關スルコト

三 監獄法第二條第二項及第三項ノ適用ニ關スルコト

四 在監者ノ監房及工場ノ指定ニ關スルコト

五 獨居房拘禁及其ノ期間ノ更新ニ關スルコト

六 刑ノ執行停止ニ關スルコト

七 作業ノ新設、改廢、就業時間ニ關スルコト

八 作業ノ指定作業科程作業賞與金及手當金ニ關スルコト

九 教育時間及學科ニ關スルコト

十 衣類臥具及雜具ノ增減變換ニ關スルコト

十一 糧食ノ種類分量自辨ニ關スルコト

十二 在監者ノ病院移送ニ關スルコト

十三 沒入又ハ廢棄ニ關スルコト

十四 賞遇又ハ重大ナル懲罰事犯ニ關スルコト

十五 歸住旅費及衣類ノ給與ニ關スルコト

十六 釋放後ノ保護ニ關スルコト

十七 監獄ノ經費及營繕ニ關スルコト

典獄ハ前項ノ外必要ト認ムル事項ヲ會議ニ於テ諮問スルコトヲ得

第八條 會議ニ於ケル議事ノ要領ハ之ヲ會議錄ニ記載スヘシ

第九條　典獄ハ分監ニ於ケル事務分掌及處務ニ關スル規程ヲ定メ報告スヘシ

八　主任制度ニ關スル件

大正五年十月
司秘三五九號

司法部長官

各監獄典獄宛

今回内訓第一七號ヲ以テ朝鮮總督府監獄事務分掌及處務ニ關スル規程ヲ設ケ從來施行セル朝鮮總督府監獄分課及處務規程ハ之ヲ廢止セラレタリ蓋シ舊制ニ於テハ典獄ノ下ニ課所長ナル中間ノ監督機關ヲ介在シタル爲執務往往繁縟ヲ重ネ澁滯ヲ來スノ嫌アルニ鑑ミ茲ニ課所長ノ制ヲ廢シテ各係主任ヲ置キ典獄ノ監督ニ直屬シテ其ノ分掌事務ヲ處理セシメ以テ處務ノ敏活ヲ期セントスルニ在リ從テ主任ノ職員ハ從來ノ課所長ニ比シ寧ロ多キヲ加ヘタリト謂フヲ得ヘキヲ以テ典獄ハ宜シク適材ヲ簡拔シ之ヲ適所ニ配シ各主任ヲシテ力ヲ盡サシムルニ遺憾ナキヲ期セラルヘシ又典獄ノ地位ハ中間監督機關ノ撤去ニ依リテ從來ニ比シ一層責任ノ重ヲ加ヘタルニ依リ部下職員ニ對シ一層其ノ監督ヲ嚴正ニシ其指揮ヲ適實ニシ躬ヲ克ク大綱ヲ總攬シテ以テ新制ニ於テ動モスレハ執務不統一ニ陷ルノ弊竇ヲ防遏スルノ要アリ且新制ニ於テハ各主任ハ監獄官會議ニ出席スヘキヲ以テ典獄カ直接部下ノ意見ヲ聽取スルコト多キヲ加エ獄務ニ資スル所尠カラサルヘシト雖モ亦監獄官會議ニ諮問スヘキ事項多岐ニ亘ルヲ以テ會議ノ進行ニ付テハ豫メ適當ノ方法ヲ講シ整理統一ヲ迅速ニシ以テ時間ノ節約ヲ圖ルコトニ留意セラルヘシ之ヲ要スルニ今次ノ改正ハ繁ヲ去リ簡ニ就キ以テ事務ノ刷新ヲ圖ラムトスルニ在ルモ運用其ノ宜シキヲ得サレハ徒ニ課所長ノ名稱ニ代フルニ主任ナル名稱ヲ以テシタルニ終ラムノミ典獄ハ部下職員ト共ニ能ク新制ノ旨趣ヲ體シ改正ノ目的ヲ貫徹スルニ於テ遺算ナカラシメムコトヲ望ム

茲ニ改正ノ主旨ヲ叙述シ特ニ本官ヨリ及通牒候也

九　監獄事務專決施行ニ關スル件

大正五年十月
司秘第三八二號

司法部長官

各監獄典獄宛

事務ノ簡捷ヲ圖ル爲必要アルトキハ監獄事務中定例ニ依ル照會、回答、通知其他ノ執行ニシテ事ノ輕易ナルモノハ特ニ其ノ事項ヲ定メテ當該係主任ニ專決施行セシメラルルハ妨ケナキ儀ト思料候條爲念此段及通牒候也

追テ本分ノ通專決セシメラレタルトキハ其ノ事項ヲ列擧シ報告相成度申添候也

一〇　事務簡捷ニ關スル件

大正十年典獄會議局長指示

一　一般事務ノ簡捷ヲ圖ルハ最緊要ナルヲ以テ近ク監獄事務分掌及處務ニ關スル規程竝指紋取扱規程等ヲ改正シテ之ヲ實施セムトス、各監獄處務ノ實狀ヲ見ルニ往往係主任ノ下ニ比較的多數ノ內勤看守ヲ配シ主任自身ノ能率ヲ發揮セサルモノアリ、或ハ事務ノ繁閑ヲ參酌セハ一人ヲシテ二箇以上ノ係主任ヲ兼攝セシムルコトヲ得ルニ拘ラス之ヲ爲ササル爲却テ執務ノ敏速ヲ缺クモノアリ、或ハ監獄職員會議ニ付議事ノ

整理及時間ノ節約ニ關スル注意十分ナラサル爲各係ノ處務ヲ遲滯セシムルモノアリ、何レモ係主任制度及監獄職員會議ヲ設ケタル趣旨ニ副ハサルヲ以テ職員ノ配置及處務ノ進捗ニ關シテ一段ノ工夫ヲ爲シ事務簡捷ノ實績ヲ擧クルニ努メラレムコトヲ望ム

一一　處務ノ敏活適正ヲ圖ルノ件

大正六年
典獄會議指示

二、監獄事務分掌及處務ニ關スル規程改正ノ趣旨ハ當時之ヲ宣明スル所アリ爾來執務ノ實況ヲ視ルニ尙未タ之ニ副ハサルモノ尠カラサルモノアリ各位ハ深ク改正ノ趣旨ニ鑑ミ部下職員ヲ督シテ處務ノ敏活適正ヲ圖リ以テ其ノ貫徹ニ努ムヘシ

一二　朝鮮總督府及所屬官署ノ民事訴訟ニ關シ國ヲ代表スルノ件

明治三九年七月
勅令第一八四號

改正　四三年九勅四一三號

第一條　朝鮮總督府ハ其ノ所管又ハ監督スル事務ニ係ル民事訴訟ニ付國ヲ代表ス

第二條　朝鮮總督ハ朝鮮總督府令ヲ以テ所屬官署中其ノ司掌事務ニ係ル民事訴訟ニ付國ヲ代表スルモノヲ定ムルコトヲ得

第三條　前二條ノ場合ニ於テ國ヲ代表シ訴訟ヲ爲ス者ハ各官廳ノ長官又ハ長官ノ指定シタル所屬官吏トス

一三　本府所屬官署ノ司掌事務ニ係ル民事訴訟ニ付國ヲ代表スル件

明治四三年一一月
總令第四二號

改正　四五年五第九六號大正一一年九第一三五號

朝鮮總督府遞信局、朝鮮總督府專賣局、道、府、郡、朝鮮總督府稅關、朝鮮總督府監獄、朝鮮總督府營林廠、朝鮮總督府醫院、朝鮮總督府濟生院、朝鮮總督府勸業模範場、朝鮮總督府中央試驗所、朝鮮總督府水產試驗場朝鮮總督府獸疫血清製造所及朝鮮總督府林業試驗場ハ各其ノ司掌事務ニ係ル民事訴訟ニ付國ヲ代表ス

朝鮮總督府裁判所及檢事局ノ司掌事務ニ係ル民事訴訟ニ付テハ訴ヲ受クヘキ裁判所ノ檢事局國ヲ代表ス

附　則

本令ハ公布ノ日ヨリ之ヲ施行ス

一四　民事訴訟提起ニ關シ認可申請方ノ件

大正四年二月
官通第四六號

政　務　總　監

各所屬官署ノ長宛

明治三十九年勅令第百八十四號及明治四十三年朝鮮總督府令第四十二號ニ依リ所屬官署ニ於テ國ヲ代表シ民事訴訟ヲ提起スル場合ハ豫算ノ關係モ有之候ニ付提起前其ノ事由ヲ詳具シ之レカ費用概算書ヲ添附シ認可申請相成度此段及通牒候也

第三章　官等俸給

一　高等官官等俸給令

明治四三年三月
勅令第一三四號

改正

四三年四第二〇八號　四三年五第二三七號　四三年六第二八八號
第二九一號　第二九八號　四三年七第三〇六號
四三年九第三七七號　四三年一〇第四二二號　四三年一二第四四二號
四四年三第一九號　第六〇號　四四年四第七五號
第一〇四號　第一〇六號　四四年五第一三七號
第一四六號　第一五二號
第二一一號　四四年八第二三七號　四四年一〇第二五八號
第二六四號　四五年一第二號　四五年三第四五號
第六七號　四五年四第八二號　第一〇三號
大正二年四第五八號　二年五第七八號　二年六第二一四號
二年一一第三〇一號　二年一二第三一一號　三年四第六四號
三年五第七三號　第七七號　第九三號
第九七號　三年六第一二七號　第一三四號
三年一〇第二一七號　第二三三號　三年一一第二五三號
第二五六號　四年二第八號　四年三第二九號
四年五第五九號　第六七號　第七五號
四年六第九九號　四年七第一〇五號　第一一三號
第一三四號　第一四一號　第一四三號
四年八第一五〇號　第一五三號　四年一二第二一七號
第二三二號　五年一第一號　第七號
五年二第一二號　五年三第三一號　第五三號
第六五號　五年四第八三號　第九五號
第一〇〇號　第一〇三號　五年五第一三二號
第一四四號　第一四六號　第一五〇號
五年六第一六八號　第一七四號　五年一〇第二二九號
五年一二第二四三號　六年一第六號　六年二第二一號
第二六號　六年四第四〇號　六年五第五一號
第五四號　六年六第五六號　六年七第八五號
六年八第九六號　第一〇〇號　第一〇九號
第一二一號　六年九第一三一號　第一五〇號
第一七三號　六年一〇第一七七號　第一八六號
七年一第三號　七年三第三六號　七年四第五二號
第九四號　第一〇四號　第一〇五號
第一〇九號　七年五第一二五號　第一三八號
第一四九號　第一五九號　第一六八號
第一七七號　七年六第一八〇號　第一九二號
第二〇一號　第二三〇號　第二二五號
第二四一號　第二五二號　第二五八號
七年七第二七一號　第二八八號　第二九二號
七年八第三〇七號　第三二七號　七年九第三四二號
第三五六號　七年一二第三七七號　第三八四號
八年四第七三號　第九一號　第九六號
第一二八號　第一四七號　第一六四號
八年五第一八一號　第二〇四號　第二〇六號
第二二一號　第二二四號　第二五一號
八年六第二八六號　第二九六號　第三〇〇號
第三〇二號　第三一〇號　第三一六號
第三二一號　八年七第三二四號　第三二七號
第三三五號　第三五一號　八年八第三八四號
第三九九號　八年一〇第四三八號　第四四七號
九年一第一二號　九年三第六一號　九年四第七六號
第八六號　九年四第九一號　第一二三號
九年五第一二八號　第一五七號　九年七第二二五號
九年八第二四二號　第二五七號　第三一六號
第二五三號　九年九第三七七號　第三九二號
第四〇四號　第四一八號　第四二四號
第四二八號　第四五一號　九年一〇第四六二號
第四七九號　第四九六號　第五〇五號
第五一二號　九年一二第五五九號　第五六五號
第五七二號　一〇年二第三四號　一〇年三第三九號
第五四號　一〇年四第七九號　第一一四號
第一四一號　第一六六號　第一六九號
一〇年五第一八六號　第二〇三號　第二二六號
一〇年六第二五二號　第二五八號　第二六六號
第二八七號　一〇年七第三〇二號　第三一七號
第三四九號　第三五二號　一〇年八第三六四號
第三八八號　一〇年九第四一〇號　一〇年一〇第四二〇號
一〇年一二第四七〇號　一一年一第三號　一一年三第七三號
第九三號　第一一五號　第一四四號
第一五三號　第一五六號　第一五九號
第一六一號　一一年四第二二五號　第二三六號
第二三九號　一一年五第二七三號　第二八一號
第二八七號　一一年六第三一三號　一一年八第三七三號
一一年九第四一四號　第四一九號　一一年一〇第四三五號
第四五五號　一一年一二第四八六號　第四九〇號
第四九六號　一二年二第三六號　三第七四號
第九六號　第一一四號　第一二二號
四第一四七號　第一五一號　第一九三號
五第二〇五號　第二六五號　第二九一號
第二九七號　六第三〇三號

第一條　親任式ヲ以テ敍任スル官ヲ除クノ外高等官ヲ分テ九等トス親任式ヲ以テ敍任スル官及一等官二等官ヲ勅任官トシ三等乃至九等官ヲ奏任官トス

第二條　奏任官ノ任免及敍等ハ内閣總理大臣之ヲ奏薦シ其ノ各省及各省所屬ノ官廳ニ屬スルモノハ内閣總理大臣ヲ經由シテ主任大臣之ヲ奏薦ス

第三條　高等官ノ官等ハ別ニ定ムルモノヲ除クノ外別表第一表ニ依ル官制上他ノ官ニ在ル者ヲ以テ兼任セシムル官ニシテ別ニ官等ヲ定メサルモノハ本官ノ官等ニ依ル

第四條　初メテ高等文官ニ任セラルル者ノ官等ハ六等以下トス

高等文官ニシテ退官シタル者再ヒ高等文官ニ任セラルル場合ニ於テハ其ノ官等ハ前官ノ官等以下トス但シ前官官等在職年數二年ヲ超ヘタル者ハ前官ノ官等ニ一等ヲ進ムルコトヲ得

前官ノ官等七等以下ナルトキハ前項ノ規定ニ拘ラス陞シテ六等官ニ至ルコトヲ得

第五條　高等文官ノ官等ハ別ニ進級ノ例ヲ定メタルモノ及七等以下ノモノヲ除キ在職二年ヲ超ユルニ非サレハ陞敍スルコトヲ得ス陸海軍武官ヲ其ノ部內ノ文官ニ任用シタル場合ニ於テハ武官在職ノ年數ハ之ヲ前項ノ在職年數ニ通算ス

第六條　親任式ヲ以テ敍任スル官、內閣書記官長、特命全權公使及辨理公使ニ任セラルル場合ニ於テハ前二條ノ規定ヲ、文官任用令第一條第四項ノ規定ニ依リ勅任文官ニ任用セラルル場合ニ於テハ第四條ノ規定ヲ適用セス

第七條　親任式ヲ以テ敍任スル文官ノ俸給ハ別ニ定ムルモノヲ除クノ外左ノ如シ

內閣總理大臣	年俸　一萬二千圓
各省大臣 朝鮮總督	年俸　八千圓
樞密院議長 特命全權大使 判事 檢事 臺灣總督 關東長官 會計檢查院長 行政裁判所長官	年俸　七千五百圓
樞密院副議長 朝鮮總督府政務總監	年俸　七千圓
樞密顧問官	年俸　六千五百圓

第八條　勅任文官ノ俸給ハ別ニ定ムルモノヲ除クノ外左ノ如シ

帝國大學總長 製鐵所長官	年俸　一級　七千圓 二級　六千五百圓
北海道廳長官 內閣書記官長 法制局長官 各省次官 內務技監 海外駐劄財務官 製鐵所技監 朝鮮總督府判事（高等法院長タルモノ） 臺灣總督府總務長官	年俸　六千五百圓
警視總監 社會局長官 專賣局長官 特許局長官	年俸　一級　六千五百圓

臺灣總督府法院判官（高等法院長タルモノ）
二級　五千七百圓

特命全權公使
大使館參事官
判事（大審院部長、控訴院長タルモノ）
檢事（大審院檢事タルモノ、二人檢事長タルモノ）
會計檢査院部長
行政裁判所評定官（部長タルモノ）
朝鮮總督府各局長
朝鮮總督府遞信局長
朝鮮總督府檢事（高等法院檢事長タルモノ）
臺灣總督府法院檢察官（高等法院檢察官長タルモノ）
關東廳事務總長
年俸
一級　六千五百圓
二級　五千七百圓
三級　五千二百圓

官立大學長
製鐵所次長
樺太廳長官
南洋廳長官
府縣知事
朝鮮總督府道知事
年俸
一級　六千圓
二級　五千五百圓
三級　五千二百圓

賞勳局總裁
樞密院書記官長
年俸　五千七百圓

陸軍法務官（高等軍法會議法務官タル者）
海軍法務官（高等軍法會議法務官タル者）
朝鮮總督府醫院長

朝鮮總督府專賣局長
朝鮮總督府判事（高等法院部長、覆審法院長タルモノ）
朝鮮總督府檢事（覆審法院檢事長タルモノ）
關東廳法院判官
旅順工科大學長
貴族院書記官長
衆議院書記官長
年俸
一級　五千七百圓
二級　五千二百圓

各廳技師
山林技師
年俸
一級　六千圓
二級　五千五百圓
三級　五千二百圓
四級　四千八百圓

內閣恩給局長
印刷局長
拓殖事務局長
統計局長
各省局長
外務省情報部次長
臨時平和條約事務局部長
航空局次長
辦理公使
總領事
內務監察官
社會局部長
國有財産整理局長
地方局書記官
年俸　五千二百圓

造幣局長
維新史料編纂事務局長
特許局次長
貯金局長
簡易保險局長
法制局參事官
各省參事官
商務官
鐵道院理事
臨時議院建築局理事
税務監督局長
税關長
專賣局部長
專賣局理事
陸軍法務官
海軍法務官
千住製絨所長
山林事務官
特許局事務官
鑛務署長
製鐵所理事
遞信監察官
遞信局長
商船學校長
航路標識管理所長
鐵道監察官
鐵道局長
朝鮮總督府各部長
朝鮮總督府參事官
朝鮮總督府監察官
朝鮮總督府事務官
朝鮮總督府營林廠長
朝鮮總督府醫院醫官
朝鮮總督府道參與官
朝鮮總督府道慈惠醫院醫官
臺灣總督府參事官
臺灣總督府各局長
臺灣總督府專賣局長
臺灣總督府稅關長
臺灣總督府醫院醫長
臺灣總督府醫學專門學校長
臺灣總督府高等農林學校長
臺灣總督府高等商業學校長
臺灣總督府高等學校長
臺灣總督府州知事

年俸
一級　五千二百圓
二級　四千八百圓

關東廳各局長
關東廳事務官
關東廳遞信局長
關東廳醫院醫長
北海道廳內務部長
北海道廳土木部長
神宮皇學館長
警察講習所長
陸軍教授
海軍教授
判事（大審院判事、控訴院部長、地方裁判所長タルモノ）
檢事（大審院檢事、控訴院檢事、檢事正タルモノ）
官立大學教授
文部省直轄諸學校長
朝鮮總督府判事（高等法院判事、覆審法院部長、地方法院長タルモノ）
朝鮮總督府檢事（高等法院檢事、覆審法院檢事、地方法院檢事正タルモノ）
朝鮮總督府專門學校長
臺灣總督府法院判官（高等法院上告部判官、地方法院長タルモノ）
臺灣總督府法院檢察官（地方法院檢察官長タルモノ）
旅順工科大學附屬工學專門部教授
檢査官
行政裁判所評定官

年俸

一級	五千二百圓
二級	四千八百圓
三級	四千五百圓

第九條 勅任文官（親任式ヲ以テ敍任スル文官ヲ除ク）ニシテ九年以上其ノ官ノ最高俸ヲ受ケテ在職シ功績顯著ナル者ニハ特ニ七百圓以內ノ年功加俸ヲ給スルコトヲ得

前項ノ規定ノ適用ニ付テハ勅任文官（親任式ヲ以テ敍任スル文官ヲ除ク）ノ在職年數ニシテ現官ノ最高俸給額以上ノ俸給ヲ受ケタル年數ハ之ヲ現官ノ最高俸ヲ受ケタル在職年數ニ通算ス

前項ノ規定ニ依リ在職年數ヲ通算シ五年以上ニ及フ者ヲ勅任文官ニ任スル際ハ特ニ第一項ノ年功加俸ヲ給スルコトヲ得

第九條ノ二 高等官二等ヲ最高官等トスル勅任文官ニシテ三年以上高等官二等ニ在職シ功績顯著ナル者ハ特ニ高等官一等ニ陞敍スルコトヲ得

前項ノ規定ノ適用ニ付テハ高等官一等又ハ高等官二等ヲ最高官等トスル勅任文官ノ高等官二等以上ノ在職年數ハ之ヲ現官ノ高等官二等ノ在職年數ニ通算ス

前官高等官一等ノ勅任文官ニ在リタル者ヲ高等官二等ヲ最高官等トスル勅任文官ニ任スル場合ニ於テハ特ニ高等官一等ニ敍スルコトヲ得

第十條 大林區署長タル山林事務官若ハ山林技師又ハ航路標識管理所長ニシテ三年以上高等官三等ニ在リ功績アル者ハ大林區署長タル者ハ二人ヲ、航路標識管理所長ニ限リ高等官二等ニ陞敍スルコトヲ得

衞生試驗所長タル衞生試驗所技師神宮皇學館教授陸軍大學校及海軍大學校以外ノ陸軍及海軍諸學校教官タル陸軍教授若ハ海軍教授又ハ商船學校教授ニシテ五年以上高等官三等ニ在リ功績アル者ハ各一人ヲ限リ高等官二等ニ陞敍スルコトヲ得

文部省直轄諸學校教授ニシテ五年以上高等官三等ニ在リ功績アル者ハ三十八人ヲ限リ高等官二等ニ陞敍スルコトヲ得 但シ各校二人ヲ超ユ

ルコトヲ得ス

北海道帝國大學附屬大學豫科、土木専門部、水産専門部教授ニシテ五年以上高等官三等ニ在リ功績アル者ハ各科ヲ通シテ三人ヲ限リ高等官二等ニ陞敍スルコトヲ得

東京商科大學豫科教授又ハ東京商科大學附屬商學専門部教授ニシテ五年以上高等官三等ニ在リ功績アル者ハ通シテ二人ヲ限リ高等官二等ニ陞敍スルコトヲ得

官立醫科大學附屬藥學専門部教授ニシテ五年以上高等官三等ニ在リ功績アル者ハ通シテ一人ヲ限リ高等官二等ニ陞敍スルコトヲ得

朝鮮總督府専門學校教授ニシテ五年以上高等官三等ニ在リ功績アル者ハ各校一人ヲ限リ高等官二等ニ陞敍スルコトヲ得

第十一條 各廳ニ於テ勅任技師ヲ置クコトヲ要スルモノハ官制ニ於テ之ヲ定ム

第十二條 奏任文官ノ俸給ハ別ニ定ムルモノヲ除クノ外別表第二表各號ノ一ニ依ル

第十三條 別表第二表第一號ニ依ル官ノ官等ハ高等官三等乃至七等、同第二號ニ依ルモノハ高等官四等乃至八等、同第三號ニ依ルモノハ高等官五等以下トス

第十四條 別表第二表第一號ニ依ル諸官左ノ如シ

内閣書記官
内閣總理大臣秘書官
内閣恩給局書記官
印刷局書記官
法制局參事官
賞勳局書記官
拓殖事務局書記官
統計局書記官
統計局統計官
樞密院書記官
樞密院議長秘書官
各省大臣秘書官
各省書記官
外務事務官
外務省翻譯官
外務省電信官
内務監察官
内務事務官
考證官
防疫官
社會局書記官
社會局事務官
社會局統計官
明治神宮造營局書記官
神宮皇學館教授
警察講習所教授
大藏事務官

國有財産整理局書記官
大藏省主計官
理財局書記官
臨時議院建築局書記官
造幣局書記官
專賣局參事
釀造試驗所事務官
稅關事務官
稅關監督官
陸軍司法事務官
陸軍法務官
千住製絨所事務官
海軍司法事務官
海軍法務官
司法省衞生官
判事
檢事
少年審判官
矯正院敎官（矯正院長タルモノ）
文部事務官
文部省事務官
圖書事務官
圖書監修官

學校衞生官
帝國大學書記官
帝國大學醫學部附屬醫院藥局長
官立大學敎授
官立大學附屬醫院藥局長
官立大學助敎授
臨時敎員養成所敎授
農商務事務官
保險事務官
輸出品監督官
山林事務官
山林技師
特許局事務官
鑛務官
鑛務技師
製鐵所參事
製鐵所醫官
水産講習所敎授
植物檢查官
遞信監察官
管船局書記官
臨時電信電話建設局書記官
航空局書記官

航空官
貯金局書記官
簡易保險局事務官
遞信局書記官
通信技師
高等海員審判所審判官
高等海員審判所理事官
地方海員審判所審判官
地方海員審判所理事官
鐵道局參事
朝鮮總督府參事官
朝鮮總督府秘書官
朝鮮總督府監察官
朝鮮總督府事務官
朝鮮總督府中樞院書記官
朝鮮總督府視學官
朝鮮總督府警察官講習所長
朝鮮總督府遞信事務官
朝鮮總督府遞信技師
朝鮮總督府專賣局事務官
朝鮮總督府稅關事務官
朝鮮總督府判事
朝鮮總督府檢事

朝鮮總督府營林廠事務官
朝鮮總督府醫院醫官
朝鮮總督府諸學校長（專門學校長ヲ除ク）
朝鮮總督府林野調査委員會事務官
朝鮮公立師範學校長
朝鮮公立中學校長
朝鮮公立高等女學校長
朝鮮公立高等普通學校長
朝鮮公立女子高等普通學校長
朝鮮公立實業學校長
朝鮮總督府道事務官
朝鮮總督府道慈惠醫院醫官
臺灣總督府參事官
臺灣總督府秘書官
臺灣總督府事務官
臺灣總督府財務局事務官
臺灣總督府殖產局事務官
臺灣總督府海事官
臺灣總督府視學官
臺灣總督府法院判官
臺灣總督府法院檢察官
臺灣總督府鐵道部事務官
臺灣總督府專賣局事務官

臺灣總督府醫學專門學校教授
臺灣總督府高等農林學校教授
臺灣總督府高等商業學校教授
臺灣總督府高等學校教授
臺灣公立中學校長
臺灣公立高等女學校長
臺灣總督府師範學校長
臺灣公立實業學校長
臺灣總督府醫院醫長
臺灣總督府通信技師
臺灣總督府州事務官
臺灣總督府廳長
關東廳參事官
關東長官秘書官
關東廳事務官
關東廳學務官
關東廳法院判官
關東廳法院檢察官
關東廳醫院醫長
關東廳遞信事務官
關東廳遞信技師
旅順工科大學豫科教授
旅順工科大學附屬工學專門部教授

關東廳中學校長
關東廳高等女學校長
旅順師範學堂長
樺太廳各部長
樺太廳醫院醫長
樺太廳鐵道技師
樺太廳通信技師
樺太廳中學校長
樺太廳高等女學校長
南洋廳各部長
南洋廳判事
南洋廳檢事
南洋廳醫院醫長
南洋廳通信技師
檢查官
會計檢查院書記官
行政裁判所評定官
貴族院書記官
衆議院書記官
警視廳官房主事
廳府縣各部長警視廳消防部長ヲ除ク
港務官港務部長タルモノ
府縣事務官

各廳技師

第十五條　別表第二表第二號ニ依ル諸官左ノ如シ

外務省警視
土木事務官
都市計畫地方委員會事務官
職業紹介事務局事務官
廢兵院事務官
造神宮主事
明治神宮造營局主事
國立感化院院醫
廢兵院醫
臨時議院建築局事務官
專賣局副參事
稅關鑑查官
關稅官
稅務監督局事務官
司稅官
陸軍通譯官
陸軍編修
陸地測量師
陸軍監獄長
海軍通譯官
海軍編修
海軍事務官
海軍監獄長
司法省事務官
裁判所通譯官
供託局事務官
典獄小菅、市谷、豐多摩、巣鴨、大阪、名古屋、廣島、長崎、宮城、札幌ノ刑務所ノ長タルモノヲ除ク
少年保護司
矯正院敎官
矯正院醫官
維新史料編纂官
東京博物館學藝官
帝國大學事務官
帝國大學學生監
帝國大學司書官
官立大學事務官
農商務省統計官
度量衡事務官
山林副事務官
製鐵所副參事
遞信省事務官
臨時電信電話建設局事務官
貯金局事務官
簡易保險局事務官

遞信局事務官
通信事務官
鐵道省事務官
鐵道局副參事
朝鮮總督府編修官
朝鮮總督府鑑査官
朝鮮總督府通譯官
朝鮮總督府中樞院通譯官
朝鮮總督府警務官講習所教授
朝鮮總督府遞信副事務官
朝鮮總督府專賣局副事務官
朝鮮總督府稅關關稅官
朝鮮總督府稅關鑑定官
朝鮮總督府典獄（京城、西大門、平壤、大邱）ノ監獄ノ長タル者ヲ除ク
朝鮮總督府醫院藥劑官
朝鮮總督府諸學校教諭
朝鮮總督府林野調査委員會副事務官
朝鮮公立師範學校教諭
朝鮮公立中學校教諭
朝鮮公立高等女學校教諭
朝鮮公立高等普通學校教諭
朝鮮公立女子高等普通學校教諭
朝鮮公立實業學校教諭

朝鮮總督府府尹（京城府尹タルモノヲ除ク）
朝鮮總督府郡守
朝鮮總督府島司
朝鮮總督府道理事官
朝鮮總督府道警視
臺灣總督府統計官
臺灣總督府編修官
臺灣總督府警視
臺灣總督府稅務官
臺灣總督府翻譯官
臺灣總督府防疫事務官
臺灣總督府中央研究所事務官
臺灣總督府鐵道部事務官補
臺灣總督府專賣局副事務官
臺灣總督府專賣局腦務監督官
臺灣總督府專賣局翻譯官
臺灣總督府稅關事務官
臺灣總督府稅關監視官
臺灣總督府稅關鑑定官
臺灣總督府商業專門學校教授
臺灣總督府高等學校教諭
臺灣總督府師範學校教諭
臺灣公立中學校教諭

臺灣公立高等女學校敎諭
臺灣公立實業學校敎諭
臺灣總督府警察官及司獄官練習所敎官
臺灣總督府圖書館長
臺灣總督府醫院醫官
臺灣總督府醫院藥局長
臺灣總督府遞信事務官
臺灣總督府港務官
臺灣總督府港務醫官
臺灣總督府典獄
臺灣總督府州理事官
臺灣總督府州警視
臺灣總督府廳理事官
臺灣總督府廳警視
臺灣總督府郡守
臺灣總督府市尹（臺北市尹タルモノヲ除ク）
臺灣總督府市理事官
關東廳理事官
關東廳事務官補
關東廳警視
關東廳翻譯官
關東廳醫院醫官
關東廳醫院藥局長
關東廳典獄
關東廳海務局技師
關東廳遞信副事務官
關東廳中學校敎諭
關東廳高等女學校敎諭
旅順師範學堂敎諭
樺太廳事務官
樺太廳醫院醫官
樺太廳遞信事務官
樺太廳中學校敎諭
樺太廳高等女學校敎諭
樺太廳支廳長
南洋廳事務官
南洋廳警視
南洋廳醫院醫官
南洋廳醫院藥劑官
副檢査官
警視廳消防部長

第十六條 別表第二表第三號ニ依ル諸官左ノ如シ

外務理事官
副商務官
國立感化院敎諭
裁判所書記長

典獄補
帝國圖書館事務官
朝鮮總督府裁判所書記長
朝鮮總督府裁判所通譯官
朝鮮總督府典獄補
朝鮮總督府醫院敎官
朝鮮總督府醫院事務官
朝鮮總督府濟生院主事
朝鮮總督府理事官
朝鮮總督府道通譯官
朝鮮總督府道慈惠醫院敎官
朝鮮總督府道慈惠醫院事務官
朝鮮總督府道慈惠醫院藥劑官
臺灣總督府法院書記長
臺灣總督府法院通譯
臺灣總督府典獄補
臺灣公立盲啞學校長
臺灣總督府警察官及司獄官練習所舍監
臺灣總督府醫院事務官
關東廳法院通譯官
關東廳典獄補
貴族院速記士
衆議院速記士

貴族院守衛長
衆議院守衛長

第十七條　在外公館職員タル高等文官ノ年俸ハ別ニ定ムルモノヲ除クノ外別表第三表ニ依ル

大使館一等書記官、公使館一等書記官、奏任官タル總領事、領事又ハ貿易事務官ニシテ五年以上年俸四千五百圓ヲ受ケテ在職シ功績顯著ナル者ニハ特ニ七百圓以内ノ年功加俸ヲ給スルコトヲ得

前項ノ規定ノ適用ニ付テハ高等文官ノ在職年數ニシテ年俸四千五百圓以上ノ俸給ヲ受ケタル年數ハ之ヲ現官ノ年俸四千五百圓ヲ受ケタル在職年數ニ通算ス

前項ノ規定ニ依リ在職年數ヲ通算シ五年以上ニ及フ者ヲ第二項ニ掲クル官ニ任スル際ハ特ニ第二項ノ年功加俸ヲ給スルコトヲ得

大使館理事官、公使館理事官又ハ副領事ニシテ三年以上高等官五等ニ在リ功績顯著ナル者ハ一等ヲ陞敍スルコトヲ得

前項ノ規定ノ適用ニ付テハ高等官五等以上ノ在職年數ハ之ヲ前項ニ規定スル在職年數ニ通算ス

第二十條第三項ノ規定ハ前項ノ規定ノ適用ニ付之ヲ準用ス

第五項ノ規定ニ依リ一等ヲ陞敍セラレタル大使館理事官、公使館理事官又ハ副領事ニハ年俸三千八百圓迄ヲ給スルコトヲ得

第十八條　前數條ノ規定ニ依ルモノヲ除クノ外高等文官ノ年俸ハ別表第四表又ハ第五表ニ依ル但シ別段ノ定アルモノハ此ノ限ニ在ラス

第十九條　別表第二表第一號乃至第三號又ハ別表第五表ニ依ル奏任文官ニシテ五年以上各其ノ官ノ一級俸ヲ受ケテ在職シ功績顯著ナル者ニハ

特ニ七百圓以内ノ年功加俸ヲ給スルコトヲ得

前項ノ規定ノ適用ニ付テハ高等文官ノ在職年數ニシテ現官ノ一級俸額以上ノ俸給ヲ受ケタル年數ハ之ヲ現官ノ一級俸ヲ受ケタル在職年數ニ通算ス

前項ノ規定ニ依リ在職年數ヲ通算シ五年以上ニ及フ者ヲ奏任文官ニ任スル際ハ特ニ第一項ノ年功加俸ヲ給スルコトヲ得

第二十條 高等官四等又ハ高等官五等ヲ最高官等トスル奏任文官ニシテ三年以上各其ノ官ノ最高官等ニ在職シ功績顯著ナル者ハ特ニ一等ヲ陞敍スルコトヲ得

前項ノ規定ノ適用ニ付テハ高等文官ノ高等官四等以上ノ在職年數ハ之ヲ高等官四等ヲ最高官等トスル現官ノ最高官等ノ在職年數ニ、高等官五等以上ノ在職年數ハ之ヲ高等官五等ヲ最高官等トスル現官ノ最高官等ノ在職年數ニ通算ス

第四條ノ規定ノ適用ヲ受ケサル文官他ノ文官ト爲ル場合ニ於テ前項ノ規定ノ適用ニ付テハ明治三十六年勅令第二百八十五號第三條ノ規定ニ依リ敍シ得ル官等ニ依ル

第二十一條 第九條ノ二第二項、第十七條第六項及前條第二項ノ規定ニ依リ在職年數ヲ通算シテ官等ヲ陞敍スル場合ニ於テハ第五條第一項ノ規定ノ適用ヲ妨ケス

第二十二條 陸海軍武官ノ俸給ニ關シテハ別ニ定ムル所ニ依ル

現役武官ニシテ高等文官タル者其ノ武官トシテ受クヘキ俸給額カ文官トシテ受クヘキ俸給額ヨリ多キトキハ武官ノ俸給額ヲ其ノ所屬廳ニ於テ給スルコトヲ得

第二十二條ノ二 豫備判事又ハ豫備檢事ヲ命セラレタル判事、檢事、朝鮮總督府判事及朝鮮總督府檢事ノ俸給ハ十一級以下トス

第二十三條 高等文官死亡シタルトキハ在職最終年俸三分ノ一ノ額ニ相當スル死亡賜金ヲ其ノ遺族ニ給ス

前項遺族ト稱スルハ配偶者、子、父母、孫、祖父母及兄弟姉妹ニシテ同一戸籍内ニ在ル者ヲ謂フ

第一項ノ死亡賜金ヲ受クヘキ遺族ノ順位ハ前項ニ掲ケタル順序ニ依リ同順位内ニ在リテハ家督相續人ハ其ノ他ノ者ニ、男ハ女ニ、長ハ幼ニ先ツ

終身官ニ付テハ其ノ在職中死亡シタル場合ニ限リ前三項ノ規定ヲ適用ス

第二十四條 年俸ハ十二分シテ毎月之ヲ支給ス

第二十五條 俸給ハ新任增俸減俸トモ總テ發令ノ翌日ヨリ計算ス

休職又ハ待命ヲ命セラレ年俸全額ヲ給セサル場合ハ減俸ト看做シ前項ノ規定ヲ適用ス

第二十六條 官制又ハ俸給令ノ改正ニ因リ新ニ給スヘキ俸給ハ改正規定施行ノ日ヨリ之ヲ計算ス

第二十七條 廢官退官退職及死亡ノトキハ年俸ヲ月割計算トシ當月分ノ全額ヲ給ス

第二十八條 休職廢官退官ノ者事務引續殘務調理ノ爲特ニ命ヲ受ケ事務ニ從事スル場合ニ於テハ其ノ間仍從前ノ年俸ヲ給ス

第二十九條 病氣ノ爲執務セサルコト九十日ヲ超ユル者及私事ノ故障ニ依リ執務セサルコト三十日ヲ超ユル者ハ俸給ノ半額ヲ減ス但シ公務ノ爲傷痍ヲ受ケ若ハ疾病ニ罹リ又ハ服忌ヲ受クル者及特旨ニ由リ賜暇休

養スル者ハ此ノ限ニ在ラス

第三十條　俸給支給ニ關スル細則ハ大藏大臣之ヲ定ム

附　則

本令ハ明治四十三年四月一日ヨリ之ヲ施行ス左ノ勅令ハ之ヲ廢止ス

明治二十四年勅令第九十六號
明治二十四年勅令第九十八號
府縣立師範學校長官等及俸給令
明治二十七年勅令第十八號
明治二十九年勅令第百六十一號
技術官俸給令
明治三十二年勅令第九十四號
明治三十二年勅令第百二十八號
明治三十二年勅令第二百六十八號
在外公館職員官等
陸軍所屬特別文官俸給令
警視廳高等官俸給令
明治三十三年勅令第二百五十九號
帝國圖書館高等官官等俸給令
臺灣總督府職員官等俸給令
港務部高等官俸給令
典獄俸給令
北海道廳高等官俸給令
地方高等官俸給令
統監府及理事廳高等官官等令
關東都督府職員官等給與令
明治四十年勅令第二十八號
樺太廳職員官等給與令
統監府所屬官署技師官等給與令
統監府營林廠職員官等給與令
明治四十年勅令第百四號
統監府特許局職員官等俸給令
關東都督府中學校職員官等俸給令
旅順工科學堂高等官官等俸給令
統監府司法廳職員官等給與令
統監府裁判所書記長、統監府裁判所通譯官、統監府裁判所書記、統監府裁判所通譯生及統監府監獄職員官等給與令
統監府警視警部官等給與令

本令施行ノ際現ニ左表上欄ノ俸給額ヲ受クル者別ニ辭令書ヲ交付セラレサルトキハ官等ニ拘ラス各其ノ相當下欄ノ俸給額又ハ之ニ相當スル級俸ヲ給スルモノトス

現行俸給	改正俸給	現行俸給	改正俸給
五、〇〇〇圓	六、〇〇〇	一、五〇〇	一、八〇〇
四、五〇〇	五、五〇〇	一、四〇〇	一、七〇〇

四、〇〇〇	五、〇〇〇	一、三〇〇	一、六〇〇
三、六〇〇	四、五〇〇	一、二〇〇	一、五〇〇
三、五〇〇	四、二〇〇	一、一〇〇	一、三〇〇
三、三〇〇	四、〇〇〇	一、〇〇〇	一、二〇〇
三、〇〇〇	三、七〇〇	九〇〇	一、一〇〇
二、八〇〇	三、五〇〇	八〇〇	一、〇〇〇
二、六〇〇	三、二〇〇	七〇〇	八五〇
二、五〇〇	三、〇〇〇	六〇〇	七五〇
二、四〇〇		五〇〇	六〇〇
二、二〇〇	二、七〇〇	四五〇	五五〇
二、〇〇〇	二、五〇〇	四〇〇	五〇〇
一、八〇〇	二、二〇〇	三〇〇	四〇〇

一、六〇〇	二、〇〇〇

年功加俸、在勤加俸、加俸、在勤俸、職務俸ハ前項上欄ノ額ニ算入セス

現ニ各種ノ加俸ヲ受クル者本令ニ該當スル場合ニ於テ別ニ辭令書ヲ交付セラレサルトキハ其ノ加俸ノ額ハ從前ノ額ニ依ル

舊俸給令ニ依リ一級俸又ハ各官ノ最高俸ヲ受ケタル年數ハ第二十三條第一項、第二項、第二十六條及第二十八條第二項ノ年數中ニ通算ス但シ舊俸給令ノ一級俸又ハ各官ノ最高俸カ第三項ノ規定ニ依リ改正二級俸以下ニ對當スル場合ニ於テハ此ノ限ニ在ラス

舊俸給令ニ依ル各官ノ最高俸以下ノ俸給カ第三項ノ規定ニ依リ改正一級俸ニ對當スル場合ニ於テハ第二十三條第一項第二項ノ年數ハ在職者カ其ノ官ノ最高官等ニ達シタルトキヨリ起算ス

舊俸給令ニ依ル各官ノ最高俸以下ノ俸給カ第三項ノ規定ニ依リ改正一級俸以上ノ額ニ對當スル場合亦前項ニ同シ但シ本俸ト年功加俸トノ總額ハ改正一級俸ト第二十三條第一項第二項ノ規定ニ依ル年功加俸トノ總額ヲ超ユルコトヲ得ス

本令ニ依リ從前ノ官等ニ變更ヲ加ヘタル場合ニ於テ現ニ本令ニ存セサル官等ニ在ル者ハ本令施行ノ際ノ在官者ニ限リ其ノ官等ヲ存スルモノトス

現ニ最低額以下ノ俸給ヲ受クル者、休職中ノ者及本俸全額ヲ給セラレサル待命中ノ者ノ俸給額ハ從前ノ額ニ依ル

本令公布前ニ公布セラレタル勅令ニ於テ高等官官等俸給令第七條又ハ第八條ヲ援用シタルモノハ本令第四條又ハ第五條ヲ援用シタルモノト看做

ス

附　則　（大正二年五月勅令第七八號）

本令ハ公布ノ日ヨリ之ヲ施行ス

本令施行ノ際現ニ典獄ノ職ニ在ル者別ニ辭令書ヲ交付セラレサルトキハ現ニ受クル俸給額ニ相當スル級俸ヲ受クルモノトス但シ加俸ヲ受クル者ニ付テハ當分ノ内其ノ本俸トノ總額ヲ以テ俸給額トス

附　則　（大正二年六月勅令第二一四號）

本令ハ公布ノ日ヨリ之ヲ施行ス

本令施行ノ際第八條ニ掲ケタル諸官ニ在ル者ハ現ニ受クル俸給額ニ相當スル級俸ヲ受クルモノトス

本令施行ノ際稅務監督官補又ハ稅務官ニシテ現ニ二級俸ヲ受クル者稅務監督局事務官又ハ司稅官ニ任セラレタルトキハ其ノ俸給額ハ從前ノ額ニ依ル

本令施行ノ際道廳府縣事務官補ニシテ廳府縣理事官ニ任セラレタル者又ハ廳府縣警視ノ官ニ在ル者ノ俸給額ハ其ノ從前ノ額ニ依ル

附　則　（大正二年一二月勅令第三一一號）

本令ハ公布ノ日ヨリ之ヲ施行ス

樺太廳支廳長ニシテ本令施行ノ際樺太廳理事官ニ任セラルル者ノ官等俸給ニ付テハ其ノ前官等俸給ニ依ルコトヲ得

附　則　（大正四年三月勅令第二九號）

本令ハ公布ノ日ヨリ之ヲ施行ス

本令施行ノ際現ニ副檢査官ノ職ニ在ル者別ニ辭令書ヲ交付セラレサルトキハ現ニ受クル俸給額ニ相當ス級ル俸ヲ受クルモノトス

附　則　（大正四年五月勅令第六七號）

本令ハ公布ノ日ヨリ之ヲ施行ス

本令施行ノ際現ニ朝鮮總督府稅關事務官、朝鮮總督府稅關監視官、朝鮮總督府稅關鑑定官、朝鮮總督府醫院藥劑官又ハ朝鮮總督府醫院副醫官ノ職ニ在ル者別ニ辭令書ヲ交付セラレサルトキハ現ニ受クル俸給額ニ相當スル級俸ヲ受クルモノトス但シ現ニ受クル俸給額ニ相當スル級俸ナキトキハ從前ノ俸給ヲ受クルモノトス

本令施行ノ際現ニ朝鮮總督府府尹又ハ朝鮮總督府府事務官ノ職ニ在ル者別ニ辭令書ヲ交付セラレサルトキハ現ニ受クル俸給額ニ相當スル級俸ヲ受クルモノトス

本令施行ノ際現ニ高等官三等ニ在リ又ハ二級俸以上ノ俸給ヲ受クル朝鮮總督府府尹ハ其ノ在官ノ間ニ限リ其ノ官等俸給ヲ保有ス但シ第二十八條第二項ノ規定ノ適用ヲ妨ケス

前項ノ規定ハ高等官三等ニ在リ又ハ二級俸以上ノ俸給ヲ受クル朝鮮總督府道事務官ニシテ本令施行ノ際朝鮮總督府府尹ニ轉任スル者ニ之ヲ準用ス

本令施行ノ際現ニ高等官四等ニ在リ又ハ二級俸以上ノ俸給ヲ受クル朝鮮總督府事務官ハ其ノ在官ノ間ニ限リ其ノ官等俸給ヲ保有ス

前三項ノ規定ニ依リ受クル俸給ハ第二十三條ノ適用ニ付テハ之ヲ一級俸ト看做ス但シ本俸ト年功加俸トヲ合シテ朝鮮總督府府尹ニ在リテハ三千圓ヲ朝鮮總督府府事務官ニ在リテハ二千三百圓ヲ超ユルコトヲ得ス

附　則　（大正四年六月勅令第九九號）

本令ハ公布ノ日ヨリ之ヲ施行ス

現ニ鐵道院技師ノ職ニ在ル者ニシテ本令施行ノ際鐵道院理事ニ任セラレタル者ニハ現ニ受クル俸給額ヲ給スルコトヲ得理事ニシテ現ニ加俸ヲ受クル者ニ付亦同シ

附　則（大正五年二月勅令第一二號）

本令ハ公布ノ日ヨリ之ヲ施行ス
高等官官等俸給令第二十條ニ掲クル諸官ニシテ本令施行ノ際現ニ五級俸ヲ受クル者別ニ辭令書ヲ交付セラレサルトキハ仍現官等ヲ保有ス

附　則（大正五年一〇月勅令第二二九號）

本令ハ公布ノ日ヨリ之ヲ施行ス
海軍大學校敎官タル海軍敎授ニシテ現ニ勅任官タル者ニ付テハ其ノ官職ニ在ル間仍從前ノ規定ニ依ル

附　則（大正六年四月勅令第四〇號）

本令ハ公布ノ日ヨリ之ヲ施行ス
帝國大學各分科大學敎授ニシテ本令施行ノ際現ニ年功加俸ヲ受クル者ハ本令ニ依ル加俸ヲ受クル者ト看做ス

附　則（大正七年五月勅令第一四九號）

本令ハ公布ノ日ヨリ之ヲ施行ス
北海道廳支廳長、島司又ハ郡長ニシテ本令施行ノ際現ニ左表上欄ノ俸給額ヲ受クル者別ニ辭令書ヲ交付セラレサルトキハ各相當下欄ノ俸給額ニ相當スル級俸ヲ受クルモノトス

現行俸給	改正俸給
一、七〇〇	一、八〇〇
一、五〇〇	一、六〇〇
一、二〇〇	一、四〇〇
一、一〇〇	一、二〇〇
一、〇〇〇	一、一〇〇
八五〇	一、〇〇〇
七五〇	九〇〇

附　則（大正七年六月勅令第一九二號）

本令ハ公布ノ日ヨリ之ヲ施行ス
本令施行ノ際現ニ師範學校長タル者別ニ辭令書ヲ交付セラレサルトキハ現ニ受クル俸給額ニ相當スル級俸ヲ受クルモノトス但シ現ニ受クル俸給額ニ相當スル級俸ナキトキハ從前ノ俸給ヲ受クルモノトス

附　則（大正八年四月第七三號）

本令ハ公布ノ日ヨリ之ヲ施行ス
帝國大學分科大學敎授ノ高等官一等ノ在官年數ハ高等官官等俸給令第九條第二項ノ規定ノ適用ニ付帝國大學敎授ノ高等官一等ノ在官年數ニ之ヲ通算ス
京都帝國大學醫科大學附屬醫院藥局長一級俸ノ在職年數ハ高等官官等俸給令第二十三條第一項規定ノ適用ニ付京都帝國大學醫學部附屬醫院藥局長一級俸ノ在職年數ニ之ヲ通算ス

附　則（大正八年一〇月勅令第四四七號）

本令ハ公布ノ日ヨリ之ヲ施行ス
明治四十三年勅令第四百三號ハ之ヲ廢止ス
明治四十三年制令第七號ニ依リ任用セラレタル朝鮮總督府判事又ハ朝鮮總督府檢事ニハ當分ノ内最低額以下七百圓迄ノ俸給ヲ給スルコトヲ得

附　則（大正九年三月勅令第七六號）

本令ハ公布ノ日ヨリ之ヲ施行ス

本令施行ノ際現ニ東京高等商業學校教授ニシテ東京商科大學豫科又ハ東京商科大學附屬商學專門部ノ教授ニ任セラレタル者ノ東京高等商業學校教授トシテノ高等官三等ノ在職ハ高等官官等俸給令第十條第六項ノ規定ノ適用ニ付テハ之ヲ東京商科大學豫科又ハ東京商科大學附屬商學專門部ノ教授トシテノ高等官三等ノ在職ト看做ス

附　則（大正九年五月勅令第二五七號）

本令ハ公布ノ日ヨリ之ヲ施行ス

本令施行ノ際現ニ内閣統計局長、軍需局長又ハ鐵道院理事ノ官ニ在ル者ノ内閣統計局長、軍需局長又ハ鐵道院理事トシテノ高等官二等ノ在職ハ高等官官等俸給令第九條ノ四第一項及第二項ノ規定ノ適用ニ付テハ之ヲ同條第一項ニ掲クル各官ノ高等官二等ノ在職ト看做ス

附　則（大正九年八月勅令第二五七號）

本令ハ公布ノ日ヨリ之ヲ施行ス但シ俸給ニ關スル改正規定ハ大正九年八月分ヨリ之ヲ適用ス

從前ノ規定ニ依リ俸給ヲ受クル者ハ現ニ受クル本俸額ニ付左ノ區分ニ依リ算出シタル金額ニ相當スル級俸又ハ俸給ヲ受クルモノトス但シ相當級俸ナキトキハ其ノ金額ノ俸給ヲ受クルモノトス

一　本俸年額六千五百圓ヲ超ユルモノ
　其ノ年額ニ五百圓ヲ加ヘタル額但シ年額七千五百圓ヲ超ユルコトヲ得ス

二　本俸年額五千五百圓ヲ超エ六千五百圓ヲ超エサルモノ
　年額七千圓

三　本俸年額三千圓ヲ超エ五千五百圓ヲ超エサルモノ
　其ノ年額ニ千五百圓ヲ加ヘタル額

四　本俸年額千二百圓ヲ超エ三千圓ヲ超エサルモノ
　其ノ年額ニ其ノ三十分ノ十三ニ相當スル金額及二百圓ヲ加ヘタル額

五　本俸年額三百六十圓ヲ超エ千二百圓ヲ超エサルモノ
　其ノ年額ニ其ノ二分ノ一ニ相當スル金額及百二十圓ヲ加ヘタル額

六　本俸年額三百圓ヲ超エ三百六十圓ヲ超エサルモノ
　其ノ年額ニ三百圓ヲ加ヘタル額

七　本俸年額三百圓以下ノモノ
　其ノ年額ニ倍ニ相當スル金額

大正九年七月三十一日現在ニ於テ休職、非職、待命中ノ者ニ付テハ其ノ在職最終ノ本俸ニ付前項ノ規定ヲ準用ス

經理上ノ必要アル場合ニ於テハ大正十年度限リ改正級額以内ニ於テ第二項ノ規定ニ準シ適宜ノ俸給ヲ定メ之ヲ給スルコトヲ得

從前ノ規定ニ依リ一級俸又ハ最高俸ヲ受ケタル在職年數ハ之ヲ本令ニ依ル一級俸又ハ最高俸ヲ受ケタル在職年數ト看做ス但シ從前ノ規定ニ依ル一級俸又ハ最高俸ニ付第二項又ハ前項ノ規定ニ依ル算出シタル金額カ本令ニ依ル改正俸給ノ二級俸以下ナルトキハ此ノ限ニ在ラス

第二項又ハ第四項ノ規定ニ依リ從前ノ規定ニ依ル一級俸又ハ最高俸ヲ增額シタル俸級ヲ受ケタル在職年數ニ付亦前項ニ同シ

從前ノ規定ニ依リ年功加俸ヲ受クル者ハ其ノ本俸トシテ本令ニ依ル一級俸又ハ最高俸ヲ受ケ其ノ年功加俸トシテ從前ノ本俸及年功加俸ノ合計額

ニ付第二項ノ規定ニ依リ算出シタル金額ヨリ本令ニ依ル一級俸又ハ最高俸ノ金額ヲ控除シタルモノヲ受ク但シ從前ノ本俸及年功加俸ノ合計額ニ付第二項ノ規定ニ依リ算出シタル金額カ本令ニ依ル一級俸又ハ最高俸以下ナルトキハ本俸トシテ其ノ金額ニ相當スル級俸又ハ俸給ヲ受ケ相當級俸又ハ相當俸給ナキトキハ其ノ金額ノ俸給ヲ受ク

第二項、第三項及前項ノ規定ニ依ル金額圓位未滿ハ之ヲ圓位ニ滿タシム

明治二十四年勅令第百六十五號ハ之ヲ廢止ス

改正俸給ニシテ從前ノ俸給ヲ減額シタルモノニ付テハ本令施行ノ際現ニ其ノ職ニ在ル者ニ限リ改正俸給ニ依ラス從前ノ俸給ヲ受ケシム

附　則（大正九年八月勅令第三一六號）

本令ハ大正九年八月二十九日ヨリ之ヲ施行ス

附　則（大正九年一二月勅令第五六五號）

本令ハ公布ノ日ヨリ之ヲ施行ス

判事檢事官等俸給令、朝鮮總督府判事及朝鮮總督府檢事官等給與令及臺灣總督府法院職員官等俸給及定員令ハ之ヲ廢止ス但シ判事及檢事ノ進級ニ付テハ仍從前ノ例ニ依ル

本令施行ノ際從前ノ規定ニ依ル勅任六級俸以上ノ俸給ヲ受クル判事又ハ檢事ノ職ニ在ル者別ニ辭令書ヲ交付セラレサルトキハ現ニ受クル俸給額ニ相當スル級俸又ハ俸給ヲ受ケ其ノ年功加俸ヲ受クル者ハ本俸トシテ從前ノ本俸及年功加俸合計額ノ俸給ヲ受クルモノトス

本令施行ノ際現ニ朝鮮總督府判事、朝鮮總督府檢事、臺灣總督府法院判官又ハ臺灣總督府法院檢察官ノ職ニ在ル者別ニ辭令書ヲ交付セラレサルトキハ現ニ受クル俸給額ニ相當スル級俸又ハ俸給ヲ受クルモノトス

附　則（大正一〇年四月勅令第七九號）

本令ハ公布ノ日ヨリ之ヲ施行ス

本令施行ノ際現ニ領事ニシテ高等官七等ニ在ル者別ニ辭令書ヲ交付セラレサルトキハ仍現官等及俸給ヲ保有ス

附　則（大正一〇年一二月勅令第四七〇號）

本令ハ公布ノ日ヨリ之ヲ施行ス

神宮皇學館職員官等俸給令ハ之ヲ廢止ス

神宮皇學館職員ニシテ從前ノ規定ニ依リ俸給ヲ受クルモノニ對シ支給スル俸給額ハ本令施行ノ際ニ限リ內務大臣ノ定ムル所ニ依ル

本令施行ノ際現ニ神宮皇學館助教授又ハ書記タル者ハ文武判任官等級令ニ拘ラス其ノ官ニ在ル間從前ノ等級ヲ降ルコトナキモノトス

附　則（大正一一年三月勅令第九三號）

本令ハ大正十一年四月一日ヨリ之ヲ施行ス

本令施行ノ際現ニ陸軍法務官又ハ海軍法務官ノ職ニ在ル者別ニ辭令ヲ交付セラレサルトキハ其ノ官等俸給ハ理事又ハ主理タリシトキト同一トス

附　則（大正一二年三月勅令第九六號）

本令ハ大正十二年四月一日ヨリ之ヲ施行ス

本令施行ノ際現ニ千葉醫學專門學校、金澤醫學專門學校又ハ長崎醫學專門學校ノ敎授ニシテ官立醫科大學附屬藥學專門部敎授ニ任セラレタル者ノ千葉醫學專門學校、金澤醫學專門學校又ハ長崎醫學專門學校ノ敎授トシテノ高等官三等ノ在職ハ高等官官等俸給令第十條第六項ノ規定ノ適用ニ付テハ之ヲ官立醫科大學附屬藥學專門部敎授トシテノ高等官三等ノ在

職ト看做ス

本令施行ノ際現ニ千葉醫學專門學校教授ニシテ高等官二等ニ在ル者ヲ官立醫科大學藥學專門部教授ニ任スル場合ニ於テハ之ヲ高等官二等ニ敍スルコトヲ得

附　則（大正一二年四月勅令第一四七號）

本令ハ公布ノ日ヨリ之ヲ施行ス

本令施行ノ際現ニ會計檢査院部長ノ職ニ在ル者別ニ辭令ヲ發セラレサルトキハ現ニ受クル俸給額ニ相當スル級俸ヲ受クルモノトス

附　則（大正一二年五月勅令第二四〇號）

本令ハ公布ノ日ヨリ之ヲ施行ス

本令施行ノ際現ニ旅順工科大學附屬工學專門部教授ニシテ旅順工科大學豫科教授ニ任セラレタル者ノ旅順工科學堂及旅順工科大學附屬工學專門部ノ教授トシテノ高等官三等ノ在職ハ高等官官等俸給令第十條第八項ノ規定ノ適用ニ付テハ之ヲ旅順工科大學豫科教授トシテノ高等官三等ノ在職ト看做ス

附　則（大正一二年五月勅令第二四六號）

本令ハ公布ノ日ヨリ之ヲ施行ス

本令施行ノ際現ニ北海道帝國大學附屬大學豫科教授ニシテ北海道帝國大學豫科教授ニ任セラレタル者ノ北海道帝國大學附屬大學豫科教授トシテノ高等官三等ノ在職ハ高等官官等俸給令第十條第四項ノ規定ノ適用ニ付テハ之ヲ北海道帝國大學豫科教授トシテノ高等官三等ノ在職ト看做ス

本令施行ノ際現ニ北海道帝國大學附屬大學豫科教授ニシテ高等官二等ニ在ル者ヲ北海道帝國大學豫科教授ニ任スル場合ニ於テハ之ヲ高等官二等ニ陞敍スルコトヲ得

第一表 文官高等官官等表

任	官等＼官庁	内閣										枢密院			
勅任	親任	内閣総理大臣										枢密院議長	枢密院副議長	枢密顧問官	
	一等		内閣書記官長				法制局長官		賞勲局総裁						枢密院書記官長
	二等		同上	恩給局長	印刷局長	印刷局技師	同上	法制局参事官	同上	拓殖事務局長	統計局長				同上
奏任	三等														
	四等														
	五等														
	六等														
	七等														
	八等														
	九等														

外務																
外務大臣							特命全權大使									
	外務次官							特命全權公使	大使館參事官							
	同上	各局長	參事官	情報部次長	商務官	臨時平和條約事務局部長		同上	同上	辨理公使						
					同上						大使館一等書記官	公使館一等書記官				
					同上						同上	同上	大使館二等書記官	公使館二等書記官		
					同上								同上	同上	大使館三等書記官	公使館三等書記官
															同上	同上

内　　　省

		総領事	同上	同上					
			領事	同上	同上	同上			
			貿易事務官	同上	同上	同上			
					大使館理事官	同上	同上		
					公使館理事官	同上	同上		
					副領事	同上	同上		
					大使館一等通譯官	同上			
					公使館一等通譯官	同上			
							大使館二等通譯官		
							公使館二等通譯官		
						外交官補	同上		
						領事官補	同上		
內務大臣									
	內務次官	同上							
		各局長							
		參事官							
		內務監察官							

内務省		內務技監	同上							
		社會局長官	同上							
			社會局部長							
			各廳技師							
			造神宮副使							
				國立感化院教諭國立感化院長タルモノ	同上	同上	同上	同上		
			神宮皇學館長	同上	同上	同上				
			警察講習所長	同上	同上					
大藏省	大藏大臣									
		大藏次官	同上							
		海外駐劄財務官	同上	同上						
			各局長							
			參事官							
			國有財產整理部長							
			臨時議員建築局理事							
			造幣局長							

省						陸軍省									
						陸軍大臣				陸軍大將					
	專賣局長官						陸軍次官			陸軍中將 陸軍中將相當官	陸軍法務官				
各廳技師	同上	專賣局部長	專賣局理事	稅關長	稅務監督局長		同上	參事官	法務局長	陸軍少將 陸軍少將相當官	同上	陸軍司法事務官	各廳技師	千住製絨所長	陸軍教授
				同上	同上					陸軍大佐 陸軍大佐相當官				同上	同上
				同上	同上					陸軍中佐 陸軍中佐相當官					同上
										陸軍少佐 陸軍少佐相當官					同上
										陸軍大尉 陸軍大尉相當官					同上
										陸軍中尉 陸軍中尉相當官					同上
										陸軍少尉 陸軍少尉相當官					

海軍省										司法				
海軍大臣				海軍大將						司法大臣				
	海軍次官			海軍各科中將		海軍法務官					司法次官			
	同上	參事官	法務局長	海軍各科少將		同上	海軍司法事務官	各廳技師	海軍教授		同上	各局長	參事官	司法技師
				海軍各科大佐					同上					
				海軍各科中佐	海軍豫備中佐 海軍豫備機關中佐				同上					
				海軍各科少佐	海軍豫備少佐 海軍豫備機關少佐				同上					
				海軍各科大尉 海軍各科特務大尉	海軍豫備大尉 海軍豫備機關大尉				同上					
				海軍各科中尉 海軍各科特務中尉	海軍豫備中尉 海軍豫備機關中尉				同上					
				海軍各科小尉 海軍各科特務小尉	海軍豫備少尉 海軍豫備機關少尉									

省	判事	同上	同上						
		檢事	同上						
				典獄（小菅、市ケ谷、豐多摩、巢鴨、大阪、名古屋、廣島、長崎、宮城、札幌ノ刑務所ノ長タル者）	同上	同上			
文	文部大臣								
		文部次官	同上						
			各局長						
			參事官						
			維新史料編纂事務局長						
				督學官	同上	同上	同上	同上	
			各廳技師						
		帝國大學總長	同上						
		帝國大學教授	同上	同上	同上	同上	同上		
				帝國大學助教授	同上	同上	同上	同上	
			帝國大學豫科教授	同上	同上	同上	同上	同上	
			帝國大學附屬專門部教授	同上	同上	同上	同上	同上	

文部省			史料編纂官	同上	同上	同上	同上	同上		
		官立大學長	同上							
		官立大學教授	同上	同上	同上	同上	同上			
			官立大學豫科教授	同上	同上	同上	同上	同上		
			官立大學附屬專門部教授	同上	同上	同上	同上	同上		
			文部省直轄諸學校長東京盲學校長東京聾唖學校長ヲ除ク	同上	同上	同上				
			文部省直轄諸學校教諭	同上	同上	同上	同上	同下		
				東京盲學校長	同上	同上	同上			
				東京聾唖學校	同上	同上	同上			
				文部省直轄諸學校教諭	同上	同上	同上	同上	同上	同上
				帝國圖書館長	同上	同上				
				東京博物館長	同上	同上				
農	農商務大臣									
		農商務次官	同上							
			各局長							

省	1	2	3	4	5	6	7	8	9	10
商務省			參事官							
		特許局長官	同上							
			特許局次長							
			特許局事務官							
			各廳技師							
			山林技師							
			鑛務署長	同上	同上					
		製鐵所長官	同上							
		製鐵所次長	同上							
			製鐵所理事	同上	同上					
		製鐵所技監	同上							
遞	遞信大臣									
		遞信次官	同上							
			各局長							
			參事官							
			遞信監察官							
			各廳技師							

信省							鐵道省						會計檢査院			行政裁判所
							鐵道大臣						會計檢査院長			行政裁判所長官
								鐵道次官						會計檢査院部長		
貯金局長	航空局次長	簡易保險局長		遞信局長	商船學校長	商船學校教諭		同上	各局長	參事官	各廳技師	鐵道局長		同上	檢査官	
			航路標識管理所長		同上	同上										
			同上		同上	同上										
						同上										
						同上										
						同上										

所		行政裁判所評定官	同上							
朝鮮總	朝鮮總督									
	政務總監									
		各局長	同上							
			各部長							
			參事官							
			監察官							
			事務官							
			各廳技師							
		遞信局長	同上							
		專賣局長	同上							
				稅關長	同上	同上				
			營林廠長	同上						
		醫院長	同上							
			醫院醫官							
		道知事	同上							
			道參與官	同上	同上					

督 府 臺									
		道慈惠醫院醫官							
					道港務官	同上	同上	同上	
					道港務醫官	同上	同上	同上	
					道獸醫官	同上	同上	同上	
			府尹 京城府尹タルモノ	同上	同上				
	判事	同上							
	檢事	同上							
			典獄京城、西大門、平壤、大邱ノ監獄ノ長タル者	同上	同上				
		專門學校長	同上	同上	同上				
		專門學校教授	同上	同上	同上	同上	同上		
臺灣總督									
	總務長官	同上							
		各局長							
		參事官							
		各廳技師							

灣總督府					測候所技師	同上	同上	同上	同上	同上
灣總督府			專賣局長							
灣總督府			稅關長	同上	同上					
灣總督府			州知事							
灣總督府				市尹（臺北市尹タルモノ）	同上	同上				
灣總督府		法院判官	同上							
灣總督府		法院檢察官	同上							
灣總督府			醫學專門學校長	同上	同上					
灣總督府			高等農林學校長	同上	同上					
灣總督府			高等商業學校長	同上	同上					
灣總督府			高等學校長	同上	同上					
灣總督府				商業專門學校長	同上	同上	同上	同上		
灣總督府			醫院醫長							
關	關東長官									
關		事務總長	同上							
關			各局長							
關			事務							

東廳			遞信局長							
					觀測所技師	同上	同上	同上	同上	同上
		旅順工科大學長	同上							
			旅順工科大學附屬工學專門部教授							
			法院判官							
			醫院醫長							
樺太廳		長官	同上							
					觀測所技師	同上	同上	同上	同上	同上
南洋廳		長官	同上							
警視廳		警視總監	同上							
						理事官	同上	同上	同上	
						警視	同上	同上	同上	
						消防司令	同上	同上	同上	
北		長官	同上							
			內務部長							
			土木部長							

官廳										
海道廳			技師							
					支廳長	同上	同上	同上	同上	
						理事官	同上	同上	同上	
						警視	同上	同上	同上	
					師範學校長	同上	同上	同上	同上	
府縣		知事	同上							
						理事官	同上	同上	同上	
						警視	同上	同上	同上	
						港務官港務部長タルモノヲ除ク	同上	同上	同上	
						港務醫官	同上	同上	同上	
						港務獸醫官	同上	同上	同上	
					島司	同上	同上	同上	同上	
					郡長	同上	同上	同上	同上	
					師範學校長	同上	同上	同上	同上	
貴族院事務局		貴族院書記官長	同上							
衆議院事務局		衆議院書記官長	同上							

第二表

奏任文官年俸表

級俸	第一號	第二號	第三號
一級	四、五〇〇圓	三、八〇〇圓	三、一〇〇圓
二級	四、一〇〇	三、四〇〇	二、七〇〇
三級	三、八〇〇	三、一〇〇	二、四〇〇
四級	三、四〇〇	二、七〇〇	二、〇〇〇
五級	三、一〇〇	二、四〇〇	一、八〇〇
六級	二、七〇〇	二、〇〇〇	一、六〇〇
七級	二、四〇〇	一、八〇〇	一、四〇〇
八級	二、〇〇〇	一、六〇〇	一、二〇〇
九級	一、八〇〇	一、四〇〇	一、一〇〇
十級	一、六〇〇	一、二〇〇	一、〇〇〇
十一級	一、四〇〇	一、一〇〇	九〇〇
十二級	一、二〇〇		

第三表　在外公館奏任職員年俸表

官名＼官等	三等（圓）	四等（圓）	五等（圓）	六等（圓）	七等（圓）
大使館一等書記官 公使館一等書記官 總領事	四、五〇〇	一級 四、一〇〇 二級 三、一〇〇			
大使館二等書記官 公使館二等書記官		一級 四、一〇〇 二級 三、八〇〇	一級 三、四〇〇 二級 三、一〇〇		
大使館三等書記官 公使館三等書記官			一級 三、四〇〇 二級 三、一〇〇	一級 二、七〇〇 二級 二、四〇〇	
領事 貿易事務官	四、五〇〇	一級 四、一〇〇 二級 三、八〇〇	一級 三、四〇〇 二級 三、一〇〇	一級 二、七〇〇 二級 二、四〇〇	
大使館理事官 公使館理事官 副領事			一級 三、四〇〇 二級 三、一〇〇	一級 二、七〇〇 二級 二、四〇〇	一級 二、〇〇〇 二級 一、八〇〇 三級 一、六〇〇 四級 一、四〇〇
大使館一等通譯官 公使館一等通譯官			一級 三、四〇〇 二級 三、一〇〇	一級 二、七〇〇 二級 二、四〇〇	
大使館二等通譯官 公使館二等通譯官					一級 二、〇〇〇 二級 一、八〇〇 三級 一、六〇〇 四級 一、四〇〇
外交官補 領事官補				一級 二、七〇〇 二級 二、四〇〇	一級 二、〇〇〇 二級 一、八〇〇 三級 一、六〇〇 四級 一、四〇〇

第四表

官名	一級	二級	三級	四級	五級
千住製絨所長奏任タルモノ 朝鮮總督府營林廠長奏任タルモノ	圓 四、五〇〇	圓	圓	圓	圓
神宮皇學館長奏任タルモノ 警察講習所長奏任タルモノ 文部省直轄諸學校長奏任タルモノ但シ東京盲學校長東京聾啞學校長ヲ除ク 製鐵所理事奏任タルモノ 商船學校長奏任タルモノ 航路標識管理所長奏任タルモノ 朝鮮總督府專門學校長奏任タルモノ 朝鮮總督府道參與官奏任タルモノ 臺灣總督府醫學專門學校長奏任タルモノ 臺灣總督府高等農林學校長奏任タルモノ 臺灣總督府高等商業學校長任タルモノ 臺灣總督府高等學校長奏任タルモノ	四、五〇〇	四、一〇〇	三、八〇〇	三、四〇〇	三、一〇〇

第五表

官名	級	一級	二級	三級	四級	五級	六級	七級	八級	九級	十級	十一級	十二級
海外駐劄財務官 奏任タルモノ 商務官 奏任タルモノ 稅關長 奏任タルモノ 稅務監督局長 奏任タルモノ 典獄 小菅、市ケ谷、豊多摩、巣鴨、大阪、名古屋、廣島、長崎、宮城、秋田ノ刑務所ノ長タル者 帝國圖書館長 東京博物館長 鑛務署長 奏任タルモノ 朝鮮總督府稅關長 朝鮮總督府府尹 京城府尹タルモノ 朝鮮總督府典獄 京城、西大門、平壤、大邱ノ監獄ノ長タルモノ 臺灣總督府稅關長 奏任タルモノ 臺灣總督府市尹 臺北市尹タルモノ 臺灣總督府商業專門校長		四、五〇〇圓	四、一〇〇圓	三、八〇〇圓	三、四〇〇圓	三、一〇〇圓	圓	圓	圓	圓	圓	圓	圓

陸軍教授（奏任タルモノ）・海軍教授（奏任タルモノ）・督學官・帝國大學教授・帝國大學豫科教授・帝國大學附屬專門部教授・史料編纂官・官立大學豫科教授・官立大學附屬專門部教授・文部省直轄諸學校教授・朝鮮總督府專門學校教授・商船學校教授・港務醫官・港務獸醫官	國立感化院教諭（國立感化院院長タルモノ）・東京盲學校長・東京盲啞學校長
四、五〇〇	三、八〇〇
四、一〇〇	三、四〇〇
三、八〇〇	三、一〇〇
三、四〇〇	二、八〇〇
三、一〇〇	二、六〇〇
二、七〇〇	二、四〇〇
二、四〇〇	二、二〇〇
二、〇〇〇	二、〇〇〇
一、八〇〇	一、八〇〇
一、六〇〇	一、六〇〇
一、四〇〇	
一、二〇〇	

師範學校長 港務官（港務部長タルモノヲ除ク）	帝國大學助教授 文部省直轄諸學校教諭 朝鮮總督府道港務醫官 朝鮮總督府道獸醫官 臺灣總督府測候所技師 關東廳觀測所技師 樺太廳觀測所技師 警視廳消防司令 北海道廳支廳長 島司 郡長 廳府縣警視 廳府縣理事官
三、四〇〇	三、一〇〇
三、一〇〇	二、八〇〇
二、八〇〇	二、六〇〇
二、六〇〇	二、四〇〇
二、四〇〇	二、二〇〇
二、二〇〇	二、〇〇〇
二、〇〇〇	一、八〇〇
一、八〇〇	一、六〇〇
一、六〇〇	一、四〇〇
一、四〇〇	一、三〇〇
一、三〇〇	一、二〇〇
一、二〇〇	一、一〇〇

二　初叙官等ノ制限ヲ受ケサル高等文官他ノ高等文官ト爲ル場合ノ官等ニ關スル件

明治三六年一二月
勅令第二八五號

第一條 本令ニ於テ特別文官ト稱スルハ高等官官等俸給令第七條ニ依ル初叙官等ノ制限ヲ受ケサル高等文官ヲ謂フ

第二條 特別文官他ノ高等文官ト爲ル場合ノ官等ハ前ニ他ノ高等文官タラサリシ者ニ付テハ高等官六等以下トシ前ニ高等文官タリシ者ニ付テハ前官等以下トス但シ前官等七等以下ナルトキハ陞シテ六等ニ至ルコトヲ得

第三條 前條ノ場合ニ於テハ特別文官在職年數滿二年ニ對シテ一等ヲ陞敍スルコトヲ得

前ニ他ノ高等文官タリシ者前條ノ場合ニ該當スルトキハ其ノ前官等七等以下ノ場合ヲ除クノ外其ノ官等在職年數ヲ特別文官在職年數ニ通算シテ前項ノ規定ヲ適用ス但シ前ノ他ノ高等文官在職滿二年以上ナルトキハ其ノ在職年數ハ二年トシ特別文官在職年數ニ通算ス

前二項ノ在職年數ニシテ特別文官ヨリ他ノ高等文官ト爲ル際陞敍ノ爲通算セラレサルモノハ新ニ敍セラレタル官等ノ陞敍年數ニ通算ス但シ前ノ他ノ高等文官ノ官等以上ニ敍セラレサルトキハ此ノ限ニ在ラス

附　則

明治三十年勅令第百九十七號及之ヲ準用シタル規定ハ之ヲ廢止ス

三　文武判任官等級令

明治四三年六月
勅令第二六七號

改正　四三年九第三七九號　大正四年一二第二一八號　五年四第九四號
六年八第一〇一號　九年八第二五九號　一八第四八四號
一〇年三第四七一號

第一條 判任官ノ等級ハ一等乃至四等トシ其ノ區分ハ別表ニ依ルモノノ外其ノ本俸ニ依リ左ノ如ク定ム

一等	特別俸 一級俸 二級俸
二等	三級俸 四級俸 五級俸 月俸九十五圓以下八十五圓以上
三等	六級俸 七級俸 八級俸 月俸八十五圓未滿五十五圓以上
四等	九級俸 十級俸 十一級俸 月俸五十五圓未滿

第二條 年功ニ依リ加給ヲ受クルモ爲ニ等級ヲ昇スコトナシ

附　則

本令ハ公布ノ日ヨリ之ヲ施行ス

文武判任官等級表ハ之ヲ廢止ス

本令施行ノ際現ニ判任官俸給令附則第三項ノ規定ニ依リ月俸四十三圓ヲ受クル者ノ等級ハ三等トス

（別表）

	神宮權禰宜	神宮宮掌	神宮衛士副長	陸軍准士官及下士		海軍准士官及下士					三等郵便局長 三等電信局長	朝鮮總督府郵便所長 臺灣總督府三等郵便局長 關東都督府郵便所長 樺太廳特定郵便局長	郡書記 郡視學 郡技手
一等	一級俸 二級俸		一級俸 二級俸	陸軍各兵特務曹長及相當官	陸軍砲兵上等工長	海軍上等兵曹	海軍上等機關兵曹	海軍上等兵曹相當官	海軍豫備上等兵曹	海軍豫備上等機關兵曹	年手當二百四十圓以上千圓以下	年手當七百二十圓以上千二百圓以下	特別俸 一級俸 二級俸
二等	三級俸 四級俸		三級俸 四級俸	陸軍各兵曹長及相當官	陸軍各兵一等諸工長	海軍一等兵曹	海軍一等機關兵曹	海軍一等兵曹相當官	海軍豫備一等兵曹	海軍豫備一等機關兵曹	年手當百二十圓以上二百四十圓未滿	年手當三百六十圓以上七百二十圓未滿	三級俸 四級俸 五級俸
三等		一級俸 二級俸 月俸七十五圓未滿六十五圓以上	五級俸 六級俸 月俸七十五圓未滿六十五圓以上	陸軍各兵曹及相當官	陸軍各兵二等諸工長	海軍二等兵曹	海軍二等機關兵曹	海軍二等兵曹相當官	海軍豫備二等兵曹	海軍豫備二等機關兵曹	年手當七十二圓以上百二十圓未滿	年手當一百二十圓以上三百六十圓未滿	六級俸 七級俸 八級俸 月俸三十圓未滿二十五圓以上
四等		三級俸 四級俸 五級俸 六級俸 月俸六十五圓未滿四十圓以上	七級俸 八級俸 月俸六十五圓未滿五十圓以上	陸軍各兵伍長及相當官	陸軍各兵三等諸工長	海軍三等兵曹	海軍三等機關兵曹	海軍三等兵曹相當官	海軍豫備三等兵曹	海軍豫備三等機關兵曹	年手當七十二圓未滿	年手當百二十圓未滿	九級俸 十級俸 月俸二十五圓未滿

四　朝鮮總督府保健技師保健技手敎誨師及敎師ノ官等等級配當ノ件

大正八年二月勅令第二三號

改正　一二年五勅第二〇六號

朝鮮總督府保健技師、保健技手、敎誨師及敎師ノ官等級等ノ配當ニ付テハ大正七年勅令第三百四十七號ノ規定ヲ準用ス但シ藥劑師ノ等級ノ配當

ニ付テハ教師ノ等級ノ配當ニ關スル規定ヲ準用ス

附　則

本令ハ公布ノ日ヨリ之ヲ施行ス

附　則

本令ハ公布ノ日ヨリ之ヲ施行ス

本令施行ノ際現ニ監獄醫ニシテ保健技師ニ任セラレタル者及奏任官ノ待遇ヲ受クル教誨師ハ本令ニ拘ラス從前ノ官等ヲ保有ス

五　奏任官又ハ判任官ノ待遇ヲ受クル保健技師保健技手教誨師及教師ノ官等等級配當ノ件

大正七年九月　勅令第三四七號

改正　九年八月三四五號　一一〇年四三六號

奏任官又ハ判任官ノ待遇ヲ受クル保健技師、保健技手、教誨師及教師ノ官等等級ハ其ノ俸級額ニ應シ別表ニ依リ文武高等官官等又ハ文武判任官等級ニ配當ス但シ同官等内又ハ同等級内ニ於テハ文武官吏ノ次席トス

附　則

本令ハ公布ノ日ヨリ之ヲ施行ス

（別表）

保健技師及奏任官待遇ノ教誨師官等配當表

	三等	四等	五等	六等	七等	八等
保健技師 教誨師	一級俸	二級俸 三級俸	四級俸 五級俸	六級俸 七級俸	八級俸 九級俸 十級俸	十一級俸 十二級俸

保健技手、判任官待遇ノ教誨師、教師及作業技手等級配當表

	一等	二等	三等	四等
保健技手 教誨師 教師 作業技手	一級俸 二級俸	三級俸 四級俸 五級俸	六級俸 七級俸 八級俸 月俸七十五圓未滿 五十圓以上	九級俸 十級俸 月俸五十圓未滿

六　判任官俸給令

明治四三年三月　勅令第一三五號

改正　四三年九月二七八號　二年一一月三〇二號　一三年二月二四七號　一一年三月三七八號　六年二月二七六號　一〇年四月四四〇號　一〇年四月四六三號　四五年三月四七號　三年三月三八號　七年七月二七九號　八年五月一八二號　十年三月三五八號　九年八月二五八號　一〇年五〇六號　大正二年六月二一五號　五年三月六六號　八年三月三〇八號　八年二五四號　八年四〇〇號　八年三月三五四號　一〇年八月三九三號

第一條　判任官ノ月俸ハ別ニ定ムルモノヲ除クノ外別表ニ依ル

第二條　陸海軍准士官及下士ハ判任トシ其ノ月俸ハ別ニ定ムル所ニ依ル

第三條　判任文官ハ毎級在職一年以上ニ至ラサレハ增給スルコトヲ得ス但シ六級俸以下ノ者ハ此ノ限ニ在ラス

第四條　判任文官ニシテ一級俸ヲ受ケ五年ヲ超エ事務練熟優等ナル者ハ特ニ二百圓迄ヲ給スルコトヲ得

第五條　判任文官ノ俸給ハ月俸七十五圓未滿ノ者ニ限リ級俸ニ拘ラス適宜ノ金額ヲ定メ之ヲ支給スルコトヲ得但シ各所定ノ最低俸給額ヲ下ルコトヲ得ス

第六條　各廳技手ハ判任トシ各廳事務ノ繁閑ニ依リ別表最低額以下ヲ給スルコトヲ得

第七條 警視廳、北海道廳、府縣及監獄判任官竝稅務監督局屬、稅務署屬、專賣局書記及朝鮮總督府航路標識看守ニハ別表最低額以下二十圓迄ノ月俸ヲ給スルコトヲ得但シ港吏、港務醫官補、港務獸醫官補、港務調劑手及府縣通譯ハ此ノ限ニ在ラス

道廳及府縣視學ノ月俸ハ別表八級俸以上トス

第八條 各廳稅關監吏及各廳稅務吏ノ月俸ハ二十五圓以上八十五圓以下トス

第九條 各廳警部補ノ月俸ハ四十圓以上八十五圓以下トス

第十條 各廳森林主事ノ月俸ハ二十五圓以上八十五圓以下トス

第十一條 左ニ揭クル者ノ月俸ハ二十圓以上八十五圓以下トス

貯金局書記補

遞信局書記補

各廳通信書記補

各廳遞信書記補

簡易保險局書記補

第十二條 前四條ノ判任文官最上給俸ヲ受ケ三年ヲ超エ事務練熟優等ナル者ハ特ニ月額十圓以内ヲ加給スルコトヲ得

第十三條 判任官死亡シタルトキハ在職最終月俸三月分ノ額ニ相當スル死亡賜金ヲ其ノ遺族ニ給ス

前項遺族ト稱スルハ配偶者、子、父母、孫、祖父母及兄弟姉妹ニシテ同一戶籍內ニ在ル者ヲ謂フ

第一項ノ死亡賜金ヲ受クヘキ遺族ノ順位ハ前項ニ揭ケタル順序ニ依リ同順位內ニ在リテハ家督相續人ハ其ノ他ノ者ニ、男ハ女ニ、長ハ幼ニ先ツ

第十四條 月俸ハ每月下旬之ヲ支給ス

前項ノ外俸給ノ支給ニ關シテハ高等官官等俸給令ノ例ニ依ル

第十五條 俸給支給ニ關スル細則ハ大藏大臣之ヲ定ム

（別表）

級俸	月額
一級俸	百六十圓
二級俸	百三十五圓
三級俸	百十五圓
四級俸	百圓
五級俸	八十五圓
六級俸	七十五圓
七級俸	六十五圓
八級俸	五十五圓
九級俸	五十圓
十級俸	四十五圓
十一級俸	四十圓

附則

本令ハ大正九年八月分ヨリ之ヲ適用ス

大正九年勅令第二百五十七號附則第二項乃至第六項及第八項ノ規定ハ従前ノ規定ニ依リ俸給ヲ受クル者ニ之ヲ準用ス

従前ノ規定ニ依ル五級俸以上ノ各級ニ於テ經過シタル在職年數ハ之ヲ改正俸級ノ五級以上各級ニ於ケル在職年數ト看做ス

従前ノ規定ニ依ル五級俸以上ヲ受クル者第二項ノ規定ニ依リ改正級俸ニ相當セサル俸給ヲ受クルトキハ従前ノ級俸ト同等ノ改正級俸ヲ受クルモノト看做ス

前項ノ規定ハ五級俸以上ニ於テ級俸相當セサル俸給ヲ受クル者ノ級俸ニ付之ヲ準用ス

第八條乃至第十一條ニ揭クル判任文官ノ従前ノ規定ニ依ル最上級俸ヲ受ケタル在職年數ハ之ヲ改正俸給ノ最上級俸ヲ受ケタル在職年數ト看做ス

判任官俸給令附則ヲ削ル

明治二十四年勅令第八十三號判任官俸給令ノ例ニ依リ五級俸以上ノ俸給ヲ受クル地方税支辨ニ屬スル判任文官ノ級俸ノ對等ニ付テハ前數項ノ規定ニ依ラス左表ノ區分ニ依ル但シ文武判任官等級令ノ適用ニ付テハ仍従前ノ等級ヲ保有ス

現行俸給	改正俸給
特別俸	一級俸
一級俸	二級俸
二級俸	四級俸
三級俸	五級俸
四級俸	六級俸
五級俸	六級俸

七　判任官待遇者俸給ニ關スル件

明治四〇年六月
勅令第二四四號

改正　四三年三第一三六號

判任官俸給令第五條ノ規定ハ判任官ノ待遇ヲ受クル者ノ俸給ニ之ヲ準用ス

附則

本令ハ明治四十三年四月一日ヨリ之ヲ施行ス

八　文官俸給支給細則

明治二五年一二月
大藏省令第一一號

改正　三八年（第三〇號）　大正九年五第一五號

第一條　高等文官及判任文官ノ俸給ハ各廳左ノ日割定日ニ於テ支給スルモノトス但休日ニ當ルトキハ順延トス

毎月二十一日

外務省及其所管經費ニ屬スル官廳

内務省及其所管經費ニ屬スル官廳

大藏省及其所管經費ニ屬スル官廳

鐵道省及其所管經費ニ屬スル官廳

毎月二十二日

陸軍省及其所管經費ニ屬スル官廳

海軍省及其所管經費ニ屬スル官廳
司法省及其所管經費ニ屬スル官廳

毎月二十三日

文部省及其所管經費ニ屬スル官廳
農商務省及其所管經費ニ屬スル官廳
遞信省及其所管經費ニ屬スル官廳

第二條 廢官退官退職及死亡ノ時ハ當月分ノ俸給全額ヲ其際支給スルモノトス

高等官官等俸給令第三十五條ニ依リ殘務調理ヲ命セラレタル者其調理翌月以降ニ涉リ全月分ヲ支給スルモノハ第一條ノ支給定日ニ依ル但最後ノ月ハ日割ヲ以テ調理結了ノ日迄ヲ其ノ際支給ス

第三條 轉任者ノ俸給ハ其發令ノ當日迄ヲ甲廳ノ負擔トシ翌日以降ノ分ハ乙廳ニ於テ之ヲ支給スルモノトス

第四條 他廳ヘ轉任シタルモノハ第一條ノ支給日ニ拘ラス日割計算ヲ以テ發令ノ當日迄ニ係ル俸給ヲ其ノ際支給ス

第五條 他廳ヘ轉任ノ際俸給過渡アルトキハ前任廳ニ於テ其ノ際之ヲ追徵スヘシ

第六條 俸給支給定日後他廳ヨリ轉任シ來リタルトキハ後任廳ニ於テ其月ノ殘日數ニ對スル俸給ヲ其ノ際支給スルモノトス

第七條 高等官官等俸給令第三十六條ニ依リ減給ノ者廢官退官退職及死亡ノ時ハ其減給ニ係ル當月分ノ全額ヲ支給スルモノトス

第八條 傷痍忌引若クハ特旨賜暇ノ場合ハ病氣若クハ私事故障ト連續スルモ減俸トナルヘキ闕勤日數中ニ算入セス又病氣ト私事故障トヲ連續スル場合ニ於テハ之ヲ通算セス

第九條 俸給ヲ支給スルニ當リ計算上錢位未滿ノ端數ヲ生スルトキハ之ヲ切捨ルモノトス

日割計算ノ法ハ其月ノ現日數ニ依ルヘシ

九 俸給受領ニ關スル件

大正一一年一〇月

庶務部長

支出官宛

歲出金繰替拂通知書ニ依リ俸給ヲ受領スル者ハ其ノ支給定日以前ニ於テハ之ヲ受領スヘカラサル筈ナルニ遞信局ノ報告ニ依レハ近來右支給定日以前ニ受領スル者往往有之趣不都合ニ候條自今俸給支給定日以前ニ於テハ受領セサル樣嚴重御示達置相成度及通牒候也

一〇 判任官以下定期昇級發令期日ノ件

大正元年一一月
官通第一三五號

政務總監

各所屬官署長宛

判任官以下定期昇級發令期日ハ月末又ハ給料支給打切期日ノ翌日ヲ以テ發令スルコトニ決定候條此段及通牒候也

一一 陸海軍准士官以下ノ受恩給者文官ニ任用ノ場合俸給支給方

明治三三年三月
勅令第一三二號

陸海軍准士官以下ニシテ恩給ヲ受クル者文官判任以上ニ任セラレタル場

合ニ於テハ其ノ受クヘキ俸給額ヨリ恩給額ヲ控除シタル額ヲ支給スルモノトス

一二　准士官以下ノ受恩給者文官ニ任用ノ場合俸給計算方

明治三三年四月
大藏省令第一九號

本年勅令第百三十二號ニ依ル俸給支給方ハ高等官ニ在テハ年俸月割額判任官ニ在テハ月俸額ヨリ恩給年額十二分ノ一ニ相當スル額ヲ毎月控除支給スルモノトス但日割計算ヲ以テ恩給ヲ支給スルトキハ其日割支給額ニ相當スル額ヲ控除支給スルモノトス

俸給ノ日割支給ヲ要スルトキハ恩給モ亦當月分ノ現日數ヲ以テ計算控除スルモノトス

一三　准士官以下ノ受恩給者文官ニ任用ノ場合諸給與及納金計算方

明治三三年六月
勅令第二七三號

准士官以下ニシテ恩給ヲ受クル者文官判任以上ニ任セラレタル場合ニ於テ俸給ヲ基礎トシテ計算スルモノノ中恩給及死亡賜金ハ其ノ受クヘキ俸給額ヲ基準トシテ之ヲ計算シ休職俸給及減俸ハ其ノ受クヘキ俸給額中ヨリ恩給ヲ控除シタル額ヲ基準トシテ之ヲ計算ス

官吏遺族扶助法第二條ノ納金ハ恩給額ヲ控除シタル額、休職給額又ハ減俸殘額ヲ基準トシテ之ヲ計算ス

一四　文官ニシテ陸海軍ニ召集セラレタル者ノ俸給ニ關スル件

明治三七年九月
勅令第二〇六號

文官ニシテ陸海軍ニ召集セラレ陸海軍ニ於テ俸給ヲ受クル者ハ其ノ間文官俸給ノ支給ヲ停止ス但シ陸海軍ニ於テ受クル俸給ノ額文官俸給額ヨリ寡少ナルトキハ其不足額ハ奉職官廳ニ於テ文官俸給ヨリ之ヲ補給ス

附　則

明治二十四年勅令第百六十二號及明治二十七年勅令第百二十九號ハ之ヲ廢止ス

一五　朝鮮臺灣滿洲樺太及南洋群島在勤文官加俸令

明治四三年六月
勅令第一三七號

改正　四三年九月第三八四號　四四年一〇月第二六九號　大正二年四月第五三號
九年九月第三九九號　一一年四月第一八八號

第一條　朝鮮臺灣滿洲及樺太在勤ノ内地人タル文官、試補、司法官試補及見習ニハ本令ニ依リ加俸ヲ給ス

第二條　朝鮮總督、臺灣總督、關東長官及樺太廳長官ノ加俸ハ本俸ノ十分ノ五トシ其ノ他ノ高等官及試補、司法官試補ノ加俸ハ本俸ノ十分ノ五以内、判任官ハ十分ノ八以内トシ其ノ額ハ本屬長官之ヲ定ム但シ試補、司法官試補六級俸以下ノ判任官及見習ノ加俸ハ七十圓迄ヲ給スルコトヲ得

南洋廳長官ノ加俸ハ本俸ノ十分ノ九トシ其ノ他ノ南洋廳高等官ノ加俸

ハ本俸ノ十分ノ十二以內、南洋廳判任官ハ十分ノ十五以內トシ其ノ額ハ本屬長官之ヲ定ム但シ七級俸以下ノ判任官ノ加俸ハ月額百圓迄ヲ給スルコトヲ得

第三條 加俸ノ支給ニ付テハ本俸ニ關スル規定ヲ準用ス

第四條 本令ハ在外公館職員及陸海軍軍屬ニハ之ヲ適用セス

附　則

本令ハ明治四十三年四月一日ヨリ之ヲ施行ス

臺灣總督府職員加俸支給規則、明治三十七年勅令第三十五號、滿韓在勤文官加俸及明治四十年勅令第三十七號ハ之ヲ廢止ス

本令施行ノ際別ニ加俸ニ關スル辭令書ヲ交付セラレサル者ハ從前ノ額ヲ受クルモノトス但シ朝鮮總督、臺灣總督、關東都督及樺太廳長官ニ付テハ此ノ限ニ在ラス

附　則（大正九年九月勅令第三九九號）

本令ハ大正九年八月分ヨリ之ヲ適用ス

附　則（大正一一年四月勅令第一八八號）

本令ハ大正十一年四月分ヨリ之ヲ適用ス

一六　朝鮮總督府及所屬官署職員ノ加俸ニ關スル件

大正二年三月
總令第三六號

改正　二年四第四〇號　四年九第九八號　五年一二第一〇〇號　七年五第六〇號　八年一二第一九四號　九年九第一四一號　一〇年一二第一五八號

第一條 朝鮮總督府及所屬官署ニ在勤スル文官職員ノ加俸ハ左ノ率ニ依リ之ヲ支給ス

高等官及高等官待遇	本俸十分ノ四
判任官及判任官待遇	本俸十分ノ六

第二條 削除

第三條 左ノ府郡島內ニ在勤スル者ニハ第一條ノ加俸ノ外本俸十分ノ一ニ相當スル額ヲ加給ス

咸鏡北道　各府郡
咸鏡南道　洪原郡　北靑郡　新興郡　豐山郡　利原郡　端川郡　甲山郡　三水郡　長津郡
平安北道　各府郡
平安南道　德川郡　寧遠郡　孟山郡　陽德郡
黃海道　谷山郡　遂安郡
江原道　平昌郡　寧越郡　旌善郡　楊口郡　麟蹄郡　伊川郡
慶尙北道　鬱陵島
全羅南道　濟州島　高興郡錦山面小鹿里小鹿島

第四條 左ノ各郡內ニ在勤スル判任官、判任官待遇ニハ第一條及前條ニ依ル加俸ノ外本俸十分ノ一ニ相當スル額ヲ加給ス

咸鏡北道　茂山郡
咸鏡南道　豐山郡　甲山郡　三水郡　長津郡
平安北道　碧潼郡　楚山郡　渭原郡　江界郡　慈城郡　厚昌郡

第四條ノ二 特ニ必要ト認ムル場合ニ於テハ高等官及高等官待遇ニハ本俸ノ十分ノ五以內、判任官及判任官待遇ニハ本俸ノ十分ノ八以內ヲ支給ス但シ試補、司法官試補、本俸月額七十五圓以下ノ判任官及判任官待遇ニハ月額七十圓迄ヲ支給スルコトヲ得

第三編　官規　第三章　官等俸給

附　則

本令ハ大正二年四月一日ヨリ之ヲ施行ス

第三條ノ在勤年數ハ本令施行ノ日ヨリ之ヲ起算ス

本令施行ノ際現ニ受クル加俸額カ本令ノ加俸額ヲ超ユル者ニハ本令ニ依ル加俸額ニ從前ノ額ニ達スル迄從前ノ額ヲ支給ス

本令施行ノ際現ニ受クル加俸額カ本令ニ依ル加俸額ヨリ少キ者ニハ本令ニ異動ヲ生スル迄仍從前ノ額ヲ支給ス

前二項ニ該當スル者ニシテ將來本令ノ定額又ハ現ニ受クル加俸額ニ異ナル支給ヲ爲ス場合ニハ辭令ヲ交付ス

附　則（大正五年一二月總令第一○○號）

本令ハ大正六年一月一日ヨリ之ヲ施行ス

本令施行ノ際舊令附則第三項ニ依リ加俸ヲ受クル者ニシテ其ノ加俸額カ本令ニ依ル加俸額ヲ超ユルモノニ付テハ本令ニ依ル加俸額カ舊令附則第三項ニ依ル加俸額ニ達スル迄大正九年三月二十一日ヲ限リ舊令附則第三項ニ依リ加俸額ヲ支給ス

前項ノ規定ハ本令施行ノ際現ニ在勤シ舊令附則第三項ニ依ル加俸ヲ受ケタリシ者ニシテ其ノ後休職又ハ免官ト爲リタルモノニシテ復職又ハ再ヒ任用セラレタルモノニ限ラス但シ大正二年四月一日以後休職又ハ免官ト爲リタル者ニシテ復職又ハ再ヒ任用セラレタルモノハ此ノ限ニ在ラス

第三條ノ在勤年數ニハ本令施行ノ日ヨリ起算ス但シ本令施行ノ際第三條ノ地ニ在勤スル者ニシテ本令施行前其ノ地ニ引續キ在勤シタル年數ハ第三條ノ在勤年數ニ通算ス

第三條第二項ノ規定ハ前項ノ在勤年數ニ之ヲ準用ス

附　則（大正九年九月總令第一四一號）

本令ハ發布ノ日ヨリ施行シ大正九年八月ヨリ之ヲ適用ス

豫備判事、豫備檢事、司法官試補、奏任待遇監獄職員、判任官六級俸以下及判任官待遇ノ者ニハ本俸ニ異動ヲ生スル迄仍從前ノ俸給加俸及臨時手當ノ合算額ヨリ本俸額ヲ控除シタル額ヲ超ユルコトヲ得ス但シ其ノ加俸額ハ從前ノ俸給加俸及臨時手當ノ合算額ヨリ本俸額ヲ給ス

明治四十二年統監府令第四十七號ハ之ヲ廢止ス

附　則（大正九年一○月總令第一五○號）

本令ハ大正九年八月分ヨリ之ヲ適用ス

一七　加俸支給方ニ關スル件

大正六年一月
官通第一七號
政務總監

官房各部及所屬官署長宛

首題ニ關シ咸鏡南道長官ヨリ伺出ノ件ハ左記ノ通御了知相成度此段及通牒候也

記

問　大正五年十二月府令第百號ヲ以テ改正セラレタル加俸ニ關スル件中第三條第四條ノ加給ハ其ノ勤務地着任ノ日ヨリ起算セスシテ發令主義ニ依ルヘキ義ナルヤ

答　發表ノ翌日ヨリ日割計算ヲ以テ支給スヘキモノトス

一八　加俸支給ニ關スル件

大正六年二月
官通第二一號
政務總監

官房各部及所屬官署長宛

加俸支給ニ關シ左記ノ通決定候條此段及通牒候也

追テ大正三年七月官通牒第二六二號ハ消滅シタル義ト御了知相成度候

記

一 大正五年十二月府令第百號附則第二項若ハ第三項ニ依リ舊令附則第三項ニ依ル加俸額ヲ受クル者第三條ノ地ニ轉勤シタルニ依リ其ノ受クヘキ加俸額カ現ニ受クル加俸額ニ達シ若ハ之ヨリ多額トナリタルトキハ附則第二項若ハ第三項ノ適用ヲ受ケサルコトトナルヲ以テ更ニ第三條以外ノ地ニ轉勤シタルニ依リ同條及第四條ノ加給ヲ失フ場合ニ於テハ第一條ニ依ル加俸額ノミヲ支給スヘキモノトス

二 第一條、第三條及第四條ニ依ル加俸ヲ併セ受クル場合ニ於テハ其ノ加俸ヲ各別ニ算出シ其ノ合計額ニ圓位未滿ノ端數ヲ生スルトキハ之ヲ切捨テ支給スヘシ

一九 俸給支給ニ關スル通牒廢止ノ件

大正一二年一月
官通第四號
政務總監

支出官及資金前渡官吏宛

明治四十四年五月官通牒第百四十六號、同第百五十七號及大正二年九月官通牒第二百八十七號ハ自今廢止候條總テ文官俸給支給細則ニ依リ御取扱相成度此段及通牒候也

二〇 俸給日割計算方ノ件

大正四年四月
官通第一一號
政務總監

所屬官署ノ長宛

俸給ノ日割支給ヲ要スル場合其ノ計算方區區ニ渉リ差支候條左記ニ依リ御取扱相成度爲念此段及通牒候也

記

一 增給又ハ減給ノ爲メ日割支給ヲ要スル場合ハ前給額ニ前日數ヲ乘シタルモノト後給額ニ後日數ヲ乘シタルモノトノ和ヲ其月現日數ヲ以テ除スヘシ若シ既ニ當月分支給濟ナルトキハ其ノ額ト上記ノ算出額トノ差額ヲ追給又ハ追徵スヘシ但シ時宜ニ依リ追徵セス翌月分ニ於テ差引整理スルコトヲ得

日割計算方ノ例

月俸四十九圓ノ者四月十七日ニ月俸五十五圓ニ昇給シタル場合ハ四十九圓ニ十七ヲ乘シタル數八三三圓ト五十五圓ニ十三ヲ乘シタル數七一五圓トノ和一、五四八圓ヲ現日數三十ヲ以テ除シ五十一圓六十錢ヲ得ルカ如シ

二 本俸加俸共ニ增給又ハ減給ノ場合ニハ前項ニ依リ本俸加俸各別ニ計算スヘシ但シ各厘位ヲ切捨ツルコト

三 日給者ノ懲戒減給ハ每支給期間出勤日數ニ對スル積算額ニ於テ減給スヘシ

追テ明治四十五年官通牒第五百號ハ本通牒ニ依リ自然消滅ノ義ト御了知相成度申添候

二一 文官ニシテ陸海軍ニ召集中ノ者俸給支給方ノ件

大正二年七月 官通第二一一號

政務總監

各所屬官署長宛

慶尚南道伺出(大正二年六月十九日)ニ係ル首題ノ件左記ノ通御了知相成度及通牒候也

記

問 文官在職中ノ豫備軍人ニシテ演習ノ爲メ應召セシ場合之ニ支給スル俸給ハ明治三十七年勅令第二〇六號ニ依リ取扱フヘキハ勿論ナルモ此ノ場合ニ於ケル加俸ハ支給セサルモノナルヤ

答 加俸モ支給スヘシ

二二 軍役ニ在ルモノ召集セラレタルトキ通報方ノ件

大正三年八月 官通第三〇〇號

政務總監

官房各部局課長所屬官署長宛

軍役ニアルモノ召集セラレタルトキハ本人ヲシテ陸海軍ニ於テ受クル俸給額ノ證明書ヲ受ケシメ之ヲ直ニ所管經費ノ仕拂ヲナス官吏ニ通報スヘキ樣夫夫御示達相成度此段及通牒候也

二三 陸海軍應召者ノ給與ニ關スル件

大正三年八月 官通第三一三號

政務總監

各所屬官署長宛

陸海軍ニ應召シタル者ニ對スル諸給與ノ取扱ニ關シ元山稅關長ノ照會ニ對スル回答爲參考左記及通牒候也

記

問 應召者俸給ノ支給ヲ停止スル限界ハ實際陸海軍ニ於テ俸給ヲ受ケタル日ヲ以テ打切リ計算スルモノナルカ故ニ陸海軍所屬部隊ヨリ通知ヲ受ケ處理スヘキヤ

答 應召者ヨリ陸海軍ニ於テ支給ヲ受クル額及支給期日ノ開始終了竝俸給ノ異動其ノ期日ニ關スル所屬部隊ノ證明書ヲ提出セシメ是ニ依リ處理スヘシ

問 宿舍料ハ應召ノ爲任地出發當日迄支給シ其後ハ支給停止スヘキヤ

答 在職ノ儘應召シタル者ノ宿舍料ハ宿舍料支給規則第二條ニ依リ支給スヘキモノトス

問 陸海軍ニ於テ受クル俸給カ文官俸給額ヨリ寡少ナルトキハ文官俸給ヨリ補給スヘキ差額ハ在勤加俸ヲ包含スルヤ

答 見解ノ通

問 被服料ハ俸給ト同樣ニ處理スヘキヤ

答 應召入隊ノ前日ヲ以テ打切リ支給スヘシ

二四　陸海軍應召者遺族扶助法納金算定ニ關スル件

大正七年一二月
官通第一八一號
政務總監

各所屬官署長宛

陸海軍ニ應召シタル者ニ對スル遺族扶助法納金算定方左記ノ通承知相成度及通牒候也

記

官吏遺族扶助法納金ハ陸海軍ヨリ受クル俸給又ハ給料ト文官ノ本俸ノミヲ比較シ尙本俸補給ノ必要アル場合ニ於テハ該補給額ノ百分ノ一ヲ納付スヘシ

二五　文官懲戒令ニ依ル減俸ノ件

大正元年八月
官通第一九號
政務總監

各所屬官署長宛

明治四十四年六月官通牒第百七十一號ヲ以テ懲戒處分又ハ病氣缺勤若ハ私事ノ故障ニ因ル俸給ノ減額ハ在勤加俸ニ及フヘキ旨通牒致置候處爾今文官懲戒令ニ由ル減俸ニ限リ在勤加俸ニ及ハサルコトニ御取扱相成度此段及通牒候也

追テ待遇官吏ハ其ノ懲戒ニ由ル減俸ニ付テハ前項同樣ノ義ト御了知相成度申添候

二六　減俸處理方ノ件

大正元年九月
官通第四五號
政務總監

各所屬官署長宛

俸給支給後減俸ノ事實發生シタル場合ハ翌月分俸給ニ於テ差引整理相成差支無之候條御了知相成度此段及通牒候也

追テ減俸セサル前官職ヲ失シタル場合ハ減俸ヲ免除セラルヘキ義ニ付爲念申添候

二七　俸給半減支給上疑義ノ件

大正二年五月
官通第一五四號
政總務監

各所屬官署長宛

臨時土地調査局長伺出(大正二年五月十日)ニ係ル首題ノ件左記ノ通御了知相成度此段及通牒候也

記

問　病氣ノ爲執務セサルコト九十日ヲ踰ユル者月曜日ヨリ出勤シタル場合ニ於テ其ノ前日卽チ日曜日ノ俸給ハ之ヲ半減スヘキモノナルヤ將タ全額支給スルモノナリヤ

答　後段見解ノ通

二八　朝鮮人死亡者ノ俸給其他仕拂順位ノ件

大正三年一〇月
官通第三九六號
政務總監

各所屬官署長宛

死亡セル朝鮮人ノ俸給諸給與仕拂ニ關シ其取扱區區ニ渉リ居ルヤニ被認候處仕拂順位ハ左記ニ依ルヘキ義ニ有之候此段爲念及通牒候也

記

一　死亡者戸主ナルトキ

祭祀相續人ハ同時ニ財產相續人ト爲ル

死亡者ノ母又ハ妻カ一時戸主トナルヘキ場合ハ其ノ母又ハ妻ニ於テ遺產ヲ承繼ス

前二項ハ死亡者生前ニ於テ別段ノ意思表示アリタル場合ニハ之ヲ適用セス但シ其ノ意思表示ヲ證明スヘキ書類ヲ民籍謄本ニ添付スヘシ

二　死亡者家族ナルトキ

甲　死亡者既婚ノ男子ニシテ其ノ者ニ男子アルトキハ戸主死亡ノ場合ニ於ケル相續ニ同シ但シ死亡者ニ男子ナキ場合ニ於テ死亡者カ長男ナルトキハ其ノ遺產ハ父、父ナキトキハ戸主之ヲ承繼シ次男以下ナルトキハ其ノ妻、妻ナキトキハ父、父ナキトキハ戸主ニ於テ承繼ス

乙　死亡者未婚ノ男子ナルトキハ父、父ナキトキハ戸主ニ於テ其ノ遺產ヲ承繼ス

三　重承

祭祀相續ヲ爲スヘキ男己ニ死亡セリト雖其ノ子（男）（卽チ戸主ノ孫）アルトキハ此ノ者父ニ代位シ祭祀相續ヲ爲スト共ニ遺產ヲ承繼ス

追テ前記權利者タルコトヲ認ムル爲メ民籍謄本ヲ徵スヘキ義ニ有之候

第四章　給與諸手當

一　奏任及判任待遇朝鮮總督府監獄職員給與令

明治四二年一〇月
勅令第二五一號

改正　四三年九勅三九〇號　大正八年二勅二四號　一二年五勅二〇七號

第一條　奏任及判任待遇朝鮮總督府監獄職員ノ給與ニ付テハ奏任及判任待遇監獄職員給與令ヲ準用ス但シ藥劑師ノ給與ニ付テハ敎師給與ニ關スル規定ヲ準用ス

第二條　奏任及判任待遇朝鮮總督府監獄職員ニハ朝鮮臺灣滿洲及樺太在勤文官加俸令ヲ準用ス

附　則

本令ハ明治四十二年十一月一日ヨリ之ヲ施行ス

本令施行ノ際韓國ノ監獄職員タル者ニ朝鮮總督府監獄職員ヲ命スル場合ニ於テハ本令施行ノ際ニ限リ奏任及判任待遇監獄職員給與令第三條第一項ノ規定ニ依ラサルコトヲ得

二　奏任及判任待遇監獄職員給與令ノ改正ニ關スル件

大正一一年一〇月
法　務　局　長

典獄宛

今般内地監獄官制竝奏任及判任待遇監獄職員給與令改正ノ結果監獄醫ノ名稱ハ保健技師又ハ保健技手ト改メラレタルヨリ本府監獄醫ノ給與上準據スヘキ法規消滅ヲ來シタル義ニ付本府監獄官制モ亦之ニ準シテ改正ノ手續中ニ屬スルモ、之カ公布迄ニハ相當ノ日子ヲ要スヘキニ付其間舊令ノ準用アルモノト解シテ給與相成差支無之候條爲念此段及通牒候也

三　奏任及判任待遇監獄職員給與令

大正一一年一〇月
勅令第四三八號

改正一三年一勅三號

第一條　保健技師、保健技手、敎誨師、敎師及作業技手ノ俸給ハ別表ニ依ル但シ月俸七十五圓未滿ノ者ニ限リ各所定ノ最低額ヲ下ラサル範圍内ニ於テ適宜ノ金額ヲ定メ之ヲ給スルコトヲ得

看守ノ月俸ハ三十圓乃至七十圓トス但シ看守部長タル看守ニハ八十圓迄ヲ給スルコトヲ得

敎習中ノ看守ノ月俸ハ二十圓乃至三十六圓トス

女監取締ノ月俸ハ二十圓乃至六十圓トス　但シ女監取締部長タル女監取締ニハ七十圓迄ヲ給スルコトヲ得

第二條　保健技師又ハ奏任官ノ待遇ヲ受クル敎誨師ニシテ一級俸ヲ受ケ五年ヲ超エ特ニ功勞アル者ニハ年額七百圓以內ヲ加給スルコトヲ得

保健技手又ハ判任官ノ待遇ヲ受クル敎誨師、敎師及作業技手ニシテ一級俸ヲ受ケ五年ヲ超エ事務練熟優等ナル者ニハ月額四十圓以內ヲ加給スルコトヲ得

看守又ハ女監取締ニシテ最上額ヲ受ケ二年ヲ超エ事務練熟優等ナル者ニハ月額七圓以內ヲ加給スルコトヲ得　但シ看守部長タル看守又ハ女監取締部長タル女監取締ニハ月額十圓以內ヲ加給スルコトヲ得

第三條　保健技師、保健技手、敎誨師、敎師又ハ作業技手ニシテ別表四級俸以上ノ俸給ヲ受クル者ハ一年ヲ經過スルニ非サレハ昇級スルコト

ヲ得ス

看守及女監取締ノ月俸ノ増給ハ十圓ヲ超ユルコトヲ得ス

第三條ノ二　功勞記章ヲ附與セラレタル看守又ハ女監取締ニハ月額二十圓以内ノ功勞加俸ヲ給スルコトヲ得

第四條　看守又ハ女監取締ニシテ五年以上勤續シ行狀方正勤務勉勵事務熟達ニ因リ其ノ精勤ヲ表彰セラレタル者ニハ月額十圓以内ノ精勤加俸ヲ給スルコトヲ得

第五條　功勞加俸ヲ受クル看守又ハ女監取締功勞記章ノ返納ヲ命セラレタルトキ又ハ精勤加俸ヲ受クル看守又ハ女監取締其ノ成績佳良ナラスト認メラレタルトキハ其ノ加俸ノ支給ヲ廢止ス

功勞加俸又ハ精勤加俸ヲ受クル看守又ハ女監取締懲戒處分ヲ受ケタルトキハ其ノ加俸ノ全部又ハ一部ノ支給ヲ廢止スルコトヲ得

第六條　休職看守ニシテ陸軍又ハ海軍ニ於テ受クル俸給又ハ給料ノ月額休職ヲ命セラレタル當時ノ月俸額ヨリ寡少ナルトキハ其ノ不足額ニ相當スル金額以内ノ休職給ヲ給スルコトヲ得

第七條　通譯其ノ他特別ノ技能ヲ有スル看守又ハ女監取締ニハ月額五十圓以内ノ特別手當ヲ給スルコトヲ得

第八條　非番ノ日ニ於テ臨時勤務ニ服シタル看守及女監取締ニハ一日二圓以内ノ勤務手當ヲ給スルコトヲ得

第九條　訓練中ノ看守ニハ月額二十圓以内ノ訓練手當ヲ給スルコトヲ得

第十條　看守及女監取締ニハ月額二十圓以内ノ宿料ヲ給スルコトヲ得

第十一條　樺太ニ在勤スル保健技師、保健技手、教誨師、教師及作業技手ニハ月額八十圓以内、看守及女監取締ニハ月額四十二圓以内ノ手當ヲ給ス

第十二條　月俸ハ新任、増俸、減俸又ハ復職ノ場合ニ於テハ其ノ翌日ヨリ、休職又ハ退職ノ場合ニ於テハ其ノ當日迄日割ヲ以テ給ス　但シ左ノ各號ノ一ニ該當スル者ニハ當月分ノ全額ヲ給ス

一　職務上ノ傷痍又ハ疾病ニ因リ其ノ職ニ堪ヘス退職シタル者

二　廢職廢廳ノ爲退職シタル者

三　身體若ハ精神ノ衰弱又ハ事務ノ都合ニ依リ退職ヲ命セラレタル者

四　在職中死亡シタル者

第十三條　病氣ノ爲執務セサルコト六十日ヲ踰ユル者又ハ私事ノ故障ニ依リ執務セサルコト二十日ヲ踰ユル者ハ日割ヲ以テ俸給ノ半額ヲ減ス

但シ公務ノ爲傷痍ヲ受ケ若ハ疾病ニ罹リ又ハ服忌ヲ受クル者ハ此ノ限ニ在ラス

第十四條　本令ニ定ムルモノヲ除クノ外俸給ノ支給ニ關シテハ高等官及判任官ノ俸給支給ノ例ニ依ル

附　則

本令ハ公布ノ日ヨリ施行ス

明治四十年勅令第四十三號ハ之ヲ廢止ス

（別表）

奏任官待遇者年俸

	保健技師	教誨師
一級	四千五百圓	三千百圓
二級	四千百圓	二千七百圓
三級	三千八百圓	二千四百圓
四級	三千四百圓	二千圓
五級	三千百圓	千八百圓
六級	二千七百圓	千六百圓
七級	二千四百圓	千四百圓
八級	二千圓	千二百圓
九級	千八百圓	千百圓
十級	千六百圓	千圓
十一級	千四百圓	九百圓
十二級	千二百圓	八百圓

判任官待遇者月俸	一級	二級	三級	四級	五級	六級	七級	八級	九級	十級
保健技手 作業技手	百六十圓	百三十五圓	百十五圓	百圓	八十五圓	七十五圓	六十五圓	五十五圓	五十圓	四十五圓
教師 教誨師	百三十五圓	百十五圓	百圓	八十五圓	七十五圓	六十五圓	五十五圓	五十圓	四十五圓	四十圓

四　監獄職員給與令ノ解釋ニ關スル件

大正四年一〇月
監第五五〇號
司法部長官

九月二十八日附京監第一九二四號ヲ以テ首題ノ件ニ付問合相成候處右ハ提示ノ甲說ヲ以テ可ト思料候條此段及回答候也

大正四年九月京城監獄典獄問合

月俸〔貳拾壹圓乃至貳拾五圓〕ノ看守部長タル看守ニ對シ其ノ部長ノ職ヲ免シタル場合ニ於ケル俸給支給方ニ關シ左ノ二說アリ疑義決シ兼候條何分ノ御指示相煩度此段及請訓候也

甲說

給與令〔第一條但書〕ハ看守部長タル看守ニ對シテノミ月俸〔貳拾壹圓乃至貳拾五圓〕ヲ給與シ得ルノ規定ナルト同時ニ如何ナル場合ニ於テモ月俸〔貳拾圓〕ヲ超過スル看守部長タラサル看守ノ存在ヲ許ササル法意ナリト解セサルヘカラス故ニ本問題ノ場合ニ於テハ看守部長ノ職ヲ免スルト同時ニ其ノ俸給ハ必ス之ヲ〔貳拾圓若ハ貳拾圓〕以下ニ減低シテ新ニ辭令ヲ交付セサルヘカラス如上ノ取扱ハ各監獄ニ於テ從來多數ノ實例ヲ存シ殆ト疑問ノ餘地ナキ所ナリト信ス

乙說

略ス

五　朝鮮總督府及所屬官署雇員規程

大正一一年一〇月
總令第一四一號

第一條　朝鮮總督府及所屬官署ノ雇員ニ關シテハ別ニ定ムルモノヲ除クノ外本規程ニ依ル

遞信官署、專賣局、營林廠及〔庶務部印刷所〕ノ現業ニ從事スル雇員ノ給料及諸給與ニ關シ本規程ニ依リ難キモノニ付テハ其ノ主管官署ノ長之ヲ定メ朝鮮總督ノ認可ヲ受クヘシ

第二條　雇員ハ上司ノ指揮ヲ承ケ事務又ハ技術ニ從事ス

第三條　雇員ハ當該官署ノ長之ヲ任免ス

第四條　月給ヲ受クル雇員解職セラレ又ハ死亡シタルトキハ當月分ノ給料ハ其ノ全額ヲ支給ス　但シ他ノ官署〔朝鮮總督府及所屬官署ニ限ル〕ニ採用セラルル爲解職ト爲リタル者ノ給料ハ日割計算ヲ以テ支給ス

第五條　月給ヲ受クル雇員官吏ニ任用セラレ又ハ日給ヲ受クル雇員ニ採用セラレタルトキハ其ノ月ノ給料ハ日割ヲ以テ之ヲ支給ス

第六條　月給ヲ受クル雇員病氣ノ爲執務セサルコト六十日ヲ超エ又ハ私事ノ故障ニ依リ執務セサルコト二十日ヲ超ユルトキハ給料ノ半額ヲ減ス　但シ賜暇若ハ服忌ニ因ルトキ、職務ニ基因スル傷痍疾病ナルトキ、傳染病豫防ノ爲施行スル交通遮斷若ハ隔離又ハ水災火災其ノ他非常

罹災ニ因ルトキハ此ノ限ニ在ラス

第七條　日給ヲ受クル雇員左ノ各號ノ一ニ該當スルトキハ勤務ニ服セサルモ給料ヲ支給ス

一　官署休暇日（休暇日ノ前後ヲ通シ缺勤シタル場合ヲ除ク）及賜暇ノ日

二　父母ノ祭日

三　服忌ノ日

四　職務ニ基因スル傷痍疾病ノ爲ノ缺勤ノ日

五　傳染病豫防ノ爲施行スル交通遮斷又ハ隔離ノ爲ノ缺勤ノ日

六　水災火災其ノ他非常罹災ノ爲ノ缺勤ノ日但シ七日以内ニ限ル

七　朝鮮内ニ於テ徴兵検査又ハ簡閲點呼ニ應スル爲ノ往復ノ日及検査又ハ點呼ノ爲ノ滯在ノ日

八　陸海軍ニ應召ノ爲ノ往復ノ日

第八條　給料ハ月給ニ在リテハ發令ノ翌日ヨリ、日給ニ在リテハ發令ノ日ヨリ之ヲ計算ス其ノ増減アリタルトキ亦同シ

第九條　月給ヲ受クル雇員ノ給料支給方ハ明治二十五年大藏省令第十一號文官俸給支給細則ノ例ニ依ル

第十條　日給ヲ受クル雇員ノ給料ハ前月十六日ヨリ當月十五日迄ノ分ヲ其ノ月二十一日ニ之ヲ支給ス　但シ三月ニ於テハ其ノ月ノ十六日ヨリ末日迄ノ分ヲ翌月五日ニ之ヲ支給シ、四月ニ於テハ其ノ月一日ヨリ十五日迄ノ分ヲ其ノ月二十一日ニ之ヲ支給ス

前項ノ支給日カ休暇日ニ該當スルトキハ之ヲ繰下ク

第十一條　當該主務局部課長ハ毎月十六日限前月十六日ヨリ當月十五日ニ至ル日給雇員ノ勤務日數ヲ調査シ之ヲ所管經費ノ支拂ヲ爲ス官吏ニ通知スヘシ　但シ三月ニ於テハ其ノ月十六日ヨリ末日迄ノ分ヲ翌月一日ニ、四月ニ於テハ其ノ月一日ヨリ十五日迄ノ分ヲ其ノ月十六日ニ通知スヘシ

第十二條　豫備役又ハ後備役ノ軍籍ニ在ル雇員陸海軍ニ召集セラレタルトキハ其ノ間給料ノ支給ヲ停止シ其ノ陸海軍ニ於テ受クル俸給カ其ノ給料ヨリ寡少ナルトキハ其ノ不足額ヲ補給スルコトヲ得

補充兵役ニ在ル雇員戰時若ハ事變ニ際シ又ハ教育若ハ勤務演習ノ爲召集セラレタルトキ亦前項ニ同シ

第十三條　給料ニ過渡アルコトヲ發見シタルトキハ翌月分ニ於テ差引整理スルコトヲ得　但シ會計年度ヲ異ニスル場合ハ此ノ限ニ在ラス

第十四條　各官署ノ長ハ必要ト認ムルトキハ朝鮮總督ノ承認ヲ經テ雇員ニ宿舎ヲ貸與スルコトヲ得

第十五條　各官署ノ長ハ雇員ニ對シ其ノ職務ニ要スル被服ヲ貸與シ又ハ給與スルコトヲ得

前項ニ依リ被服ヲ貸與シ又ハ給與セムトスルトキハ其ノ規程ヲ設ケ朝鮮總督ノ認可ヲ受クヘシ

前項ノ規程中ニハ被服ノ使用期間及保存期間ヲ定ムヘシ

貸與ノ被服ニシテ保存期間滿了ノモノハ之ヲ該被服使用者ニ給與スルコトヲ得

第十六條　前二條ニ規定スル各官署ノ長ノ事務ハ遞信官署ニ係ルモノハ遞信局長、專賣局同支局及同出張所ニ係ルモノハ專賣局長、道府郡島警察署道慈惠醫院及公立學校ニ係ルモノハ道知事、稅關同支署及同出張所ニ係ルモノハ稅關長、營林廠同支廠及同出張所ニ係ルモノハ營林

廠長、勸業模範場同支場及同出張所ニ係ルモノハ勸業模範場長、觀測所及測候所ニ係ルモノハ觀測所長、官立學校、朝鮮總督府醫院、中央試驗所、獸疫血清製造所、林業試驗場並水產試驗場ニ係ルモノハ各當該官署ノ長、高等法院同檢事局ニ係ルモノハ高等法院長、覆審法院同檢事局並覆審法院所在地ノ地方法院同檢事局及其ノ所轄ノ支廳檢事分局出張所供託局ニ係ルモノハ覆審法院長、覆審法院所在地外ノ地方法院同檢事局及其ノ所轄ノ支廳檢事分局出張所供託局ニ係ルモノハ當該地方法院長、其ノ他ノ官署及本府ニ係ルモノハ庶務部長之ヲ決定スヘシ

附　則

本令ハ發布ノ日ヨリ之ヲ施行ス

六　朝鮮總督府及所屬官署ノ囑託員ニ關スル件

大正一一年一〇月
總令第一四二號

朝鮮總督府及所屬官署ノ囑託員ニ關シ別段ノ規定ナキモノニ付テハ朝鮮總督府及所屬官署雇員規程ヲ準用ス

附　則

本令ハ發布ノ日ヨリ之ヲ施行ス

七　巡查看守等俸給支給方ノ件

大正二年一〇月
官通第三一六號
政務總監

警務總長、警務部長、典獄宛

奏任及判任待遇監獄職員巡查及(巡查補)ニシテ病氣缺勤ト私事ノ故障ニ由ル缺勤ト連續シタル場合其ノ日數ヲ通算シテ俸給半減支給セル向有之候處右ハ俸給支給ニ關シテハ相互通算セサルコトニ御取扱相成度此段及通牒候也

八　看守ニ對スル昇給ノ件

大正五年
典獄會議注意

一九　看守ニ對スル昇給ハ概シテ短期間ニ於テ行ハルル爲其ノ俸給ハ一般ニ高率ヲ示シ其ノ結果昇給ノ餘裕ナキニ至ルヤ高級者ヲ罷免シテ以テ調節ヲ圖ルノ傾向アリ此ノ如ク俸給經理ノ必要ヨリ屢罷免ヲ行フカ如キハ一般看守ヲシテ安シテ職ニ盡瘁セシムル所以ノ途ニ非サルヲ以テ將來昇給ヲ爲ス場合ニハ特ニ考科ヲ愼重ニシ苟モ濫陟ノ弊ニ陷ラサラムコトヲ期セラレタシ

九　俸給支給ニ關スル件

大正九年四月
官通第三二號
庶務部長

各道知事、各監獄典獄宛

道巡查並奏任及判任待遇監獄職員ニシテ退職後事務引繼殘務調理ノ爲特ニ命ヲ受ケ執務スル場合ニ在リテハ其ノ間從前ノ俸給額ヲ日割支給スルコトニ決定候條依命此段通牒候也

一〇　各廳雇等日給ノ者休暇日ニモ給額支給

明治八年六月
太政官達第一一四號
院省（使）廳府縣

各廳雇出仕等日給ノ者是迄（一六）竝祝日祭日其ノ他一般休暇日ニ其ノ給額ヲ與ヘ或ハ不與等一定無之候處本年七月一日ヨリ以後ハ日數ヲ限リ雇入ノ者又ハ諸職人等ヲ除クノ外ハ都テ右休暇日ト雖給額可相渡此旨相達候事

一一　傭員俸給及傭員其ノ他ニ給スル諸手當支給方ノ件

明治二六年二月
勅令第七號

傭員俸給及傭員其他ニ給スル諸手當ニシテ月額ヲ以テ支給スルモノハ毎月下旬ニ之ヲ支給スルコトヲ得

一二　日給者給料支給ニ關スル件

明治四四年二月
官通第一號
會計局長

本府各部局及所屬官署ノ長宛

日給ヲ受クル雇員及傭人ニシテ增給減給ノ場合ハ其ノ發令當日ヨリ計算支給スヘキ義ニ付此段爲念及通牒候也

追テ給仕以下ノ月俸者ト雖モ前記ノ取扱ニ據ルヘキ義ト御承知相成度候

一三　傭人月俸給金額及支給方ニ關スル件

明治四四年四月
官通第七七號
總務局長

雇員以下解職ノ場合ハ其ノ月俸給金全額支給ノコトニ決定ノ件本年三月二十日官通牒第四〇號ヲ以テ通牒候處月給者ニ屬スル傭人（給仕以下）ニシテ解職ノ場合ハ三月十日以前ノ缺勤ニ對スル給料ハ之ヲ控除支給スル事ニ決定候條右ニ御取扱相成度此段及通牒候也

一四　雇員以下可成日給採用ノ件

大正二年七月
官通第二〇三號
政務總監

各所屬官署長宛

將來雇員及傭人ハ可成日給ヲ以テ採用相成候樣此段及通牒候也

一五　雇員又ハ傭人ニシテ在鄉陸海軍軍人タル者應召中給料支給ニ關スル件

大正七年七月
官通第一一七號
政務總監

官房各局課各部及所屬官署長宛

本府竝ニ所屬官署ノ雇員又ハ傭人ニシテ月給ヲ受クル者陸海軍ニ軍籍ヲ有シ召集セラレタルトキハ其ノ應召中〔本府及所屬官署雇員給與規程第

十一條」ニ依リ其ノ給料ノ不足額ヲ補給相成義ニ付大正四年六月官通牒一九七號ハ自今廢止ノコトト御了知相成度及通牒候也

一六　判任官以下ノ職員ニシテ朝鮮語ニ通スル者ニ特別手當ヲ給スル件

大正一〇年三月
勅令第三四號

朝鮮總督府及其ノ所屬官署ノ內地人タル判任官以下ノ職員ニシテ朝鮮語ニ通スル者ニハ朝鮮總督ノ定ムル所ニ依リ當分ノ內月額五十圓以內ノ手當ヲ給スルコトヲ得

附　則

本令ハ公布ノ日ヨリ之ヲ施行ス

明治四十三年勅令第三百八十七號ハ之ヲ廢止ス

一七　朝鮮總督府及所屬官署職員朝鮮語獎勵規程

大正一〇年五月
總訓第二八號

改正　一〇年六第四〇號　一一年一第三號　一二年二第一〇號

第一條　朝鮮總督府及所屬官署ノ內地人タル判任官、判任官ノ待遇ヲ受クル者及雇員ニハ當分ノ內朝鮮語獎勵手當ヲ支給ス但シ朝鮮語ノ通譯生及特別ノ規定ニ依リ朝鮮語通譯ノ爲手當ヲ受クル者ハ此ノ限ニ在ラス

第二條　朝鮮語獎勵手當ハ朝鮮語獎勵試驗ニ合格シタル者又ハ試驗委員ノ銓衡ニ依リ其ノ學力ヲ認定セラレタル者ニ之ヲ支給ス

第三條　朝鮮語獎勵試驗ハ之ヲ甲種試驗及乙種試驗ニ分ツ

甲種試驗ハ乙種試驗第一等ノ合格證書ヲ有スル者ニシテ所屬長官ノ推薦セル者ニ就キ、乙種試驗ハ各官署ノ長ニ於テ推薦セル者ニ就キ之ヲ行フ

第四條　試驗委員長ハ朝鮮總督府高等官ノ中ヨリ之ヲ命シ試驗委員ハ朝鮮總督府又ハ所屬官署ノ官吏ノ中ヨリ之ヲ命シ又ハ囑託ス

第五條　試驗委員長ハ試驗ニ關スル一切ノ事務ヲ管理ス

試驗委員長事故アルトキハ特ニ定ムル場合ヲ除クノ外上席ノ委員其ノ事務ヲ代理ス

第六條　試驗ニ關スル庶務ニ從事セシムル爲書記ヲ置ク朝鮮總督府又ハ所屬官署判任官ノ中ヨリ之ヲ命シ又ハ囑託ス

第七條　試驗ヲ行フヘキ期日及場所ハ左ノ區別ニ依ル但シ必要ト認ムルトキハ臨時ニ之ヲ行フコトアルヘシ

甲種試驗　朝鮮總督府ニ於テ毎年一回之ヲ行フ

乙種試驗　朝鮮總督府及道（但シ京畿道ヲ除ク）ニ於テ毎年一回之ヲ行フ但シ必要ト認ムルトキハ委員長ノ指定スル他ノ官署ニ於テ臨時ニ之ヲ行フコトアルヘシ

試驗ノ期日ハ試驗委員長之ヲ定メ豫メ朝鮮總督府官報ヲ以テ公示スヘシ

第八條　試驗ノ程度及科目左ノ如シ

甲種試驗　朝鮮語ノ通譯ニ差支ナキ程度

一 解　釋　朝鮮語國譯
　　　　　國語鮮譯
二 譯　文　朝鮮文國譯（諺文交リ文又ハ朝鮮式ノ漢文、熟語）
　　　　　國文鮮譯（假名交リ文）
三 書　取　諺文
四 對　話　朝鮮語及國語ノ解釋
　　　　　朝鮮語ノ口述

乙種試驗　普通ノ朝鮮語ヲ解シ得ル程度

一 解　釋　朝鮮語國譯
　　　　　國語鮮譯
二 譯　文　朝鮮文國譯（諺文交リ文）
　　　　　國文鮮譯（假名交リ文）
三 書　取　諺文
四 對　話　朝鮮語及國語ノ解釋

第九條　試驗ノ合格者ヲ定ムル方法ハ試驗委員ノ議定スル所ニ依ル

第十條　試驗又ハ銓衡ノ方法、手續ハ試驗委員長之ヲ定ムヘシ

第十一條　試驗委員長ハ試驗ニ合格シタル者及銓衡ニ依リ學力ヲ認定シタル者ニ對シ種別等級ヲ附シタル證書ヲ付與シ且朝鮮總督府官報ヲ以テ之ヲ公示スヘシ

前項ノ種別等級ハ甲種、乙種ニ分チ甲種ニ在リテハ一等二等三等トシ乙種ニ在リテハ一等及二等トス

第十二條　證書ノ附與ヲ受ケタル者ニハ證書ノ日附ヨリ甲種一等ニ在リテハ四年間其ノ他ニ在リテハ二年間別表ニ依リ證書ノ種別等級ニ相當スル手當ヲ支給ス但シ豫算經理上手當ノ定額ヲ減給スルコトアルヘシ

前項ニ依リ手當ノ支給ヲ受クル者ハ試驗又ハ銓衡ニ依リ更ニ上級ノ種別等級ノ證書ヲ受ケタルトキハ其ノ證書日附ノ日ヨリ二年間新ニ受ケタル證書ノ種別等級ニ相當スル手當ヲ支給ス其ノ期間中試驗又ハ銓衡ニ依リ其ノ等級ヲ進ムルコトヲ得ス

第十三條　既ニ證書ヲ付與セラレタル者再ヒ試驗ニ應シ又ハ銓衡ヲ受クル場合ニ於テハ前ノ等級ヲ超ユル成績ヲ認ムルニ非サレハ新ニ證書ヲ付與スルコトヲ得ス

第十四條　朝鮮語奬勵手當支給ノ方法ハ俸給又ハ給料支給ノ例ニ依ル

（別表）

朝鮮語奬勵手當月額定額表

種別	等級	手當月額
甲種	一等	五十圓
	二等	三十圓
	三等	二十圓
乙種	一等	十圓
	二等	五圓

一八 臨時朝鮮語奬勵手當支給取扱方ニ關スル件

大正一一年七月
官通第六六號

政務總監

本府竝所屬官署ノ長宛

臨時朝鮮語奬勵手當支給ニ關シテハ爾今左記ノ通リ取扱相成度此段及通牒候也

記

一 手當支給ノ事實生シタルトキハ第一號樣式ノ臺帳ヲ調製シ之レカ支給ノ關係ヲ明記シ異動アル毎ニ加除スヘシ

二 轉任轉勤等ニ依リ支給廳ニ異動ヲ生シタルトキハ舊支給廳ニ於テ臺帳引繼欄ニ最終支給日及廳名ヲ記入シ謄本ヲ作製シ原本ハ之ヲ遲滯ナク新支給廳ニ送付スヘシ

三 前記ノ場合ニ於テ當月分ノ手當ハ日割計算ヲ爲サス支給定日ニ在勤スル廳ニ於テ全額ヲ支給スルモノトス

四 手當ヲ受クル者ノ在勤スル各廳ノ長ハ毎年度四月一日現在ニ就キ第二號樣式ニ依リ現員現給表ヲ調製シ四月十日迄ニ本府ニ提出スヘシ

前項ノ現員現給表ハ本年度ニ限リ七月一日現在ニ依リ調製ノ上至急提出スヘシ

五 各廳ノ長ハ手當ヲ受クル者ニ異動ヲ生シ豫算ノ增減ヲ要スル場合ニ在リテハ遲滯ナク本府ニ申請スヘシ

第一號樣式（臺帳）

種別及等級　甲種「何」等　乙種「何」等

支給月額　圓

發令年月日　大正　年　月　日

支給終了年月日　大正　年　月　日

官職氏名　朝鮮總督府道廳　何　某

引繼

大正　年　月迄支給濟　何何廳

大正　年　月迄支給濟　何何廳

支給表

年度＼支給月	四月	五月	六月	七月	八月	九月	十月	十一月	十二月	一月	二月	三月
大正　年度												
大正　年度												

備考　一　用紙ハ本府ニ於テ印刷配付ス

　　　二　支給ヲ了シタルトキハ當該月欄ニ取扱者捺印スルコト

第二號様式（現員現給表）

大正　年四月一日現在

支給始期	支給終期	種別等級	支給月額	年額	在勤廳名	官職氏名
大正年月日	大正年月日	甲種三等	二〇円	二四〇円	京畿道	朝鮮總督府道屬 何某

備考　年度中途ニ於テ支給終了期ニ達スルモノノ年額欄ニハ年度內實際必要額ヲ記載ノコト

一九　臨時朝鮮語奬勵手當支給方ニ關スル件

大正一一年九月
官通第七七號　　政務總監

本府及所屬官署ノ長宛

首題ノ件ニ關シ左記ノ通リ決定致候條御了知相成度及通牒候也

記

一　手當ノ支給ヲ受クル者退官退職シ再ヒ奬勵規程第一條前段ノ職員トナリタル場合ハ其ノ發令ノ翌日ヨリ同規程第十二條ノ殘期間（證書日附ヨリ再任發令當日迄ノ期間ヲ控除シタル）ニ對シ手當ヲ支給ス

二　前號ノ場合ニ於テ其ノ再任カ退官退職ノ當月ナルトキハ翌月ヨリ之ヲ支給ス

一ノ例（甲種一等）

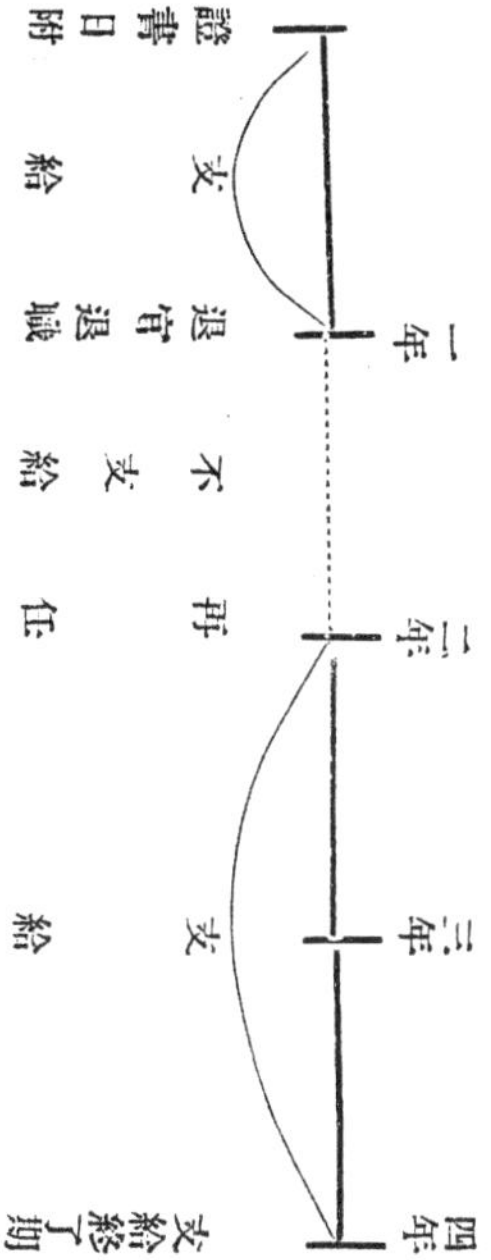

二〇　通譯兼掌者特別手當ニ關スル件

明治四四年四月
官通第七五號　　政務總監

本府各部長官
各所屬官署長官（道長官、府尹、郡守ヲ除ク）宛

〔明治四十四年三月朝鮮總督府訓令第十八號〕ニ依リ支給スヘキ特別手當ハ其ノ辭令ヲ要スル義ト御了知相成度爲念此段及通牒候也

二一　特別手當支給ニ關スル件

大正一〇年四月
法務局長

各監獄典獄宛

本年三月勅令第三十四號附則ヲ以テ明治四十三年九月勅令第三百八十七號ヲ廢止セラレタル結果通譯兼掌ノ看守及女監取締ニ對スル特別手當支給上往往疑義ヲ抱カルル向アルヤニ聞及ヒ候處右ハ奏任及判任待遇朝鮮總督府監獄職員給與令第一條竝奏任及判任待遇監獄職員給與令第七條ニ基キ大正八年十一月總督府訓令第四十五號看守及女監取締非番勤務手當及特別手當支給規則第二條ニ準據セラルヘキ義ト御承知相成度爲念此段及通牒候也

二二　朝鮮總督府看守及朝鮮總督府女監取締非番勤務手當及特別手當支給規則

大正八年一一月
總訓第四五號

第一條　朝鮮總督府看守及朝鮮總督府女監取締ニシテ非番ノ日ニ於テ勤務ヲ爲シタルモノニハ左ノ區別ニ依リ非番勤務手當ヲ支給ス

一日十二時間以上勤務ノ者	一日六時間以上十二時間未滿勤務ノ者	一日三時間以上六時間未滿勤務ノ者
七十錢	五十錢	三十錢

第二條　朝鮮總督府看守及朝鮮總督府女監取締ニシテ通譯其ノ他特別ノ技能ヲ要スル事務ヲ兼掌スル者ニハ（明治四十四年朝鮮總督府訓令第十八號）ニ依ルモノノ外左ノ區別ニ依リ特別手當ヲ支給ス

一級	二級	三級	四級	五級	六級	七級	八級	九級	十級
二十圓	十五圓	十二圓	十圓	八圓	六圓	五圓	四圓	三圓	二圓

特別手當支給ニ關シテハ俸給支給ノ例ニ依ル

附　則

本令施行ノ際特別手當ニ付特ニ辭令書ヲ交付セラレサルトキハ現ニ受クル金額ヲ受クルモノトス

二三　監丁ニ對スル時間外勤務手當給與ニ關スル件

大正七年九月
官秘第二三七號

總務局長

各監獄典獄宛

監丁ヲ戒護事務ニ必要ナル雜役ニ使用スルハ傭人當然ノ服務ニ付勤務時間外等ニ於テ勤務セシメタル場合ハ（傭人規程第二十九條第一項第五號）ニ依ル手當ヲ支給シ雜給及雜費（項）傭人料（目）ヨリ支出相成差支無之爲念及通牒候也

二四　交通至難ノ場所ニ在勤スル職員ニ手當給與ノ件

大正九年九月
勅令第四〇五號

改正　一〇年三第三〇號　一一年三第一二四號

交通至難ノ島嶼其ノ他ノ場所ニ在勤スル職員ニハ月額四十五圓以內ノ手當ヲ給スルコトヲ得　但シ千島國幌筵島ニ在勤スル職員ニ限リ月額百圓以內ノ手當ヲ給スルコトヲ得

前項ノ交通至難ノ島嶼其ノ他ノ場所ノ指定及手當ノ給與ニ關スル細則ハ所管大臣大藏大臣ト協議シテ之ヲ定ム　但シ朝鮮ニアリテハ朝鮮總督、臺灣ニ在リテハ臺灣總督、關東州ニ在リテハ關東長官、樺太ニ在リテハ樺太廳長官、南洋群島ニ在リテハ南洋廳長官所管大臣ヲ經由シ大藏大臣ト協議シテ之ヲ定ム

附　則

本令ハ大正九年八月分ヨリ之ヲ適用ス

左ノ勅令ハ之ヲ廢止ス

明治三十年勅令第二百四十六號
明治三十一年勅令第三百五十八號
明治三十二年勅令第二百十八號
明治三十三年勅令第七十七號
明治三十四年勅令第六十四號
明治三十五年勅令第五十三號

明治四十一年勅令第百二十號
明治四十一年勅令第二百六十一號
明治四十二年勅令第二百十六號
明治四十三年勅令第三百十六號
明治四十五年勅令第三百八十八號
大正元年勅令第二十號

附則（大正一〇年三月勅令第三〇號）

本令ハ大正十年四月一日ヨリ之ヲ施行ス

二五　勤勉手當給與令

大正九年一一月
勅令第五四五號

改正　一〇年五第一八八號　一一年三第一二五號　五第二〇五號九第四一〇號　一二年五第二八三號

第一條　官吏、官吏ノ待遇ヲ受クル者、囑託員、雇員、傭人又ハ職工ニシテ左ニ掲クル現業ニ從事スルモノニハ勤勉手當ヲ給スルコトヲ得

一　衛生試驗所ニ於ケル現業
二　大藏省臨時建築課及臨時議院建築局ニ於ケル工事ノ現業
二ノ二　造幣局ニ於ケル現業
三　專賣局ニ於ケル現業
四　陸海軍ノ工事、製造、港務又ハ海軍採炭ノ現業
四ノ二　司法省所管監獄ニ於ケル現業
五　製鐵所及林區署ニ於ケル現業
六　貯金局、簡易保險局、臨時電信電話建設局及地方遞信官署ニ於ケル現業

七　帝國鐵道ノ現業
八　朝鮮總督府及其ノ所屬官署ニ於ケル工事ノ現業
九　朝鮮總督府專賣局、朝鮮總督府營林廠及朝鮮總督府遞信官署ニ於ケル現業
十　臺灣總督府ニ於ケル鐵道又ハ通信ノ現業
十一　臺灣總督府專賣局及臺灣總督府殖産局營林廠ニ於ケル現業
十二　臺灣總督府及其ノ所屬官署ニ於ケル工事ノ現業
十三　關東廳遞信官署ニ於ケル現業
十四　樺太廳郵便局ニ於ケル現業
十五　樺太廳ニ於ケル鐵道ノ現業
十六　南洋廳ニ於ケル通信又ハ燐礦採掘ノ現業
十七　北海道廳ノ築港事務所及治水事務所ニ於ケル現業

第二條　工場ニ服務スル技手ニシテ前條ニ該當セサル者ヲシテ定時間外ニ服業セシメタル場合ニハ日額ニ依リ勤務手當ヲ給スルコトヲ得

第三條　前二條ノ規定ニ依リ給スル手當ノ額ハ所管大臣大藏大臣ト協議シテ之ヲ定ム但シ朝鮮ニ在リテハ朝鮮總督、臺灣ニ在リテハ臺灣總督、關東州ニ在リテハ關東長官、樺太廳ニ在リテハ樺太廳長官、南洋群島ニ在リテハ南洋廳長官所管大臣ヲ經由シ大藏大臣ト協議シテ之ヲ定ム

第四條　法律又ハ勅令ニ依ルニ非サレハ勤勉手當ヲ給スルコトヲ得ス

附則

本令ハ公布ノ日ヨリ之ヲ施行ス
左ノ勅令ハ之ヲ廢止ス
明治三十二年勅令第四百四十八號

明治三十六年勅令第四十八號
明治三十七年勅令第百五十五號
明治三十七年勅令百七十號
明治三十九年勅令第三百五號
明治四十年勅令第八號
明治四十年勅令第百六十四號
明治四十一年勅令第百六號
明治四十三年勅令第二百十一號
大正三年勅令第百十七號
大正七年勅令第三百十一號
大正七年勅令第四百號
大正九年勅令第二十五號

二六　朝鮮總督府及所屬官署勤勉手當支給規則

大正一一年三月
總訓第六號

改正　一一年八第四〇號

第一條　朝鮮總督府及所屬官署ノ判任官、判任官ノ待遇ヲ受クル者、囑託員、雇員及傭人ニシテ左ニ掲クル現業ニ從事スル者ニハ本令ニ依リ勤勉手當ヲ支給ス

一　朝鮮總督府及所屬官署ニ於ケル工事ノ現業
二　營林廠ニ於ケル伐木、造材、運材、製材、流筏、漂流木拾集、造林及森林保護ノ現業
三　專賣官署ニ於ケル煙草製造、煙草製造用材料品製造及製鹽ノ現業
四　遞信官署ニ於ケル郵便、電信、電話、郵便爲替、郵便貯金ノ現業

第二條　退官、退職又ハ休職等ノ者ニシテ事務引繼又ハ殘務整理ヲ命セラレ現業ニ從事スルトキハ前官又ハ前職相當ノ勤勉手當ヲ支給ス

第三條　勤勉手當ハ部局課長ノ命ニ依リ定時間外ニ勤務シタル時間數ニ應シ毎一時間ニ付俸給給料又ハ手當月額ノ千分ノ五ニ相當スル金額以內ニ於テ庶務部長之ヲ定ム

業務ノ性質ニ依リ二日ニ渉リ勤務スル場合ハ其ノ總時間數ヨリ定時間數ヲ控除シ其ノ殘餘ヲ以テ定時間外勤務時間ト看做ス

第四條　日給ヲ受クル者ニ付テハ給料ノ三十日分ヲ以テ其ノ月額ト看做ス　但シ日曜、祝祭日ニ付給料ヲ受ケサル者ニ在リテハ給料ノ二十五日分ヲ以テ其ノ月額ト看做ス

第五條　業務ノ性質上勤務時間數ニ依リ難キ場合ニ於ケル勤勉手當額及其ノ支給方法ハ服務ノ繁閑、難易、勤務成績、職責ノ輕重、技倆ノ優劣、執務時間數及土地ノ狀況等ヲ斟酌シ第八條ノ範圍內ニ於テ專賣官署ニ在リテハ專賣局長、遞信官署ニ在リテハ遞信局長其ノ他ニ在リテハ庶務部長之ヲ定ム

第六條　忌引、亡父母ノ祭日又ハ公務ニ基ク傷痍、疾病等ヲ除クノ外私事ノ故障ニ因リ一月中缺勤三日ヲ超エ又ハ二十四時間ヲ超エタル者ニハ勤勉手當ヲ減額シ又ハ之ヲ支給セサルコトヲ得

第七條　旅費又ハ步格給金ヲ受ケ現業ニ從事スル者ニハ勤勉手當ヲ支給セス

第八條　勤勉手當ノ年額ハ賞與金ト合シテ俸給、給料又ハ手當月額ノ七箇月分ヲ超ユルコトヲ得ス

第九條　勤勉手當ハ毎年度ニ期乃至四期ニ分チ之ヲ支給ス　但シ特殊ノ事由アル場合ニ於テハ毎月又ハ臨時ニ之ヲ支給スルコトヲ得

附　則

本令ハ大正十一年四月一日ヨリ之ヲ適用ス

二七　勤勉手當支給方ニ關スル件

大正九年四月
官通第三一號

庶務部長

本府各局部竝所屬官署ノ長宛

大正九年三月訓令〔第十三號〕大正十一年三月訓令第六號ヲ以テ朝鮮總督府及所屬官署勤勉手當支給規程發布相成候處其ノ支給方ニ付テハ左記各號ノ通御了知相成度此段通牒候也

記

一　手當ハ工事ノ現場督役及監督、工事用品ノ出納保管、職工人夫ノ點檢又ハ賃金ノ支拂現場ノ警備竝工事ニ伴フ測量ニ從事スル者其ノ他現場事務ニ從事スル者ニ支給ス

二　手當ハ支辨科目ハ當該事務費ノ事務費トス

三　勤勉手當ハ賄料ト併給ス　但シ宿直勤務時間内ハ此ノ限ニ在ラス

四　施行期日ハ大正九年三月二十四日トス

二八　朝鮮陸接國境地方ニ在勤スル官吏官吏ノ待遇ヲ受クル者憲兵補等ノ臨時特別手當給與ニ關スル件

大正一〇年三月
勅令第六二號

朝鮮陸接國境地方ニ在勤スル官吏、官吏ノ待遇ヲ受クル者、憲兵補、囑託員雇員、傭人又ハ職工ニハ當分ノ内月額三十圓以内ノ臨時特別手當ヲ給スルコトヲ得

前項ノ臨時特別手當ノ額及支給ヲ受クヘキモノノ範圍ハ所管大臣大藏大臣ト協議シテ之ヲ定ム但シ朝鮮總督府及其ノ所屬官署ノモノニ付テハ朝鮮總督所管大臣ヲ經由シ大藏大臣ト協議シテ之ヲ定ム

附　則

本令ハ公布ノ日ヨリ之ヲ施行ス

二九　陸接國境地方ニ在勤スル朝鮮總督府及所屬官署職員臨時特別手當給與規程

大正九年一一月
總訓第五九號

改正　九年一二月第七四號　一〇年九第五二號

本文省略

三〇　年額又ハ月額ノ手當金支給方

明治二五年一月
大藏省令第一號

年額又ハ月額ノ手當金ハ毎月（年額ノモノハ之ヲ十二分シ）末日（休日ニ當ル時ハ繰上ク）之ヲ支給シ任轉免等ノ場合ハ其月ノ現日數ニ由リ日割ヲ以テ計算ス但明治十六年當省達第五十七號ハ廢止ス

三一　傳染病豫防救治ニ從事スル官吏准官吏及傭員月手當支給ノ件

明治二八年六月
勅令第七一號

改正　三三年勅第一四〇號

傳染病豫防救治ニ從事スル官吏准官吏及傭員ニシテ專ラ該病者又ハ病毒汚染ノ虞アル物品ニ接近スル者ニハ各其ノ俸給又ハ給料月額三分ノ一以内ノ月手當ヲ給スルコトヲ得　但府縣ノ收入ヨリ俸給又ハ給料ヲ受クル官吏准官吏及傭員ニシテ本官職ノ資格ヲ以テ從事スル者ニ給スル手當竝ニ傳染病豫防法第十八條ニ依リ檢疫委員ト爲ル者ニ給スル手當ハ府縣ノ負擔トス

三二　官吏傳染病豫防救治ノ公務上感染死亡ノ手當金給與方

明治一九年七月
閣令第二三號

改正　三三年勅第一四二號

官吏公務ニ依リ傳染病豫防救治ニ從事シ爲ニ感染シ又ハ死亡シタルトキハ左ノ區別ニ從ヒ手當金ヲ給ス

一、手當金ヲ分チ弔祭料、救助料、療治料ノ三種トス
一、救助料ハ感染者又ハ死亡シタル者ノ遺族ニ之ヲ給ス
一、療治料ハ感染者治療看護ノ雜費トシテ之ヲ給ス
一、弔祭料ハ年俸十二分ノ一若ハ月俸一ヶ月分若ハ日給三十日分ヲ給ス　但官ヨリ埋葬スル者ハ之ヲ給セス
一、救助料ヲ分テ二等トス

一等　俸給五ヶ月分　日給　百五十日分
二等　俸給三ヶ月分　日給　九十日分

一、感染者死亡シタルトキハ一等救助料ヲ給シ死亡セサルトキハ二等救助料ヲ給ス
一、療治料ハ高等官ニハ一日三圓判任官ニハ一日二圓ヲ給ス

三三　政府ヨリ恩給ヲ受クル者召集中手當支給ノ件

明治三八年六月
勅令第一七九號

政府ヨリ恩給ヲ受クル者戰時又ハ事變ニ際シ陸海軍ニ召集セラレ恩給ヲ停止セラレタル場合ニ於テ其ノ俸給ノ額恩給ノ額ヨリ寡少ナルトキハ手當トシテ其ノ不足額ヲ支給ス

附　則

本令ハ開戰ノ始ニ遡リテ之ヲ適用ス

三四　朝鮮總督府及所屬官署職員ノ宿舍料ニ關スル件

明治四三年九月
勅令第三九二號

改正　大正一〇年勅第二一五號

朝鮮總督府及其ノ所屬官署ノ職員ニハ宿舍料ヲ給ス　但シ官舍ニ居住セシムル者ハ此ノ限ニ在ラス

大正九年勅令第二百六十二號第一條ノ規程ニ依リ俸給最低額ヨリ低キ俸給ヲ受クル官吏ニハ宿舍料ヲ給セサルコトヲ得

宿舍料ノ額及支給方法ハ朝鮮總督之ヲ定ム

本令ハ朝鮮人タル職員ニ之ヲ適用セス

附　則

本令ハ明治四十三年十月一日ヨリ之ヲ施行ス

三五　宿舍料支給規程

大正四年一二月
總訓第六三號

改正　七年一第二號　九年六第二六號　一〇年五第三三號

第一條　朝鮮總督府及所屬官署職員ニ對シ宿舍料ノ支給ニ付テハ別ニ定ムルモノヲ除クノ外本規程ニ依ル　但シ俸給最低額ヨリ低キ俸給ヲ受クル官吏ニシテ朝鮮總督府地方官官制第四條及第二十條ノ規定ニ依リ定員外タル者ニハ宿舍料ヲ支給セス

第二條　戶主ト家族又ハ家族ト家族カ同棲スル場合ニハ別表定額ノ全額ヲ支給ス

前項ノ規定ニ該當セサル者ニ對シテハ別表定額ノ半額ヲ支給ス　但シ配偶者、直系親族又ハ扶養スル弟妹ヲ其ノ敎育又ハ病氣ノ爲朝鮮內ニ居住セシムル場合ハ全額ヲ支給ス

第三條　自己ノ便宜ニ依リ官舍ニ居住セサル者ニハ宿舍料ヲ支給セス

官舍ニ同居スル者及廳舍其ノ他官用ノ建物內ニ居住スル者ハ之ヲ官舍ニ居住スル者ト看做ス

第四條　宿舍料ノ支給ヲ受クル者二人以上同棲スルトキハ定額ノ多キ一人ニ宿舍料定額ノ全額ヲ支給シ其ノ他ノ者ニハ定額ノ半額ヲ支給ス

前項ノ場合ニ於テ各人ノ受クヘキ定額カ同一ナルトキハ戶主、夫、尊屬、年長者ヲ以テ多額ト看做ス

第五條　宿舍料ヲ受クヘキ原因ノ發生若ハ消滅シタルトキ又ハ宿舍料ノ支給額ヲ變更スヘキ原因發生シタルトキハ其ノ宿舍料ハ左記各號ニ依リ之ヲ支給ス

一　新任ノ場合ニ在リテハ發令ノ翌日ヨリ、其ノ就任ノ爲旅行ヲ要スルトキハ着任ノ日ヨリ宿舍料ヲ支給ス

二　支給額ヲ變更スヘキ場合ニ在リテハ其ノ原因發生シタル翌日ヨリ增減支給ス

三　轉任轉勤ニ在リテハ發令ノ當日迄ヲ舊任廳ニ於テ翌日以降ハ新任廳ニ於テ之ヲ支給ス　但シ赴任ノ爲旅行ヲ要スルトキハ其ノ出發當日迄ハ從前ノ定額ヲ新任廳ニ於テ支給シ出發ノ翌日ヨリ著任ノ前迄ハ宿舍料ヲ支給セス

四　前號但書ノ場合ニ於テハ舊任地出發當日新任地著任ノモノニ在リテハ從前ノ定額ノミヲ支給ス

五　退官、退職、休職若ハ死亡ノ場合ニ於テハ其ノ受クヘキ宿舍料ノ全額ヲ支給ス　但シ殘務調理ヲ命セラレタル者其ノ殘務終了ノ場合亦同シ

六　刑事裁判又ハ懲戒處分ニ依リ官職ヲ失ヒ又ハ免セラレタルトキハ其ノ當日迄支給ス

第六條　待遇官吏ノ職ニ在ル者本官ニ任セラレタル場合ノ宿舍料支給ニ付テハ轉任ノ例ニ依ル

第七條　宿舍料定額ノ全額ヲ受クル者自己ノ都合ニ依リ朝鮮ヲ離レ又ハ同棲スル戶主、家族若ハ第二條第二項但書ニ規定スル者朝鮮ヲ離ルルコト六十日ヲ超ユルトキハ其ノ日ヨリ定額ノ半額ヲ支給ス

第八條　宿舍料定額ノ半額ヲ受クル者自己ノ都合ニ依リ朝鮮ヲ離ルルコト六十日ヲ超ユルトキハ其ノ日ヨリ宿舍料ノ支給ヲ停止ス但シ前條ニ依リ半額ヲ受クル者ニシテ其ノ同棲スル戸主、家族若ハ第二條第二項但書ニ規定スル者ヲ朝鮮ニ殘留セシムルトキハ此ノ限ニ在ラス

第八條ノ二　前二條ノ場合ニ於テ其ノ日數計算ニ付テハ任地又ハ居住地ヲ出發シタル日ノ翌日ヨリ起算ス

第九條　許可ヲ受ケ官署所在地外ノ地ニ居住スル者ニハ其ノ居住地相當ノ宿舍料ヲ支給ス　但シ其ノ宿舍料ノ定額カ官署所在地ノ定額ヨリ多キトキハ官署所在地相當ノ宿舍料ヲ支給ス

官署ノ都合ニ依リ職員ヲ其ノ官署所在地外ニ居住セシメタルトキハ官署所在地相當ノ宿舍料ヲ支給ス但シ其ノ居住地ノ定額カ官署所在地ノ定額ヨリ多キトキハ居住地相當ノ宿舍料ヲ支給ス

第十條　宿舍料ヲ受クル者ニ對シ官舍居住ヲ命シタルトキハ其ノ宿舍居住ノ翌日ヨリ宿舍料ヲ支給セス

官舍ニ居住スル者ニ退居ヲ命シタルトキハ其ノ退居ノ日ヨリ宿舍料ヲ支給ス

第十一條　宿舍料ハ當月分ヲ其ノ月二十一日ニ支給ス　但シ支給日カ休日ニ該當スルトキハ之ヲ繰下ク

第十一條ノ二　宿舍料ノ支給ヲ受クヘキ者ハ左ノ事項ヲ具シ官署ノ長（本府ニアリテハ各部局課長以下同シ）ニ住居ノ屆出ヲ爲スヘシ其ノ變更ヲ生シタルトキ亦同シ

一　同棲ノ戸主又ハ家族ノ有無及其ノ續柄竝人員

二　第二條第二項但書ニ該當スル者ノ氏名、續柄、居住地及事由

前項ノ屆出アリタルトキハ官署ノ長ハ之ヲ經費ノ仕拂ヲ爲ス官署又ハ團體ニ通知スヘシ

第十二條　各官署ノ長ハ宿舍料ノ定額ヲ減スルコトヲ得此ノ場合ニ於テハ遞信官署ニ關スルモノハ遞信局長、府郡島、警察官署、道慈惠醫院及公立學校職員ニ關スルモノハ道知事、高等法院及同檢事局、覆審法院及同檢事局（所在地ノ地方法院及同檢事局ヲ含ム）竝地方法院及同檢事局（覆審法院所在地ノモノヲ除ク）ニ關スルモノハ當該法院長之ヲ決定スヘシ

前項ニ依リ宿舍料ノ定額ヲ減シタルトキハ其ノ旨報告スヘシ

宿舍料定額表

等級	一級地	二級地	三級地
勅任官	六十圓	五十圓	三十五圓
奏任官五等以上	三十三圓	二十六圓	二十二圓
奏任官六等以下及奏任待遇官吏	三十圓	二十四圓	十八圓
判任官五級俸以上	二十二圓	十六圓	十三圓
判任官六級俸以下及判任待遇官吏	十八圓	十三圓	十圓
看守、女監取締	十圓	八圓	六圓

附記

一　京城府ヲ一級地トシ府又ハ面制第四條ニ依ル指定面ヲ二級地トシ一級地及二級地ニ屬セサル地ヲ三級地トス

當分ノ内鏡城ヲ二級地トス

本令ハ大正九年七月分ヨリ之ヲ適用ス

附　則（大正九年六月總訓第二六號）

三六　宿舍料支給方ノ件

明治四四年五月
官通第一一九號

政務總監

各監獄典獄宛

〔監獄醫〕、敎誨師、〔調劑師〕及囑託員等ニシテ傍ラ私宅ニ於テ業務ヲ營ム者ニ對シテハ本年度ヨリ宿舍料ヲ支給セサルコトニ決定相成候條右樣御承知御取扱可相成此段及通牒候也

三七　宿舍料支給方ニ關スル疑義ノ件

明治四四年五月
官通第一三四號

政務總監

本府及所屬官署ノ長宛

宿舍料支給方疑義ニ關シ忠淸南道長官ト左記ノ通照覆セリ爲參考此段及通牒候也

記

忠淸南道長官ニ對スル政務總監回答

五月四日付忠淸南官發第二三九號伺出ノ件ハ正當ノ事由ノ爲父母妻子ヲ別居セシムルモ自己カ官有建物ニ居住スル者ニハ宿舍料ヲ支給セサル義ニ有之候條此段及回答候也

忠淸南道長官ヨリ稟申

本月三日官通牒第一〇四號ヲ以テ宿舍料支給規則改正ノ理由御通牒相成多クノ疑義ハ解決致候得共尙左記ノ場合ニ關シ疑義相生シ候ニ付至急何分ノ御回示相成度右及稟申候也

記

一、子弟ノ敎育上其他正當ノ事由ノ爲父母妻子ヲ別居セシメ自己ハ在勤廳ノ官有建物ニ居住シアル場合モ規則面ヨリセハ全額支給スヘキ樣相見ヘ候然ルニ同一事情ノ者ニシテ官廳ノ都合上官有建物ニ居住セシムルヲ得サル爲メ已ムヲ得ス自己ハ借家料ヲ拂ヒ一戶ヲ構フルモノモ其ノ給額ハ同一ニシテ彼是權衡ヲ得サルヤノ嫌有斯ル場合ニハ其ノ支給額ニ等差ヲ設クル趣旨ニ無之哉

三八　宿舍料支給方ノ件

明治四四年五月
官通第一〇四號

政務總監

本府及所屬官署ノ長宛

四月十五日朝鮮總督府令第五十號ヲ以テ朝鮮總督府所屬官署職員宿舍料支給規則改正相成候處右改正ノ理由ハ子弟ノ敎育上若ハ父母妻子病氣ノ爲同棲シ能ハサル者ニハ本規程ヲ適用スルノ限リ無之尙給額ハ在勤地ノ額ヲ支給スヘキ義ニ候條此ノ趣旨ニ背馳セサル樣支給上御注意相成度此段及通牒候也

三九　宿舍料支給ニ關スル件

大正四年一二月
官通第三五五號

總務局長

各所屬官署ノ長宛

宿舍料支給規程第二條第一項ニ依リ宿舍料ノ全額ヲ受クル者其ノ同棲ノ事實ヲ失ヒタルトキハ縱令一戸ヲ構フルモ同條第二項但書ノ場合ヲ除ク外定額ヲ支給スヘキ義ニ候ヘ共若シ其ノ同棲スル者カ朝鮮ヲ離レタル場合ニ於テハ同規程第七條ノ趣旨ニ依リ御取扱相成度此段及通牒候也

四〇　宿舍料支給方ノ件

大正五年二月
官通第二一號

總務局長

各所屬官署ノ長宛

平安北道ノ問合ニ係ル宿舍料規程第七條中疑義ノ件左ノ通御了知相成度此段及通牒候也

記

問　「朝鮮ヲ離ル」トハ朝鮮ノ土地ヲ離レタル日ヲ指スヤ將タ任地ヲ離レタル日ヲ指スヤ

答　其ノ任地（第二條但書ニ規定スル者ハ其ノ居住地）ヲ離レタル日ヲ指稱ス

問　「二月」トハ六十日迄ハ全額、六十一日ヨリ半額ヲ支給スル義ナルヤ

答　月ハ曆ニ從ヒ其ノ初日ヨリ起算シ二月ヲ經過シ起算日ノ應當日ノ前日迄ハ全額、其ノ應當日以後ハ半額トス、例之一月二十一日ヨリ起算スルトキハ三月二十日迄ハ全額、三月二十一日ヨリ半額トス

四一　宿舍料支給ニ關スル件

大正五年四月
官通第六一號

政務總監

本府各部及所屬官署ノ長宛

轉任轉勤ノ爲メ旅行ヲ要スル者ニシテ舊任地出發當日新任地ニ到著シタル場合旅行當日ノ宿舍料ハ宿舍料支給規程第五條第一項第二號ノミニ依リ第一號ニ依ラサル義ト御了知相成度此段及通牒候也

四二　宿舍料支給方ニ關スル件

大正七年九月
官通第一四八號

總務局長

各部長官房局課長
竝所屬官署ノ長　宛

首題ノ件ニ關シ鎭南浦税關長ヨリ伺出ノ處右ハ左記問答ノ通支給方御取扱相成度此段及通牒候也

記

問　官舍居住者朝鮮外ニ出張ヲ命セラレ家族亦内地歸省ノ爲官舍ヲ引拂ヒタルトキノ宿舍料ノ支給方如何

答　宿舍料ヲ支給セス但シ退舍ヲ命セラレタル場合ハ此ノ限ニ在ラス

問　官舍居住者轉勤ヲ命セラレ家族ハ依然官舍ニ殘シ置キ單獨赴任セルモノハ轉勤先ノ宿舍料ハ半額ヲ支給スヘキヤ

答　官舍ヲ退去シタル者ニアラサレハ宿舍料ヲ支給セス

問　廳舍用借上建物内ニ居住スル者ニ對スル宿舍料支給方如何

答　借上廳舍ハ官用ノ建物ナルニ依リ宿舍料支給ノ限ニ在ラス

問　請願派出官吏ノ請願者ヨリ無償提供アリタル宿舍ニ居住スル者ニ對スル宿舍料支給方如何

答　請願ノ設備條件トシテ無償提供ヲ爲シ且官用ニ供スル宿舍ナルニ

依リ宿舍料支給規程第三條第二項ニ依ル官用ノ建物內ニ居住スル者ト看做スヘキモノトス

四三　宿舍料支給方ニ關スル件

大正八年五月
官通第七一號

總務局長

各部長官官房局課長
竝所屬官署ノ長　宛

首題ニ關シ平安北道長官ヨリ伺出ノ件左記ノ通御了知相成度依命及通牒候也

追テ大正五年官通牒第百四十六號ハ本文ノ結果消滅シタル儀ト御承知有之度爲念申添候

記

問　官吏タル夫妻同棲シ夫ハ全額妻ハ半額ヲ受ケツツアリタルニ何レカ一方轉勤ヲ命セラレ甲乙兩地ニ於テ勤務スル場合ノ支給方如何

答　規程第八條ニ依ルヘシ

問　宿舍料ノ全額ヲ受クル者自己ノ都合ニ依リ其ノ同棲者ト共ニ內地ニ歸還セル場合ハ規程第七條ニ依ルヘキヤ

答　任地又ハ居住地ヲ出發シタル翌日ヨリ規程第八條ニ依リ宿舍料定額ノ半額ヲ支給シ同棲者カ本人歸還後數日ヲ經テ更ニ內地ニ出發シタルトキハ出發ノ翌日ヨリ半額ヲ支給ス

問　官舍居住ノ職員轉勤ヲ命セラレ退舍當日赴任シ着任當日入舍シタル場合ノ支給如何

答　宿舍料ヲ支給スヘキモノニアラス

四四　宿直又ハ徹夜勤務者食料及特別文具ニ關スル件

明治二四年三月
勅令第二七號

明治六年大藏省達第百六十一號及明治二十二年閣令第四號ハ本年三月三十一日限リ廢止ス但宿直又ハ徹夜勤務使役ノ者ニハ適宜食料（現品又ハ代料）ヲ給與シ又特別用ノ文具ハ官廳ニ備ヘテ使用セシムルコトヲ得

四五　朝鮮總督府及所屬官署賄料支給規程

大正二年三月
總訓第一二號

改正　七年二第一〇號　九年一第二號

第一條　朝鮮總督府及所屬官署職員宿直又ハ徹夜勤務ヲ爲シタルトキハ本規程ニ依リ賄料ヲ支給ス

第二條　賄料ハ別表ニ依リ之ヲ支給ス

第三條　居殘勤務ヲ爲シ午後八時乃至午後十二時ノ間ニ至リタル者ニハ定額ノ半額ニ相當スル賄料ヲ支給ス

第四條　待遇官吏又ハ囑託ニ對シテハ朝鮮總督府旅費規則第二條及第三條ノ區分ニ依リ其ノ待遇ニ相當スル賄料ヲ支給ス

巡査、看守及女監取締ノ賄料ハ雇員ノ額ニ依リ之ヲ支給ス

第五條　各官署ノ長（本府ニ在リテハ庶務部長）ハ賄料ノ定額ヲ減シ又ハ之ヲ支給セサルコトヲ得

前項ノ規定ニ依リ各官署ノ長賄料ノ定額ヲ減シ又ハ之ヲ支給セサルトキハ其ノ旨報告スヘシ

附　則

本令ハ大正二年四月一日ヨリ施行ス

等級	甲額	乙額
奏任官及同相當官ノ待遇ヲ受クル者	一圓	八十錢
判任官及同相當官ノ待遇ヲ受クル者	八十錢	六十錢
雇員	六十錢	四十錢
傭人	四十錢	二十五錢

備考　道廳及府所在地各廳在勤者ニハ甲額ヲ支給シ其ノ他ハ總テ乙額ヲ支給ス

四六　朝鮮總督府看守、女監取締給與品及貸與品規則

明治四二年一〇月統令第五三號

改正　四四年五統令第五四號　大正二年三第二七號　四年一二第一二七號　七年一二第一一八號　九第八七號

第一條　朝鮮總督府看守及朝鮮總督府女監取締ニ給與スル品目、員數、供用期限及支給期ハ左ノ如シ

品目	朝鮮總督府看守 員數	朝鮮總督府看守 供用期限	朝鮮總督府女監取締 員數	朝鮮總督府女監取締 供用期限	支給期	備考
冬服	二組	三年	—	—	九月	初年ニ一組ヲ滿一年ヲ經テ尙一組ヲ給ス
夏服	三組	二年	—	—	五月	初年ニ二組ヲ滿一年ヲ經テ尙一組ヲ給ス
冬上衣	—	—	一著	二年	九月	
夏上衣	—	—	二著	三年	五月	初年ニ一著ヲ滿一年ヲ經テ尙一著ヲ給ス
袴	—	—	二著	二年	九月	初年ニ一著ヲ滿一年ヲ經テ尙一著ヲ給ス
甲種外套（覆面附）	一著	三年	—	—	九月	
乙種外套	一著	三年	—	—	九月	
雨衣（覆面附）	—	—	一著	三年	九月	
帽	一箇	二年	—	—	五月	
日覆	一箇	一年	—	—	五月	
短靴	二組	一年	二組	一年	五月	
ゲートル	一組	一年	—	—	五月	
下襟	二箇	四箇月	—	—	四月、八月、十二月	

下袖	二組	六箇月	—	—	四月、十月
手套	二組	六箇月	二組	六箇月	四月、十月
靴下	二組	二箇月	二組	二箇月	二月、四月、六月、八月、十月、十二月
冬襯衣、袴下	二組	一年	二組	一年	九月
夏襯衣、袴下	二組	一年	二組	一年	五月

第二條 朝鮮總督府看守、朝鮮總督府女監取締ニ貸與スル品目左ノ如シ

朝鮮總督府看守

刀、刀緒、刀帶、徽章、肩章、領章、袖章(金屬製)、釦(金屬製)

外套締革、手帳、捕繩、呼子笛

朝鮮總督府女監取締

襟章、雨衣締革、手帳、捕繩、呼子笛

前項ノ外必要アル場合ニハ朝鮮總督府看守ニ短袴又ハ防寒外套ヲ貸與スルコトアルヘシ

第三條 給與品ハ現品ヲ以テ給ス但シ左記ノ給與品ニ限リ各相當ノ代料ヲ以テ給スルコトヲ得

短靴

ゲートル

下襟、下袖

手套

靴下

冬襯衣袴下

夏襯衣袴下

前項ニ依リ支給スヘキ金額ハ各品ヲ通シタル年額ヲ十二分シテ翌月五日之ヲ給ス　但シ休暇日ニ當ルトキハ順次之ヲ繰下クルモノトス

第四條 敎習生タル朝鮮總督府看守ニ對シテハ代料ヲ以テ支給スルモノヲ除クノ外必要ニ應シ第一條ノ物品ヲ貸與ス

支給期以後ニ於テ採用シタル朝鮮總督府看守及朝鮮總督府女監取締ニ對シテハ次ノ支給期ニ至ル迄ノ間第一條ノ物品ヲ貸與ス

前項ノ朝鮮總督府看守又ハ朝鮮總督府女監取締ニハ典獄ハ次ノ支給期迄ノ供用期限ヲ附シ還納品ヲ給與スルコトヲ得

第五條 給與品ノ供用期限ハ支給シタル翌月ヨリ起算ス

第六條 削除

第七條 休職、轉職、退職又ハ死亡ノ際ハ其ノ貸與品及供用期限内ニ在ル給與品ヲ還納セシム

第八條 貸與品又ハ供用期限内ニ在ル給與品ヲ毀損又ハ紛失シタルモノアルトキハ代品ヲ貸與又ハ給與ス其過失怠慢ニ出タルモノナルトキハ代料辨償ノ責ニ任セシム

前項ニ依リ辨償セシムヘキ金額ハ典獄之ヲ定ム

第九條 給與品ノ修補ハ自辨トス

第十條 典獄必要アリト認ムルトキハ朝鮮總督ノ認可ヲ經テ給與品ノ供

用期限ヲ延長シ又ハ支給期ヲ變更スルコトヲ得

附　則

本令ハ明治四十二年十一月一日ヨリ之ヲ施行ス

附　則（大正七年一二月總令第一一八號）

本令ハ大正八年一月一日ヨリ之ヲ施行ス

本令施行ノ際現ニ使用期限内ニ在ル給與品ニ付テハ本令ニ規定スル供用期限ニ依ル

四七　看守以下給與品ニ關スル件

大正八年一月
監第五二號

司法部長官

典獄宛

今回看守女監取締給與品及貸與品規則竝授業手被服給與規程ノ改正ニ因リ給與品ノ品目、員數及供用期限等ニ變更ヲ來タシ候處右ノ内看守ノ冬服、夏服、女監取締ノ夏衣袴、授業手ノ冬衣袴、夏衣袴ノ供用期限ニ付テハ從前ト其ノ取扱ヲ異ニシ各一組又ハ一著ニ對シ所定ノ期限供用セシムルノ趣旨（例ヘハ看守ノ冬服ニ付二組三年トアルハ初年ニ給シタル分モ將滿一年ヲ經テ給シタル分モ共ニ各三年間供用セシムルノ類ナリ）ニ有之又看守ノ給與品中代料支給ニ係ル物品ニ付テモ變更ヲ生シ候得共其ノ支給金額ハ依然從前ノ通ニ有之候條了知相成度爲念此段及通牒候也

四八　看守敎習所卒業生ノ給與品等ニ關スル件

大正七年一〇月
監第一三二〇號

司法部長官

監獄典獄宛

敎習中ノ看守ニ對シテハ代料ヲ以テ給與スルモノヲ除クノ外給與品ハ總テ貸與ノ取扱ニ致居候ニ付將來敎習所卒業生ノ配置ヲ受ケタルトキハ新任看守ノ例ニ依リ給與相成度此段及通牒候也

追テ貸與品（手帳ヲ除ク）ニ付テモ本文ニ準シ御取扱相成度

四九　監獄授業手被服給與規程

大正四年三月
總訓第一三號

改正　四年八第四六號　八年一第一號

第一條　授業手ニハ被服ヲ給與ス　但シ臨時雇ノ者ニ付テハ此ノ限ニ在ラス

第二條　被服ハ現品ヲ以テ之ヲ支給ス其ノ品名、員數、使用期限及支給期ハ第一號表、制式ハ第二號表ニ依ル

使用期限ハ事情ニ依リ典獄之ヲ延長スルコトヲ得

第三條　支給期後ニ採用シタルモノニ對シテハ次ノ支給期ニ至ル迄ノ間前條ノ物品ヲ貸與シ又ハ次ノ支給期迄ノ使用期限ヲ附シ還納品ヲ給與スルコトヲ得

第三條ノ二　典獄必要アリト認ムルトキハ朝鮮總督ノ認可ヲ經テ第二條ニ規定スルモノノ外授業手ノ業務ニ必要ナル被服及帶具ヲ貸與スルコ

トヲ得

第四條 被服ノ修補ハ自辨トス

第五條 使用期限內ノ被服ヲ毀損又ハ紛失シタルトキハ代品ヲ給與ス

前項ノ場合ニ於テ其ノ毀損又ハ紛失カ故意又ハ重大ナル過失ニ因リタルトキハ其ノ代料ヲ辨償セシム

第六條 解職ノ場合ニ於テハ使用期限內ノ被服ハ之ヲ還納セシム其ノ還納ヲ爲シ能ハサルトキハ前條第二項ヲ準用ス

第七條 前二條ニ依リ辨償セシムヘキ金額ハ典獄之ヲ定ム

第八條 短靴及靴下ハ代料ヲ以テ支給スルコトヲ得

前項ノ代料ハ月額ヲ以テ毎月五日之ヲ支給ス 但シ休廳日ニ當ルトキハ順次之ヲ繰下ク

第一號表

被服給與表

品名	員數	使用期限	支給期	摘要
帽	一箇	二年	五月	
日覆	一箇	一年	五月	
冬衣袴	二組	三年	九月	初年ニ一組ヲ滿一年ヲ經テ尙一組ヲ給ス
夏衣袴	三組	二年	五月	初年ニ二組ヲ滿一年ヲ經テ尙一組ヲ給ス
外套雨覆共	一着	三年	九月	
短靴	二組	一年	五月	
靴下	二組	二ケ月	二月、四月、六月、八月、十月、十二月	

第二號表

被服制式

名稱	地質	製式	徽章又ハ襟章
帽	黑又ハ濃紺絨夏ハ白金巾日覆ヲ附ス	圓形黑革製前庇及幅四分ノ黑革顋紐ヲ附シ顋紐ノ兩端ハ徑四分ノ金色紐釦各一箇ヲ以テ留ム天井喰出ハ幅一分トス樣式如圖	徽章ハ徑六分ノ略日章ヲ櫻ヲ以テ包擁シ共ニ眞鍮製打出ト爲ス其ノ縦徑一寸二分横徑一寸五分トス
上衣	黑又ハ濃紺絨但シ夏衣ハ白雲齋	立襟一行紐釦脊廣、前面ノ左右ニ各一箇ノ物入ヲ附ス樣式ハ如圖紐釦徑六分五厘金色金屬製	襟章ハ縦五分横五分五厘銀色略桐章ヲ附ス
袴	上衣ニ同シ	普通長袴樣式如圖	
外套	黑又ハ濃紺絨	折襟胸二重後面ノ裾ヲ割キ同腰部ニ帶緒ヲ附シ前面左右腰部ニ各一箇ノ物入ヲ附ス紐釦ハ徑六分五厘金色金屬製トシ前面ニ六箇二行側部ニ各三箇帶緒ニ一箇ヲ附ス樣式如圖	

五〇 看守女監取締及授業手被服代料支給ニ關スル件

大正八年一月
官通第五號
政務總監

各監獄典獄宛

看守、女監取締及授業手ニ支給スヘキ被服代料ハ大正八年一月分以後採用又ハ復職ノ場合ニ在リテハ發令ノ翌日ヨリ休職、轉職、退職又ハ死亡ノ場合ニ在リテハ其ノ發令又ハ死亡當日迄日割計算ヲ以テ支給スルコトニ取扱ハレ度此段及通牒候也

五一 看守女監取締及授業手給與品代料渡ニ關スル件

大正八年四月
官通第五二號
政務總監

各監獄典獄宛

看守女監取締給與品及貸與品規則第三條但書及監獄授業手被服給與規程第八條ニ依リ各給與スル代料年額ハ左記ノ通定メ候條大正八年度以後(卽チ大正八年五月支給スヘキ分ヨリトス)右ニ依リ支給相成度此段及通牒候也

看守及女監取締ニ支給ノ分 十五圓六十錢
授業手ニ支給ノ分 七圓八十錢

帽

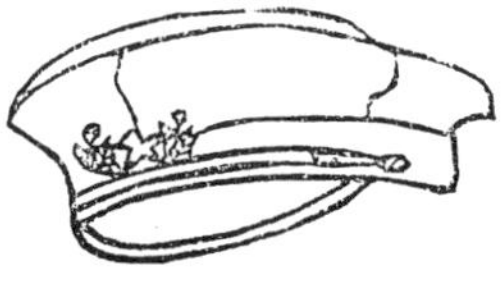

徽章

日覆

上衣

袴

外套前面

外套後面

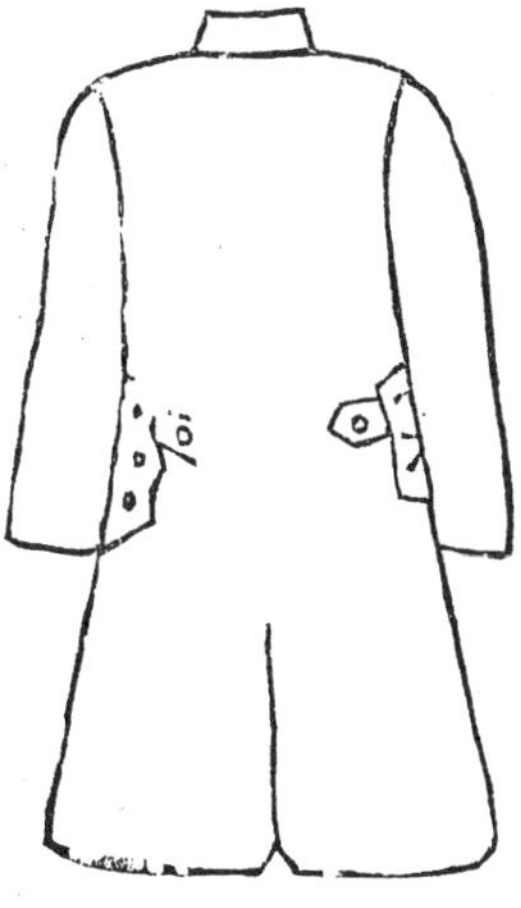

雨覆

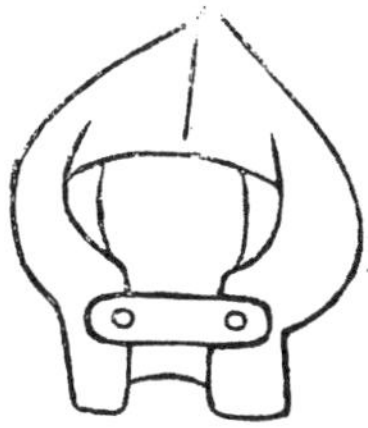

附　則（大正八年一月總訓第一號）

本令施行ノ際現ニ使用期限内ニ在ル給與品ニ付テハ本令ニ規定スル使用期限ニ依ル

五二　傭人被服代料渡ニ關スル件

大正四年一一月
會第四四六〇號

總務局長

平壤監獄典獄宛

本月二十日平監第二〇七四號ニテ御申請ニ係ル首題ノ件ハ脚袢ハ御申請ノ通認可相成候又手套防寒手套及護謨底足袋ヲ代料ニテ給與スルコトハ貴官限專行シ其ノ價格ハ適當ニ御決定相成度此段及通牒候也

追テ手套防寒手套及護謨底足袋ヲ代料ニテ給與シタル場合ハ其ノ價格御報告相成度候也

五三　監丁脚袢代料給與ノ件

大正四年一一月
官通第三二〇號

總務局長

各監獄典獄宛

平壤監獄典獄ノ照會ニ係ル首題ノ件左ノ通御了知相成度此段及通牒候也

記

問　監丁ニ給與スヘ脚袢ハ代料渡ト爲シ差支ナキヤ

答　傭人規程第三十四條第二項（本年九月訓令第五一號ニテ追加）ニ依リ禀請セラルヘシ

問　前項可ナリトセハ一組ノ代金如何

答　六十五錢トス

五四　監丁被服代料ニ關スル件

大正八年六月
官通第八七號

總務局長

各監獄典獄宛

監丁ニ給與スヘキ靴ノ代料額ハ年額六圓ト相定メ候條大正八年七月分ヨリ月額ヲ算出支給相成度此段及通牒候也

第五章　旅費

一　內國旅費規則

明治四三年六月
勅令第二七四號

改正　四三年九第三九一號　四四年六第一九二號　大正九年五第一七六號

第一條　官吏公務ニ依リ本邦內ヲ旅行スルトキハ本令ニ依リ旅費ヲ支給ス

第二條　旅費ハ鐵道賃、船賃、車馬賃、日當、宿泊料、食卓料、赴任手當、移轉料及家族移轉料ノ九種トス

鐵道賃及船賃ハ大藏大臣ノ定ムル所ニ從ヒ實際ノ料金ニ依リ車馬賃日當宿泊料食卓料及移轉料ハ別表ニ揭クル所ニ從ヒ定額ニ依リ之ヲ支給ス旅費ハ順路ニ依リ之ヲ計算ス但シ公務ノ都合ニ依リ順路ニ依リテ旅行シ難キ場合ニ於テハ其ノ現ニ經過シタル通路ニ依ル

第三條　鐵道旅行ニハ鐵道賃、水路旅行ニハ船賃、陸路旅行ニハ車馬賃ヲ支給ス

鐵道又ハ水路ニ依ラサル旅行ハ之ヲ陸路旅行トス

第四條　宿泊料ハ夜數ニ應シ日當ハ日數ニ應シテ之ヲ支給ス

水路旅行ニハ宿泊料ヲ支給セス但シ官用ノ船舶ニ依リテ旅行スル場合ニ於テ官ヨリ賄ヲ爲ササルトキハ食卓料ヲ支給ス

第五條　旅費ノ支給ニ關シテハ旅行日數ハ出張地ニ於ケル滯在日數及途中已ムヲ得サル事由ノ爲要シタル日數ヲ除クノ外鐵道旅行ハ二百哩、水路旅行ハ百海里、陸路旅行ハ十二里ニ付一日ノ割合ヲ以テ通算シタル日數ヲ超過スルコトヲ得ス　但シ一日未滿ノ端數ハ之ヲ一日トス

第六條　赴任ノ場合ニ於テハ別ニ日當五日分宿泊料五夜分ニ相當スル赴任手當移轉料及家族移轉料ヲ支給ス

家族移轉料ハ家族一人每ニ舊任地又ハ本人ノ居住地ヨリ新任地ニ至ル本人相當ノ鐵道賃、船賃、車馬賃、日當、宿泊料、食卓料ノ全額及赴任手當ノ三分ノ二ニ該當スル金額トス　但シ十二歲未滿ノ家族ニ付テハ其ノ半額トス

家族ノ數三人ヲ超過スルトキハ其超過スル者ニ付支給スル家族移轉料ハ前項ノ規定ニ依ル給額ノ半額トス

赴任者カ赴任後一年內ニ故ナクシテ家族ヲ新任地ニ移轉セサルトキハ家族移轉料ヲ支給セス

第七條　官用ノ船、車、馬等ニ依リテ旅行スルトキハ鐵道賃、船賃、車馬賃ヲ支給セス

第八條　陸路六里未滿、鐵道四十八哩未滿、水路三十海里未滿ノ旅行ニ在リテハ公務ノ都合ニ依リ宿泊シタ場合ヲ除クノ外其ノ支給スヘキ日當ハ定額ノ半額トス

一旅行ニシテ陸路、鐵道又ハ水路ニ亘ルトキハ鐵道ハ八哩、水路ハ五海里ヲ以テ陸路一里ト看做シ前項ノ規定ヲ準用ス

第九條　在勤廳所在地ノ市區町村內ノ出張ニシテ遠距里ニ涉ルトキハ定額半額以內ノ日當ヲ支給スルコトヲ得

前項ノ場合ニ於テ特別ノ事情アルトキハ所管大臣大藏大臣ト協議シテ別ニ必要ナル費用ヲ支給スルコトヲ得

第九條ノ二　前條第二項ノ規定ハ在勤廳所在地外ノ市區町村內ヲ旅行シタル場合ニ之ヲ準用ス

第十條　私事ノ爲任地又ハ居住地以外ニ滯在スル者轉任ヲ命セラレ又ハ新ニ任用セラレ滯在地ヨリ赴任スル場合ニ於テハ滯在地ヨリ新任地ニ至ル旅費額カ舊任地又ハ居住地ヨリ新任地ニ至ル旅費額ヨリ多キトキハ舊任地又ハ居住地ヨリ新任地ニ至ル旅費ヲ支給ス

前項ノ規定ハ私事ノ爲任地以外ニ滯在スル者滯在地ヨリ旅行スル場合ニ之ヲ準用ス

第十條ノ二　前條第一項ノ規定ハ舊任地又ハ本人ノ居住地以外ヨリ新任地ニ移轉スル家族ニ付支給スル家族移轉料ニ之ヲ準用ス

第十一條　新ニ任用スル爲召喚セラレタル者ニハ官吏赴任ノ例ニ準シ新官相當ノ旅費ヲ支給ス

第十二條　特別ノ事情ニ依リ定額ノ車馬賃ヲ以テ其ノ實費ヲ支辨シ難キ場合ニ於テハ實費額ヲ支給スルコトヲ得

第十三條　車馬賃ハ其ノ路程ヲ合算シテ之ヲ支給ス　但シ定額ヲ異ニスルモノニ付テハ各別ニ之ヲ通算ス通算上一里未滿ノ端數ヲ生シタルトキハ切捨トス

第十四條　年度又ハ日ニ依リテ旅費ヲ區分計算スルノ必要アル場合ニ於テ其ノ區分判明ナラサルトキハ最近ノ到達地ニ著シタル日ヲ以テ其ノ路程ヲ區別シ計算ス

第十五條　旅行中退官、退職、休職又ハ非職ト爲リタル者ニハ舊任地ニ至ル前官又ハ本官相當ノ旅費ヲ支給ス　但シ刑事裁判又ハ懲戒處分ニ依リテ失官シ又ハ免官セラレタル者ハ此ノ限ニ在ラス

前項ノ場合ニ於テハ第五條ニ定メタル旅程ノ割合ヲ以テ計算シタル日數ニ依リ旅費ヲ支給ス

旅行中死亡シタル場合ニ於テハ前二項ノ規定ニ準シ旅費ニ相當スル金額ヲ遺族ニ支給ス

第十六條　事務引繼殘務調理等ノ爲退官者ニ旅行ヲ命スルトキハ前官相當ノ旅費ヲ支給ス

第十七條　所管大臣ハ測量土木工事等ノ爲現場ニ巡廻スル官吏又ハ常時旅行ヲ要スル官吏ニ關シ特ニ其ノ旅費額ヲ定メ月額又ハ日額ヲ以テ之ヲ支給スルコトヲ得

所管大臣ハ旅費ノ定額ヲ減シ又ハ旅費ノ全部若ハ一部ヲ支給セサルコトヲ得

第十八條　武官、陸海軍文官、鐵道事務ニ從事スル官吏及警察官ノ旅費ニ關シテハ所管大臣大藏大臣ト協議シテ別ニ之ヲ定ム

第十九條　雇員其ノ他本令ニ規定ナキ者ノ旅費ニ關シテハ所管大臣大藏大臣ト協議シ本令ニ準シ之ヲ定ム

第二十條　當分ノ內朝鮮、臺灣、樺太又ハ千島國內ノ旅行ニ限リ所管大臣大藏大臣ト協議シテ旅費ノ定額ヲ增加スルコトヲ得

第二十一條　當分ノ內朝鮮、臺灣、樺太又ハ千島國在勤二年以上ニシテ退官、退職、休職又ハ非職ト爲リ三十日以內ニ同地出發歸鄉スル者ニハ前官又ハ本官相當ノ旅費ヲ支給スルコトヲ得　但シ刑事裁判若ハ懲戒處分ニ依リ失官シ若ハ免官セラレ又ハ自己ノ便宜ニ依リ退官若ハ退職シタル者ハ此ノ限ニ在ラス

前項ノ旅費ニ關シテハ所管大臣大藏大臣ト協議シテ之ヲ定ム

在職中死亡シタルトキハ第一項ノ例ニ準シ旅費ニ相當スル金額ヲ遺族ニ支給スルコトヲ得

第二十二條　樺太ニ赴任スル者、千島國幌莚島以北ニ赴任若ハ出張スル者、朝鮮ニ赴任スル者ニシテ江原道、平安南道、平安北道、咸鏡南道、咸鏡北道ニ赴ク者又ハ十一月ヨリ翌年二月ニ至ル期間内ニ樺太ニ出張スル者ニハ當分ノ内支度料ヲ支給スルコトヲ得其ノ額ハ所管大臣大藏大臣ト協議シテ之ヲ定ム

附　則

本令ハ明治四十三年七月一日ヨリ之ヲ施行ス（第二項省略）

附　則（大正九年五月勅令第一七六號）

本令ハ大正九年六月一日ヨリ之ヲ施行ス

大正七年勅令第二百八十五號ハ之ヲ廢止ス

（第三及第四項省略）

（別　表）

旅費額

區分／官階		車馬賃 一里ニ付	日當 一日ニ付	宿泊料 一夜ニ付	食卓料 一夜ニ付	移轉料
親任官		一圓五十錢	十二圓	十八圓	四圓	三百圓以内
勅任官		一圓二十錢	八圓	十二圓	三圓五十錢	二百二十圓以内
奏任官	五等以上	九十錢	六圓	八圓	二圓五十錢	百五十圓以内
	六等以下	九十錢	五圓	七圓	二圓五十錢	百五十圓以内
判任官	五級俸以上	七十五錢	三圓	五圓五十錢	二圓	百圓以内
	六級俸以下	七十五錢	二圓五十錢	四圓五十錢	二圓	百圓以内

二　内國旅費規則第二條ニ依ル鐵道賃、船賃ニ關スル件

大正九年五月
大藏省令第一六號

改正　一〇年一第一號

第一條　鐵道賃ハ左ノ區別ニ從ヒ旅客運賃（通行税ヲ含ム）及急行料金ニ依リ之ヲ計算ス

一、高等官ニ在リテハ一等ノ運賃　但シ一等車ノ連結ナキ線路ニ依ル旅行ニ在リテハ二等ノ運賃

二、判任官ニ在リテハ二等ノ運賃　但シ特別ノ必要ニ依リ一等車ニ乘車シタル場合ニ於テハ一等ノ運賃

三、運賃ノ等級ヲ二階級ニ區分スルモノニ在リテハ高等官判任官共上級ノ運賃、其ノ等級ヲ設ケサルモノニ在リテハ其ノ乘車ニ要スル運賃

四、五十哩以上ノ旅行ニ在リテハ普通急行料金但シ急行料金ヲ徴セサル線路ニ依リ旅行スル場合ニ於テハ此ノ限ニ在ラス

五、百哩以上特別急行列車ニ乘車シタル場合ニ於テハ特別急行料金

六、特別ノ必要ニ依リ普通急行列車又ハ特別急行列車ニ乘車シタル場合ニ於テハ前二項ノ規定ニ拘ラス其ノ乘車ニ要スル急行料金

第二條　船賃ハ旅客運賃（通行税、艀船賃、棧橋賃、寢台料及普通運賃ノ外別ニ支拂ヲ要スル場合ニ於テハ夕食及朝食ニ對スル所定ノ料金ヲ含ム）及急行料金ニ依リ鐵道賃ノ例ニ準シ之ヲ計算ス

附　則

本令ハ大正十年一月一日以降ノ旅行ヨリ之ヲ適用ス

三　大藏省所管旅費支給規則

明治四三年七月
大藏省令第三三號

改正　四三年一〇第四七號　大正九年六第一七號

第一條　大藏省所管經費支辨ニ屬スル内國旅費ハ別ニ定ムルモノヲ除クノ外本規則ニ依リ之ヲ支給ス

第二條　親任官待遇及勅任官待遇ノ者ニハ内國旅費規則ニ依リ支給スヘキ待遇官相當ノ額ヲ支給ス

第三條　試補其ノ他奏任官待遇ノ者ニハ内國旅費規則ニ依リ奏任官六等以下ノ者ニ支給スヘキ額ヲ支給ス

第四條　見習其ノ他判任官待遇ノ者ニハ内國旅費規則ニ依リ判任官六級俸以下ノ者ニ支給スヘキ額ヲ支給ス

第五條　專賣局見習員及稅務監督局見習員ニハ別表甲額ヲ支給ス

第六條　雇員ハ左ノ各號ニ依ル但シ日額ノモノハ三十日分ヲ以テ月額ト看做ス

一　給料月額六十五圓以上ノ者ニハ内國旅費規則ニ依リ判任官五級俸以上ノ者ニ支給スヘキ額

二　給料月額三十圓以上六十五圓未滿ノ者ニハ内國旅費規則別表ニ依リ判任官六級俸以下ノ者ニ支給スヘキ額

三　給料月額三十圓未滿ノ者ニハ別表甲額

第七條　囑託員ハ左ノ各號ニ依ル

一　在官ノ者（退職ニアラサルモノ）ニハ其ノ官相當ノ額

二　高等官待遇及判任官待遇ノ者ニハ第二條乃至第四條ノ各相當額

三　宮内官ニハ内國旅費規則別表及大正九年大藏省令第十六號ニ照準シ各其ノ相當額

四　警察官ニハ所管大臣ノ定メタル額、地方吏員ニハ内務大臣ノ定メタル額

五　前各號ニ該當セサル者ハ其ノ常時一定ノ手當ヲ給スル者ニアリテハ其ノ手當額（年額ハ十二分ノ一、日額ハ三十日分ヲ以テ月額ト看做ス）ニ依リ、一時手當ヲ給スル者又ハ手當ヲ給セサル者ニアリテハ其ノ爵位勳功ニ依リ左ノ區別ニ從ヒテ支給ス　但シ後段ノ場合爵位勳功ヲ併有スルトキハ高キニ從フ

一　手當月額二百圓以上又ハ有爵者、正六位以上、勳五等以上及功四級以上ノ者ニハ内國旅費規則ニ依リ奏任官五等以上ノ者ニ支給スヘキ額

二　手當月額百圓以上二百圓未滿又ハ從六位、勳六等及功五級ノ者ニハ内國旅費規則ニ依リ奏任官六等以下ノ者ニ支給スヘキ額

三　手當月額六十五圓以上百圓未滿又ハ從七位以上正七位以下、勳七等及功六級ノ者ニハ内國旅費規則ニ依リ判任官五級俸以上ノ者ニ支給スヘキ額

四　手當月額三十圓以上六十五圓未滿又ハ正八位以下、勳八等及功七級ノ者ニハ内國旅費規則ニ依リ判任官六級俸以下ノ者ニ支給スヘキ額

五　手當月額三十圓未滿又ハ位、勳、功級ヲ有セサル者ニハ別表甲額

特殊ノ事情アル者ニ付テハ其ノ身分及用務ノ性質ニ依リ其ノ都度之ヲ定ム

第八條　巡視、門衞、仕部其ノ他廳內取締ノ役務ニ服スル者竝船長、機關士、水火夫長、職工長、組長及之ニ準スル者ニハ別表甲額ヲ支給ス

第九條　廷丁、給仕、小使、馭者、水夫、火夫、倉庫夫、運搬夫、車夫馬丁、職工及其ノ他ノ傭人ニハ別表乙額ヲ支給ス　但シ常傭ニアラサル職工其ノ他ノ傭人ニシテ其ノ業ニ從事シ勞銀ヲ給スル日ハ日當、宿泊料若ハ食卓料ヲ支給セス

第十條　在勤廳所在地ノ市區町村內ノ出張ニシテ其ノ行程二里以上ニ渉ルトキハ定額ノ三分ノ一額ニ相當スル日當ヲ其ノ四里以上ニ渉ルトキハ定額ノ半額ニ相當スル日當ヲ支給ス

前項ノ場合ニ於テ公務ノ都合ニ依リ宿泊ヲ要シタルトキハ宿泊料ヲ支給ス

第十條ノ二　在勤廳所在地又ハ在勤廳所在地外ノ市區町村內ニ於テ陸路三里鐵道二十四哩水路十五海里以外ノ地ニ出張スルトキハ內國旅費規則ニ依ル鐵道賃、船賃、車馬賃ヲ支給スルコトヲ得交通不便其ノ他ノ事由ニ因リ特ニ多額ノ船車馬賃ヲ要シタルトキハ前項ノ規定ニ拘ラス其ノ實費ヲ支給スルコトヲ得

第十一條　旅行ノ性質ニ依リ特ニ月額又ハ日額ヲ以テ旅費ヲ支給スル必要アルトキハ認可ヲ經ヘシ

第十二條　旅費ノ定額ヲ減シ又ハ旅費ノ全部若ハ一部ヲ支給セサル必要アルトキハ各廳長官ニ於テ適宜之ヲ定メ報告スヘシ

第十三條　移轉料ハ各廳長官ニ於テ旅程ノ遠近、情況等ヲ斟酌シ規定ノ範圍內ニ於テ適宜相當ノ額ヲ支給スヘシ

第十三條ノ二　家族移轉料ヲ支給スル場合ニ於ケル家族トハ本人ト同一戸籍內ニアリテ同居スル親族ヲ謂フ

第十四條　旅費支給上路程ノ計算ニ付テハ鐵道ハ鐵道官廳調、水路ハ水路部調、陸路ハ最近刊行ノ郵便線路圖ニ據リ計算スヘシ

前項ニ據リ難キ場合ハ地方官廳若ハ市區町村長ノ證明スル處ニ據ルヘシ

第十四條ノ二　路程ノ計算ニ付テハ郵便線路圖ニ示ス各市區町村內ノ郵便局ヲ以テ其ノ起點トス若シ其ノ郵便局ニ依リ難キ場合ニ於テハ地方官廳又ハ市區町村長ノ證明スル元標又ハ之ニ準スルモノヲ以テ其ノ起點トス

鐵道旅行又ハ水路旅行ノ場合ニハ前項市區町村ニ於ケル起點及停車場又ハ波止場間ノ里程ハ陸路旅行ノ旅程ニ算入ス

第十五條　一日中旅費ノ支給額ヲ異ニスル場合ハ其ノ多キ額ヲ支給ス

第十六條　旅行中一時歸廳シタル場合ハ其ノ路程ハ之ヲ打切計算ス

第十七條　（削除）

第十八條　雇員其ノ他內國旅費規則ニ規定ナキ者ノ旅費支給ニ關シテハ同規則ノ規定ヲ準用ス

（別　表）

旅　費

區別	鐵道賃	船賃	車馬賃 一里ニ付	日當 一日ニ付	宿泊料 一夜ニ付	食卓料 一夜ニ付	移轉料
甲額	三等定價通行稅ヲ含ム	三等定價及通行稅艀船賃ヲ含ム	六十錢	二圓	三圓五十錢	一圓二十錢	五十圓以內
乙額			四十五錢	一圓五十錢	二圓八十錢	八十錢	三十五圓以內

一　鐵道五十哩水路五十海里以上ノ旅行ニアリテハ急行料金ヲ支給ス　但シ急行料金ヲ徴セサル線路ニ依リ旅行スル場合ニ於テハ此ノ限ニ在ラス

附　則

本令ハ大正九年六月一日以降ノ旅行ヨリ之ヲ適用ス

雇員其ノ他ノ者六月一日前轉勤ヲ命セラレ又ハ新ニ採用セラレ若ハ新ニ採用ノ爲召喚セラレタル者六月一日後勤務地ニ到着シタルトキハ本令ニ依リ赴任手當及移轉料ヲ支給ス

前項ニ規定スル者ノ家族ニシテ六月一日後勤務地ニ到着シタルトキハ本令ニ依リ家族移轉料ヲ支給ス

四　大藏省所管經費支辨ニ屬スル各廳員朝鮮、臺灣及樺太內旅費支給規則

明治四三年七月
大藏省令第三五號

改正　四三年一〇第四六號　大正九年六第三〇號

第一條　大藏省所管經費支辨ニ屬スル各廳判任官以上ノ者及待遇官吏、囑託員、雇員以下ノ者朝鮮、臺灣又ハ樺太內ヲ旅行スルトキハ別ニ定ムルモノヲ除クノ外本令ニ依リ別表ノ旅費額ヲ支給ス

第二條　本令ニ依ル日當ハ朝鮮、臺灣又ハ樺太ニ最初到著ノ日ヨリ該地最終出發ノ前日マテ、日當以外ノモノハ朝鮮、臺灣又ハ樺太ニ最初到著ノ地ヨリ該地最終出發ノ地ニ至ルマテヲ支給ス

第三條　樺太ニ赴任スル者及十一月ヨリ翌年二月ニ至ル期間內ニ樺太ニ出張スル者ニハ別表支度料ノ範圍內ニ於テ各廳長官適宜之ヲ定メ支給スヘシ

第四條　朝鮮、臺灣及樺太在勤二年以上ノ者刑事裁判、懲戒處分若ハ自己ノ便宜ニ依ルニアラスシテ退官、休職又ハ解職ト爲リ三十日以內ニ前任地出發歸鄉スルトキハ內國旅費規則若ハ大藏省所管旅費支給規則ニ依ル前官、前職又ハ本官相當ノ額ヲ以テ前任地ヨリ原籍地マテノ鐵道賃、船賃、車馬賃ヲ支給ス

第五條　朝鮮、臺灣及樺太ニ在勤スル者在職中死亡シタルトキハ前條ニ準シ歸鄉旅費ニ相當スル金額ヲ遺族ニ給ス

第六條　朝鮮、臺灣及樺太在勤ノ者內地旅行中前二條ニ該當スルトキハ其ノ旅行カ公務タルト私事タルトヲ問ハス支給スヘキ金額ハ之ヲ半額トス

第七條　本令ニ規定セルモノヲ除クノ外旅費支給方ニ關シテハ內國旅費規則大正九年大藏省令第十六號及大藏省所管旅費支給規則ニ依ル

附　則

本令ハ明治四十三年七月ヨリ之ヲ施行ス

臺灣及樺太內旅費支給ニ關スル當省達ハ之ヲ廢止ス

（別　表）

朝鮮、臺灣及樺太旅費額

區別	親任官（及大藏省所管旅費支給規則ニ於テ同相當額ヲ受クル者）	勅任官（及以下同上）
車馬賃一里ニ付	二圓五十錢	二圓
日當一日ニ付	十三圓	九圓
宿泊料一夜ニ付	二十二圓	十五圓
食卓料一夜ニ付	四圓	三圓五十錢
移轉料	三百圓以內	二百二十圓以內
支度料　赴任		三百圓以內
支度料　出張	二百五十圓以內	二百圓以內

奏任官五等以上（及以下同上）	一圓五十錢	七圓	十圓	二圓五十錢	百五十圓以内	二百圓以内	百五十圓以内
奏任官六等以下（及以下同上）	一圓五十錢	六圓	九圓	二圓五十錢	百五十圓以内		
判任官五級俸以上（及以下同上）	一圓二十錢	四圓	七圓	二圓	百圓以内	百圓以内	七十五圓以内
判任官六級俸以下（及以下同上）	一圓二十錢	三圓五十錢	六圓	二圓	百圓以内		
大藏省所管旅費支給規則ニ於テ甲額ヲ受クル者	九十錢	二圓五十錢	四圓五十錢	一圓二十錢	五十圓以内	五十圓以内	三十五圓以内
同上乙額ヲ受クル者	七十錢	二圓	三圓五十錢	八十錢	三十五圓以内	三十圓以内	二十圓以内

五　朝鮮總督府旅費規則

明治四三年總令第二四號

改正　四四年六第六五號　大正二年一二第一一〇號　六年九第五九號　九年九第一三九號　一〇年二第二九號

第一條　判任官以上ノ者朝鮮内旅行ノ場合ニ於テハ第一號表ニ依リ旅費ヲ支給ス

第一條ノ二　郵便所長内地又ハ朝鮮内旅行ノ場合ニ於テハ判任官六級俸以下ノ旅費ヲ支給ス

第二條　待遇官吏内地又ハ朝鮮内旅行ノ場合ニ於テハ勅任官待遇ノ者ハ勅任官、試補其ノ他奏任官待遇ノ者ハ奏任官六等以下、見習其ノ他判任官待遇ノ者ハ判任官六級俸以下ノ額ニ相當スル旅費ヲ支給ス

第三條　囑託員又ハ雇員内地又ハ朝鮮内旅行ノ場合ニ於テハ其ノ受クル手當又ハ給料月額ニ應シ左ノ區分ニ依リ官吏相當ノ旅費ヲ支給ス

一　内地人ニシテ四百圓以上ノ者ハ奏任官五等以上、同二百五十圓以上四百圓未滿ノ者ハ奏任官六等以下、同百五十圓以上二百五十圓未滿ノ者ハ判任官九級俸以上、同七十五圓以上、百五十圓未滿ノ者ハ判任官六級俸以下ノ額

二　朝鮮人ニシテ三百圓以上ノ者ハ奏任官五等以上、同百七十圓以上三百圓未滿ノ者ハ奏任官六等以下、同百十圓以上百七十圓未滿ノ者ハ判任官五級俸以上、同五十五圓以上百十圓未滿ノ者ハ判任官六級俸以下ノ額

第四條　囑託員又ハ雇員ニシテ日給ヲ受クル者、内地人ニシテ月額七十五圓未滿又ハ朝鮮人ニシテ月額五十五圓未滿ノ手當、給料ヲ受クル者竝部長ニ非サル看守ニシテ月俸五十五圓未滿ヲ受クル者内地又ハ朝鮮内旅行ノ場合ニ於テハ第二號表甲額ノ旅費ヲ支給ス

第五條　傭人内地又ハ朝鮮内旅行ノ場合ニ於テハ第二號表乙額ノ旅費ヲ支給ス　但シ常傭ニ非サル職工其ノ他ノ傭人ニシテ其ノ業務ニ從事シ賃銀ヲ受クル日ハ日當、宿泊料及食卓料ヲ支給セス

第六條　囑託員、雇員、看守又ハ傭人ノ赴任ニハ赴任手當ヲ支給セス

第六條ノ二　朝鮮外ヨリ江原道、平安南道、平安北道、咸鏡南道又ハ咸鏡北道ニ赴任スル者ニハ第三號表ニ依リ支度料ヲ支給ス

第七條　測量、土木工事等ノ爲現場ヲ巡迴スル職員又ハ常時旅行ヲ要スル職員ニ對シ月額若ハ日額ヲ定メ旅費ヲ支給スル必要アル場合又ハ旅費ノ定額ヲ減少シ又ハ其ノ全部若ハ一部ヲ支給セサル必要アル場合ニ關シテハ總督之ヲ定ム

第八條　一日中用務ニ依リ旅費ノ支給額ヲ異ニスル場合ニ於テハ其ノ多

額ヲ支給ス

第九條　内地ヨリ朝鮮ニ旅行スルトキハ朝鮮最初ノ著船地迄ヲ内地旅行トシ朝鮮ヨリ内地ニ旅行スルトキハ朝鮮最後ノ發船地迄ヲ朝鮮内旅行トシ各其ノ旅費ヲ支給ス　但シ内地ヨリ朝鮮ヘ著船當日ハ朝鮮内旅行ノ日當、朝鮮ヨリ内地ヘ乘船當日ハ内地旅行ノ日當ヲ支給ス

第十條　判任官以上ノ者朝鮮ニ於ケル勤續二年以上ニシテ退官又ハ休職ト爲リ三十日以内ニ朝鮮ヲ出發歸郷スルトキハ舊在勤地ヨリ原籍地ニ至ル前官又ハ本官相當ノ鐵道賃、船賃及車馬賃ヲ支給ス　但シ刑事裁判若ハ懲戒處分ニ依リ失官シ若ハ免官セラレ又ハ自己ノ便宜ニ依リ退官シタルトキハ此ノ限ニ在ラス

第十一條　判任官以上ノ者在職中死亡シタルトキハ勤續年數ニ拘ラス前條ノ例ニ準シ旅費ニ相當スル金額ヲ遺族ニ支給ス

第十二條　内地ニ旅行中退官若ハ休職ト爲リ又ハ死亡シタルトキハ其ノ旅行ノ公務タルト私事タルトヲ問ハス前二條ノ支給金ノ半額ヲ支給ス

但シ刑事裁判若ハ懲戒處分ニ依リ失官シ若ハ免官セラレ又ハ自己ノ便宜ニ依リ退官シタルトキハ此ノ限ニ在ラス

第十三條　看守刑事裁判若ハ懲戒處分ニ依ルニ非スシテ誓約期限後退職シ若ハ休職ト爲リ又ハ在職中死亡シタルトキハ前三條ノ例ニ準シ旅費又ハ旅費ニ相當スル金額ヲ支給ス

第十四條　削除

第十五條　待遇官吏、囑託員又ハ雇員朝鮮ニ於ケル勤續五年以上ニシテ官ノ都合ニ依リ解職ト爲リ又ハ在職中死亡シタルトキハ第十條乃至第十二條ノ例ニ準シ前職相當ノ旅費若ハ旅費ニ相當スル金額ヲ支給スルコトヲ得

第十六條　在勤廳所在地ノ府面内出張ニシテ其ノ行程二里以上ニ渉ルトキハ定額ノ三分ノ一額ニ相當スル日當ヲ其ノ四里以上ニ渉ルトキハ定額ノ半額ニ相當スル日當ヲ支給ス

前項ノ場合ニ於テ公務ノ都合ニ依リ宿泊ヲ要シタルトキハ宿泊料ヲ支給ス

第十七條　在勤廳所在地又ハ在勤廳所在地外ノ府面内ニ於テ陸路三里鐵道二十四哩水路十五海里以外ノ地ニ出張スルトキハ鐵道賃、船賃及車馬賃ヲ支給ス

交通不便其ノ他ノ事由ニ依リ特ニ多額ノ船車馬賃ヲ要シタルトキハ前項ノ規定ニ拘ラス其ノ實費ヲ支給スルコトヲ得

第十八條　本令ニ規定ナキモノニ關シテハ内國旅費規則及大藏省所管旅費支給規則ヲ準用ス

附　則

本規則ハ公布ノ日ヨリ之ヲ施行ス

附　則　（大正九年九月總令第一二九號）

本令ハ大正九年六月一日以後ノ旅行ニ付之ヲ適用ス

大正九年六月一日前轉任ヲ命セラレ又ハ新ニ任用セラレ若ハ新ニ任用スル爲召喚セラレタル者同日以後ニ著任シタルトキハ本令ニ依リ赴任手當及移轉料ヲ支給ス

前項ニ規定スル者ノ家族本令施行後新任地ニ到著シタルトキハ本令ニ依リ家族移轉料ヲ支給ス

附　則　（大正一〇年總令第二九號）

本令ハ發布ノ日ヨリ施行シ大正十年二月一日以後ノ旅行ニ付之ヲ適用ス

本令施行ノ際現ニ囑託員又ハ雇員タルモノニシテ本令ニ依リ其ノ待遇ヲ低下セラルル者ハ仍從前ノ例ニ依リ旅費ヲ支給ス

第一號表

等級		車馬賃 一里ニ付	日當 一日ニ付	宿泊料 一夜ニ付	食卓料 一夜ニ付	移轉料
親任官		二圓五十錢	十三圓	二十二圓	四圓	三百圓以内
勅任官		二圓	九圓	十五圓	三圓五十錢	二百二十圓以内
奏任官	五等以上	一圓五十錢	七圓	十圓	二圓五十錢	百五十圓以内
	六等以下	一圓五十錢	六圓	九圓	二圓五十錢	百五十圓以内
判任官	五級俸以上	一圓二十錢	四圓	七圓	二圓	百圓以内
	六級俸以下	一圓二十錢	三圓五十錢	六圓	二圓	百圓以内

第二號表

區別	鐵道賃	船賃	車馬賃 一里ニ付	日當 一日ニ付	宿泊料 一夜ニ付	食卓料 一夜ニ付	移轉料
甲額	三等定價通行稅ヲ含ム	三等定價通行稅及艀船賃ヲ含ム	九十錢	二圓五十錢	四圓五十錢	一圓二十錢	五十圓以内
乙額			七十錢	二圓	三圓五十錢	八十錢	三十五圓以内

一　内地旅行ノ場合ハ大藏省所管旅費支給規則ノ定額ニ依ル

二　鐵道五十哩、水路五十海里以上ノ旅行ニ在リテハ急行料金ヲ支給ス　但シ急行料金ヲ徴セサル線路ニ依リ旅行スル場合ニ於テハ此ノ限ニ在ラス

第三號表

等級	支度料
勅任官	二百圓以内
奏任官	百二十圓以内
判任官	六十圓以内
第四條ニ掲クル者	三十圓以内
傭人	二十圓以内

六　朝鮮總督府判任官以上ノ待遇ヲ受クル者、囑託員、雇員及傭人外國旅費規程

大正一二年二月
總令第二〇號

第一條　親任官又ハ勅任官ノ待遇ヲ受クル者ニハ親任官又ハ勅任官相當ノ旅費ヲ支給ス

第二條　奏任官ノ待遇ヲ受クル者ニシテ官等ノ配當アル者ニハ其ノ官等相當ノ旅費、官等ノ配當ナキ者ニハ俸給又ハ手當ノ額(月額ノモノハ十二月分ヲ以テ年額トス)ニ依リ左ノ區分ニ從ヒ旅費ヲ支給ス

一　本俸年額三千六百圓以上ノ者、内地人ニシテ手當年額四千八百圓以上ノ者又ハ朝鮮人ニシテ手當年額三千六百圓以上ノ者ニハ奏任官

五等以上ノ者ニ支給スヘキ額

二　前號ノ金額ニ達セサル者又ハ俸給若ハ一定ノ手當ヲ給セサル者ニハ奏任官六等以下ノ者ニ支給スヘキ額

第三條　判任官ノ待遇ヲ受クル者ニハ判任官相當ノ旅費ヲ支給ス　但シ部長ニ非サル巡査、看守又ハ之ニ準スルモノニシテ本俸（精勤加俸及功勞加俸ヲ含ム）五十五圓未滿ノ者ニ在リテハ別表甲額ニ依ル

第四條　囑託員ニシテ本官アル者（退職ノ者及退職ニ準スヘキ休職者ヲ除ク）ニハ本官相當ノ旅費、判任官以上ノ待遇ヲ受クル官職ニ在ル者ニハ第一條乃至第三條ノ區別ニ從ヒ各待遇相當ノ旅費ヲ支給ス

第五條　前條ノ規定ニ該當セサル職員ニハ其ノ常時一定ノ手當ヲ給スル者ニ在リテハ其ノ手當額（年額ノモノハ十二分ノ一、日額ノモノハ三十日分ヲ以テ月額ト看做ス）ニ依リ、一時手當ヲ給スル者又ハ手當ヲ給セサル者ニ在リテハ爵位勳功學位ニ依リ左ノ區分ニ從ヒ旅費ヲ支給ス　但シ後段ノ場合爵位勳功學位ヲ併有スルトキハ高キニ從フ

一　內地人ニシテ手當月額四百圓以上ノ者又ハ朝鮮人ニシテ手當月額參百圓以上ノ者ニハ奏任官五等以上ノ者ニ支給スヘキ額

二　內地人ニシテ手當月額二百五十圓以上ノ者又ハ朝鮮人ニシテ手當月額百七十圓以上ノ者ニハ奏任官六等以下ノ者ニ支給スヘキ額

三　內地人ニシテ手當月額七十五圓以上ノ者又ハ朝鮮人ニシテ手當月額五十五圓以上ノ者ニハ判任官ニ支給スヘキ額

四　有爵者、正六位以上、勳五等以上又ハ功四級以上ノ者ニハ奏任官五等以上ノ者ニ支給スヘキ額

五　從六位、勳六等、功五級又ハ學位ヲ有スル者ニハ奏任官六等以下ノ者ニ支給スヘキ額

六　正七位以下、勳七等以下又ハ功六級以下ノ者ニハ判任官ニ支給スヘキ額

七　前各號ニ該當セサル者ニハ別表甲額

第六條　雇員ニハ左ノ區分ニ從ヒ旅費ヲ支給ス但シ日額ノモノハ三十日分ヲ以テ月額ト看做ス

一　內地人ニシテ給料月額七十五圓以上ノ者又ハ朝鮮人ニシテ給料月額五十五圓以上ノ者ニハ判任官ニ支給スヘキ額

二　前號以外ノ者ニハ別表甲額

第七條　傭人ニハ左ノ區分ニ從ヒ旅費ヲ支給ス但シ月額ノモノハ三十分ノ一ヲ以テ日額ト看做ス

一　水火夫長、司厨長、職工長、組長及之ニ準スル者又ハ給料日額三圓五十錢以上ノ者ニハ別表甲額

二　前號以外ノ者ニハ別表乙額

臨時傭人ニシテ其ノ業ニ從事シ勞銀ヲ給スル日ハ日當、宿泊料又ハ食卓料ハ之ヲ支給セス

第八條　囑託員、雇員及傭人ニシテ臨時ニ採用シタル者又ハ常時一定ノ手當若ハ給料ヲ給セサル者ニハ死亡手當ハ之ヲ支給セス

傭外國人ニシテ其ノ本國內ニ於テ死亡シタルトキ亦同シ

第九條　官吏ニ非サル船舶乘組員ニシテ外國ニ於テ死亡シタルトキハ死亡手當ヲ支給スルコトヲ得但シ前條ニ該當スル者ニ付テハ此ノ限ニ在ラス

第十條　本規程ニ定ナキ者又ハ特別ノ事情ニ依リ本規程ニ依リ難キ者ノ

旅費ニ關シテハ其ノ身分並用務ノ性質ニ依リ其ノ都度之ヲ定ム

第十一條 各官署ノ長ハ旅費ノ減額ヲ要シ又ハ其ノ支給ヲ要セスト認ムルトキハ其ノ事由ヲ具シ朝鮮總督ニ禀申スヘシ

第十二條 本規程ニ規定スルモノヲ除クノ外旅費ノ支給方ニ關シテハ外國旅費規則及外國旅費規則細則ニ依ル

附　則

本令ハ大正十一年四月一日以後ノ旅行ニ付之ヲ適用ス

大正十一年四月一日前本邦ヲ出發シ大正十一年四月一日以後歸任シタル者ニ對シテハ本令ニ依リ旅費ヲ支給ス

（別表）旅費額

區別	鐵道賃及船賃	日當	宿泊料 甲地方	宿泊料 乙地方	宿泊料 丙地方	食卓料	支度料 甲乙地方	支度料 丙地方	移轉料 甲額	移轉料 乙額	死亡手當 甲乙地方	死亡手當 丙地方
甲額	（イ）運賃ノ等級ヲ三階級以上ニ區分スルトキハ二等ノ定價（ロ）同上二階級ニ區分スルトキハ下級ノ定價（ハ）運賃ノ等級ヲ區分セサルトキハ其ノ乘車又ハ乘船ニ要スル運賃	四圓	十八圓	十四圓	十圓	三圓	三百五十圓以内	二百圓以内	百五十圓以内	百圓以内	千圓以内	七百圓以内
乙額		三圓	十五圓	十圓	七圓	二圓	二百五十圓以内	百五十圓以内	百二十圓以内	八十圓以内	七百圓以内	五百圓以内

一　鐵道賃ハ前掲ノ旅客運賃（通行稅ヲ含ム）ノ外急行料金又ハ寢臺料金ヲ要シタルトキハ之ヲ支給スルコトヲ得　但シ寢臺料金ノ支給ヲ受クル場合ニ於ケル宿泊料ハ定額ノ十分ノ七トス

二　船賃ハ前掲ノ旅客運賃（通行稅、艀船賃及棧橋賃ヲ含ム）ノ外別ニ急行料金ヲ要シタルトキハ之ヲ支給スルコトヲ得

二等運賃ヲ數種ニ區分スルモノニ在リテハ最低二等運賃ニ其ノ三割ヲ加算シタル額ノ限度ヲ超エサル範圍ニ於テ現ニ支拂ヒタル料金迄ヲ支給ス

三　隨員タル雇員、傭人又ハ從者（通辯及案内者ヲ含ム）ニ限リ特別ノ事情ニ因リ前二號ノ支給額ヲ以テ支辦スルコト能ハサル座席又ハ船室ヲ要シタル場合ニ於テハ最低一等運賃迄ヲ支給スルコトヲ得

四　出張ヲ命セラレタル者ノ旅行中携帶スル私屬ノ荷物ハ七十五「キログラム」迄ヲ限リ其ノ運賃ヲ支給スルコトヲ得

七　朝鮮總督府判任官以上ノ待遇ヲ受クル者、囑託員、雇員及傭人南洋郡島關東州南滿洲旅費規程

大正一二年二月
總令第二一號

第一條　親任官又ハ勅任官ノ待遇ヲ受クル者ニハ親任官又ハ勅任官相等ノ旅費ヲ支給ス

第二條　奏任官ノ待遇ヲ受クル者ニシテ官等ノ配當アル者ニハ其ノ官相當ノ旅費、官等ノ配當ナキ者ニハ俸給又ハ手當額（月額ノモノハ十二月分ヲ以テ年額トス）ニ依リ左ノ區分ニ從ヒ旅費ヲ支給ス

一　本俸年額三千六百圓以上ノ者若ハ內地人ニシテ手當年額四千八百圓以上、朝鮮人ニシテ手當年額三千六百圓以上ノ者ニハ奏任官五等以上ノ者ニ支給スヘキ額

二　前號ノ金額ニ達セサル者又ハ俸給若ハ一定ノ手當ヲ給セサル者ニハ奏任官六等以下ノ者ニ支給スヘキ額

第三條　判任官ノ待遇ヲ受クル者ニハ左ノ區分ニ從ヒ旅費ヲ支給ス

一　本俸月額百十圓以上又ハ內地人ニシテ給料若ハ手當月額百七十圓以上、朝鮮人ニシテ給料若ハ手當月額百十圓以上ノ者ニハ判任官五級俸以上ノ者ニ支給スヘキ額

二　前號ノ金額ニ達セサル者ニハ判任官六級俸以下ノ者ニ支給スヘキ額但シ部長ニ非サル巡査、看守又ハ之ニ準スル者ニシテ本俸（精勤加俸及功勞加俸ヲ含ム）五十五圓未滿ノモノニ在リテハ別表甲額ニ依ル

第四條　巡査、看守又ハ之ニ準スル者南滿洲株式會社ノ經營ニ屬スル鐵道ニ依リ刑事被告人若ハ囚人押送、旅行者ノ警護又ハ要監視人尾行ノ場合ニ於テ特ニ必要アルトキハ前條ノ規定ニ拘ラス其ノ乘車ニ要スル運賃ヲ支給スルコトヲ得

前項ノ場合ニ於テ割引乘車劵ノ交付ヲ受ケタル者一等車ニ依リ旅行シタルトキハ其ノ定價ノ二分ノ一、二等車ニ依リ旅行シタルトキハ其ノ定價ノ三分ノ二、三等車ニ依リ旅行シタルトキハ其ノ定價迄ヲ支給ス

第五條　囑託員ニシテ本官アル者（退隱ノ者及退職ニ準スヘキ休職者ヲ除ク）ニハ本官相當ノ旅費、判任官以上ノ待遇ヲ受クル官職ニ在ル者ニハ第一條乃至第三條ノ區別ニ從ヒ各待遇相當ノ旅費ヲ支給ス

第六條　前條ノ規定ニ該當セサル囑託員ニハ其ノ常時一定ノ手當ヲ給スル者ニ在リテハ其手當額（年額ハ十二分ノ一、日額ハ三十日分ヲ以テ月額ト看做ス）ニ依リ、一時手當ヲ給スル者又ハ手當ヲ給セサル者ニ在リテハ爵位勳功學位ニ依リ左ノ區分ニ從ヒ旅費ヲ支給ス　但シ後段ノ場合爵位勳功學位ヲ併有スルトキハ高キニ從フ

一　內地人ニシテ手當月額四百圓以上ノ者又ハ朝鮮人ニシテ手當月額三百圓以上ノ者ニハ奏任官五等以上ノ者ニ支給スヘキ額

二　內地人ニシテ手當月額二百五十圓以上ノ者又ハ朝鮮人ニシテ手當月額百七十圓以上ノ者ニハ奏任官六等以下ノ者ニ支給スヘキ額

三　內地人ニシテ手當月額百七十圓以上ノ者又ハ朝鮮人ニシテ手當月額百十圓以上ノ者ニハ判任官五級俸以上ノ者ニ支給スヘキ額

四　內地人ニシテ手當月額七十五圓以上ノ者又ハ朝鮮人ニシテ手當月額五十五圓以上ノ者ニハ判任官六級俸以下ノ者ニ支給スヘキ額

五　有爵者、正六位以上、勳五等以上又ハ功四級以上ノ者ニハ奏任官

五等以上ノ者ニ支給スヘキ額

六　從六位、勳六等、功五級又ハ學位ヲ有スル者ニハ奏任官六等以下ノ者ニ支給スヘキ額

七　正七位、從七位、勳七等又ハ功六級ノ者ニハ判任官五級俸以上ノ者ニ支給スヘキ額

八　正八位以下、勳八等又ハ功七級ノ者ニハ判任官六級俸以下ノ者ニ支給スヘキ額

九　前各號ニ該當セサル者ニハ別表甲額

第七條　雇員ニハ左ノ區分ニ從ヒ旅費ヲ支給ス　但シ日額ノモノハ三十日分ヲ以テ月額ト看做ス

一　內地人ニシテ給料月額七十五圓以上又ハ朝鮮人ニシテ給料月額五十五圓以上ノ者ニハ判任官六級俸以下ノ者ニ支給スヘキ額

二　前號以外ノ者ニハ別表甲額

第八條　傭人ニハ左ノ區分ニ從ヒ旅費ヲ支給ス　但シ月額ノモノニ在リテハ三十分ノ一ヲ以テ日額ト看做ス

一　巡視、門衞其ノ他廳內取締ノ役務ニ服スル者並運轉士、機關士、水火夫長、司厨長、職工長、組長及之ニ準スル者又ハ給料日額三圓五十錢以上ノ者ニハ別表甲額

二　前號以外ノ者ニハ別表乙額

臨時傭人ニシテ其ノ業ニ從事シ勞銀ヲ給スル日ハ日當、宿泊料又ハ食卓料ハ之ヲ支給セス

第九條　囑託員、雇員及傭人ニシテ臨時ニ採用シタル者又ハ常時一定ノ手當若ハ給料ヲ給セサル者ニハ死亡手當ハ之ヲ支給セス

第十條　官吏ニ非サル船舶乘組員ニシテ南洋群島關東州又ハ南滿洲ニ於テ死亡シタルトキハ死亡手當ヲ支給スルコトヲ得　但シ前條ニ該當スル者ニ付テハ此ノ限ニ在ラス

第十一條　本規程ニ定ナキ者又ハ特別ノ事情ニ依リ本規程ニ依リ難キ者ノ旅費ニ關シテハ其ノ身分並用務ノ性質ニ依リ其ノ都度之ヲ定ム

第十二條　各官署ノ長ハ旅費ノ減額ヲ要シ又ハ其ノ支給ヲ要セスト認ムルトキハ其ノ事由ヲ具シ朝鮮總督ニ稟申スヘシ

第十三條　本規程ニ規定スルモノヲ除クノ外旅費ノ支給方ニ關シテハ南洋群島關東州南滿洲旅費規則及南洋群島關東州南滿洲ノ旅費規則施行細則ニ依ル

附　則

本令ハ大正十一年四月一日以後ノ旅行ニ付之ヲ適用ス

大正十一年四月一日前本邦ヲ出發シ大正十一年四月一日以後歸任シタル者ニ對シテハ本令ニ依リ旅費ヲ支給ス

（別　表）

旅　費　額

區分	鐵道賃及船賃	車馬賃	日當	宿泊料	食卓料	支度料	移轉料	死亡手當

甲額	乙額
（イ）南滿洲鐵道株式會社ノ經營ニ屬スル鐵道線路ニ付テハ三等ノ定價 （ロ）前號以外ノ運賃ニシテ其ノ等級ヲ三階級以上ニ區分スルトキハ二等ノ定價 （ハ）同上二階級ニ區分スルトキハ下級ノ定價 （ニ）運賃ノ等級ヲ區分セサルトキハ其ノ乘車又ハ乘船ニ要スル運賃	
一圓二十錢	一圓
四圓	三圓
八圓	六圓
二圓	一圓五十錢
百七十圓以内	百二十圓以内
八十五圓以内	七十圓以内
四百圓以内	三百圓以内

一 鐵道賃及船賃ハ前掲ノ旅客運賃（通行稅、艀船賃及棧橋賃ヲ含ム）ノ外別ニ急行料金ヲ要シタルトキハ之ヲ支給スルコトヲ得

二 車馬賃ハ南洋群島内ノ旅行ニ付テハ之ヲ支給セス

三 出張ヲ命セラレタル者ノ旅行中携帶スル私屬ノ荷物ハ二十貫迄ヲ限リ其ノ運賃ヲ支給スルコトヲ得

八 朝鮮總督府減額旅費規程

大正三年八月
訓令第四五號

改正 四年五第三一號 六第三八號 一一第五六號 八年六第二二號 一二第五二號 九年九第三八號 一一第五三號 一二第六五號 一〇年四第一八號 一一年四第一四號

第一章 總則

第一條 朝鮮總督府及所屬官署職員ニ支給スル旅費ノ減額ハ別ニ定ムルモノヲ除クノ外本規程ニ依ル

第二條 在勤廳所在地ヨリ一里以内ノ地ハ之ヲ在勤廳所在地ト看做ス

第二條ノ二 本規程ニ依ル出張ニ付テハ第十條、第三十三條、第四十條、第四十五條、第四十六條、第四十七條及第五十四條ノ場合ヲ除クノ外其ノ用務地ヲ指定スヘシ

專賣支局、其ノ出張所、道府郡島及道慈惠醫院職員ノ在勤廳所在ノ道管内ノ出張ニ付テハ前項ノ規定ヲ適用セス 但シ其ノ用務上出張頻繁ナルモノ、一定ノ地域ニ永ク滯在スルモノ又ハ第五十七條第二項ノ規定ニ該當スルモノニ付テハ特ニ其ノ用務地ヲ指定スヘシ

第三條 前條ノ用務地ハ府郡島ノ區域ニ依ル 但シ隣接スル府郡ハ之ヲ一區域ト爲スコトヲ得

用務ノ都合上府郡島ノ區域ニ依リ難キモノハ朝鮮總督ノ認可ヲ受ケ別ニ之ヲ定ムルコトヲ得

用務地外ニ宿泊シテ用務地ニ往復スル場合ニハ其ノ宿泊地及用務地ニ至ル沿道ヲ用務地ト看做ス

第四條 在勤廳所在地ト用務地間及用務地相互間ノ往復ニハ朝鮮總督府旅費規則ニ依リ旅費ヲ支給ス 但シ管内又ハ特定ノ區域内ヲ旅行スル場合ニ於テ其ノ減額旅費ヲ受クル者ニ付テハ此ノ限ニ在ラス

第五條 削除

第六條　一定ノ日額旅費ヲ受クル者其ノ用務ニ從事中他ノ用務ノ爲旅行シタルトキハ其ノ旅行ヲ終リタル日ハ原用務ニ依ル日額旅費ヲ支給ス

第七條　日額旅費ヲ受クル者同一地ニ滯在三十日ヲ超ユルトキハ第四十三條ヲ除クノ外其ノ日ヨリ第四號表ノ旅費ヲ支給ス

前項ノ日數ノ計算ニ付テハ滯在中他ニ旅行シ滯在地ニ復歸シタル場合ニ於ケル前後ノ日數ヲ通算ス

第八條　日額旅費ヲ受クル者官用ノ船舶ニ依リ旅行ヲ爲シタル場合ニ於テ官ヨリ賄ヲ爲サザルトキハ第三十五條、第三十八條及第五十五條ノ場合ヲ除クノ外朝鮮總督府旅費規則ノ食卓料ヲ支給ス

第九條　第一號表乃至第三號表ノ日額旅費ヲ受クル者歸廳ノ日又ハ船中ニ宿泊シタル日ハ第四號表ノ旅費ヲ支給ス

前項ノ日額旅費ヲ受クル者日歸旅行ヲ爲シタルトキ、旅行中退官、退職、休職ト爲リタルトキ、死亡シタルトキ又ハ出張地ニ於テ其ノ儘在勤ヲ命セラレタルトキ亦前項ニ同シ　但シ日歸旅行ヲ爲シタル場合ニ於テ陸路六里未滿、鉄道四十八哩未滿、水路三十海重未滿ナルトキハ第五號表ノ旅費ヲ支給ス

第三十三條及第四十九條ノ日額旅費ヲ受クル者內地旅行ノ場合ニ於テ船中宿泊ノ日ハ內國旅費規則又ハ大藏省所管旅費支給規則ノ日當ヲ支給ス其ノ務行中退官、退職若ハ休職トナリタルトキ又ハ死亡シタルトキ亦同シ

第十條　兼務者兼務ノ爲兼勤廳ニ出張スル場合ハ第一號表ノ日額及第八號表ノ車馬賃ヲ支給ス　但シ本府及所屬官署以外ニ其ノ本務ヲ有スル者ニ付テハ此ノ限ニ在ラス

第十一條　日額旅費ヲ受クル者在勤廳所在地ノ府面ニ出張シタルトキハ第六號表ノ旅費ヲ支給ス

前項ノ場合ニ於テ公務ノ都合ニ依リ宿泊ヲ要シタルトキハ第三號表ノ旅費ヲ支給ス但シ歸廳ノ日ハ此ノ限ニ在ラス

第十一條ノ二　第十條、第二十四條第一項、第二十七條第一項、第二十八條第一項但書、第三十三條、第三十四條、第三十九條第一項、第四十五條、第四十六條、第四十七條、第五十一條、第五十四條、第五十八條、第五十九條第一項但書及同條第二項ノ出張ニシテ朝鮮總督府旅費規則第十七條第一項ニ該當スル場合ニ於テハ第八號表ノ車馬賃ヲ支給ス

第十二條　日額旅費ヲ受クル者管內、用務地內又ハ特定ノ區域內ヲ旅行スル場合ニ於テ鐵道又ハ水路ニ依リタルトキハ鐵道賃又ハ船賃ヲ支給ス

前項ノ場合ニ於テ輕便鐵道又ハ電車ニ乘車シタルトキハ鐵道賃ニ準シ實費ヲ支給ス

第十三條　削除

第十四條　削除

第十五條　日額旅費又ハ月額旅費ヲ受クル者管內出張中管外ヲ通過シタルトキハ管內ニ於ケル旅費、管外出張ノ途次管內ヲ通過シタルトキハ管外ニ於ケル旅費ヲ支給ス

第十六條　所屬官署職員ニシテ土木建築工事ニ從事スル者ノ旅費ニ付テハ第二十三條ノ規定ヲ準用ス

第十七條　削除

第十七條ノ二　朝鮮總督府醫院、道慈惠醫院竝濟生院ノ看護人、看護婦、助産婦、保姆及職工赴任ノ場合ノ車馬賃ハ一里ニ付內地ニ在リテハ四十錢、朝鮮ニ在リテハ五十錢トス移轉料及家族移轉料ハ之ヲ支給セス

第十八條　常傭ニ非サル傭人ニ支給スル車馬賃ハ一里ニ付四十錢トス

第十八條ノ二　內地ヨリ赴任スル場合ヲ除クノ外家族移轉料ハ定額ノ半額ヲ支給ス

第十九條　旅費ノ定額ヲ減シ又ハ旅費ノ一部若ハ全部ヲ支給スルノ必要ナシト認ムルトキハ遞信官署及海員審判所ニ係ルモノハ遞信局長、道府郡島、警察署、道慈惠醫院及公立學校ニ係ルモノハ道知事、專賣局、稅關、營林廠、平壤鑛業所、勸業模範場、中央試驗所、高等法院（檢事局ヲ含ム）覆審法院（檢事局竝其ノ所在地ノ地方法院及同檢事局ヲ含ム）地方法院（檢事局ヲ含ム）監獄及官立學校ニ係ルモノハ當該官署ノ長、其ノ他ノ官署及本府ニ係ルモノハ庶務部長之ヲ決定シ其旨報告スヘシ

第二章　本府職員旅費

第二十條　土地改良踏査、水産試驗、鑛區臨檢、鑛床調査、林業調査及試驗造林事業又ハ煙草ノ耕作指導若ハ調査ニ從事スル者ノ用務地內ニ於ケル出張ニハ第一號表ノ旅費ヲ支給ス

第二十一條　削除

第二十二條　測量ニ從事スル者ノ用務地內ニ於ケル出張ノ旅費ハ第二號表ニ依ル

第二十三條　土木建築工事ニ從事スル者ノ用務地內ニ於ケル出張ノ旅費ハ第三號表ニ依ル

前項ノ職員ニシテ土木部出張所長又ハ之ニ準スヘキ者ニハ其ノ日額ノ三割ヲ加給ス

第二十四條　土木部出張所職員在勤廳所在ノ道管內ニ出張ノ場合ハ第一號表ノ日額及第八號表ノ車馬賃ヲ支給ス　但シ所長ニハ其ノ日額ノ三割ヲ加給ス

普通旅費ヲ受クル者ニ隨行又ハ同行スル者ニ付テハ前項ノ規定ニ拘ラス朝鮮總督府旅費規則ノ旅費ヲ支給ス

第二十五條　削除

第二十六條　殖産局鑛務課出張所職員測量又ハ採鑛用務ノ爲其ノ出張所ノ所管區域內ニ出張ノ場合ノ旅費ハ第二號表ニ依ル　但シ其ノ職員ノ擔當スル用務區域內ニ在ル場合ニハ旅費ヲ支給セス

第二十六條ノ二　殖産局山林課出張所職員林業ニ關スル用務ノ爲其ノ所轄區域內ニ出張スル場合ノ旅費ハ第二號表ニ依ル

第三章　道、府、郡、島、道慈惠醫院職員、警察官以外ノ警察署職員旅費

第二十七條　道、府、郡、島及道慈惠醫院職員竝警察官以外ノ警察署職員其ノ道管內出張ノ場合ハ道知事ヲ除クノ外第一號表ノ日額及第八號表ノ車馬賃ヲ支給ス　但シ第二條ノ二第二項但書ニ依ル用務地內旅行ノ場合ニハ車馬賃ヲ支給セス

道參與官、部長タル道事務官又ハ道慈惠醫院長ニハ第一號表日額ノ二割ヲ加給ス

第二十二條ノ規定ハ道職員ニシテ測量ニ從事スル者ノ旅費ニ付之ヲ準用ス

第二十八條　郡島職員其ノ郡島管內出張ノ場合又ハ警察官以外ノ警察署

職員其ノ警察署管內出張ノ場合ノ旅費ハ第二號表ニ依ル　但シ郡守島守ニハ第八號表ノ車馬賃ヲ支給ス

前項ノ規定ハ道職員ニシテ郡島駐在ノ者其ノ郡島管內ノ出張ノ場合ニ之ヲ準用ス

第二十九條　普通旅費ヲ受クル者ニ隨行又ハ同行スル者ニ付テハ前二條ノ規定ニ拘ラス朝鮮總督府旅費規則ノ旅費ヲ支給ス

第二十九條ノ二　第二十七條又ハ第二十八條ノ旅行ノ場合ニ於テ車馬賃ノ支給ヲ受クル者ト同行ヲ命セラレタルトキハ其ノ同行者ニ給スヘキ車馬賃ニ關スル規定ニ依リ車馬賃ヲ支給ス

第三十條　府郡島職員其ノ道管內ニ於テ事務練習又ハ講習ヲ受クル爲出張シ其ノ地ニ滯在中ノ旅費ハ第二號表ニ依ル

第三十一條　道森林主事及森林監守ニハ左ノ區分ニ依リ第七號表ノ月額旅費ヲ支給ス

一　新ニ赴任シタルトキハ著任ノ翌日ヨリ解職死亡等ノ場合ニハ服務ノ最終ノ日迄日割ヲ以テ之ヲ支給ス

二　他ノ用務ヲ以テ出張ヲ爲シタルトキハ其ノ出張日數ヲ除キ日割ヲ以テ之ヲ支給ス

三　賜暇、病氣其ノ他ノ故障ニ依リ缺勤引續十日ニ及フトキハ其ノ以後ノ缺勤日數ニ對シテハ月額旅費ヲ支給セス

第四章　學校職員旅費

第三十二條　削除

第三十三條　官立學校職員學術研究ノ爲、講習ヲ受クル爲又ハ修學旅行ノ學生ニ附添ノ爲出張スル場合ハ朝鮮內ノ旅行ニ在リテハ第一號表ノ日額及第八號表ノ車馬賃ヲ、內地旅行ニ在リテハ第二號表ノ日額及第八號表ノ車馬賃ヲ支給ス

第三十四條　前條ノ規定ハ公立學校職員ニ之ヲ準用ス

第五章　稅關職員旅費

第三十五條　巡邏船ニ常時乘組ノ稅關監吏其ノ船舶ニ依リ又ハ稅關監視署在勤監吏巡邏船ニ依リ定繫港外ニ航行ノ場合ノ旅費ハ日額三圓トシ食卓料ハ之ヲ支給セス

第三十六條　稅關監視署及陸接國境稅關出張所職員其ノ管轄區域內ニ出張ノ場合ノ旅費ハ官船ニ依ル旅行ヲ除クノ外第二號表ニ依ル收入金拂込及歲出金受取ノ爲其ノ管轄區域外ニ出張ノ場合亦同シ

第三十六條ノ二　稅關監視署職員官船ニ依リ出張ノ場合ニ於テ上陸宿泊シタルトキノ旅費ハ第二號表ニ依ル其ノ出張ニシテ一旦上陸シ陸上行程四里ニ及ヒタル場合ニ於テ再ヒ乘船シ船中ニ宿泊シタルトキ亦同シ

第三十七條　削除

第三十八條　旅客携帶品檢査ノ爲關釜連絡船ニ乘船ノ稅關監吏ニハ日額旅費二圓ヲ支給シ食卓料ハ之ヲ支給セス

第六章　營林廠職員旅費

第三十九條　營林廠職員鴨綠江及豆滿江ノ流域（對岸三里ノ地ヲ含ム）ニ出張ノ場合ノ旅費ハ第一號表ノ日額及第八號表ノ車馬賃ヲ支給ス　但シ營林廠長ノ出張ニ付テハ此ノ限ニ在ラス

營林廠職員森林調査其ノ他特別作業ノ爲用務地內ニ於ケル出張ノ旅費ハ第二號表ノ日額ヲ支給ス

第四十條　左ノ各項ノ場合ノ旅費ハ第二號表ニ依ル

一 支廠又ハ出張所職員其ノ支廠又ハ出張所管內ニ出張スルトキ
二 漂流木整理ノ爲出張スルトキ

第四十一條 作業場ニ勤務スル者其ノ作業地區內ニ出張ノ場合ニハ旅費ヲ支給セス

第五十一條ノ規定ハ營林廠森林主事ニ之ヲ準用ス

第七章 平壤鑛業所職員旅費

第四十二條 平壤鑛業所職員其ノ所管區域內出張ノ場合ニ於テ其ノ行程六里未滿ナルトキハ車馬賃ヲ支給セス

第四十三條 石炭積卸用務ニ從事スル者ノ鎭南浦加德島ニ滯在中旅費ハ判任官ニハ日額二圓、朝鮮總督府旅費規則第四條ニ揭クル者ニハ日額一圓五十錢ヲ支給ス

前項ノ用務ノ爲石炭積卸場事務所ニ居住スル者ニハ其ノ地到著ノ翌日ヨリ出發ノ前日迄旅費ヲ支給セス

第四十四條 探鑛事務ニ從事スル爲出張スル者ノ旅費ハ第二號表ニ依ル

第八章 勸業模範場、林野調査委員會及濟生院職員旅費

第四十五條 勸業模範場、支場又ハ出張所職員其ノ廳ノ經營スル業務用地ニ出張スル場合ハ第二號表ノ日額及第八號表ノ車馬賃ヲ支給ス 但勸業模範場長ノ出張ニ付テハ此ノ限ニ在ラス

第四十五條ノ二 林野調査委員會職員調査ノ爲用務地內(府郡島)ニ於ケル出張ノ旅費ハ第二號表ニ依ル

第四十六條 濟生院職員京城府ト所屬農場間ノ出張ノ場合ハ第二號表ノ日額及第八號表ノ車馬賃ヲ支給ス

第九章 裁判所、檢事局竝監獄職員旅費

第四十七條 裁判所及檢事局職員臨檢、搜查、强制執行若ハ之ニ關スル通譯又ハ職務代理ノ爲出張ノ場合ハ第一號表ノ日額及第八號表ノ車馬賃ヲ支給ス

第四十八條 監獄職員外役囚戒護ノ爲出張スル場合ハ第五號表ノ旅費ヲ支給ス

第四十九條 看守長、看守カ(監獄官練習所)ニ入所ノ爲又ハ(監獄醫)帝國大學醫學講習科ノ講習ヲ受クル爲內地ニ出張スル者其ノ地滯在中ノ旅費ハ第四號表ニ依ル

第十章 遞信官署職員旅費

第五十條 遞信業務臨時補助ノ爲出張スル者用務地ニ滯在中ノ旅費ハ第二號表ニ依ル

第五十一條 電信電話線路ノ建設若ハ保守ヲ掌ル郵便局在勤ノ技術員又ハ遞信業務臨時補助ノ爲出張中ノ技術員電信電話線路調査又ハ同工事施行ノ爲其ノ擔當區內ニ於テ出張ノ場合ハ第一號表ノ日額及第八號表ノ車馬賃ヲ支給ス

第五十二條 削除

第五十三條 郵便局職員カ郵便集配監視、郵便貯金奬勵、出張貯金取扱又ハ郵便函設置ニ關シ其ノ郵便區內ニ於ケル出張ノ場合ノ旅費ハ第二號表ニ依ル 但シ郵便區市內ノ出張ニハ旅費ヲ支給セス

第五十四條 遞信局各出張所職員又ハ各地航路標識在勤ノ職員其ノ監守スル燈標ノ監視若ハ修繕ノ爲出張スル場合ハ官船ニ依ル者ヲ除クノ外第二號表ノ日額及第八號表ノ車馬賃ヲ支給ス

第五十五條 前條ノ用務ニ從事スル爲官船ニ依リ出張スル者ニハ特定ノ

燈標ニ依リ出張ノ場合ノ外旅費ヲ支給セス

特定ノ燈標ニ出張ノ場合ノ旅費ハ第四號表ニ依ル　但シ食卓料ヲ支給セス

前項ノ燈標ハ遞信局長之ヲ指定ス

第五十六條　鐵道郵便係員又ハ其ノ代務者鐵道乘務出張ノ場合ノ旅費ハ左ノ區分ニ從ヒ之ヲ支給ス

一　日當ハ一圓二十錢ヲ支給ス

二　宿泊料ハ乘務先ニ下車シ次便乘務迄ノ間隔二日以上ニ亘リタル場合ハ二圓五十錢、夜中乘務ノ日時ノ二日以上ニ亘リタル場合ハ二圓ヲ支給ス

三　汽車不通其ノ他ノ事故ニ因リ指定外ノ地ニ下車シタルトキハ其ノ當日ヨリ出發前日迄ノ日數又ハ夜數ニ應シ判任官ハ日當二圓、宿泊料三圓、雇員ハ日當一圓五十錢、宿泊料二圓五十錢ヲ支給ス

第十一章　專賣局船員旅費

第五十七條　專賣局職員ニシテ葉煙草又ハ人蔘ノ耕作指導、檢査、査定、收納、調査ニ從事スル者又ハ專賣取締ニ從事スル者ノ用務地内ニ於ケル出張ノ旅費ハ第一表ニ依ル

前項ノ規定ハ專賣支局及其ノ出張所ノ職員ニ付キ之ヲ準用ス

第五十八條　前條第二項ノ場合ヲ除クノ外專賣支局及其ノ出張所ノ職員在勤廳所在ノ道管内出張ノ場合ニハ第一號表ノ日額及第八號表ノ車馬賃ヲ支給ス　但シ支局長ニハ其ノ日額ノ二割ヲ加給ス

第五十九條　專賣支局ノ出張所職員在勤廳所在ノ府郡管内出張ノ場合ノ旅費ハ第二號表ニ依ル　但シ所長ニハ第八號表ノ車馬賃ヲ支給スルコトヲ得

前項ノ場合ニ於テ警察署長其ノ他車馬賃ノ支給ヲ受クヘキ本務ヲ有スル囑託員ニハ其ノ本務ノ官等級ニ從ヒ第八號表ノ車馬賃ヲ支給ス

第六十條　第二十九條及第二十九條ノ二ノ規定ハ前二條ノ場合ニ之ヲ適用ス

附　則　（大正九年九月總訓第二八號）

本令ハ大正九年六月**一日**以後ノ旅行ニ付之ヲ適用ス

第一號表

等級	日額
勅任官	十三圓
奏任官	十圓
判任官	七圓
朝鮮總督府旅費規則第四條ニ掲クル者	五圓
傭人	三圓

第二號表

等級	日額
奏任官	八圓
判官任	九圓
朝鮮總督府旅費規則第四條ニ掲クル者	三圓五十錢

傭人	二圓五十錢

第三號表

等級	日額
奏任官	六圓五十錢
判任官	四圓
朝鮮總督府旅費規則第四條ニ掲クル者	三圓
傭人	二圓

第四號表

等級	日額
勅任官	六圓
奏任官	四圓
判任官	三圓
朝鮮總督府旅費規則第四條ニ掲クル者	二圓五十錢
傭人	一圓五十錢

第五號表

等級	日額
勅任官	四圓
奏任官	二圓五十錢
判任官	一圓五十錢
朝鮮總督府旅費規則第四條ニ掲クル者	一圓
傭人	八十錢

第六號表

等級	日額 行程二里以上ニ渉ル場合	日額 行程四里以上ニ渉ル場合
奏任官	一圓五十錢	二圓五十錢
判任官	一圓	一圓五十錢
朝鮮總督府旅費規則第四條ニ掲クル者	七十錢	一圓
傭人	五十錢	八十錢

第七號表

土地ノ區別	月額 道森林主事	月額 森林監守
一等地	十五圓	十一圓
二等地	十三圓	九圓
三等地	十圓	七圓

第八號表

等級	車馬賃（一里ニ付）内地	朝鮮
勅任官	一圓	一圓二十錢
奏任官	八十錢	一圓
判任官	六十五錢	八十錢
朝鮮總督府旅費規則第四條ニ揭クル者	五十錢	六十錢
傭人	四十錢	五十錢

九　間島、琿春、安東地方ヘ出張スル者ノ旅費ニ關スル件

大正九年一〇月
總訓第四七號

改正　一二年四第二七號

南滿洲地方中延吉、和龍、汪清、琿春、撫松、安圖、安東、岫巖、莊河、寛甸、桓仁、輯安、通化、臨江及長白ノ各縣ヲ旅行スル者ノ旅費ハ日當、宿泊料及食卓料ニ限リ左ノ各號ニ依リ減額支給シ支度料ハ之ヲ支給セス

一　南洋群島關東州南滿洲旅費規則ノ別表ニ依リ旅費ノ支給ヲ受クル者ニ對シテハ別表第一號表ニ依ル

二　朝鮮總督府判任官以上ノ待遇ヲ受クル者、囑託員、雇員及傭人南洋群島關東州南滿洲旅費規程ノ別表ニ依リ旅費ノ支給ヲ受クル者ニ對シテハ別表第二號表ニ依ル

（別　表）

第一號表

等級		日當 一日ニ付	宿泊料 一夜ニ付	食卓料 一夜ニ付
親任官		十三圓	二十二圓	四圓
勅任官		九圓	十五圓	三圓五十錢
奏任官	五等以上	七圓	十圓	二圓五十錢
奏任官	六等以下	六圓	九圓	二圓五十錢
判任官	五級俸以上	四圓	七圓	二圓
判任官	六級俸以下	三圓五十錢	六圓	二圓

第二號表

區別	日當 一日ニ付	宿泊料 一夜ニ付	食卓料 一夜ニ付
甲額	二圓五十錢	四圓五十錢	一圓二十錢
乙額	二圓	三圓五十錢	八十錢

一〇　南洋群島關東州南滿洲旅費規則

大正一〇年九月
勅令第四〇二號

第一章

第一條　官吏公務ニ依リ南洋群島關東州南滿洲内ヲ旅行シ若ハ此等ノ地域相互間ヲ旅行シ又ハ南洋群島關東州南滿洲ト其ノ他ノ地方トノ間ヲ旅行スルトキハ本令ニ依リ旅費ヲ支給ス

勅令ノ定ムル所ニ依リ賜暇歸朝ヲ許サレタル者任地本邦間ヲ旅行スルトキハ公務ニ依リ旅行スルモノト看做ス

本令ニ於テ南洋群島ト稱スルハ帝國ニ於テ統治ノ委任ヲ受ケタル南太平洋諸島ヲ謂ヒ南滿洲ト稱スルハ支那奉天省並吉林省ノ内第二松花江以南ノ地域及琿春、汪清、延吉、和龍ノ四縣ヲ謂フ

第二條　旅費ハ鐵道賃、船賃、車馬賃、日當、宿泊料、食卓料、支度料、移轉料、著後手當及家族移轉料ノ十種トス

第三條　旅費ハ順路ニ依リ之ヲ計算ス　但シ公務ノ都合ニ依リ順路ニ依リテ旅行シ難キ場合ニ於テハ其ノ現ニ經過シタル通路ニ依ル

第四條　年度又ハ日ニ依リテ旅費ヲ區分計算スルノ必要アル場合ニ於テ其ノ區分判明ナラサルトキハ最近ノ到達地ニ著シタル日ヲ以テ其ノ旅程ヲ區別シ計算ス

第五條　所管大臣ハ旅費ノ定額ヲ減シ又ハ旅費ノ全部若ハ一部ヲ支給セサルコトヲ得

第六條　本邦ト南洋群島關東州南滿洲トノ間ノ旅行ノ爲本邦内ヲ通過スルトキハ其ノ地域ニ於ケル旅行ニ付定メラレタル旅費ヲ支給ス　但シ關東州南滿洲直通ノ汽車ニ依リ若ハ南洋群島關東州南滿洲航路ノ船舶ニ依リ本邦ヲ出發シ又ハ本邦ニ歸着シタルトキハ當該鐵道賃、船賃及乘船港出發ノ日ヨリ又ハ歸著港ニ上陸ノ日迄ノ日當ニ付テハ此ノ限ニ在ラス

第七條　南洋群島關東州南滿洲ト外國トノ間ノ旅行ニ付テハ外國旅費規則ニ定ムル外國相互間ノ旅行ニ準シ旅費ヲ支給ス

第八條　一日中旅費ノ定額ヲ異ニスル場合ニ於テハ多キニ從ヒ之ヲ支給ス

第九條　新ニ任用スル爲召喚セラレタル者ニハ官吏ノ赴任、轉勤又ハ歸朝ノ例ニ準シ新官相當ノ旅費ヲ支給ス

第十條　私事ノ爲在勤地又ハ出張地以外ニ滯在スル者滯在地ヨリ直ニ旅行スル場合ニ於テハ滯在地ヨリ目的地ニ至ル旅費額カ在勤地又ハ出張地ヨリ目的地ニ至ル旅費額ヨリ多キトキハ在勤地又ハ出張地ヨリ目的地ニ至ル旅費ヲ支給ス

第十一條　特別ノ事情ニ因リ本令ニ依リ難キ場合ノ旅費ニ關シテハ所管大臣大藏大臣ト協議シ別ニ之ヲ定ムルコトヲ得

第十二條　雇員傭人其ノ他本令ニ規定ナキ者ノ旅費ニ關シテハ所管大臣大藏大臣ト協議シ本令ニ準シテ之ヲ定ム

第十三條　旅費ノ支給ヲ受クル者ニ對シテハ所管大臣大藏大臣ト協議シテ定メタルモノヲ除クノ外別ニ手當ヲ支給スルコトヲ得ス

第十四條　本令中所管大臣ノ職務ハ朝鮮ニ在リテハ朝鮮總督、臺灣ニ在リテハ臺灣總督、關東州ニ在リテハ關東長官、樺太ニ在リテハ樺太廳長官之ヲ行フ　但シ大藏大臣ト協議ヲ要スル事項ニ關シテハ所管大臣ヲ經由スヘシ

第二章　鐵道賃、船賃及車馬賃

第十五條　鐵道旅行ニハ鐵道賃、水路旅行ニハ船賃、其ノ他ノ旅行ニハ車馬賃ヲ支給ス

等級	日額 行程二里以上ニ渉ル場合	日額 行程四里以上ニ渉ル場合
奏任官	一圓五十錢	二圓五十錢
判任官	一圓	一圓五十錢
朝鮮總督府旅費規則第四條ニ掲クル者	七十錢	一圓
傭人	五十錢	八十錢

第七號表

區別	月額 道森林主事	月額 森林監守
一等地	十五圓	十一圓
二等地	十三圓	九圓
三等地	十圓	七圓

第八號表

等級	車馬賃（一里ニ付） 内地	車馬賃（一里ニ付） 朝鮮
勅任官	一圓	一圓二十錢
奏任官	八十錢	一圓
判任官	六十五錢	八十錢
朝鮮總督府旅費規則第四條ニ掲クル者	五十錢	六十錢
傭人	四十錢	五十錢

七　間島、琿春、安東地方ヘ出張スル者ノ旅費ニ關スル件

大正九年十月
總訓第四十七號
朝鮮總督府及所屬官署

間島、琿春、安東縣地方ヘ出張スル者ノ旅費ニ關スル件左ノ通定ム

間島、琿春、安東縣地方ヘ出張スル者ノ日當、客舍料及食卓料ハ別表ニ依リ之ヲ支給シ支度料ハ之ヲ支給セス

前項旅費ノ支給方ニ付テハ朝鮮總督府旅費規則及朝鮮總督府警察官旅費規則ノ規定ニ依ル

附　則

本令ハ大正九年六月一日以後ノ旅行ニ付之ヲ適用ス

大正元年朝鮮總督府訓令第五號ハ之ヲ廢止ス

（別表）

等級		日當	客舍料	食卓料
親任官		十二圓	十四圓	三圓四十錢
勅任官		九圓	十二圓	三圓
奏任官	五等以上	七圓	十圓	二圓四十錢
奏任官	六等以下	六圓	九圓	二圓四十錢
判任官	五級俸以上	四圓	七圓	一圓八十錢
判任官	六級俸以下及警部補	三圓五十錢	六圓	一圓八十錢
部長タル巡査		三圓	五圓	一圓八十錢

朝鮮總督府旅費規則第四條ニ掲クル者	二圓	四圓五十錢	一圓二十錢
傭人	一圓二十錢	三圓五十錢	八十錢

備考　本表ノ金額ニハ大正八年勅令第百七十一號ニ依ル臨時増給ヲ含ムモノトス

八　同上旅費支給上疑義ノ件

大正十年二月　官通第一九號

大正九年十月朝鮮總督府訓令第四十七號ニ間島、琿春、安東地方トアルハ左記間島駐在帝國領事官及安東駐在帝國領事官ノ管轄區域ヲ指稱スル義ト御了知相成度此段及通牒候也

記

延吉、和龍、汪清、琿春、撫松、安圖、安東、鳳城、岫巖、莊河、寬甸
桓仁、輯安、通仁、臨江及長白各縣

九　出張命令申請書記載方ニ關スル件

大正六年十月　官通第一七七號

出張申請書提出ノ際旅行日程及配賦豫算内ニテ旅費ヲ支辨シ得ルト否記載ナキモノ往往有之處理差支候ニ付自今必ス明記相成度此段及通牒候也

一〇　下關釜山間連絡船賃ニハ辨當代ノ實費ヲ含ム件

大正十年一月會第七號　庶務部長決定

下關釜山間連絡船賃ハ大正十年一月一日以後朝夕ニ限リ一等ハ洋食二等ハ和食膳又ハ上等辨當三等ハ普通辨當代ノ實費ヲ含ム額ヲ支給スル事ヲ得ル義ト御了知相成度依命此段及通牒候也

一一　家族移轉料支給上家族ノ順位及赴任手當ニ關スル件

大正九年九月　官通第八八號　庶務部長

本府各部局並所屬官署ノ長宛

家族移轉料ヲ支給スル場合家族ノ順位ハ年長者ヲ先ニシ赴任手當ハ新任地ノ定額ヲ支給スル義ト御了知相成度依命此段及通牒候也

一二　赴任旅費ニ關スル件

大正十年四月三十日　官通第三四號　政務總監

本府各部局並各所屬官署ノ長宛

移轉料赴任手當ハ出發ノ日ノ屬スル年度家族移轉料ハ家族出發ノ日ノ屬スル年度ノ經費ヲ以テ支給スルコトニ御取扱相成度此段及通牒候也

一三　旅費減額ノ件

大正十年三月　官通第二三號　政務總監

各部局及所屬官署ノ長宛

豫算ノ關係上大正十一年四月一日以降ノ朝鮮内旅行ニ對シ左記ノ通旅費ヲ減額スルコトニ決定相成候條該範圍内ニ於テ支給相成可然依命及通牒候也

普通旅費ノ分

一　朝鮮總督府旅費規則ニ依ル日當及宿泊料ハ各其ノ定額ノ一割ヲ減ス

二　同車馬賃ハ自働車定期運轉區域ニ限リ乘用シタルト否トヲ問ハス其ノ定額ノ半額ヲ減ス　但シ雨天其他ノ事由ニ因リ實費ニ不足スル場合ハ其ノ實費ヲ支給スルコトヲ得

三　赴任手當ハ日當定額ノ三日分及宿泊料定額ノ三夜分ニ相當スル金額トス

四　移轉料及家族移轉料ハ定額ノ二割ヲ減ス　但シ家族移轉料ハ朝鮮總督府減額旅費規程第十八條ノ二ニ依リ計算シタル額ヲ以テ定額トス

五　左ノ用務ノ爲メノ出張地(府郡島)滯在中ノ旅費ハ朝鮮總督府減額旅費規程第一號表ニ依ル

一　國有未墾地調査及處分、國有林調査及其ノ監督、林野調査及其ノ監督

二　土木事業調査、治水調査、及此等ノ監督、道路修築改良調査

三　土地改良ノ奬勵及監督竝土地改良踏査ノ監督

四　砂防工事調査及監督

五　石炭調査、監督及試驗

六　鐵道線路ノ調査及其ノ監督

七　發電水力調査、地質調査、古蹟調査

八　活動寫眞ノ撮影及映寫

九　漁業免許處分ニ關スル調査

減額旅費ノ分

一　朝鮮總督府減額旅費規程第八號表ノ車馬賃ハ自働車定期運轉區域ニ限リ乘用シタルト否トヲ問ハス左ノ減額ヲ支給ス　但シ雨天其ノ他ノ事由ニ因リ實費ニ不足スル場合ハ其ノ實費ヲ支給スルコトヲ得

勅任官	六十錢
奏任官	五十錢
判任官	四十錢
朝鮮總督府旅費規則第四條ニ掲クル者	四十錢
傭人	三十五錢

二　郡島職員及警察官以外ノ警察署職員其ノ管内出張ニシテ朝鮮總督府減額旅費規程第二號表ノ日額ヲ受クヘキ場合ハ左ノ減額ヲ支給ス

奏任官	五圓五十錢
判任官	三圓五十錢
朝鮮總督府旅費規則第四條ニ掲クル者	三圓
傭人	二圓

三　郡島職員及警察官以外ノ警察署職員在勤廳所在地ノ面ニ出張宿泊シ朝鮮總督府減額旅費規程第三號表ノ日額ヲ受クヘキ場合ハ左ノ減額ヲ支給ス

奏任官	四圓五十錢
判任官	三圓
朝鮮總督府旅費規則第四條ニ掲クル者	二圓五十錢
傭人	一圓五十錢

同第六號表ノ日額ヲ受クヘキ場合ハ左ノ減額ヲ支給ス

奏任官	行程二里以上ノトキ	一圓二十錢
	行程四里以上ノトキ	二圓
判任官	同	八十錢
	同	一圓二十錢
朝鮮總督府旅費規則第四條ニ掲クル者	同	六十錢
	同	八十錢
傭人	同	四十錢
	同	六十錢

四　郡島職員及警察官以外ノ警察署職員朝鮮總督府減額旅費規程第四號表及第五號表ノ日額ヲ受クヘキ場合ハ歸廳ノ日及日歸旅行ノ日ニ限リ左ノ甲額、日歸旅行ヲ爲シタル場合ニ於テ陸路六里未滿、鐵道四十八哩未滿、水路三十海里未滿ナルトキハ乙額ヲ支給ス

奏任官	甲額	二圓五十錢
	乙額	二圓
判任官	同	二圓
	同	一圓二十錢
朝鮮總督府旅費規則第四條ニ掲クル者	同	一圓五十錢
	同	一圓
傭人	同	一圓二十錢
	同	八十錢

五　裁判所職員職務代理ノ爲其ノ出張所ニ出張滯在中ノ旅費ハ朝鮮總督府減額旅費規程第三號表ニ依ル

警察官旅費ノ分

警察官旅費ニ付テハ本通牒ニ倣ヒ道ニ於テ相當減額ヲ爲スコト（此際ニ限リ認可申請ヲ要セス）

一四　旅費支給ニ關スル件

大正十一年六月
官通第五五號

大正十一年三月官通牒第二十三號ハ同通牒ノ適用ヲ受ケサル者ニ隨行又ハ同行スル者ニ付テハ自今之ヲ適用セサルコトニ決定相成候條此段及通牒候也

一五　移轉料ノ件

四三年十月
朝乙發第五八號

總務部長官

各部長官、取調局長官、各道長官、土地調査局總裁、中樞院議長、醫院長、各稅關長、勸業模範場長、平壤鑛業所長、專賣局長、工業傳習所長、印刷局長、觀測所長、航路標識管理所長、警務總長、通信局長官、營林廠長、高等法院長、平壤、大邱控訴院長、各地方裁判所長、（京城、平壤、大邱ヲ除ク）各典獄

朝鮮總督府旅費規則ニ依リ移轉料ハ當分ノ內最高額ヲ支給スルコトト相成候條此段及通牒候也

追テ減額支給ノ必要有之候ハハ其ノ支給額ヲ定メ報告相成度候也

一六　旅費年度區分ノ件

問　旅行カ兩年度ニ跨リタル場合之カ仕拂ヲ區分スル爲メニ陸路、汽車、汽船ノ路程ノ里、哩、海里ノ各端數兩年度ニ生スルトキハ何レノ年度ニ合算支給可然哉（大正元年十一月裁判所監獄會計主任會議忠北伺）

答　後年度所屬トス

一七　支度料ヲ支給セサル件

大正四年十二月
會第四七七六號

總務局長

所屬官署長宛

朝鮮總督府旅費規則第六條ノ二ニ依ル支度料ハ其ノ額ヲ決定通知スル迄當分支給セサル儀ト御了知相成度此段爲念及通牒候也

一八　赴任旅費及歸鄉旅費ニ關スル件

大正二年二月
檢査院ト協定

赴任途中死亡シタル場合ニ於テ其ノ旅費又ハ歸鄉旅費ニ相當スル金額ヲ遺族ニ支給スルトキノ取扱方左記ノ通決定相成可然哉

記

新ニ任用セラレタル者（任用ノ爲召喚セラレタルモノヲ含ム）赴任途中ニ於テ死亡シタルトキハ歸鄉旅費ニ相當スル金額ヲ支給セス任地ニ到着スルモ勤務ノ事實ナクシテ死亡シタル者ニ付テモ亦同シ

一九　旅費支給ニ關スル件

旅費ノ費目ヲ異ニスル場合ニ於テハ鐵道、水路又ハ陸路ノ端數ハ凡テ通算セサルコトニ決定相成可然哉

四五年七月
總務局長決定

二〇　在勤廳所在地ニ關スル件

大正三年四月
官通第一〇八號

政務總監

官房、各部及所屬官署ノ長宛

在勤廳所在地ニ關スル件

旅費支給上在勤廳所在地ニ關シ左ノ通御了知相成度此段及通牒候也

一　數面ニ亘リ一市街ヲ形成スル土地ニ在ル各官署ハ其ノ位置カ何レノ面ニ屬スルヲ問ハス該市街及市街續ノ地ヲ以テ其ノ官署ノ所在地トス而シテ該市街ニ在ル郵便局所ヨリ市街外ニ亘リ一里以内ノ地ヲ以テ各官署ノ所在地ト看做ス即チ面ヲ以テ本位トセス市街ヲ以テ本位トス但シ郵便局所ナキ土地ニ在リテハ本項ノ所謂市街ト看做サス（圖解參照）

二　兼勤者兼務ノ爲兼勤廳ニ出張スル場合ニ於テ其ノ兼勤廳カ本務廳ノ所在地内ニ在ルトキハ縱令其ノ行程二里以上ニ亘ルトキト雖旅費ヲ支給セス

圖解

〒　郵便局所

○　各官署

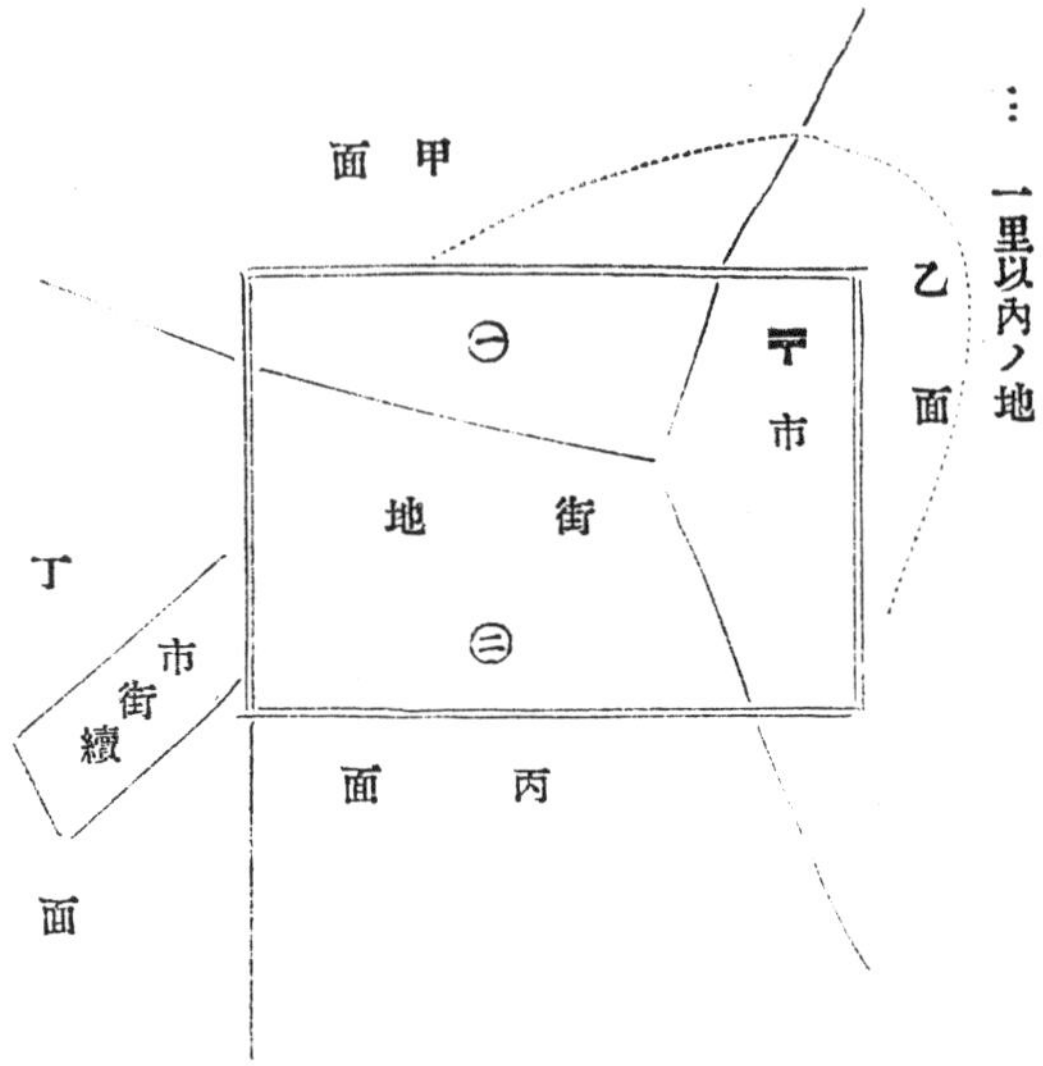

（説明）

一　㊀、㊁ノ各官署及郵便局所ノ位置ハ各其ノ所屬面ヲ異ニスレトモ各廳共同一市街ニ在ルヲ以テ此各廳所在地ハ卽チ同一地ナリ

二　本圖ノ市街地ハ各面以外ニ更ニ形成セラレタルモノナルヲ以テ甲、乙、丙、丁ノ各面共ノ市街地及市街續ニ屬スル部分ハ當該面ノ內ヨリ之ヲ除カレタルモノト見ルヘシ

二　旅費支給方ニ關スル件

大正六年六月
官通第一一六號
政務總監

官房各部及所屬官署長宛

首題ニ關シ慶尚北道ヨリ伺出ノ件ハ左記ノ通御了知相成度此段及通牒候也

記

問　一旅行ニシテ管內外ニ依リ旅費ノ支給額ヲ異ニスル場合ハ其ノ旅行ノ目的ニ依リ管外用務ノ爲管內ヲ通過スルトキハ管外ニ於ケル旅費、管內用務ノ爲管外ヲ通過スルトキハ管內ニ於ケル旅費額ヲ又管外用務ヲ終テ管內用務ニ移ル爲ノ管外旅行ハ管內旅費ノ額ヲ支給スヘキモノト認ムルモ其ノ用務ニシテ管內外ノ區別ヲ爲シ難キモノノ例令ハ路線調査ノ如キ管內管外相待ツテ一ノ用務ヲ爲ス場合ハ如何ニ區分シテ支給スヘキヤ

答　左ノ區分ニ依リ旅費ヲ支給スヘキモノトス

イ　鐵道賃、船賃及車馬賃ニシテ管內外ニ依リ定額ヲ異ニスル場合ニ在リテハ朝鮮各道府面間里程表ニ掲クル隣接府面迄ヲ分界トシ內國旅費規則第十三條ニ依リ定額ノ異ナル毎ニ路程ヲ通算シ各定額ニ依リ之ヲ支給スヘシ其ノ各別ニ路程ヲ通算シ難キ場合ニ在リテハ定額ノ多額ヲ支給ス

ロ　日常宿泊料ニ付テハ朝鮮總督府旅費規則第八條ニ依リ定額ノ多額卽チ管外旅費ノ額ヲ支給スヘシ

ハ　管外用務ヲ了ヘ管內ニ立戻リ管內用務ニ從事シタル場合ハ其ノ管內用務地ニ到著ノ翌日ヨリ管內旅費ノ定額ヲ支給スヘシ

二二　陸路旅行行程ノ件

四四年九月
總第一三五八號

政務總監

各分任仕拂命令官宛

朝鮮内ニ於ケル陸路旅行ハ實際上内國旅費規則第五條ノ制限ニ據リ難キ事情アルヲ以テ一日行程七里以上ノ場合ニアリテハ其ノ理由ノ疏明ヲ要セサルコトニ決定相成候此段及内牒候也

二三　旅費支給上里程計算ニ關スル件

大正五年八月
官通第一三一號

改正　大正五年一〇第一六五號

政務總監

官房各部所屬官署長宛

旅費支給上里程ノ計算ニ關シ左記ノ通御取扱相成度通牒候也

記

一　朝鮮内ニ於ケル里程（陸路及水路ヲ含ム以下同シ但シ第二號ノ場合ハ鐵道ヲモ含ム）ノ計算ハ遞信地圖ニ依リ該地圖ニ登載ナキモノニシテ朝鮮各道府面間里程表及同里程圖（朝鮮總督府編纂）ニ掲ケタル地點間ノ計算ハ同表ニ依ル

前項ニ依リ難キ里程ハ府郡島ノ證明スル所ニ依ル

二　（削除）

三　鐵道線路、水道線路等ニ沿ヒ旅行スル場合ニ於ケル里程ハ其ノ實際ノ距離ニ依ル

前項ノ里程ハ鐵道水道等ノ事務ヲ主管スル官署ノ證明スル所ニ依ル

四　内地、臺灣又ハ樺太ニ於ケル旅行ニシテ其ノ地ノ郵便線路圖ニ登載ナキ里程ニ付テハ官公署ノ證明ヲ受ケ之ヲ旅費請求書ニ添付スヘシ

二四　遞信地圖使用ニ關スル件

大正十一年三月
官通第一八號

政務總監

各所屬官署ノ長宛

旅費支出上遞信局發行大正十年九月一日現在遞信地圖ハ大正十一年四月一日ノ旅行ヨリ使用スヘキコトニ決定相成候條此段及通牒候也

二五　旅行證明ニ關スル件

問　郵便線路外ノ旅行ニ對シテハ府、郡、警察官署ノ證明ヲ得ヘキ内規ナルモ山間原野ニ渉リ且右官署遠隔ニシテ證明困難ナルモノニアリテハ當該部局長ノ證明ヲ以テ仕拂ハントス

決定　可（明治四十三年十一月會計檢査官ト協定）

二六　京城海州間旅行順路追加ニ關スル件

大正七年三月
官通第四一號

總務局長

各部長官、官房局課長並所屬官署ノ長宛

從來旅費支給上京城海州間旅行ノ場合ニ於ケル順路ハ仁川經由ノコトニ取扱居候處近時交通機關ノ發達ニ伴ヒ爾今船繰又ハ用務ノ都合ニ依リ京義線土城驛ヲ經由シ之ニ依リ旅費ヲ計算スルモ支差無之ニ付御諒知相成

度此段及通牒候也

二七　里程證明ニ關スル件

問　旅費支給上道路改修竣功ノ結果郵便線路圖記載ノ里程ニ異動ヲ生シ郵便線路圖ノ道路ハ已ニ廢道トナリタル場合郵便線路圖里程改正セラルル迄ハ郵便線路圖ニ據リ支給スヘキヤ又里程證明ニ依リ支給差支ナキヤ（大正三年出張所會計主任會議土木局平壤出張所伺）

答　郵便線路圖ノ道路ハ實際ニ廢道トナリ新道路ニ對シ里程證明アル場合ハ其ノ證明里程ニ依ルヘシ

問　旅費ノ精算ニハ府郡其ノ他ノ里程證明ニ於テ面ヨリ面間ノ證明ヲ受クヘキモノトセハ發著ハ總テ面名ヲ記載スヘキヤ（大正三年出張所會計主任會議土木局平壤出張所伺）

答　然リ

二八　歸國旅費支給ニ關スル件

問　判任官四年在職引續キ一年以上雇員トナリタルモノ退職歸鄉スルモノニハ歸國旅費ヲ支給スルコト　但シ雇員ノ額ニ依ル

決定　可（明治四十三年十一月會計檢査官ト協定）

二九　朝鮮總督府旅費規則第十條ノ勤續二年ノ解釋ノ件

提議　朝鮮總督府旅費規則第十條ノ勤續二年以上ノ制限ハ例ヘハ看守ヨリ看守長ニ昇進シタル者ニシテ其前後ヲ通算シテ在職二年以上ニ至ル時ハ歸國旅費ヲ支給シ得ルヤ

決定　會計檢査官トノ協定事項中雇員ヨリ判任官ニ昇進シタル場合ハ雇員トシテ勤務年數二箇年半ヲ一箇年トシテ通算スルコトトナリ居レルヲ以テ右ニ準據シ支給ノコト（明治四十四年三月司法官及司獄官會議決定）

三〇　歸鄉旅費支給ニ關スル件

大正五年二月
會第五九九號
檢査官、會計課長照覆

問　朝鮮守備隊在勤軍醫ニシテ本府道慈惠醫院醫官タル者ニ對スル歸鄉旅費支給方ニ關シ左記甲乙兩說有之候モ既ニ協定濟ニ係ル判任官在勤年數ト雇員若クハ舊韓國政府官吏帝國政府官吏ト通算ノ例モ有之若シ通算セサルコトトセハ雙方ヨリ（陸軍、本府）支給ヲ受ケサルコトト可相成ニ付（退官當時本府官吏タルヲ以テ陸軍ヨリハ旅費ヲ支給セス）旁支給致度此段得貴意候　敬具

甲說　本府官吏トシテ勤續二年未滿ニ付支給スヘキ限ニアラス

乙說　苟モ朝鮮ニ於ケル勤續二年以上ノ者ニ對シテハ武官タリシト本府以外ノ官吏タリシトヲ問ハス其ノ勤續年數ヲ通算ス

答　朝鮮守備隊在勤軍醫ニシテ貴府道慈惠醫院醫官タリシ者ノ歸國旅費支給方ニ付御來示ノ趣了承右ハ御意見ノ通ニテ可然存候先ハ御答迄

敬具

三一　歸鄉旅費支給ニ關スル件

問　朝鮮總督府旅費規則第十條ノ歸鄉旅費ハ原籍地迄歸鄉セサルニ於テハ支給シ得サルヤ（大正五年六月道及稅關主任會議元山稅關伺）

答　內地ニ歸還シタル場合ニハ支給ス

三二　歸任旅費支給ニ關スル件

問　出張先ヨリ轉地療養シタル者ノ歸廳旅費支給ノ方法例令義州ヨリ元山ヘ出張シタル者元山ヨリ病氣ノ爲内地ヘ轉地療養シタル歸路元山ヲ通過セス釜山ヨリ汽車ニテ歸廳シタル場合ノ歸路ニ對スル旅費支給方（大正五年六月道及稅關會計主任會議平安北道伺）

答　公務旅行最後ノ地ヨリ順路ニヨリ在勤地マテノ旅費ヲ支給ス

三三　汽車汽船ノ路程ニ關スル件

問　日額旅費支給上汽車及汽船ノ路程ハ汽車八哩汽船五海里ヲ以テ陸路一里ニ見做スヤ而シテ陸路ニ依レハ所在廳ヨリ一里ナルモ汽車路ニ依レハ迂回スルヲ以テ陸路一里以上ニ及フトキハ其ノ何レヲ採ルヤ（大正元年十一月裁判所及監獄會計主任會議忠北伺）

答　實際ノ距離ニ依リ計算ス但シ順路ヲ以テス而シテ汽車路ト陸路トアル場合ハ陸路ニ依ル

三四　旅費支給ニ關シ證明書省略ノ件

問　旅費支給上遞信地圖等ニ明記ナキ爲證明書ヲ要スルモノ多數アリ是等ハ豫メ報告ヲ爲シ置キ證明書ヲ省略シタシ（大正五年六月道及稅關會計主任會議元山稅關伺）

答　差支ナシ

三五　出廷旅費支出ニ關スル件

大正二年二月
官通第四一號

總務局長

本府及所屬官署ノ長宛

本府及所屬官署職員其ノ官職ヲ以テ民刑事事件ノ證人又ハ鑑定人トシテ裁判所ニ出廷シタル場合ノ旅費ハ諸支出金（款）諸支出金（項）訴訟費（目）ヨリ支出スル義ト御了知相成度此段及通牒候也

追テ本文證人又ハ鑑定人トシテ出廷セシムル場合ハ出張命令ヲ要スル義ニ有之而シテ裁判所ヨリ支給セラレタル旅費及鑑定料ハ歲入ニ納付方御取計相成度又訴訟費ニ屬スル旅費ハ本府ニ於テ直接仕拂可致候條支拂請求書提出ノ際ハ其旅行明細事件名及從事シタル用務ノ概要附記セシメラレ度此段申添候也

三六　出廷旅費ニ關スル件

大正四年六月二十六日
官通第二〇二號

總務局長

官房各部及所屬官署ノ長宛

官吏其ノ官職ヲ以テ裁判所ニ出廷ノ場合ノ旅費ハ豫テ通牒致置候通本府ニ於テ直接仕拂可致義ナルモ請求者ノ中ニハ裁判所ヨリ支給セラレタル旅費其ノ他ノ歲入納付ヲ怠ル者往往有之候條爾今本府ニ提出スル證憑書ニハ左記ノ通附記相成度爲念及通牒候也

記

「裁判所ヨリ支給セラレタル……ハ何年何月何日歲入ニ納付」又ハ「裁判所ヨリ……ヲ支給セラレス」

三七　女監取締旅費ノ件回答

大正四年八月
同答

總　務　局　長

（咸興監獄典獄照會）

大正四年八月十七日附發第一一四六號ヲ以テ御照會有之候女監取締ノ旅費ハ總テ看守ニ準シ取扱相成度此段及回答候也

三八　女監取締歸郷旅費ノ件

問　女監取締歸郷旅費支給ノ條文ナキモ總督府旅費規則第十三條看守ニ準シ支給スヘキモノト解シ差支ナキヤ（大正六年六月裁判所及監獄會計主任會議公州監獄伺）

答　差支ナシ

三九　授業手出張旅費ノ件

問　授業手ノ出張旅費ハ從來傭人ノ旅費ヲ支給セシモ曾テ舍宅料ヲ給セシ時代ニハ雇員ニ準シ之ヲ給セラレタル關係モアリ旁旅費ハ雇員ノ額ヲ給スルモ可ナリヤ（大正二年六月裁判所及監獄會計主任會議京城監獄伺）

答　雇員ノ額ヲ給シテ可ナリ

四〇　旅費概算渡精算ノ件

四四年七月
官通第二〇四號

總　務　部　長　官

各部及所屬官署ノ長宛

旅費概算渡ニ對シ精算遲延スルモノ往往有之整理上差支不尠候條爾今概算渡ヲ受ケタルモノハ旅行終了後遲滯ナク精算書提出候樣御取計相成度此段及通牒候也

追テ本文精算ヲ怠リタル者ニハ以後概算渡ヲ爲サヽルコト可有之候條爲念此段申添候

四一　歸國旅費支給ニ關スル勤續年數通算ノ件

問　判任官及雇員ノ勤續年數通算ハ雇員二年半勤續ヲ以テ判任官一年勤續ノ割合トシ通算シ其給額ハ退職當時ノ資格ニ應シ支給スヘキヤ

決定　可（四十三年十一月檢査官ト協定）

四二　減額旅費規程中解釋ノ件

大正三年十月二十七日
會計課長決定

減額旅費規程第六條中「他ノ用務」トアルハ種類ヲ異ニスル用務ノミナラス土地ヲ異ニスル場合モ包含シ「其ノ旅行ヲ終リタル日」トアルハ再ヒ用務ニ就クヘキ土地ニ到著シタル日ヲ指シ單ニ通過ニ止ル場合ニ於テハ本條ニ依ルヘキ限リニ非サルモノト解釋決定相成可然哉

四三　減額旅費規程中疑義ノ件

問　減額旅費規程第二條ノ在勤廳所在地トハ廳ヲ中心トシ直路一里以内ナルヤ或ハ元標タルヘキ面役所カ直路一里以内ニ在ル場合ハ其面ハ凡テ所在地ト看做スヘキヤ（大正三年九月道及稅關會計主任會議慶南伺）

答　在勤廳所在地ノ元標ヨリ直路一里以内ヲ云フ

問　減額旅費規程第六條末項其ノ旅行ヲ終リタル日トハ滯在地ヨリ他ノ

用務ノ爲出張シ再ヒ前滞在地ニ歸著シタル場合ノミ指ス義ナルヤ（同慶南伺）

答　單ニ出張ニ限ラス在勤廳ニ一時立戻リタル場合ヲモ包含ス

問　減額旅費規程第十二條ノ鐵道賃、船賃及輕鐵電車賃等ハ在勤廳所在地ノ出張ニモ支給差支ナキヤ（同前）

答　在勤廳所在地ニ在リテハ支給ノ限リニ在ラス

問　減額旅費規程第三十一條山林監守及通譯タル監守補ノ管外出張ニハ在勤地ノ道內ハ同規程第二十七條ニ準シ第一號表及第十四號表ノ額ヲ支給シ差支ナキヤ（同前）

答　然リ

問　道職員ニ於ケル減額旅費規程第三條第一項ノ用務區域ノ指定ハ假令或郡ノ一箇所若ハ二箇所ノミヘ出張ノ場合ト雖必ス其ノ郡ヲ區域ト指定スルニ限ルカ又ハ出張頻繁ナルモノ若ハ一定ノ地區ニ永ク滞在スルモノニシテ其用務地二郡以上ニ跨ル場合ハ其ノ二郡以上ヲ區域ト指定スヘキモノカ尙此ノ場合ニ於テハ總督ノ認可ヲ要シ其ノ認可申請ニハ在所廳ト用務地間ノ里程ヲ記載スヘキモノナルカ（同慶北伺）

答　郡ノ或ル一箇所又ハ二箇所ニ出張ノ場合ハ其ノ出張地ノミヲ指定スルハ差支ナキモ其ノ郡全體ヲ用務地タルヘキモノトス而シテ二郡以上ニ亘リ用務地ヲ指定スル場合ハ別ニ認可ヲ受クルヲ要セス

問　減額旅費規程第三條ニ依リ郡ノ區域ヲ以テ用務地ヲ指定シタルモノノ車馬賃ハ郡廳所在地又ハ郡中央孰レノ里程ニ據ルヘキヤ（同黃海道伺）

答　在勤廳所在面ト用務地タル最初到着ノ面間及最後引上ノ面ト在勤廳所在面間ノ里程ニ依ル

問　減額旅費規程第三條ノ規程ハ第二章以下全體ニ及フヘキモノト認ムルニ大正三年八月官通牒第三一一號ニ依レハ道職員ニ在リテハ同通牒中指定ノ用務ニ限レルモノノ如シ如何（同前）

答　然リ

問　郡職員郡管内ニ出張ノ場合ノ用務地指定ハ第三條ニ依ラス面ノ區域ニ依ルモノナリヤ（同前）

答　然リ

問　道財務部ニ於テ驛屯土管理事務トシテ施行セル堰堤工事ノ監督ハ減額旅費規程第十六條ニ該當セサルモノナリトノ說ヲナス者アリ如何（同前）

答　第十六條ニ該當ス

問　減額旅費規程第三條ニ依ル用務地ヲ指定スルニ於テハ隣接スル數郡ヲ一用務地ト指定スルコトヲ得ルヤ（同全南伺）

答　指定スルコトヲ得

問　減額旅費規程第三條中府郡ノ區域ニ依リ難キ場合トハ如何ナル場合ヲ云フヤ（大正三年九月道及府郡會計主任會議提出伺）

答　用務ノ性質ニ依リ一府郡ヲ分割シテ數個ノ用務地ヲ指定スルカ如キ場合ヲ云フ

問　減額旅費規程第四條特定ノ區域內トハ如何ナル區域ヲ云フヤ（同前）

答　本府各出張所營林廠又ハ平壤鑛業所ノ如キ特別ノ所轄區域ヲ云フ

問　減額旅費規程第十三條特別ノ事由トハ如何ナル場合ナルヤ（同前）

答　一一實例ヲ例擧シ難キモ普通旅費ニテ出張スル上級官廳ノ職員ト同

行スルカ如キ場合ヲ云フ

問　減額旅費規程第十六條ノ規定ハ出張ノ頻繁ナラサルモノニモ適用スヘキヤ（大正五年六月道及税關會計主任會議平安北道伺）

答　然リ

四四　日額旅費ヲ受クル者用務地滯在中他ノ用務ノ爲其ノ用務地內ヲ旅行シタル場合旅費支給ニ關スル件

問　日額旅費ヲ受クル者用務地ニ滯在中他ノ用務ノ爲其用務地內ヲ旅行シタル場合ハ第十四號表ニ依リ旅費ヲ支給差支ナキヤ（大正三年土木局出張所主任會議決定）

答　一號表及十四號表ニ依ル

四五　日額旅費ヲ受クル者勤務演習ニ召集セラレタルトキノ支給方ノ件

問　減額旅費規程第三十一條ニ依リ月額旅費ヲ受クル者勤務演習トシテ召集セラレタルトキハ左ノ各號ノ內其ノ何レヲ支給スヘキヤ

（イ）應召ノ爲出發ノトキハ其當日迄又召集解除歸著ノトキハ其翌日ヨリ日割ヲ以テ支給スヘキヤ

（ロ）規程第三十一條第三號ニ準シ支給スヘキヤ（大正七年九月道及税關會計主任會議平北伺）

答　（ロ）ニ依ルヘシ

四六　海上距離ニ關スル件

大正二年七月
庶收第一〇九六七號

問　首題ノ件ニ關シ七月十七日付庶收第一〇九六七號御通牒ノ趣了承尙左記疑義相生シ候條何分御回報相煩度及問合候也

記

一　庶收第一〇九六七號通牒左記第一項中島嶼附近ノ海上若クハ島嶼ナキ海上ノ沿岸海ハ何レモ陸上ヲ距ツル何浬ヲ以テ管內外ヲ區別スヘキヤ

二　海上ニ對シ里程證明ハ明治四十三年十月三十一日朝鮮總督府訓令第五五號ニ依リ府郡又ハ警察官署ノ證明ヲ添付セシムヘキヤ

答　本月二十一日慶北會發第一三九號ノ一ヲ以テ慶尙北道警務部ヨリ首題御照會ノ趣了承本件ハ左記ノ通ニ有之候條御了知相成度及回答候也

記

一　島嶼附近ノ海上ハ海島嶼岬角ヨリ以外三里ハ我國ノ所轄ナルニ依リ島嶼管轄警察署ノ管轄ナリ（諸灣內竝周圍ハ勿論管轄區域ナリ）

二　島嶼ナキ海上ノ沿岸海ハ海岸ヨリ三里迄我國ノ所轄ナルニ依リ沿岸管轄警察署ノ管內ナリ

三　以上ノ三里ハ總テ我陸路里程ノ計算ナルヲ以テ海里ニ換算ノトキハ一海里ハ十六町九七五ニ充當スルヲ以テ之ニ依リ三里ヲ海里數ニ換算ノコト

四　海上ノ里程證明ハ御意見ノ通

四七　旅費減額支給ニ關スル件

大正十年二月
法務局長

各監獄典獄宛

大正九年十一月二十五日附監第二八一四號ヲ以テ首題ノ件ニ關シ通牒致置候處大正十年二月十九日附府令第二十九號ヲ以テ朝鮮總督府旅費規則改正セラレ候ニ付テハ部長ニ非サル看守ニシテ月俸五十五圓以上ノ者ハ看守部長ト同額ニ減額支給相成候樣致度及通牒候也

四八　旅費支給ニ關スル件

大正十年八月
官通牒第七五號
政務總監

朝鮮總督府所屬官署ノ長宛

首題ノ件自今左記ニ依リ處理相成度此段及通牒候也

記

一　任用當時ノ居住地ニ其儘在勤ヲ命セラレタル者ニ對シテハ假令他ノ地ヨリ一年内ニ家族ヲ招クトモ家族移轉料ヲ支給セサルコト

二　出張地ニテ其儘在勤ヲ命セラレタル者ニハ赴任手當、移轉料及家族移轉料ヲ支給ス（出張ノ際同伴シタル家族アルトキハ其ノ家族移轉料ヲ含ム）

三　赴任旅行ノ途中身分階級ノ變更アリタルトキノ移轉料ハ多額ヲ支給スルコト

四　家族移轉料ハ本人ノ著任當日ノ身分階級（本人ノ旅費ノ標準ト爲リタルモノ）ニ基キ計算支給スルコト

五　移轉旅行ノ途中ニ於テ家族死亡シタルトキハ内國旅費規則第十五條第三項ニ準シ本人ノ任地迄ノ家族移轉料ニ相當スル金額ヲ支給スルコト

六　移轉旅行中家族ノ年齢ニ異動ヲ生シタルトキハ其ノ家族到著ノ日ノ年齢ヲ標準トシテ家族移轉料ヲ計算スルコト

七　已ムヲ得サル事由ニ依リ旅行途中家族滯在シタル場合ノ家族移轉料ハ家族ノ旅行日數ニ依リ支給スルコト

八　大藏省所管旅費支給規則第十三條ノ二ニ所謂親族ノ範圍ハ本人ノ著任ノ日迄ニ於テ其ノ戸籍又ハ民籍ニ現在スル親族ヲ指スモノト解スルコト　但シ家族ノ出發前ニ於テ戸籍又ハ民籍ヲ去リ又ハ死亡シタルモノヲ除ク

四九　旅費減額支給ノ件

大正十一年四月
法務局長

各監獄典獄宛

首題ノ件ニ關シ大正九年十一月二十五日附監第二八一四號ヲ以テ通牒致置候處大正十一年三月二十八日附官通牒第二十三號ヲ以テ旅費減額相成候ニ付テハ前通牒第一號表及第二號表ノ支給額ハ左記ノ通リ減額支給ノ事ニ取計相成度及通牒候也

第一號表

車馬賃ハ自動車定期運轉區域ニ限リ第一號表既定額ノ半額ヲ支給スルコト　但シ雨天其ノ他ノ事由ニ因リ實費ニ不足スル場合ハ其實費ヲ支給スルコト

第二號表

移轉料ハ第二號表既定額ノ二割ヲ減少シ支給スルコト

五〇　朝鮮各道府面間里程表使用ニ關スル件

大正十一年四月
官通第二六號

政務總監

各所屬官署ノ長宛

旅費支給上遞信地圖ニ記載ナキモノニ付據ルヘキ大正十一年三月本府編纂朝鮮各道府面間里程表ハ大正十一年四月一日ノ旅行ヨリ使用スヘキコトニ決定相成候條此段及通牒候也

五一　旅費減額ニ關スル件

大正一一年四月
西監達第七號

當監在勤看守長看守及朝鮮總督府看守教習所看守旅行ノ場合ニ支給スヘキ旅費減額ノ件左ノ通リ定ム

第一條　部長タル看守及月俸五十五圓以上ノ看守朝鮮内旅行ノ場合ハ第一表ニ依リ旅費ヲ支給ス

第二條　看守朝鮮内ニ於テ赴任ノ場合ハ第二表ニ依リ移轉料ヲ支給ス

第三條　看守長及看守囚徒護送ノ爲官設鐵道ニ依リ旅行シタルトキハ看守長竝部長タル看守及月俸五十五圓以上ノ看守ニハ二等運賃ノ七割一分ヲ支給ス　但シ割引鐵道乘車券ヲ使用スルヲ得サル場合ニ於テハ其ノ全額ヲ支給ス

第四條　本規定ノ外ハ朝鮮總督府旅費規則ニ依ル

附　則

本達示ハ大正十一年四月一日以降ノ旅行ニ之ヲ適用ス

大正九年十一月二十六日達示第二二號ハ之ヲ廢止ス

第一表

車馬賃	一里ニ付	一圓	自働車定期運轉區域ニ限リ半額トス但シ雨天其ノ他ノ事由ニ依リ實費ニ不足スル場合ハ其ノ實費ヲ支給ス
日當	一日ニ付	二圓七十錢	
宿泊料	一夜ニ付	四圓五十錢	

第二表

陸路	鐵道	水路	移轉料 部長タル看守及月俸五十五圓以上ノ看守	移轉料 月俸五十五圓未滿ノ看守
五十里以上	四百哩以上	二百五十海里以上	六十八圓	三十六圓
五十里未滿	四百哩未滿	二百五十海里未滿	五十二圓	二十八圓
三十里未滿	二百四十哩未滿	百五十海里未滿	四十四圓	二十四圓
十里未滿	八十哩未滿	五十海里未滿	四十圓	二十圓

備考

一、旅行ニシテ陸路、鐵道又ハ水路ニ亘ルトキハ陸路一里ニ付鐵道八哩水路五海里ノ割合ヲ以テ計算ス

第六章　任免、休職、死亡

一　文官任用令

大正二年八月
勅令第二百六十一號

改正　七年一第一〇號　九年五第一五九號　九年八第三五五號
一〇年四第一一六號　一一年三第一一六號　一一年一〇第四七三號

第一條　文官ノ任用ハ親任式ヲ以テ任スル官及特別ノ規程ヲ設クルモノヲ除クノ外本令ノ定ムル所ニ依ル

第二條　勅任文官ハ第五條第一項ノ資格ヲ有シ一年以上勅任文官ノ職ニ在リタル者又ハ奏任文官トシテ二年以上高等官三等ノ職ニ在リタル者ヨリ之ヲ任用ス

第三條　第五條第一項ノ資格ヲ有セス二年以上勅任文官ノ職ニ在リタル者又ハ奏任文官トシテ二年以上高等官三等ノ職ニ在リタル者ハ高等試驗委員ノ銓衡ヲ經テ之ヲ勅任文官ニ任用スルコトヲ得

第三條ノ二　左ニ掲クル勅任文官ハ前二條ノ規定ニ依ル資格ヲ有セサルモ各其ノ職務ニ必要ナル學識、技能及經驗ヲ有スル者ヨリ高等試驗委員ノ銓衡ヲ經テ之ヲ任用スルコトヲ得

製鐵所長官
海外駐劄財務官
製鐵所次長
專賣局長官
印刷局長
造幣局長
專賣局部長
千住製絨所長
維新史料編纂事務局長
朝鮮總督府營林廠長
臺灣總督府專賣局長

第四條　陸海軍將官ハ各其ノ部内ノ勅任文官ニ任用スルコトヲ得

第五條　奏任文官ハ左ノ資格ノ一ヲ有スル者ヨリ之ヲ任用ス

一　高等試驗行政科試驗ニ合格シタル者

二　高等試驗外交科試驗ニ合格シ二年以上外交官又ハ領事官ノ職ニ在リタル者

三　二年以上判事又ハ檢事ノ職ニ在リタル者

四　裁判所構成法ニ依リ判事、檢事又ハ司法官試補タル資格ヲ有シ二年以上陸軍法務官若ハ海軍法務官朝鮮總督府若ハ南洋廳ノ判事若ハ檢事又ハ臺灣總督府法院若ハ關東廳法院ノ判官若ハ檢察官ノ職ニ在リタル者

二年以上奏任教官ノ職ニ在リタル者ハ之ヲ文部部内ノ奏任文官ニ任用スルコトヲ得

第六條　判任文官ハ左ノ資格ノ一ヲ有スル者ヨリ之ヲ任用ス

一　中學校又ハ文部大臣ニ於テ之ト同等以上ト認定シタル學校ヲ卒業シタル者

二　高等試驗令第七條ノ規定ニ依リ高等試驗豫備試驗ヲ受クルコトヲ得ル者

三　專門學校令ニ依リ法律學、政治學、行政學又ハ經濟學ヲ教授スル

學校ニ於テ三年ノ課程ヲ履修シ其ノ學校ヲ卒業シタル者
四　普通試驗ニ合格シタル者
五　高等試驗ニ合格シタル者
六　二年以上文官ノ職ニ在リタル者
七　四年以上雇員タル者

第七條　教官、技術官其ノ他特別ノ學術技藝ヲ要スル文官ハ高等官ニ在リテハ高等試驗委員、判任官ニ在リテハ普通試驗委員ノ銓衡ヲ經テ之ヲ任用ス

學校長ハ前項ノ規定ニ依リ之ヲ任用スルコトヲ得

附　則

本令ハ公布ノ日ヨリ之ヲ施行ス

從前ノ規定ニ依リ文官タル資格ヲ有スル者ハ仍其ノ規定ニ依リ之ヲ任用スルコトヲ得

附　則（大正七年一月勅令第十號）

本令ハ大正七年三月一日ヨリ之ヲ施行ス

文官高等試驗ニ合格シタル者ハ高等試驗行政科試驗、文官普通試驗ニ合格シタル者ハ普通試驗ニ合格シタル者ト看做ス

他ノ勅令中文官高等試驗委員トアルハ高等試驗委員、文官普通試驗委員トアルハ普通試驗委員トス

附　則（大正十年四月第一一六號）

本令ハ公布ノ日ヨリ之ヲ施行ス

附　則（十一年三月第一一六號）

本令ハ大正十一年四月一日ヨリ之ヲ施行ス

理事又ハ主理ノ職ニ在リタル者ハ之ヲ陸軍法務官又ハ海軍法務官ノ職ニ在リタル者ト看做ス

二　奏任文官特別任用令

大正九年五月
勅令第百六十號

改正
一九年八第三五六號
一〇年一第一四號
同　第一九三號
同　一一第四三八號
一一年五第二五二號
一一年一〇第四五〇號
同一〇第四六五號
同　二第一一五號
一〇年八第三六五號
同　一二第四七三號
一一年五第二七四號
同　第五〇七號
同　五第一八七號
同　第三九〇號
一一年三第七四號
一一年五第二八八號

左ニ揭クル奏任文官ハ五年以上判任以上ノ官ニ在職シテ行政事務ニ從事シ判任官五級俸以上ノ俸給ヲ受ケタル者ヨリ高等試驗委員ノ銓衡ヲ經テ之ヲ任用スルコトヲ得

外務理事官
外務省警視
都市計畫地方委員會事務官
土木事務官
神宮衛士長
造神宮主事
明治神宮造營局主事
專賣局副參事
主税局事務官
臨時議院建築局事務官
税務監督局事務官
司税官
關税官

司法省事務官
裁判所書記長
供託局事務官
典獄
典獄補
製鐵所副參事
山林副事務官
度量衡事務官
遞信省事務官
臨時電信電話建設局事務官
貯金局事務官
簡易保險局事務官
遞信局事務官
通信事務官
鐵道省事務官
鐵道局副參事
朝鮮總督府醫院事務官
朝鮮總督府道警視
朝鮮總督府遞信副事務官
朝鮮總督府專賣局副事務官
朝鮮總督府稅關鑑稅官
朝鮮總督府裁判所書記長
朝鮮總督府典獄

朝鮮總督府典獄補
朝鮮總督府濟生院主事
朝鮮總督府林野調査委員會副事務官
朝鮮總督府道理事官
朝鮮總督府道慈惠醫院事務官
朝鮮總督府府尹
朝鮮總督府府理事官
朝鮮總督府郡守
朝鮮總督府島司
臺灣總督府典獄
臺灣總督府典獄補
臺灣總督府醫院事務官
臺灣總督府中央研究所事務官
臺灣總督府稅務官
臺灣總督府稅關事務官
臺灣總督府稅關監視官
臺灣總督府專賣局副事務官
臺灣總督府專賣局腦務監督官
臺灣總督府法院書記長
臺灣總督府通信事務官
臺灣總督府鐵道部事務官補
臺灣總督府警察官及司獄官練習所舍監
臺灣總督府廳長

臺灣總督府郡守
臺灣總督府市尹
臺灣總督府州理事官
臺灣總督府廳理事官
臺灣總督府市理事官
臺灣總督府警視
臺灣總督府州警視
臺灣總督府廳警視
關東廳理事官
關東廳警視
關東廳典獄
關東廳遞信副事務官
關東廳事務官補
樺太廳事務官
樺太廳鐵道事務官
樺太廳通信事務官
樺太廳支廳長
貴族院守衞長
衆議院守衞長
警視廳消防部長
警視廳消防司令
警視廳北海道廳及府縣警視
北海道廳及府縣理事官
北海道廳支廳長
島司
郡長

附　則

本令ハ公布ノ日ヨリ之ヲ施行ス

左ノ勅令ハ之ヲ廢止ス但シ判任官ノ特別任用ニ關シテハ仍從前ノ例ニ依ル

鐵道院職員特別任用令
大正七年勅令第二百九十四號
明治三十年勅令第百三號
大正四年勅令第七十七號
大正二年勅令第二百七十八號
專賣局職員特別任用令
大正七年勅令第二百七十三號
稅務監督局及稅務署職員特別任用令
大正八年勅令第三百三十六號
明治三十年勅令第二百五十五號
明治三十年勅令第二百二十二號
監獄職員特別任用令
大正二年勅令第二百三十七號
大正三年勅令第六十九號
明治三十一年勅令第十八號
明治四十年勅令第二百七十五號

大正八年勅令第二百四十二號
爲替貯金局及地方遞信官署職員特別任用令
大正五年勅令第三十二號
明治二十九年勅令第百五十六號
朝鮮總督府及所屬官署職員特別任用令
大正七年勅令第百六十九號
明治四十三年勅令第三百二號
朝鮮總督府遞信官署職員特別任用令
朝鮮總督府裁判所書記長及裁判所書記特別任用令
朝鮮總督府典獄及看守長特別任用令
大正七年勅令第三百七十九號
大正二年勅令第百一號
朝鮮總督府地方廳職員特別任用令
明治四十三年勅令第百七十九號
明治四十五年勅令第五十四號
明治四十四年勅令第二百五十九號
臺灣總督府監獄職員特別任用令
明治三十九年勅令第百十五號
明治三十七年勅令第百二十五號
臺灣總督府稅關事務官、稅關監視官特別任用令
大正八年勅令第三百一號
明治四十一年勅令第百五號
臺灣總督府通信事務官通信事務官補特別任用令

大正八年勅令第三百二十八號
明治四十四年勅令第二百六十五號
臺灣總督府作業所事務官特別任用令
臺灣總督府師範學校長臺灣總督府中學校長
臺灣總督府高等女學校長臺灣公立普通學校長及臺灣公立女子高等普通學校長特別任用令
大正八年勅令第七十六號
大正八年勅令第七十五號
大正八年勅令第七十七號
大正八年勅令第七十九號
大正七年勅令第二百八十九號
明治三十三年勅令第三百十號
臺灣總督府地方職員特別任用令
臺灣總督府廳事務官及廳警視特別任用令
大正四年勅令第百三十五號
關東都督府職員特別任用令
大正八年勅令第二百九十八號
明治四十三年勅令第百八十號
旅順工科學堂學長特別任用令
樺太廳及所屬官署職員特別任用令
大正五年勅令第百五十一號
警視廳職員特別任用令
大正二年勅令第二百三十號

明治三十二年勅令第三號
明治四十年勅令第二百七十四號
大正七年勅令第百五十號
府縣立師範學校長特別任用令

附　則（大正九年十月勅令第四百六十五號）

本令ハ公布ノ日ヨリ之ヲ施行ス
本令施行ノ際現ニ遞信事務官、爲替貯金局副事務官、爲替貯金局事務官補、遞信局副事務官、遞信局事務官補、通信副事務官、通信事務官補ノ職ニ在ル者ハ本令施行ノ際ニ限リ遞信事務官ハ遞信省事務官ニ、爲替貯金局事務官又ハ爲替貯金局事務官補ハ貯金局事務官ニ、遞信局副事務官又ハ遞信局事務官補ハ遞信局事務官ニ、通信副事務官又ハ通信事務官補ハ通信事務官ニ特ニ之ヲ任用スルコトヲ得

附　則（大正九年十月勅令第五百七號）

本令ハ公布ノ日ヨリ之ヲ施行ス
本令施行ノ際現ニ關東廳通信事務官又ハ關東廳通信事務官補ノ官ニ在ル者ハ本令施行ノ際ニ限リ關東廳遞信副事務官ニ特ニ之ヲ任用スルコトヲ得

附　則（大正十一年三月第七十四號）

本令ハ大正十一年四月一日ヨリ之ヲ施行ス
本令施行ノ際現ニ監獄事務官ノ職ニ在ル者ハ本令施行ノ際ニ限リ司法省事務官ニ特ニ之ヲ任用スルコトヲ得

附　則（大正十一年三月第一一七號）

本令ハ大正十一年四月一日ヨリ之ヲ施行ス
本令施行ノ際現ニ奏任官待遇ノ海軍事務官ノ職ニ在ル者ハ本令施行ノ際ニ限リ南洋廳事務官ニ特ニ之ヲ任用スルコトヲ得

三　文官試補及見習ニ關スル件

明治四十三年六月勅令第二百七十五號
改正　九年八勅三一七號

第一條　文官任用令（第五條）ノ規定ニ依リ奏任文官ニ任用セラルヘキ資格ヲ有スル者ハ試補、同令（第六條）ノ規定ニ依リ判任文官ニ任用セラルヘキ資格ヲ有スル者ハ見習トシテ各官廳ニ屬セシメ其ノ廳又ハ他ノ官廳ニ於テ事務ヲ練習セシムルコトヲ得

第二條　試補ハ奏任官ノ待遇、見習ハ判任官ノ待遇トス

第三條　試補ノ任免奏薦及宣行ハ奏任官、見習ノ任免ハ判任官ノ例ニ依ル

第四條　試補ニハ一年千百圓以內、見習ニハ一月四十圓以內ノ俸給ヲ給スルコトヲ得

附　則

本令ハ公布ノ日ヨリ之ヲ施行ス
明治二十六年勅令第百八十六號ハ之ヲ廢止ス
本令施行ノ際別ニ辭令書ヲ交付セラレサル試補及見習ハ本令ニ依リ任セラレタルモノト看做ス

附　則（大正九年八月勅令第三百十七號）

本令ハ大正九年八月分ヨリ之ヲ適用ス

従前ノ規定ニ依リ俸給ヲ受クル者ハ現ニ受クル本俸額ニ付大正九年勅令第二百五十七號附則第二項第五號乃至第七號ノ規定ニ準シ算出シタル金額ノ俸給ヲ受クルモノトス

四　判任文官特別任用令

大正九年八月
勅令第三五七號

改正　九年一〇第四六六號　第五〇八號　一〇年一二第四七四號
　　　一一年三第一一九號

第一條　各廳ノ警部及警部補ハ二年以上各廳巡査ノ職ニ在リ學術試驗及實務考查ニ合格シタル者ヨリ之ヲ任用スルコトヲ得

外務省ノ警部及警部補ハ前項ノ規定ニ依ルノ外外務書記生タル資格ヲ有スル者又ハ二年以上外國在勤巡査ノ職ニ在リ普通試驗委員ノ銓衡ヲ經タル者ヨリ之ヲ任用スルコトヲ得

蕃務ニ從事スル臺灣總督府内ノ警部及警部補ハ第一項ノ規定ニ依ルノ外二年以上蕃地ニ於テ蕃務ニ從事スル臺灣總督府部内ノ巡查雇員又ハ囑託員ノ職ニ在リ普通試驗委員ノ銓衡ヲ經タル者ヨリ之ヲ任用スルコトヲ得

第二條　各廳看守長ハ二年以上各廳看守ノ職ニ在リ學術試驗及實務考查ニ合格シタル者ヨリ之ヲ任用スルコトヲ得

第三條　各廳消防士ハ各廳消防機關士ノ職ニ在リ若ハ二年以上判任官待遇ノ各廳消防手ノ職ニ在リ學術試驗及實務考查ニ合格シタル者又ハ各廳ノ警部若ハ警部補ノ職ニ在リタル者ヨリ之ヲ任用スルコトヲ得

第四條　前三條ノ學術試驗及實務考查ニ關スル規定ハ當該試驗及考查ヲ行フ廳ノ主管大臣、朝鮮ニ在リテハ朝鮮總督、臺灣ニ在リテハ臺灣總督、關東州ニ在リテハ關東長官、樺太ニ在リテハ樺太廳長官、南洋群島ニ在リテハ南洋廳長官之ヲ定ム

第四條ノ二　神宮衛士副長ハ三年以上神宮衛士ノ職ニ在リ普通試驗委員ノ銓衡ヲ經タル者ヨリ之ヲ任用スルコトヲ得

第五條　貴族院又ハ衆議院ノ守衛副長ハ三年以上貴族院又ハ衆議院ノ守衛ノ職ニ在リ普通試驗委員ノ銓衡ヲ經タル者ヨリ之ヲ任用スルコトヲ得

第六條　左ニ揭クル判任文官ハ其ノ所屬廳ノ主管大臣、朝鮮ニ在リテハ朝鮮總督、臺灣ニ在リテハ臺灣總督、關東州ニ在リテハ關東長官、樺太ニ在リテハ樺太廳長官、南洋群島ニ在リテハ南洋廳長官ノ定ムル規程ニ依リ之ヲ任用スルコトヲ得

各廳稅關監吏
各廳森林主事
貯金局書記補
簡易保險局書記補
遞信局書記補
各廳通信書記補
各廳遞信書記補
臺灣總督府通信手
各廳稅務吏

附　則

本令ハ公布ノ日ヨリ之ヲ施行ス

左ノ勅令ハ之ヲ廢止ス

明治二十四年勅令第百九十二號

明治二十六年勅令第二百九號

清國及朝鮮國在勤警部特別任用令

明治二十九年勅令第三百七十四號

海軍通譯官特別任用令

明治三十年勅令第三百八十一號

明治三十一年勅令第百九十三號

稅關事務官補監視及監吏特別任用令

明治三十三年勅令第三百三十四號

臺灣總督府稅關屬特別任用令

明治三十六年勅令第二百八十七號

臺灣總督府通信屬及通信手特別任用令

臺灣總督府警部、警部補特別任用令

警部補特別任用令

關東都督府警部、警部補特別任用令

明治四十三年勅令第三百九十八號

朝鮮總督府及所屬官署判任官特別任用令

朝鮮總督府稅關書記及監視特別任用令

警部消防士特別任用令

大正七年勅令第二百八十二號

奏任文官特別任用令附則二項但書及大正九年勅令第百六十一號第五條第二項ヲ削ル

外國在勤警部及巡查任用及支給規則第二條第一項ヲ削ル

陸軍監獄官特別任用令第四條ノ規定ハ其ノ效力ヲ失フ

海軍監獄官特別任用令第二條中「第五、第六ニ該ル者」ヲ「第五ニ該ル者」ニ、「三年以上海軍監獄看守又ハ」ヲ「二年以上」ニ改メ同條第六號ヲ削ル

明治二十九年勅令第三百六號第三條ヲ削ル

從前ノ規定ニ依ル考査及試驗ニ合格シタル者ハ本令中之ニ相當スル學術試驗及實務考査ニ合格シタル者ト看做ス　但シ關東廳監吏ノ考査及試驗ニ合格シタル者ハ關東廳看守長ノ學術試驗及實務考査ニ合格シタル者ト看做ス

本令施行ノ際現ニ臺灣總督府地方廳ノ林務手ノ職ニ在ル者ハ之ヲ臺灣總督府地方廳ノ森林主事ニ任用スルコトヲ得

五　朝鮮人タル官吏ノ特別任用ニ關スル件

明治四十三年九月
勅令第三百九十六號

改正　四五年三第五五號

第一條　朝鮮人ニシテ本令施行ノ際現ニ高等官ノ待遇ヲ受クル者ハ特ニ之ヲ朝鮮總督府及所屬官署ノ文官ニ任用スルコトヲ得

第二條　朝鮮人ニシテ舊韓國政府ノ高等文官ノ職ニ在リタル者又ハ舊韓國政府ノ高等文官タル資格ヲ有シタル者ハ當分ノ內(文官)高等試驗委員ノ銓衡ヲ經テ特ニ之ヲ朝鮮總督府及其ノ所屬官署ノ文官ニ任用スルコトヲ得

第三條　朝鮮人ニシテ本令施行ノ際現ニ判任官ノ待遇ヲ受クル者ハ特ニ之ヲ朝鮮總督府及其ノ所屬官署ノ判任文官ニ任用スルコトヲ得

第四條　朝鮮人ニシテ舊韓國政府ノ判任官ノ職ニ在リタル者又ハ舊韓國

政府ノ判任官タル資格ヲ有シタル者ハ當分ノ内文官普通試驗委員ノ銓衡ヲ經テ特ニ之ヲ朝鮮總督府及其ノ所屬官署ノ判任文官ニ任用スルコトヲ得

第五條　朝鮮人ニシテ朝鮮總督ノ定メタル試驗ニ合格シタル者又ハ京城專修學校、官立高等普通學校若クハ朝鮮總督ニ於テ之ト同等以上ト認メタル學校ヲ卒業シタル者ハ特ニ之ヲ朝鮮總督府及其ノ所屬官署ノ判任文官ニ任用スルコトヲ得

附　則

本令ハ明治四十三年十月一日ヨリ之ヲ施行ス

六　海軍准士官及下士官ヲ判任官ニ任用ノ件

大正十一年十月
勅令第四三二號

海軍准士官ニシテ現役ヲ退キタルモノ及海軍特修兵タル下士官ニシテ歸休中ノモノ又ハ現役ヲ退キタルモノハ普通試驗委員ノ銓衡ヲ經テ各官廳ノ判任文官ニ特ニ之ヲ任用スルコトヲ得

附　則

本令ハ公布ノ日ヨリ之ヲ施行ス

明治二十年勅令第六十五號ハ之ヲ廢止ス

（參照）

明治二十年十二月二十六日公布　勅令第六十五號ハ海軍准士官並服役滿期下士ヲ判任文官ニ任用ノ件ナリ

七　陸軍准士官及下士ヲ判任文官ニ任用ノ件

大正十一年十月
勅令第四三一號

陸軍准士官ニシテ現役ヲ退キタルモノ及陸軍下士トシテ在職中事務ニ從事シ又ハ事務取扱適任ノ證明書ヲ付與セラレ現役ヲ退キタル者ハ普通試驗委員ノ銓衡ヲ經テ各官廳ノ判任文官ニ特ニ之ヲ任用スルコトヲ得

附　則

本令ハ公布ノ日ヨリ之ヲ施行ス

陸軍准士官下士文官採用規則ハ之ヲ廢止ス

從前ノ規定ニ依リ判任文官タルノ資格ヲ有スル者ハ仍其ノ資格ヲ有ス

八　文官技倆證明書ヲ有スル者ノ採用ニ關スル件

大正十年一月
通牒

法務局長

各監獄典獄宛

文官技倆證明書ヲ有スル陸軍准士官下士ヲ文官ニ採用スル場合ニ於テハ陸軍省ノ承諾ヲ求ムル必要有之候處陸軍省ニ於テハ陸軍准士官下士文官採用規則ニ依リ一定ノ期間内本人ヨリ就職請願ヲ爲シタル者ニアラサレハ承諾ヲ與ヘサル爲採用上支障ヲ生シタル例有之候ニ付右文官技倆證明書ヲ有スル者ノ任官推薦ニ當リテハ此點調査相成度又現任看守中請願手續ヲ爲ササリシ者ニ在リテハ任官資格ナキモノナレハ他ノ方法ニ於テ資格ヲ求ムル樣注意相成度此段及通牒候也

九　文官任用令上疑義ノ件

大正三年十月
官通第三六三號

總務局長

各所屬官署ノ長宛

九月二十五日附忠清南道長官照會ニ係ル首題ノ件左ノ通了知相成度此段及通牒候也

問　內地三等郵便局ニ於テ雇員タリシ者ノ勤務期間ハ文官任用令第六條第七項ニ計算スヘキモノニ無之トハ被存候ヘ共疑義有之候條至急御回答相成度

答　內地三等郵便局雇員ノ在職期間ハ文官任用令第六條第七項ニ計算シ得ル儀ニ有之候

一〇　職員採用手續ノ件

明治四十五年六月
官通牒第二百十八號

政務總監

各所屬官署ノ長宛

職員採用ノ際現ニ他ノ官署ニ在職スル者ニシテ其ノ所屬長官ヘ交渉濟ナルトキハ採用內申書ニ其ノ交渉書類ヲ添付シ提出相成度但總督府所屬官署相互間ナルトキハ內申書ニ其ノ所屬長官連署ノ上提出相成候モ差支無之候此段及通牒候也

一一　高等官勤務指定報告ニ關スル件

大正九年四月
官通牒第二十七號

庶務部長

本部各局部長、官房秘書課長、外事課長、首席參事官、各所屬官署ノ長宛

今般委任事項規程制定相成同規則第二條第一號ニ依リ部下職員ノ勤務指定ハ同號但書ノ者ヲ除クノ外總テ貴官專行ノコトト相成候ニ付テハ自今高等官ニ對シ勤務ヲ指定セラレタルトキハ直ニ官報原稿調製ノ上御報告相成度爲念此段及通牒候也

一二　官吏休職轉勤退官等ノ事由詳具方ノ件

明治四十四年八月
官通牒第二四七號

總務部長官

官吏休職又ハ轉勤ノ件御上申ノ節ハ其ノ事由詳細併セテ具申相成度依命此段及通牒候也

一三　大正八年勅令第三八六號施行ノ際別ニ辭令書交付セラレサルモノノ勤務箇所ノ件

大正八年八月
總訓第三三號

秘書課

大正八年勅令第三百八十六號施行ノ際現ニ別表上欄ノ課所ニ勤務スル職員ニシテ別ニ辭令書ヲ交付セラレサルトキハ其ノ相當欄ノ課所ノ勤務ヲ命セラレタルモノトス

別表

秘書課 總務局人事課	秘書課

總務局總務課	庶務部文書課
總務局會計課	庶務部會計課
總務局統計課	庶務部統計課
總務局臨時國勢調査課	庶務部臨時國勢調査課
總務局印刷所	庶務部印刷所
土木局土木課	土木部土木課
土木局營繕課	土木部營繕課
鐵道局監理課	鐵道部監理課
鐵道局工務課	鐵道部工務課
農商工部鑛務課	殖産局鑛務課
農商工部地質調査所	殖産局地質調査所
司法部法務課	法務局法務課
司法部監獄課	法務局監獄課
内務部第一課	内務局第一課
内務部第二課	内務局第二課
度支部税務課	財務局税務課
度支部關税課	財務局關税課
度支部司計課	財務局司計課
度支部理財課	財務局理財課
度支部專賣課	財務局專賣課
度支部臨時關税調査課	財務局臨時關税調査課
農商工部農務課	殖産局農務課
農商工部山林課	殖産局山林課
農商工部水産課	殖産局水産課
農商工部商工課	殖産局商工課
内務部學務局學務課	學務局學務課
内務部學務局編輯課	學務局編輯課
内務部觀測所	内務局觀測所

一四 給與令改正ニ伴フ履歴書整理ノ件

大正九年十月
監第二三五九號
法務局長

各監獄典獄宛

奏任及判任待遇監獄職員給與令ノ改正竝加俸ノ整理ニ伴ヒ本俸ニ異同ヲ生シタル者ニ對スル履歴書ノ記載方ハ左記ノ例ニ依リ朱書記入相成度爲念此段及通牒候也

記

大正九年八月二十八日勅令第三四四號奏任及判任待遇監獄職員給與令改正ニ依リ月俸何圓

大正九年九月二十日法秘第一三八八號政務總監通牒ニ依リ八月ヨリ月俸何圓

一五 裁判所書記試驗合格者判任官見習ニ關スル件

明治四十五年一月
官通牒第十六號
人事局長

各所屬官署長宛

明治四十四年十一月府令第百四十二號第二條ニ關シ大邱控訴院長並同檢事長ト左記ノ通照覆候條爲念及通牒候也

（左記）

大邱控訴院長
大邱控訴院檢事長　問合

人事局長宛

判任官見習ニ關スル件

客年十一月十日付文官採用ニ關スル朝鮮總督府第百四十二號中判任官採用ニ關スル第二條中ニハ明治二十四年五月司法省令第四號裁判所書記登用試驗及第者ノ引用無之右ハ同條ヨリ除外セラレタルモノナルヤ又ハ文官普通試驗及第者ニ準シ有資格者トシテ本文ノ適用ヲ受クヘキモノナルヤ右至急御指示相成度候也

人事局長同答

大邱控訴院長
大邱控訴院檢事長　宛

明治四十四年十一月府令第百四十二號第二條ニ關シ本年十二日付發第四〇號御照會ノ件ハ後段貴見ノ通ト御了知相成度及回答候也

一六　朝鮮總督府看守採用規則

明治四十四年五月
總令第五十八號

改正　大正四年六第六一號　七年五第四五號　八年四第六七號

朝鮮總督府看守採用規則左ノ通定ム

朝鮮總督府看守採用規則

第一條　朝鮮總督府看守ハ試驗ノ上之ヲ採用ス　但シ左ノ各號ノ一ニ該當スル者ヲ看守ニ採用スル場合ニ於テハ學術試驗ヲ省略スルコトヲ得

一　滿二年以上看守ノ職ニ在リテ退職後滿二年ヲ經過セサル者
二　看守精勤證書ヲ有スル者
三　判任官ノ職ニ在リタル者及判任官タル資格ヲ有スル者
四　陸軍兵卒ニシテ現役滿期トナリ又ハ戰時召集ヲ解除セラレ下士適任證書ヲ有スル者
五　朝鮮人ニシテ舊韓國判任官ノ職ニ在リタル者

第二條　看守志願者ハ品行方正年齡二十年以上四十五年未滿ニシテ徵兵ニ相當セス且左ノ諸項ニ牴觸セサル者タルコトヲ要ス　但シ曾テ看守長、看守ノ職ヲ奉シタル者ハ年齡五十年迄志願スルコトヲ得

一　禁錮以上ノ刑ニ處セラレタル者
二　懲戒處分ニ因リ免官又ハ免職セラレタル後滿二年ヲ經過セサル者
三　身分不相應ノ負債アル者又ハ破產家資分散者タルノ宣告ヲ受ケ未タ復權ヲ得サル者
四　酒癖アル者又ハ暴行ノ癖アル者

第三條　體格檢查ハ左ノ各號ニ適合スル者ヲ以テ合格トス

一　體質善良ニシテ嫌惡スヘキ疾患ナキ者
二　身幹四尺九寸以上ニシテ胸圍大約身長ノ半ニ等シク呼吸縮長ノ差一寸以上ノ者
三　兩眼共視力三分ノ二以上ニシテ辨色力完全ノ者
四　聽力六尺ノ距離ニ於テ低語ヲ聽識シ得ル者
五　言語應答明瞭ニシテ充分發聲ニ堪フル者

六　精神完全ナル者

第四條　學術試驗ハ左ノ各號ニ適合スル者ヲ以テ合格トス　但シ第一號第五號ノ試驗ハ當分ノ內之ヲ課セサルコトヲ得

一　刑事及監獄ニ關スル法規ノ大要ニ通スル者

二　普通往復文及申告書ヲ作リ得ル者

三　加減乘除ヲ爲シ得ル者

四　普通ニ楷書又ハ行書ヲ書シ得ル者

五　簡易ナル朝鮮語（朝鮮人ニアリテハ國語）ヲ解スル者

第五條　試驗ハ朝鮮總督府典獄ヲシテ之ヲ行ハシム

第六條　試驗ニ合格セシ者一年內ハ其合格ヲ有效トス　但シ體格ニ付テハ此ノ限ニ在ラス

第七條　本令施行ノ方法、細目ハ典獄之ヲ定メ朝鮮總督ニ報告スヘシ

附　則

本令ハ發布ノ日ヨリ之ヲ施行ス

一七　朝鮮總督府看守採用手續

明治四十四年六月
總內訓第一五號
朝鮮總督府典獄

第一條　朝鮮總督府看守採用規則ニ依リ看守ニ採用セムトスル者ニ對シテハ典獄親ク左ノ諸件ヲ宣告シ仍誓文ヲ徵スヘシ

一　官吏服務紀律ヲ恪守シ常ニ上官ノ命令ヲ遵守スヘキコト

一　在監者ト狎昵スルカ如キコトナク職務上負擔スル百般ノ責務ハ最モ嚴正忠實ニ之ヲ踐行スヘキコト

一　一旦奉職ノ上ハ他念ナク職務ニ從事シ三年未滿ニシテ一身ノ故ヲ以テ辭職セサルコト

一　自身ハ勿論家族ニ至ル迄專ラ品行ヲ正シクシ監獄官吏タリ又其ノ家族タル體面ヲ汚損スルカ如キ所業ヲ爲ササルコト

第二條　誓文ハ典獄ノ面前ニ於テ本人ヲシテ自書捺印セシムヘシ

第三條　誓文ノ書式左ノ如シ

誓　文

某　儀

今般朝鮮總督府看守志願仕候ニ付御採用ヲ被ルニ於テハ官吏服務紀律ヲ恪守仕ルヘキハ勿論在監人ニ對シテ決シテ狎昵スルカ如キコトナク總テノ法律命令ヲ遵守シ職務上百般ノ責務ハ嚴正忠實ニ踐行仕ルヘク又三年未滿ニシテ一身ノ故ヲ以テ自ラ職務御免相願候樣ノ儀ハ決シテ無之且自身ハ勿論家族ニ至ル迄品行方正ニ相保チ監獄官吏タリ又其ノ家族タル體面ヲ汚損致シ候樣ノ所業決シテ仕ルマジク依テ誓文如件

年　月　日

本籍地　身分　何　某　印

一八　朝鮮總督府看守採用規則施行細則

大正七年八月西大門
監獄達示第一二二號
（明治四四年五月總令第五十八號第七條ニ依ル）

改正　大正八年達示第三號

朝鮮總督府看守採用規則施行細則左ノ通定ム

第一條　看守志願者ニハ豫メ別紙第一號様式ノ願書ヲ提出セシム

前項ノ願書ヲ受理シ受驗資格アリト認メタルトキハ別紙第二號様式ノ試驗表ヲ作成シ相當欄ニ志願者ノ氏名年齢及參考事項ヲ記載スヘシ

第二條　看守志願者アリタルトキハ豫メ別紙第二號及第三號様式ニ依リ左記各號ノ箇所ニ身元照會ヲ爲スヘシ

一　本籍地及住居地所轄ノ警察官署

二　曾テ官廳又ハ會社等ニ奉職セシ經歷アル者ニ付テハ當該官廳若ハ會社等

三　前二號ノ外必要ト認メタル箇所

第三條　看守志願者ニ對シテハ先ツ監獄醫ニ於テ體格檢査ヲ施行シ別紙第二號様式ノ試驗表中相當欄ニ其ノ結果ヲ記載スヘシ

第四條　學術試驗ハ前條ノ體格檢査ニ合格シタル者ニ之ヲ施行ス

第五條　學術試驗ハ左記科目ニ付之ヲ施行ス

一　作文　普通往復文及申告文

二　算術　加減乘除

三　寫字

第六條　（削除）

第七條　（削除）

第八條　學術試驗ハ一科百點ヲ以テ最高トシ各科平均六十點以上ヲ合格トス　但シ一科四十點未滿ノモノアルトキハ不合格トス

第九條　試驗立會員ハ看守長其他ノ職員中ヨリ隨時典獄之ヲ命ス

第十條　試驗ノ施行ニ付テハ左記各號ニ依ル

一　試驗場ニハ試驗ニ關係アル者ノ外入場ヲ許サス

二　受驗者ニハ試驗場ニ筆墨硯以外ノモノノ携帶ヲ許サス

三　受驗者ニハ試驗中試驗場ヲ出入スルコトヲ許サス

四　答案用紙ハ官給ス

第十一條　學術試驗ヲ了リタルトキハ別紙第二號様式ノ試驗表中相當欄ニ其ノ成績ヲ記載スヘシ

附　則

本達示ハ大正七年八月十日ヨリ之ヲ施行ス

明治四十四年達示第六十六號ハ之ヲ廢止ス

第一號様式

朝鮮總督府看守志願書

私儀

朝鮮總督府看守志願ニ付御試驗ノ上採用被成下度別紙履歷書添付此段相願候也

原籍
現住所
職業

年　月　日　　氏　名　㊞

朝鮮總督府典獄宛

履　歷　書

原籍地

氏　名

年月日生

年月日	任免等事故	官衙

一何何　　學業

一何何　　兵役

一何何

一何何　　雜件

一禁錮以上ノ刑ニ處セラレタル者ニアラサルコト

一破産又ハ家資分散者タルノ宣告ヲ受ケ未タ復權ヲ得サル者ニアラサルコト

右之通ニ候也

右　　氏　　名　㊞

（注意）

一履歴事項ハ總テ之ヲ記載シ省略スヘカラス

一記載事項ハ雜件事項ヲ除クノ外年月日ノ順序ニ依リ楷書ヲ以テ記載スヘシ

一氏名ニハ假名ヲ附記スヘシ

試驗表

體格檢査	學術 筆記	學術試驗 口述
大正　年　月　日執行	大正　年　月　日執行	大正　年　月　日執行

受驗者氏名	年齡
	明治　年　月　日生

體格				
體質	身幹	胸圍	呼吸縮長ノ差	參考
	尺　寸　分	尺　寸　分	寸　分	
視力辨色力	聽力（六尺ノ距離ニテ）	言語發聲	精神	

學術試驗	筆記	口述	合計
朝鮮刑事令	點	點	點
朝鮮監獄令同施行規則	點	點	點
作文	點	點	點
算術	點	點	點
寫字	點	點	點
計	點	點	點
平均點數	點	點	點

參考	

資格關係			
看守精勤證書ノ有無		曾テ判任官ノ職ニ在リタル職名	
下士適任證書ノ有無		最近前看守ノ職ニ在リタル年月	年 月
判任官タル資格ノ有無		右退職後經過セシ年月	年 月

特技ノ有無			
撃劍		執行官	典獄
柔術		立會員	
語 朝鮮語			
語 外國語		檢査醫	監獄醫

大正　年　月

朝鮮總督府典獄

（朝鮮京城西小門内）

殿

朝鮮總督府看守志願者身上調査ノ件

朝鮮總督府看守志願者ニ對スル左記身上關係乍御手數內偵御記入ノ上御返戻有之度此段及照會候也

右同答ノ件

大正　年　月　日

朝鮮總督府典獄　殿

御照會ニ依リ調査ノ上記入返戻候也

調査事項	警察官署ノ取調
本籍現住所（下欄記載ニ相違ナキヤ）	
族籍職業（下欄記載ニ相違ナキヤ）	
氏名生年月日（下欄記載ニ相違ナキヤ）	
性質及品行如何	
既往ノ經歷及現今生活狀態如何	
禁錮以上ノ刑ニ處セラレタル者ニアラサルヤ	
懲戒處分ニ因リ免官又ハ免職セラレタル後滿二年ヲ經過セサル者ニアラサルヤ	

身分不相應ノ負債アル者又ハ破産家資分産者タルノ宣告ヲ受ケ未タ復權ヲ得サル者ニアラサルヤ	
酒癖又ハ暴行ノ癖アル者ニアラサルヤ	
親族ニ精神病者ナキヤ	
其ノ他參考トナルヘキ事項	

大正　年　月　日

（朝鮮京城西小門内）
朝鮮總督府典獄

殿

朝鮮總督府看守志願者身上調査ノ件

本籍

自　年　月　日
至　年　月　日

右ハ今回朝鮮總督府看守志願候處嘗テ　　　ニ於テ頭書ノ職ニ在リタルモノノ由ニ付乍御手數左記各項御調査記入御返戻有之度此段及御依賴候也

右回答ノ件

大正　年　月　日

朝鮮總督府典獄　殿

御照會ニ依リ調査ノ上記入返戻候也

本人ノ性行	
在職中不都合ノ有無	
在職中ノ勤務振	
退職ノ事由	
退職當時ノ俸給額	
看守ニ採用シ差支ノ點ナキヤ	
其ノ他參考トナルヘキ事項	

一九　看守採用試驗ニ關スル件

大正七年六月
監第八六六號
司法部長官

各監獄典獄宛

首題ノ件ニ關シ明治四十四年十二月二十日附司刑第一二三七號ヲ以テ及通牒置候事項中試驗科目ニ關スル部分ヲ左記ノ通改メ候ニ付將來右ニ依リ試驗執行相成度此段及通牒候也

記

一　朝鮮總督府看守採用規則第四條第一號ノ刑事監獄ニ關スル法規ハ左ノ二科目ニ分ツ

一　朝鮮刑事令

二　朝鮮監獄令、同施行規則

二〇　朝鮮總督府看守ノ採用等ニ關スル件

大正七年四月
司秘補第一三一號

（省　略）

二一　看守採用ニ關スル件

大正五年
典獄會議長官注意

二〇　他ノ監獄ニ奉職シ諭旨ニ因リ解職セラレタル者ヲ日ナラスシテ更ニ看守ニ採用シタル例アリ此ノ如キハ官紀上甚タ穩當ナラサルヲ以テ將來注意セラレタシ

二二　女監取締採用ニ關スル件

大正四年七月
通牒司秘二二五號

司法部長官

各監獄典獄宛

先般典獄會同ノ際西大門監獄典獄ヨリ提出シタル女監取締採用規則制定方ニ關スル意見ニ對シ調査スヘキ旨内示相成候處右ハ當分制定セサルコトニ決定相成候ニ付今後女監取締ヲ採用スルニ當リテハ概ネ左記各項ニ該當スル者ノ中ニ就キ選擇相成度依命此段及通牒候也

一　健全ナル體格ヲ有スルコト

一 執務上必要ナル程度ノ教育アルコト

一 志想堅實ニシテ操行正シク女囚處遇ノ任ニ適スル人格ヲ有スルコ

二三 看守免官ニ關スル具申方ノ件

大正十年一月 通牒

法務局長

各監獄典獄宛

従來看守免官ニ關スル具申中該免官ノ事由往往抽象ニ過キ事實明瞭ヲ缺ク嫌アルヲ以テ自今可成具體的ノ事實記載相成度萬一公表ヲ憚ル如キ事由有之候場合ハ別ニ内輸ヲ以テ具申相成候樣致度爲念此段及通牒候也

二四 在郷陸軍軍人採用ニ關スル件

明治四十五年三月 官通第八一號

在郷陸軍軍人ヲ陸軍部外ノ官廳ニ採用スル場合ニハ將校同相當官准士官ニシテ待命休職停職ニ在ル者及陸軍准士官下士文官採用規則ニ依リ任用スル者ノ外ハ陸軍省ヘ照會ヲ要セサル旨陸軍次官ヨリ通牒有之候條此段及通牒候也

追テ准士官以上ノ者ヲ採用ノ節ハ貴官專行ノ場合ニ限リ採用罷免共本籍地所管聯隊區司令部ヘ通報相成度候也

二五 雇員定員ニ關スル件

明治四十三年十二月 司庶通第三二〇三號

雇員定員ニ關シ別紙寫之通會計局長代理ヨリ通牒有之候條此段及移牒候也

會計局長代理

○朝乙發第一、八三七號 （四三、一二、一）

司法部長官殿

雇員定員ニ關スル件

雇員定員ニ關スル別紙前段度支部稟議ニ對シ後段ノ通決定相成候條此段及通牒候也

追テ御所管各廳ヘハ便宜通牒方御取計相成度候

度支部稟議

雇員定員ニ關スル件

各廳雇員ハ豫算ノ定員ヲ超過スヘカラサル旨曩ニ御指示相成居候處斯クテハ事務上頗ル不便ヲ感シ候場合不尠特ニ稅關ノ如キハ貿易ノ繁閑ニ應シ雇員ノ數ヲ適當ニ伸縮シ豫算ヲ活用スル必要アリ且又場所ニ依リテハ比較的少額ノ給料ヲ以テ相當ノ人物ヲ得ルニ難カラサル場合モ有之候條爾後ハ凡テ豫算總額ノ範圍内ニテ人員ノ差繰差支ナキコトニ御承認相成度相伺

十一月十七日決定

豫算上ノ定員ヲ自由ニ伸縮スルトキハ所謂定員ナルモノハ無意味ニ歸スルヲ以テ常置雇員ノ人員ハ定員ニ止ムルヲ原則トシ事務上止ムヲ得サル不便アルトキハ豫算定額内ニ於テ臨時雇又ハ寫字生ヲ以テ臨時補充スルコトヲ得ルコトトシ御決定相成度候

但臨時雇及寫字生ニハ宿舍料ヲ給與セス

二六　給仕採用ニ關スル件

大正二年二月
官通第三二號　總務局長

在京城各所屬官署長宛

官公署給仕志願ノ爲メ尋常小學科程未了者ニシテ中途退學出願スル者往往有之趣ヲ以テ京城民長ヨリ上申ノ次第モ有之旁國民教育上一日モ忽ニスヘカラサル儀ト認メ候條將來給仕採用ニ就テハ可成尋常小學修了ヲ條件トシテ採用相成候樣致度此段及通牒候也

二七　監獄職員ノ進退及身分帳簿取扱方ノ件

大正十年六月
通牒　法務局長

各監獄典獄宛

首題ノ件別紙ノ通改定致候間六月分ヨリ右ニ依リ處理相成度尙左記通牒ハ消滅スヘキ儀ト御承知相成度此段及通牒候也

追テ看守ノ任免ニ關スル具申ハ從來ノ通所轄覆審法院檢事長ヲ經由セサルコトニ取扱相成度候

記

一　大正四年十月十五日監第五九六號
判任待遇職員及囑託員ノ進退通報方ノ件

一　大正六年一月三十一日監第一四一號
判任待遇職員及囑託員進退表ニ關スル件

一　大正七年五月十六日司秘第三六七號
看守任免ニ關スル件

一　大正七年六月十八日司秘第四八三號
看守任免ニ關スル件

一　大正七年七月九日司秘第五六一號
看守任免ニ關スル件

一　大正七年七月十二日監第九一七號
判任待遇職員及囑託員ノ進退通報ニ關スル件

一　大正七年八月二十三日監第一〇九六號
看守任命辭令書ニ關スル件

一　大正八年八月三十日監第一二六四號
看守任命報告ニ關スル件

（別紙）

（一）判任待遇及囑託監獄醫、同教誨師、教師並ニ有資格看守ノ進退通報方ノ件

從來各判任待遇及囑託員ノ進退ニ付毎月進退表ヲ徵取シタルモ爾今左記ノ者ニ對スル事項ニ限リ毎月進退表ヲ調製シ翌月二日迄ニ本官ニ通報セラルヘシ尙左記ノ者ノ新規採用ノ場合若ハ看守カ新ニ判任官タル資格ヲ得タル場合ニ進退表ニ本人自筆ノ履歴書一通添付相成度

1　判任待遇及囑託監獄醫
2　同上教誨師
3　教師
4　看守長其他判任官タル資格ヲ有スル看守

（進退表樣式）

何監獄典獄

法務局長宛

大正年月中判任待遇職員及囑託員進退表

發令月日	辭令事項	官職	氏名	備考

右及通報候也

備考

一 履歷書ニ譯載スヘキ事項ハ漏ナク通報スルコト

二 改氏名、死亡等亦通報スルコト

(二) 看守及女監取締ノ月末現員通報ノ件

看守及女監取締ノ月末現員ハ左記様式ニ依リ翌月二日迄ニ通報相成度候

年　月　日

何監獄典獄

法務局長官宛

何月末日看守及女監取締現在員調

			定員	採用	免官	月末現在人員	月末現在欠員
本監	看守部長	内地人					
		朝鮮人					
	看守	内地人					
		朝鮮人					
	女監取締	内地人					
		朝鮮人					
何分監	看守部長	内地人					
		朝鮮人					
	看守	内地人					
		朝鮮人					
	女監取締	内地人					
		朝鮮人					
何分監	看守部長	内地人					
		朝鮮人					
	看守	内地人					
		朝鮮人					
	女監取締	内地人					
		朝鮮人					
何分監	看守部長	内地人					
		朝鮮人					
	看守	内地人					
		朝鮮人					
	女監取締	内地人					
		朝鮮人					

注意

一 臨時配置ノ人員ハ朱書

二 出張所ノ人員ハ本監ニ含ム

右及通報候也

(三) 看守任免ニ關スル件

各監獄ヨリ看守ノ採用又ハ解職ノ具申相成候場合ハ發令ノ月日ヲ豫定シテ具申書ニ記載シ提出シ辭令書ハ所定ノ様式ニ依リ各監獄ニ於テ自ラ作成交附セラルヘシ但シ採用ノ場合ハ相當通知ヲ俟テ發令相

成度候

年　月　日

何監獄典獄

法務局長宛

看守採用ノ件上申

左記ノ者身上關係其他ニ不都合ノ廉ナク人物亦相當ノモノト認メ候間看守ニ採用相成候樣致度及上申候也

本籍		
氏名		
生年月日		年　月　日生　歳
經歷概要		
採用資格		
採用事項	辭令月日	
	俸給	
	勤務監獄	
備考		

（看守採用上申書ニハ志願書、自筆履歷書、誓文、試驗表及身上調査書類ヲ添付セラルヘシ）

年　月　日

何監獄典獄

看守罷免ノ件上申

左記ノ者願ニ依リ（事務ノ都合ニ依リ懲戒）免官相成候樣致度及上申候也

本籍	
氏名	
生年月日	
拜命年月日	
現在俸給	
退職發令月日	
免官事由	

（四）監獄醫等採用承認ニ關スル件

監獄醫、教誨師ノ採用承認稟請ニ關シテハ左記書類添付セラルヘシ

イ　履歷書（自筆ニシテ學歷資格取得前職等詳細記載シタルモノ）

ロ　身上調査書類又ハ典獄ニ於テ必要ト認メタル書類

ハ　技能、性行、經歷及朝鮮語（朝鮮人ニ付テハ國語）習熟ノ程度等ニ關スル意見書但ロノ書類ハ時宜ニ依リ省略スルコトヲ得

（五）監獄職員ノ身分帳簿ノ件

監獄職員ノ身分帳ハ別紙第一號乃至第三號樣式ニ依リ制規ノ履歷書其ノ他身上關係書類ヲ編綴シ尙看守女監取締ノ身分帳ニハ右ノ外志願書、採用試驗書類、誓文及戶籍(民籍)謄本ヲ編綴スヘシ
　但シ當分ノ內各監獄所定ノモノヲ補正シ使用スルコトヲ得

(六)　辭令書式ニ關スル件

監獄職員ニ對シ監獄ニ於テ辭令書ヲ作成交附スル場合ハ別紙第四號樣式ニ依ルコト　但シ樣式ノ定メナキモノニ付テハ總テ監獄名ヲ以テシ出張、除服、出仕(大正九年二月十九日官通牒第十九號ノ期間ニ依ラサルモノ)等ハ辭令書ニ代ハルヘキ簿冊ヲ用ウルコトヲ得

第一號樣式

何　監　獄

官吏身分帳

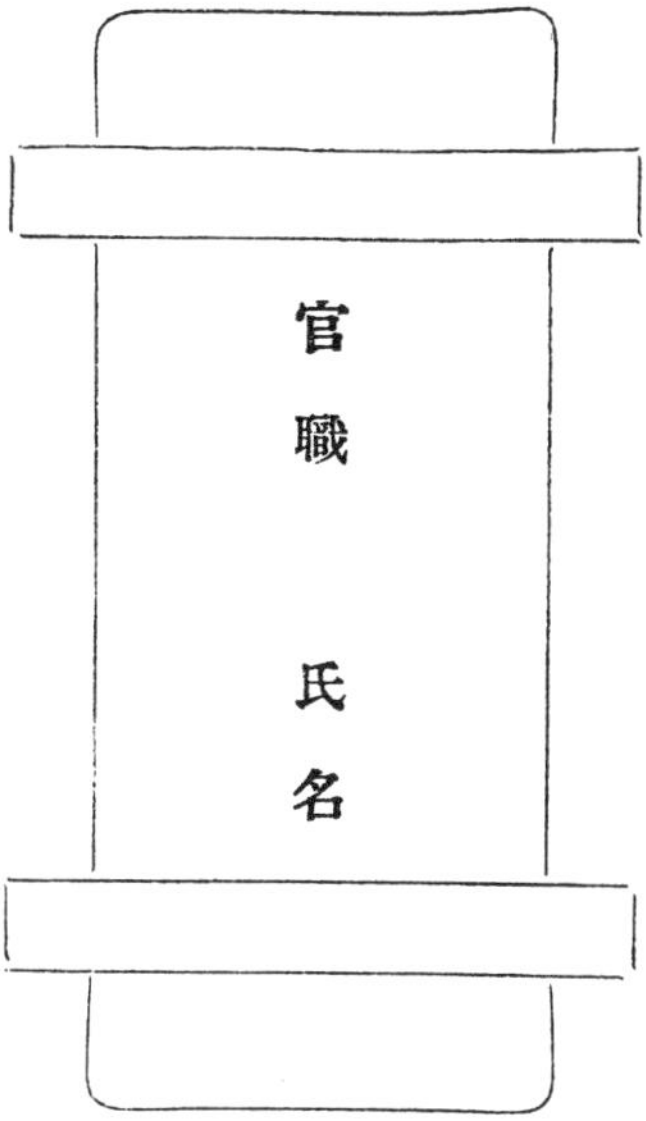

編綴目次

一　履歷書
二　誓約書
三　戶籍謄本
四　親族表
五　勤怠表
六　志願書其他採用關係書類
七　試驗書類
八　何　何

(表紙ノ裏)

第二號樣式

職氏名

年別＼月別	一月	二月	三月	四月	五月	六月	七月	八月	九月	十月	十一月	十二月	計
大正十年	皆勤	病一	祭一	忌一	公傷三								
年													
年													
年													
年													

第三號樣式

親族表

官職氏名

原籍

	父母又ハ繼養父母	兄弟姉妹	妻男女	其ノ他近親
氏名年齢	父某年 母某年 繼母某年	兄某年 弟某年 姉某年	妻某年 男某年 女某年	叔父某年 伯母某年
所在	原籍 父ト同居	父ト同居 何縣何郡何村何番地 何何		
備考	何年何月何日亡	分家 何某嫁		

注意

一　本表ハ任命後速カニ調製スルコト

一　其他近親欄ニハ在命者ノミ掲記スルコト

第四號ノ一樣式

朝鮮總督府監獄醫(教誨師、藥劑師)ヲ命ス
何級俸給與(又ハ月俸何圓給與)

年　月　日　　　　朝鮮總督府

氏名

第四號ノ二樣式

朝鮮總督府看守(女監取締)ヲ命ス
月俸　圓給與

年　月　日　　　　朝鮮總督府

氏名

第四號ノ三樣式

看守部長ヲ命ス

年　月　日　　　　朝鮮總督府

朝鮮總督府看守　氏名

第四號ノ四樣式

何監獄(何分監何出張所)在勤ヲ命ス

年　月　日　　　　朝鮮總督府

官(職)　氏名

第四號ノ五樣式

月俸何圓給與(何級俸給與)

年　月　日　　　　朝鮮總督府

官(職)　氏名

第四號ノ六樣式

休職(復職)ヲ命ス

年　月　日　　　　朝鮮總督府

官(職)　氏名

第四號ノ七樣式

願ニ依リ事務ノ都合又ハ監獄判任待遇職員懲戒規程ニ依リ朝鮮總督府　ヲ免ス

年　月　日　　　　朝鮮總督府

官(職)　氏名

第四號ノ八樣式

官（職）氏　名

何月何日何ノ事由ニ付監獄判任待遇職員懲戒規程ニ依リ何月間月俸何分ノ幾許ヲ減ス

年　月　日

何監獄典獄　印

第四號ノ九樣式

官（職）氏　名

何月何日何ノ事由ニ付監獄判任待遇職員懲戒規程ニ依リ譴責ス

年　月　日

何監獄典獄　印

第四號ノ一〇樣式

官（職）氏　名

何年何月何日ノ事由ニ依リ將來ヲ戒ム

年　月　日

何監獄典獄　印

第四號ノ一一樣式

官（職）氏　名

金　圓

右事務格別勉勵ニ付賞與ス

年　月　日

（但シ見習ヲ除ク判任官待遇、有給專務囑託及雇員ハ其ノ屬スル官署ノ名ヲ以テス）

參照（大正四年一〇月監第五九六號司法部長官通牒抄錄）

進退表記載例

一　任免其ノ他異動欄ニハ左ノ事項ヲ記載スルコト

イ　任　命

新規採用及所長又ハ部長ヲ命シ若ハ他監ヘ出向ヲ命シタル場合

ロ　俸給及手當

新規採用又ハ增給等ノ場合

ハ　勤務指定

新規採用、轉勤（他監ヨリ轉勤ノ場合ヲ含ム）復職等ノ際詰所指定ノ場合但シ其ノ廳內ニ於ケル分課ノ指定ハ記載ヲ要セス

ニ　休職、復職

以上ハ辭令ノ全文ヲ揭クルコト

ホ　免　職

依願、事務ノ都合、懲戒及失職等ノ場合

ヘ　改氏名

ト　死　亡

二　詰所欄ニハ左ノ事項ヲ記載スルコト

イ　現詰所

增給、休職、免職、改氏名、死亡及部長ヲ命シ若ハ他監ヘ出向ヲ命シタル場合

(ロ) 前 詰 所

轉勤(他監ヨリ轉勤ノ場合ヲ含ム)復職等ノ場合

三 職名欄ニハ新規採用ノ場合ヲ除クノ外總テ當時ノ職名ヲ記載スルコト 但シ部長タル看守ハ看守部長トスルコト

四 年齡欄ニハ看守新規採用ノ場合ニ限リ其ノ年齡(生年月ニ非ス)ヲ記載スルコト

五 前官職名欄ニハ判任待遇以上ノ前官職ヲ有シタルモノヲ看守ニ採用シタル場合ニ限リ其ノ前官職名ヲ簡明ニ記載スルコト

六 判任資格有無欄ニハ進退表ニ記載セラレタル看守ニシテ判任文官又ハ看守長タル資格ヲ有スルモノアルトキハ新規採用ト異動ノ場合ヲ問ハス本欄ニ「有」ト記載スルコト

二八 陸軍軍人服務令施行規則ニ依ル届出履行方ニ關スル件

大正十年二月
官通牒第十五號

內務局長

各局部長、所屬官署ノ長宛

首題ノ件善通寺聯隊區司令官ヨリ左記ノ通照會越候處右ハ總テ兵役關係者ノ服役上必要ノ手續ニ有之候條可然御配慮相成度及通牒候也

記

整理上必要有之候間自今當部在籍ノ在鄕軍人中官(公)吏トシテ採用ノ時ハ左記事項ニ付調査ノ上手續未濟者ニ對シテハ速ニ履行方指示相煩度及照會候也

追テ現在奉職中ノ者ニシテ手續未濟者多數有之候ニ付之等ニ對シテモ至急履行方示達相成度申添候

一 服役令施行規則第二條ノ寄留(在留)届

二 右 同第十八條ノ就職届

二九 履歷書記載例ニ關スル件

大正十一年十二月
官通牒第百二號

秘書課長

本府各局部長
第一次所屬官署ノ長 宛

官署ニ備付ノ履歷書及本府ニ提出スヘキ履歷書ハ別ニ定メタルモノヲ除クノ外爾今可成左記樣式ニ據リ記載スヘキ義ト御了知相成度此段及通牒候也

樣式中〆印ヲ附シタルモノハ朱書スルコト

(樣式)

一 氏名ノ右側ニハ片假名ニテ振假名ヲ附スルコト

二 楷書ニテ叮嚀ニ記載スルコト

三 學校卒業、試驗合格、教員免許狀受領等任用上ノ資格、任官、等、俸給、退官、退職、非職、休職、休職滿期、免官、失官、敍位敍勳、敍功、授爵、學位並官制及官等俸給令ノ改廢ニ關スル事項若ハ之ニ準スヘキ重要事項ノ外ハ稍小ナル字體ヲ以テ約一字ツツ下ケテ記載スルコト 但シ官制及官等俸給令改廢ノ事項ハ朱書スルコト

四　內國出張、賞與金、慰勞金及一時手當等ノ事項ハ記載セサルコト

五　朝鮮ニ在リテ任官シタル者ニ付テハ任官事項ノ下ニ（朝鮮ニ在リテ任官）ト、朝鮮以外ノ地ニ在リテ任官シタル者ニ付テハ朝鮮到著ノ年月日及其ノ到著地名ヲ記載スルコト

六　敍勳及敍功ニ關スル事項ノ下ニハ必ス其ノ勳記又ハ功記ノ番號ヲ記載スルコト

七　恩給、退隱料又ハ退官賜金ノ受領ニ關スル事項ハ洩ナク記載スルコト

八　兵役、從軍關係ノ事項ハ細大洩ナク記載ノコト

九　減俸及譴責事項ハ其辭令全文ヲ記載スルコト

十　各種委員及囑託事項ハ可成記載ノコト

府縣族籍 何府縣何 何	氏名 何　某 明治何年何月何日生	舊氏名 何　某
原籍	何府縣何郡市何町村大字何何番地	
現住所		
年號　月　日	官記辭令及其ノ他事項	官廳
明治　年　月　日	雇ヲ命シ月俸金何圓ヲ給ス	
	何何課勤務ヲ命ス	何　何
年　月　日	自今月俸金何圓ヲ給ス	同
年　月　日	文官普通試驗合格	何何縣

年　月　日	任何何縣屬	
	給何級俸	
	何何郡在勤ヲ命ス	何何縣
年　月　日	何何課勤務ヲ命ス	何郡
月　日	何何委員ヲ命ス	何縣
月　日	何何事務ヲ囑託ス	何郡何會
年　月　日	文官分限令第何條第何項第何號ニ依リ休職ヲ命ス	何縣
月　日	一年志願兵トシテ第何師團步兵第何聯隊入隊	
年　月　日	現役滿期除隊	
月　日	任陸軍小尉	內閣
月　日	復職ヲ命ス	何縣
年　月　日	給何級俸	同
月　日	敍正八位	宮內省
月　日	×判任官俸給令改正何級俸トナル	
月　日	給何級俸	何縣
年　月　日	依願免本官	同
月　日	滿何年以上在官ニ付金何十圓下賜	同

年　月　日	司法省指定私立何何大學法學部卒業	
年　月　日	判事檢事登用第一回試驗合格	
年　月　日	辯護士試驗合格	
月　日	司法官試補ヲ命ス	
	年俸何圓下賜	
	何何地方裁判所及同檢事局並何何區裁判所及同檢事局ニ於テ事務ヲ修習スヘシ	司法省
月　日	何何區裁判所檢事代理ヲ命ス	同
月　日	何何區裁判所檢事長代理ヲ命ス	同
月　日	司法官試補實務試驗合格	
年　月　日	任檢事	
月　日	敍高等官七等	內閣
月　日	何級俸下賜	
	補何何區裁判所檢事兼何何地方裁判所檢事	司法省
月　日	敍從七位	宮內省
年　月　日	文官高等試驗合格	
年　月　日	任何何縣理事官	

	敍高等官何等	內閣
	何級俸下賜	內務省
月　日	何何課長ヲ命ス	何縣
年　月　日	文官分限令第何條第何項第何號ニ依リ休職ヲ命ス	同
月　日	充員召集ニ應シ第何師團第何何聯隊ニ編入	
月　日	出征ノ爲宇品港出帆	
月　日	戰地何國何地ニ上陸	
年　月　日	凱旋（後送）ノ爲戰地何何地出發	
月　日	宇品港上陸	
月　日	召集解除	
月　日	復職ヲ命ス	內閣
年　月　日	何何課長ヲ命ス	何縣
年　月　日	陞敍高等官何等	內閣
月　日	敍正何位	宮內省
年　月　日	明治三十七八年戰役ノ功ニ依リ功何級金鵄勳章及年金何圓並勳六等單光旭日章ヲ授ケ賜フ（功記第何號）（勳記第何號）	賞勳局

月　日	明治三十七八年戰役從軍記章授與セラル	同
年　月　日	任統監府書記官	
	敍高等官何等	內閣
同　日	何級俸下賜	統監府
同　日	釜山上港	
年　月　日	在官ノ儘韓國政府ノ聘用ニ應シ俸給其他ノ給與ヲ受クル件ヲ許可ス	
月　日	同政府聘用中特ニ在職者ニ關スル規定ヲ適用ス	
隆熙　年(明治　年)　月　日	任何何官	
	敍奏任官何等	內閣
同　日	給何級俸	何部
	命何何在勤	同
明治四十三年八月二十九日	勅令第三百十九號ヲ以テ從來韓國政府ニ屬シタル官廳ハ内閣表勳院ヲ除クノ外朝鮮總督府所屬官署ト看做シ當分存置セラレ奏任官ノ待遇ヲ受ク	
月　日	×統監府官制廢止廢官	
月　日	×朝鮮總督府地方官官制實施	
月　日	任朝鮮總督府道事務官	

	敍高等官何等	內閣
	何級俸下賜	朝鮮總督府
	何何道在勤ヲ命ス	同
	何部何課長ヲ命ス	何道
大正　年　月　日	韓國併合記念章ヲ授與セラル	
年　月　日	大禮記念章ヲ授與セラル	
月　日	何何委員ヲ命ス	朝鮮總督府
月　日	×何何委員會規定廢止　廢職	
年　月　日	勤務演習召集免除認可(下士以下ハ簡閱點呼アリ)	
年　月　日	敍勳何等授瑞寶章(勳記第何號)	賞勳局
九　年　八月十八日	×高等官官等俸給令中改正公布八月分ヨリ適用俸給年額何千圓(又ハ何級)	
	×(判任官俸給令中改正公布八月分ヨリ適用俸給月額何十圓(又ハ何級))	
月　日	敍勳何等授瑞寶章(勳記第何號)	
	大正四年乃至九年事件ノ功ニ依リ勳何等瑞寶章竝金何百圓ヲ授ケ賜フ	同

十年十二月二日	×朝鮮總督府地方官官制改正	
	×右官制附則ニ依リ同官等俸給ヲ以テ朝鮮總督府道理事官ニ任セラル	
年月日	文官分限令第何條第何項第何號ニ依リ休職ヲ命ス	朝鮮總督府
月日	歐米各國ニ於ケル何何ノ調査ヲ囑託ス	同
同	歐米各國ヘ出張ヲ命ス	同
年月日	法學博士ノ學位ヲ授與セラル	
年月日	依願免本官（疾病又ハ自己便宜）	內閣
年月日	恩給年額金何圓下賜（證書第何號）	

三〇 戰時事變ノ際巡査看守休職ニ關スル件

明治三十七年二月
勅令第三十三號

明治二十七年勅令第八十八號左ノ通改正ス

戰時又ハ事變ニ際シ陸海軍ニ召集セラレタル巡査看守ニハ其ノ間休職ヲ命スルコトヲ得

前項休職中ノ日數ハ在職年數ニ算入ス

三一 巡査看守休職ノ件

大正三年八月
人第一七四一號

各監獄典獄殿

總務局長

朝鮮總督府巡査、看守ニシテ戰時又ハ事變ニ際シ陸海軍ニ召集セラレタル者ニ對シテハ明治三十七年二月勅令第三十三號ニ依リ休職ヲ命シ得ヘキ儀ニ有之候條爲念及通牒候也

三二 巡査看守休職給ニ關スル件

大正三年九月
官秘通牒第二八五號

各監獄典獄殿

政務總監

明治三十七年勅令第三十三號ニヨリ巡査看守ニ休職ヲ命シタルトキハ本人ノ陸海軍ヨリ受クル俸給又ハ給料ノ月額カ休職ヲ命セラレタル當時ノ月俸額（加俸ヲ含マス）ヨリ寡少ナルトキハ其ノ不足額ニ相當スル金額ノ休職給ヲ補給スルコトニ決定候條右ニ御取扱相成度此段及通牒候也

三三 休職看守ニ對スル復職竝定員ノ補充ニ關スル件

大正三年九月
官通牒第三二八號

各覆審法院檢事長、各監獄典獄宛

總務局長

八月二十二日付成興監獄典獄照會ニ係ル首題ノ件左記ノ通御了知相成度此段及通牒候也

記

問　明治三十七年二月勅令第三十三號ニ依リ看守ニ休職ヲ命シタル場合

ハ定員外トシ更ニ補缺員ヲ採用シ又休職看守ニシテ召集解除セラレタルトキハ別ニ辭令ヲ用ヒス當然復職ヲ命セラレタルモノト認メ差支無之哉

答　前段ハ見解ノ通後段ハ辭令ヲ用ヒ復職セシメラレ可然

三四　休職又ハ退職ノ者ノ採用ニ關シ身分取調ノ件

大正三年十月
官通牒第三六七號

政務總監

各部長官、官房各局課長、所屬官署長宛

休職又ハ退職ノ者ノ採用ニ關シテハ豫メ左記樣式ニ依リ身分ヲ取調之ヲ內申書ニ添付シ提出可相成此段及通牒候也

第　號　大正　年　月　日	號　大正　年　月　日
發信官氏名	
殿	
身分取調ノ件照會	身分取調ノ件回答
別記履歷ノモノニ對スル左ノ事項乍御手數御取調下欄ニ御記入ノ上折返御送付相煩度候也	上欄照會ノ事項左ニ記入回答候也
一履歷事項相違ノ有無	一
一在職中不都合ノ有無	一
一在職中ノ成績	一
一休職又ハ退職ノ事由	一
一性行ノ良否	一
一特殊ノ技能	一
一其他採用上參考トナルヘキ事項	一

履　歷

原籍	氏名	生年月
年月日	事　項	脫落相違其他

三五　監獄醫教誨師及教師ノ休職ニ關スル件

大正七年十月
勅令第三六六號

戰時又ハ事變ニ際シ陸軍又ハ海軍ニ召集セラレタル監獄醫、教誨師及教師ニハ其ノ間休職ヲ命スルコトヲ得

前項休職中ノ日數ハ在職年數ニ算入ス

第一項ノ規定ニ依リ休職ヲ命セラレタル者ノ陸軍又ハ海軍ニ於テ受クル俸給又ハ給料ノ額休職ヲ命セラレタル當時ノ俸給額ヨリ寡少ナルトキハ其ノ不足額ニ相當スル金額以内ノ休職給ヲ給スルコトヲ得

附　則

本令ハ公布ノ日ヨリ之ヲ施行ス

三六　休職看守ノ復職ニ關スル件

大正七年十二月
監第一六三二號
司法部長官

各監獄典獄殿

休職看守ニ對シ復職ヲ命スル場合ニ於テハ其ノ監獄ニ缺員アルトキハ貴官ニ於テ復職ヲ命シタル上即時報告スヘク若シ缺員ナキトキハ本府ニ具申ノ上指令ヲ待テ何分ノ措置相成度此段及通牒候也

三七　職員疾病ニ因リ辭職出願ニ關スル件

明治四十四年二月
官通司庶發第九二號
司法部長官

各監獄典獄宛

職員疾病ニ依リ辭職出願ノ際提出スル診斷書ハ可成左記樣式ニ依リ詳記セシメラレ度若シ相當診斷書ヲ作製シ難キ場合ハ當本人ノ病狀明細書ヲ徵シ御意見副申相成度此段及通牒候也

（診斷書樣式）

診　斷　書

氏　名
生年月日

一、病　名

經　過（病症並發作期等要綱）

病　狀

療　法

豫　後

右及診斷候也

年　月　日

住　所

醫師（位階、勳等學位等）　氏　名　印

第七章　試驗教習

一　高等試驗令

大正七年一月
勅令第七號

第一條　奏任文官ノ任用資格試驗、外交官及領事官ノ任用資格試驗竝裁判所構成法第五十八條ノ試驗ハ高等試驗ト稱シ本令ニ依リ之ヲ行フ

但シ特別ノ規程アルモノハ此ノ限ニ在ラス

第二條　高等試驗ハ毎年一回東京ニ於テ之ヲ行フ其ノ期日及場所ハ豫メ官報ヲ以テ之ヲ公告ス

本試驗各科ノ試驗ハ各別ノ期日ニ之ヲ行フ

第三條　左ノ各號ノ一ニ該當スル者ハ高等試驗ヲ受クルコトヲ得ス

一　禁錮以上ノ刑ニ處セラレタル者

二　破産者ハ家資分散ノ宣告ヲ受ケ復權セサル者又ハ身代限ノ處分ヲ受ケ債務ノ辨償ヲ終ヘサル者

第四條　高等試驗ヲ分チテ豫備試驗及本試驗トス豫備試驗ニ合格シタル者ニ非サレハ本試驗ヲ受クルコトヲ得ス

第五條　豫備試驗ハ受驗者本試驗ヲ受クルニ相當ナル學識ヲ有スル者ト認ムヘキヤ否ヤヲ考試スルヲ以テ目的トス

第六條　豫備試驗ハ論文及外國語ニ就キ之ヲ行フ

外國語試驗ハ英語、佛語及獨語ノ中ニ就キ受驗者ヲシテ豫メ一種ヲ選擇セシメ之ヲ行フ　但シ受驗者ノ願ニ依リ他ニ外國語ヲ以テ之ニ代フルコトアルヘシ

第七條　豫備試驗ヲ受ケムトスル者ハ中學校ヲ卒業シタル者、文部大臣ニ於テ普通教育ニ關シ之ト同等以上ノ學歷ヲ有スト定メタル者及高等試驗委員ニ於テ普通教育ニ關シ中學校ト同等以上ト認ムル外外國ノ學校ヲ卒業シタル者ヲ除クノ外文部大臣ノ定ムル所ニ依リ國語、漢文、歷史、地理、數學、物理及化學ノ七科目ニ就キ中學校卒業ノ程度ニ於テ行フ試驗ニ合格シタル者ナルコトヲ要ス

第八條　高等學校大學豫科又ハ文部大臣ニ於テ之ト同等以上ト認ムル學校ヲ卒業シタル者ハ豫備試驗ヲ免ス

豫備試驗ニ合格シタル者ハ爾後豫備試驗ヲ免ス

第九條　本試驗ハ受驗者學理上ノ原則及現行法令ニ通曉シ且之ヲ實務ニ應用スルノ能力アルヤ否ヤヲ考試スルヲ以テ目的トス

第十條　本試驗ヲ分チテ行政科、外交科及司法科ノ三科トス

受驗者ハ二科以上ノ試驗ヲ併セ受クルコトヲ得

第十一條　本試驗ハ筆記及口述トス筆記試驗ニ合格シタル者ニ非サレハ口述試驗ヲ受クルコトヲ得ス

第十二條　民法、商法、刑法、民事訴訟法、刑事訴訟法其ノ他高等試驗委員ニ於テ必要ト認ムル科目ノ筆記試驗及口述試驗ハ受驗者ニ法文ヲ示シテ之ヲ行フ

第十三條　行政科試驗ハ左ノ科目ニ就キ之ヲ行フ

一　憲法

二　行政法

三　民法

四　刑法

五　國際公法

六　經濟學
以上ノ科目ハ必須トス
一　商法
二　民事訴訟法
三　刑事訴訟法
四　財政學
以上ノ科目ハ受驗者ヲシテ豫メ其ノ一ヲ選擇セシム
第十四條　外交科試驗ハ左ノ科目ニ就キ之ヲ行フ
一　憲法
二　國際公法
三　國際私法
四　經濟學
五　外交史
六　外國語
以上ノ科目ハ必須トス
外國語ハ英語、佛語及獨語ノ中ニ就キ受驗者ヲシテ豫メ一種ヲ選擇セシム
受驗者ノ願ニ依リ其ノ選擇シタル外國語ノ外他ノ外國語ヲ併セ試驗スルコトアルヘシ
一　行政法
二　民法
三　商法
四　刑法
五　財政學
六　商業學
七　商業史
以上ノ科目ハ受驗者ヲシテ豫メ其ノ一ヲ選擇セシム
第十五條　司法科試驗ハ左ノ科目ニ就キ之ヲ行フ
一　憲法
二　民法
三　商法
四　刑法
五　民事訴訟法
六　刑事訴訟法
七　國際私法
以上ノ科目ハ必須トス
一　行政法
二　國際公法
三　經濟學
以上ノ科目ハ受驗者ヲシテ豫メ其ノ一ヲ選擇セシム
第十六條　一ノ科ノ筆記試驗ニ合格シタル者ハ翌年ニ限リ其ノ科ノ筆記試驗ヲ免ス
第十七條　一ノ科ノ本試驗ニ合格シタル者ニシテ他ノ科ノ本試驗ヲ受ケムトスル者ニ付テハ必須科目ノ試驗ニ在リテハ受驗セサリシ科目ニ就キテノミ之ヲ行ヒ選擇科目ノ試驗ニ在リテハ其ノ科目中ニ受驗シタル科目ナキトキニ於テノミ之ヲ行フ

第十八條　試驗ノ合格者ヲ定ムル方法ハ高等試驗委員ノ議定スル所ニ依ル

第十九條　高等試驗ノ合格者ニハ合格證書ヲ付與ス

第二十條　不正ノ方法ニ依リ試驗ヲ受ケムトシタル者又ハ試驗ニ關スル規程ニ違反シタル者ハ其ノ試驗ヲ受クルコトヲ得ス試驗合格決定後發覺シタルトキハ其ノ合格ヲ無效トス

第二十一條　高等試驗ヲ受ケムトスル者ハ手數料トシテ本試驗ノ一科ニ付十圓ヲ納ムヘシ

第二十二條　高等試驗ニ關スル細則ハ閣令ヲ以テ之ヲ定ム

附　則

本令ハ大正七年三月一日ヨリ之ヲ施行ス

文官試驗規則竝外交官及領事官試驗規則ハ之ヲ廢止ス

大正三年法律第三十九號中第五十七條乃至第五十九條、第六十二條及第六十五條ノ改正規定、大正三年法律第四十號竝本令中司法科試驗ニ關スル規定ハ大正十二年三月一日ヨリ之ヲ施行ス

二　普通試驗令

大正七年一月勅令第八號

第一條　特別ノ規程アルモノヲ除クノ外判任文官ノ任用資格試驗ハ普通試驗ト稱シ本令ニ依リ之ヲ行フ

第二條　普通試驗ハ各官廳　須要ニ應シ其ノ廳ノ普通試驗委員之ヲ行フ

其ノ期日及場所ハ豫メ官報ヲ以テ之ヲ公告シ東京以外ノ地ニ於テ行フ試驗ニ在リテハ尙其ノ地方ノ新聞紙ニ公告ス

第三條　普通試驗ヲ受ケムトスル者ハ手數料トシテ二圓ヲ納ムヘシ

第四條　普通試驗ハ中學校ノ學科目中五科目以上ニ就キ中學校卒業ノ程度ニ於テ之ヲ行フ

前項ノ外各官廳所掌ノ事務ヲ斟酌シ別ニ科目ヲ加フルコトヲ得

前二項ノ科目ハ普通試驗委員之ヲ定メ高等試驗委員ノ承認ヲ經ヘシ

第五條　高等試驗令第三條及第十八條乃至第二十條ノ規定ハ普通試驗ニ之ヲ準用ス

第六條　普通試驗ニ關スル細則ハ普通試驗委員之ヲ定メ高等試驗委員ニ報告スヘシ

附　則

本令ハ大正七年三月一日ヨリ之ヲ施行ス

本令施行前文官普通試驗ノ期日場所ヲ公告シタルモノニ付テハ其ノ試驗ハ仍從前ノ例ニ依ル

三　高等試驗令施行細則

大正七年二月閣令第一號

高等試驗令施行細則左ノ通定ム

第一條　高等試驗ヲ受ケムトスル者ハ受驗願書ニ履歷書及高等試驗令第七條又ハ第八條ノ規定ニ該當スル者ナルコトヲ證スル書類ヲ添ヘ高等試驗委員長ニ提出スヘシ

受驗ノ出願ハ豫備試驗ヲ受クル者ニ在リテハ毎年六月一日ヨリ同月二十五日迄ニ、其ノ他ノ者ニ在リテハ毎年七月一日ヨリ同月二十五日迄ニ之ヲ爲スヘシ

第二條　受驗願書ニハ本試驗ノ分科及選擇科目ヲ記載スヘシ

第三條　豫備試驗又ハ外交科試驗ヲ受クル者ニ在リテハ受驗願書ニ其ノ

受驗セムトスル外國語ノ種類ヲ記載スヘシ
第四條　高等試驗令第十六條ノ規定ニ依リ筆記試驗ノ免除ヲ受クル者ハ受驗願書ニ前年筆記試驗ニ合格シタル旨ヲ記載スヘシ
一ノ科ノ本試驗ニ合格シタル者ニシテ他ノ科ノ本試驗ヲ受ケムトスルモノハ受驗願書ニ其ノ旨ヲ記載スヘシ
第五條　受驗手數料ハ收入印紙ヲ用ヰ受驗願書ニ貼附スヘシ
受驗手數料ハ試驗ヲ受ケサルコトアルモ之ヲ還付セス
第六條　受驗願書及添付書類ハ之ヲ還付セス　但シ證書又ハ證明書ハ請求ニ因リ之ヲ還付ス
第七條　受驗者試驗當日開試ノ時間迄ニ出席セス又ハ試驗中途ニテ休止シタルトキハ其ノ試驗ヲ受クルコトヲ得ス
第八條　受驗者ハ試驗委員長ノ告示其ノ他試驗委員指示ヲ遵守スヘシ
第九條　高等試驗ノ合格者ノ氏名ハ官報ヲ以テ之ヲ公告ス
第十條　高等試驗ニ關シ本令ニ定ムルモノノ外必要ナル事項ハ高等試驗委員長之ヲ定ム

附　則

本令ハ大正七年三月一日ヨリ之ヲ施行ス

四　朝鮮人判任文官試驗規則

明治四十四年六月
總令第七九號

朝鮮人判任文官試驗規則左ノ通定ム

朝鮮人判任文官試驗規則

第一條　朝鮮人ニシテ本令ニ定ムル試驗ニ合格シタル者ハ朝鮮總督府及所屬官署ノ判任文官タルノ資格ヲ有ス
第二條　試驗ハ朝鮮總督府（文官）普通試驗委員之ヲ行フ
試驗ヲ行フヘキ期日、場所及試驗科目ハ豫メ朝鮮總督府官報及新聞ニ公告ス
第三條　左ノ各號ノ一ニ該當スル者ハ試驗ヲ受クルコトヲ得ス
一　禁錮又ハ禁錮以上ノ刑ニ處セラタル者
二　身代限ノ處分ヲ受ケ債務ノ辨償ヲ終ヘサル者
三　素行修マラサル者
第四條　受驗志願者ハ願書ニ履歴書ヲ添ヘ公告シタル期日迄ニ之ヲ（文官）普通試驗委員長ニ差出スヘシ　但シ身分、職業及年齢ニ關スル警察官署ノ證明書ヲ添付スル事ヲ要ス
第五條　受驗出願者ハ手數料トシテ一圓ヲ納ムヘシ　但シ手數料ハ收入印紙ヲ用ヰ之ヲ願書ニ貼附スヘシ
手數料ハ願書ヲ取下ケ又ハ試驗ヲ受ケサルトキト雖之ヲ還付セス
第六條　不正ノ方法ニ依リ試驗ヲ受ケムト企テタル者及試驗ニ關スル規定ニ違反シタル者ハ其ノ期ノ試驗ヲ受クルコトヲ得ス事後其ノ事實發覺シタルトキハ其ノ合格ヲ無效トス
第七條　試驗ハ筆記試驗及口述試驗ノ二種トス
筆記試驗ニ合格シタル者ニ非サレハ口述試驗ヲ受クルコトヲ得ス
第八條　筆記試驗ハ左ニ列記シタルモノノ中五科目以上ニ就キ之ヲ行フ
一　國　語　會話
二　現行法制　大要
三　讀　書　白文訓點並釋義

四 作文 假名交リ文
五 筆寫 楷、行、草
六 數學 珠算、筆算
七 歷史 本邦歷史ノ大要
八 地理 本邦及外國地理ノ大要

口述試驗ハ前項ニ列記シタルモノノ中一科目以上ニ就キ之ヲ行フ

第九條 試驗合格者ヲ定ムル(文官)普通試驗委員ノ決定スル所ニ依ル

試驗ニ合格シタル者ニハ合格證書ヲ附與ス

第十條 試驗合格者ノ氏名ハ朝鮮總督府官報ヲ以テ之ヲ公告ス

第十一條 試驗科目ノ程度ハ(文官)普通試驗委員長之ヲ定ム

五 朝鮮總督府看守長特別任用學術試驗及實務考査規程

大正九年十一月 總令第一六九號

朝鮮總督府看守長特別任用學術試驗及實務考査規程左ノ通定ム

第一條 朝鮮總督府看守長特別任用ニ關スル學術試驗及實務考査ハ本規程ニ依ル

第二條 考試委員長ハ法務局長ヲ以テ之ニ充テ他ノ考試委員ハ三名以上トシ朝鮮總督府法務局勤務ノ高等官ノ中ヨリ朝鮮總督之ヲ命ス

第三條 學術試驗ハ左ノ科目ニ就キ之ヲ行フ

一 監獄ニ關スル諸法規
二 朝鮮刑事令ノ大要
三 會計法規ノ大要
四 作文、算術
五 朝鮮語(朝鮮人タル看守ニ在リテハ國語)

判任官特別任用令ニ依ル看守長、臺灣總督府看守長又ハ關東廳看守長ノ考試ニ合格シタル者ニ對シテハ學術試驗ノ一部ヲ省略スルコトヲ得

第四條 學術試驗施行ノ方法、場所、期日及之ニ關スル手續ハ考試委員長之ヲ定ム

第五條 實務考査ハ成績表ニ依リ之ヲ行フ

第六條 典獄ハ現任看守ノ成績表ヲ備ヘ左ノ事項ニ付隨時記入ヲ爲スヘシ

一 品行、素行
二 健康
三 姿勢、禮式、服裝、其他紀律
四 執務
五 勤務
六 書類報告ノ整否
七 學術
八 朝鮮語(朝鮮人タル看守ニ在リテハ國語)
九 武術
十 其他考査上參考トナルヘキ事項

第七條 學術試驗及實務考査ノ合格者ニハ合格證書ヲ附與ス

附 則

本令ハ發布ノ日ヨリ之ヲ施行ス

六　看守成績表ニ關スル件

大正九年十月
法秘一〇六七號
法務局長

各監獄典獄宛

朝鮮總督府看守長特別任用學術試驗及實務考査規程第六條ニ依リ監獄ニ備フヘキ看守成績表樣式別紙ノ通相定候條將來右ニ依リ調製相成度此段及通牒候也

大正　年成績表

年　月　日拜命　監獄　分監

看守(部長)　氏　名

年月日精勤證書授與　明治年月日生

項目	自一月及六月	自七月及十二月
品行		
健康		
姿勢、禮式、服裝其他紀律		
執務		
勤務		
書類報告ノ整否		
學術		
朝鮮語(國語)		
武術		
特技		
適所		
賞罰		
家庭		
其ノ他ノ參考事項		
概評		

判定
考試委員 考試委員長

取扱例

一　本表ハ秘密ノ取扱ヲ為シ其記入ハ最適實ナルコトヲ要ス
二　執務ノ欄ニハ擔任事務ヲ明記シ其當否ヲ記入スヘシ
三　學術ノ欄ニハ素養ノ有無、程度、竝法規ノ講習及應問ノ成績等ヲ

記載スヘシ

四 朝鮮語(國語)及武術ノ欄ニハ其熟否ノ外研究ニ對スル冷熱ノ點ヲモ記入スヘシ

五 其他ノ欄ニハ統御ノ才、負債ノ有無、若ハ折合等考査上參考資料ハ勗メテ記載スヘシ

六 概評欄ニハ職員會議ノ意見ヲ聽キタル後其成績ハ甲、乙、丙、丁ノ四種ニ區別シテ記入スヘシ

七 他ノ監獄ニ轉勤シタルトキハ本表ハ之ヲ轉勤先ノ典獄ニ引繼クヘシ

七 朝鮮總督府看守教習規程

大正七年五月
總訓第二三號
朝鮮總督府監獄

朝鮮總督府看守教習所規程左ノ通改ム

第一條 新ニ採用シタル看守ニハ教習生ヲ命シ學科及實務ノ教習ヲ受ケシム 但シ監獄事務ニ從事シタル經歷ヲ有スル者又ハ學術ノ素養アル者ニ對シテハ教習期間ヲ短縮シ又ハ教習科目ノ一部若ハ全部ヲ省略スルコトヲ得

第二條 教習ハ看守教習所ニ於テ之ヲ行フ 但シ實務ノ教習ハ先任看守ノ部伍ニ加ヘテ之ヲ行フコトヲ得

第三條 特別ノ事情アルトキハ前二條ノ規定ニ拘ラス新任看守ヲシテ直ニ本務ニ服セシム

前項ノ場合ニ於テハ其ノ所屬監獄典獄ハ本規程ニ準シ適當ノ教習ヲ行フヘシ

第四條 看守教習所ハ之ヲ西大門監獄ニ置ク

第五條 看守教習所ニ教官二人以上主事一人ヲ置キ西大門監獄職員中ヨリ典獄之ヲ命ス 但シ教官ハ西大門監獄職員以外ノ者ニ囑託スルコトヲ得

第六條 教習ハ左ノ科目ニ就キ之ヲ行ヒ其ノ期間ハ三月トス

一 監獄學ノ大要
二 朝鮮監獄令及朝鮮監獄令施行規則
三 朝鮮刑事令ノ大要
四 會計法規ノ大要
五 紀律ニ關スル事項
六 行政諸法規ノ大要
七 個人識別法ノ大要
八 朝鮮語(朝鮮人ニ在リテハ國語)
九 武術
十 操練
十一 戒具及銃器ノ使用法
十二 火災其ノ他ノ非常事變ニ處スル心得

典獄ハ朝鮮總督ノ認可ヲ得テ教習期間ヲ伸縮スルコトヲ得

第七條 教習期ノ終ニ於テ終末試驗ヲ行フヘシ

前項ノ試驗ニ合格セサル者ニ對シテハ相當ノ期間修習セシメ再試驗ヲ受ケシムルコトヲ得

試驗ノ成績ハ典獄之ヲ朝鮮總督ニ報告スヘシ

第八條　教習ヲ受ケタル看守ト雖前條ノ試驗ニ合格シタル後ニ非サレハ本務ニ服セシムルコトヲ得ス

前條ノ試驗ニ合格シタル者ト雖事務ノ都合ニ依リ必要アルトキハ仍ホ教習生トシテ監獄ニ配置シ實務ヲ修習セシム

第九條　監獄勤務ノ看守ニ對シ必要アリト認ムルトキハ看守教習所ニ於テ臨時特別ノ訓練ヲ行フ

第十條　本規程ニ定ムルモノヲ除クノ外必要ナル事項ハ典獄之ヲ定メ朝鮮總督ニ報告スヘシ

八　看守採用成績採點標準ノ件

四十四年十二月
司刑第一二三七號
司法部長官通牒

看守採用試驗ノ科目及採點方ニ付各監甚シク差異有之候テハ採用規則ノ趣旨ニモ反スル次第ニ付自今左記標準ニ依リ御取扱相成度此段及通牒候也

一　試驗科目ノ點數ハ各百點ヲ滿點トシ其得點各科目四十點以上平均六十點以上ノモノヲ合格トス

一　科目（大正七、六、二、監第八六六號ヲ以テ廢止）

九　朝鮮總督府看守教習所生徒心得

大正七年九月
西大門監獄達示第二七號

改正　一〇年七第一九號

朝鮮總督府看守教習所生徒心得左ノ通定ム

第一條　生徒ハ主事ノ指揮監督ヲ受クヘシ　但シ受業中ニアリテハ教官ノ指揮監督ヲ受クルモノトス

第二條　生徒ハ毎日始業前出勤簿ニ捺印シ點檢ヲ受クヘシ

第三條　疾病其ノ他ノ事故ニ依リ缺席セムトスルトキハ受業時前其ノ事由ヲ具シ典獄ニ屆出ツヘシ

第四條　左ノ各號ハ振鈴ヲ以テ之ヲ報ス

一　點檢及課業ノ始終
二　食事及入浴
三　起床及消燈

第五條　生徒ハ各學科始業前豫メ教科目ノ書籍及筆紙等ヲ用意シ置キ振鈴ヲ聞クトキハ直ニ教場ニ入リ著席シテ教官ノ來場ヲ待ツヘシ

第六條　教場ノ席順ハ主事之ヲ定ム

第七條　受業中ハ最靜肅ヲ旨トシ喫煙欠伸私語雜談其ノ他非禮ノ所爲アルヘカラス

第八條　教官ノ講演ハ全部又ハ其ノ要領ヲ筆記スヘシ

第九條　教官ノ臨場又ハ退場ノ際ハ起立シ敬意ヲ表スヘシ

第十條　教官ニ對シ質問應答スルトキハ起立スヘシ

第十一條　教習所内ニ於テハ左ノ所爲ヲ禁ス

一　規定ノ服裝ヲ脫スルコト　但シ武術其ノ他ノ術科受業中必要アルトキ及疾病ノ爲許可ヲ得タルトキハ此ノ限リニ在ラス
二　放歌高聲ヲ發シ又ハ喧噪雜沓スルコト
三　飲酒ヲ爲スコト
四　指定場所以外ニ於テ喫煙スルコト

五　唾壺外ニ放唾スルコト
六　紙屑莨吸殼其ノ他ノ物品ヲ放棄スルコト
七　玩弄物樂器類ヲ持參シ又ハ稗史小說類ヲ看讀スルコト
八　他人ノ物品ヲ無斷使用スルコト
九　妄リニ他室ニ出入スルコト
十　指定ノ場所以外ニ外來者ヲ引入ルヽコト

第十二條　生徒ハ互ニ禮讓ヲ旨トシ言行ヲ愼ミ品性ノ向上ヲ期シ動作嚴正ナラサルヘカラス

第十三條　濫ニ他人ト金錢物品ノ貸借ヲ爲スヘカラス慶弔其ノ他ニツキ金品ノ醵出ヲナスノ必要アルトキハ典獄ノ許可ヲ受クヘシ

第十四條　常ニ衞生ヲ重ンシ身體被服ノ清潔ヲ保持シ入浴及理髮ヲ怠ルヘカラス

第十五條　貸與品及給與品ハ之ヲ鄭重ニ取扱ヒ常ニ手入保存ニ注意シ殊ニ劍及靴ハ每朝之ヲ研磨スヘシ

貸與品ヲ破損又ハ紛失シタルトキハ直ニ典獄ニ其ノ旨ヲ屆出ツヘシ此ノ場合ニ於テハ情狀ニ依リ實費ヲ賠償セシムルコトアルヘシ所持品ハ亂雜ニ流レ易キヲ以テ常ニ室內一定ノ場所ニ整頓シ置クヘシ

第十六條　建造物、備付物品ノ清潔保存ニ注意シ汚染損壞スヘカラス

第十七條　自己ノ身上ニ關スル事件ハ典獄ニ申出ツヘシ

第十八條　私用ノ爲小使ヲ使用スルコトヲ得ス

第十九條　級長及副級長ハ生徒ヲ代表シテ特ニ命セラレタル事項ヲ取扱フヘシ

第二十條　生徒ハ典獄ノ指定シタル寄宿所ニ入ルヘシ　但指定寄宿所ニ入ルコトヲ得サル事由アルトキハ其ノ事由ヲ具シ典獄ノ許可ヲ受クルコトヲ要ス

第二十一條　室長ヲ命セラレタル生徒ハ主事ノ指圖ニ從ヒ室內ノ取締ヲ爲スヘシ

第二十二條　寄宿中ノ外出時間左ノ如シ

一　水曜日　自午後六時至午後九時
二　休暇日　自午前八時至午後九時

第二十三條　寄宿中左ノ各號ノ場合ニ於テ外出時間外外出セムトスルトキハ典獄ノ許可ヲ受クヘシ　但外出時間內ト雖モ市外ニ旅行セントスルトキ亦同シ

一　疾病ノ爲醫師ノ診斷及治療ヲ受ケムトスルトキ
二　父母ノ祭日靈祭ヲ行フトキ
三　前各號ノ外止ムヲ得サル事情アルトキ

第二十四條　外出セントスルトキハ外出簿ニ行先地事由及出發時刻ヲ記入シ歸所シタルトキハ歸所時刻ヲ記入スヘシ

第二十五條　外出先ニ於テ疾病ニ罹リ歸所スルコト能ハサルトキハ速ニ典獄ニ其旨ヲ屆出ツヘシ

第二十六條　外出ノ際ハ典獄ノ許可ヲ得テ私服ヲ著用スルコトヲ得

第二十七條　外出中貸座敷料理店飮食店ニ出入シ其ノ他酒宴遊興ヲ爲スヘカラス

第二十八條　生徒（室長ヲ除ク）中順番ヲ定メテ敎習所ノ門衞、巡視及一般ノ取締ヲ爲サシムルコトアルヘシ勤務中心得ヘキ事項ハ別ニ之ヲ定ム順番ハ當直順番簿ニ記入シ主事ヨリ其ノ前日迄ニ通知ス

第二十九條 本心得ニ違反シ又ハ紀律ヲ紊リ生徒タルノ威信ヲ失フヘキ行爲アリタルトキハ手續書ヲ徴シ相當ノ制裁ヲ加フルコトアルヘシ

一〇 朝鮮總督府看守教習細則

大正七年七月 西監達第一九號 （改正 十一年二 第二號）

第一條 朝鮮總督府看守教習規程ニ據ル看守ノ教習ハ本細則ニ依ル

第二條 看守教習所主事ハ左ノ事項ヲ掌ル

一 所印及官印ノ管守ニ關スル事項
二 文書ノ接受、發送、編纂及保存ニ關スル事項
三 統計及報告ニ關スル事項
四 看守教習生ノ募集ニ關スル事項
五 教習所職員及教習生ノ進退、身分竝傭人ニ關スル事項
六 教習所職員及教習生ノ勤怠ニ關スル事項
七 教習生ノ點檢，訓授及行狀其ノ他一般監督ニ關スル事項
八 教課時間及日課ノ變更ニ關スル事項
九 教習生ノ終末試驗ノ施行及成績表整理ニ關スル事項
十 廳舍ノ取締ニ關スル事項
十一 前各號ノ外典獄ヨリ特ニ命セラレタル事項

第三條 看守教習所教官ハ左ノ事項ヲ掌ル

一 教授ニ關スル事項
二 試驗問題ノ調製及成績調査ニ關スル事項
三 授業中ニ於ケル教習生ノ指導及監督ニ關スル事項

第四條 教官ハ學期ノ始ニ於テ授業豫定表ヲ調製シテ典獄ニ提出スヘシ

教官ハ擔當學科中他ノ教官ノ擔當スル學科ト關聯スル事項アルトキハ豫メ協議ヲ遂ケ重複矛盾ナキヲ期スヘシ

第五條 教課時間ハ一日七時間以內トシ其ノ開始時刻ハ典獄之ヲ定ム

第六條 各科目ノ教習時間ハ概ネ左ノ如シ

一 監獄學ノ大要	三十時間
二 朝鮮監獄令及朝鮮監獄令施行規則	七十時間
三 朝鮮刑事令ノ大要	七十時間
四 會計法規ノ大要	十八時間
五 紀律ニ關スル事項	十五時間
六 行政諸法規ノ大要	十八時間
七 個人識別法ノ大要	十時間
八 朝鮮語（朝鮮人ニ在リテハ國語）	七十時間
九 武術	五十時間
十 操練	五十時間
十一 戒具及銃器ノ使用法	二十時間
十二 火災其ノ他ノ非常事變ニ處スル心得	十時間

實務教習ノ時間ハ概ネ三十時間トス

第七條 前條第一項第一號乃至第八號ノ科目ハ之ヲ學科トシ第九號以下ノ科目ハ之ヲ術科トス

學科ハ講演ノ法ニ依リ術科ハ實地ニ就テ各之ヲ教授スルモノトス

第八條 休日ハ一般官廳ノ例ニ依ル

第九條 教習生ノ寄宿所ハ典獄之ヲ指定ス　但シ特別ノ事由ニ依リ指定ノ寄宿所ニ入ルコトヲ得サルモノト認メタルトキハ他ニ寄宿ヲ許スコ

トアルヘシ

第十條　終末試驗ハ學科及術科ニ付之ヲ施行ス

學科試驗ハ筆記及口述ノ二種ニ分チ筆記試驗ヲ終リタル後三科以上ニ付典獄自ラ口述試驗ヲ施行ス

第十一條　試驗ノ成績ハ一科百點ヲ以テ最高トシ各科平均六十點以上ヲ合格トス　但シ一科四十點未滿ノモノアルトキハ不合格トス

各科平均八十點以上アルモノハ之ヲ優等トス

第十二條　終末試驗ノ合格者ニハ別記第一號樣式ノ合格證書ヲ授與ス

試驗ノ成績優等ナル者ニハ別記第二號樣式ノ證書ヲ授與ス

第十三條　前三條ノ規定ハ朝鮮總督府看守教習規程第七條第二項ノ試驗ニ之ヲ適用ス

第十四條　朝鮮總督府看守教習規程第九條ニ依リ訓練ヲ爲シタル看守ニ對シ試驗ヲ施行シタルトキハ第十條及第十一條ノ規定ニ準シ其ノ成績ヲ定ム

第十五條　前條ノ試驗ニ及第シタルトキハ第三號樣式ノ修業證書ヲ授與シ其ノ成績優等ナルモノニ對シテハ第四號樣式ノ證書ヲ授與ス

第十六條　教習生心得ハ別ニ之ヲ定ム

附　則

本達示ハ大正七年七月二十日ヨリ之ヲ施行ス

大正三年達示第四十六號ハ之ヲ廢止ス

附　則

本達示ハ大正十一年三月一日ヨリ之ヲ施行ス

第一號樣式

第　號

證　書

朝鮮總督府看守教習生　氏　名

右者制規ノ教習ヲ修了シ試驗ニ合格シタルコトヲ證ス

大正　年　月　日

朝鮮總督府看守教習所

朝鮮總督府典獄　氏　名　印

（本證書ノ紙質ハ鳥ノ子トシ寸法ハ長九寸幅一尺一寸五分トス）

第二號樣式

第　號

證　書

朝鮮總督府看守教習生　氏　名

右者制規ノ教習ヲ修了シ試驗ノ成績優等ナルコトヲ證ス

大正　年　月　日

朝鮮總督府看守教習所

朝鮮總督府典獄　氏　名　印

（本證書ノ紙質及寸法ハ第一號樣式ニ同シ）

第三號樣式

第　號

證　書

朝鮮總督府看守　氏　名

右者當所ニ於テ施行シタル第　回特別訓練ヲ修了シタルコトヲ證ス

大正　年　月　日

朝鮮總督府看守教習所

朝鮮總督府典獄　氏　名　印

（本證書ノ紙質及寸法ハ第一號様式ニ同シ）

第四號様式

第　號

證　書

朝鮮總督府看守　氏　名

右者當所ニ於テ施行シタル第　回特別訓練ヲ修了シ成績優等ナルコトヲ證ス

大正　年　月　日

朝鮮總督府看守教習所

朝鮮總督府典獄　氏　名　印

（本證書ノ紙質及寸法ハ第一號様式ニ同シ）

二　看守ノ復習訓練ニ關スル件

大正四年典獄會議訓示

初メテ看守ヲ採用シタル時ハ之ニ勤務上必要ノ教習ヲ施セトモ行刑的智識ノ注入ハ短時日ノ能クスル所ニ非サルカ故ニ假令其業ヲ卒ヘタルモノト雖尚絶ヘス復習訓練ヲ施シ以テ職務ノ執行ヲ確實ナラシメムコトヲ期セサルヘカラス然ルニ各監獄施行ノ復習訓練ハ其方法概シテ適切ナラス效果亦所期ノ如クナル能ハサルモノノ如シ現下監獄ニ於ケル職員服務ノ狀況ニ在リテハ教習施行ニ付多大ノ困難アルヘキハ諒トスル所ナリト雖看守訓練ノ適否ハ獄務ノ消長ニ至大ノ關係ヲ有スルヲ以テ斷シテ之ヲ等閑ニ付スルヲ容サス各位ハ宜ク此ニ留意シ其ノ施行方法ノ適實ナラムコトニ努ムヘク又之カ實行ニ當リテハ單ニ智識ノ開發ニ偏セス德性ノ涵養ニ付特ニ考慮スル所アルヲ要ス

官紀ノ振肅ハ本總督ノ夙夜焦慮措カサル所ニシテ之ニ關シ訓示シタルコト一再ニ止ラス然ルニ今猶往々非違ヲ敢テスル者ノ出ルヲ聞クハ洵ニ遺憾ニ堪ヘス紀律ヲ重シ品行ヲ愼ムハ一般官吏ニ期待スル所ナルモ特ニ監獄官吏ニ在リテハ直接罪囚ヲ指導提撕スルニ當リ其ノ内外ニ於ケル一擧一動ハ直ニ罪囚感化ノ上ニ影響スルコト甚大ナルヲ以テ各位ハ深ク之ヲ省慮シ部下職員ニ對シテハ躬ヲ以テ之ヲ率ヰ常住嚴正ナル監督ト懇篤ナル訓戒トニ依リ其ノ品性ノ陶冶ニ勗メ秋毫タモ非違ノ行動ナカラシメムコトヲ期セサルヘカラス又各位カ部下職員ノ進退賞罰ヲ擧行スルニ當リ事平衡ヲ失シ爲ニ職員一般ノ不安ヲ惹起シ延ヒテ職務ニ對スル誠意ヲ阻却スルカ如キコトアラハ官紀之ヨリ紊ルルニ至ルヘキヲ以テ須ラク其ノ措置ノ公明嚴正ナラムコトヲ期シ常ニ紀律ノ振肅ニ努ムヘシ

一二　看守訓練ニ關スル件

五年　典獄會議訓示

看守ノ訓練ハ一二ノ科目ニ偏シ又ハ法文ノ暗記若クハ理論ノ注入等ニ專ニシテ直接行刑ニ必要ナル實務ノ練習ヲ等閑ニ付スル等訓練上適實ヲ缺クモノアリ斯クノ如キハ實務的人物ヲ養成スル所以ノ途ニ非ス須ラク其ノ方法ヲ改善シテ之カ勵行ニ努ムヘシ

一三　看守學術試驗成績ニ關スル件

六年　典獄會議長官注意

看守成績考査資料トシテ成ルヘク學術試驗ヲ行ヒ其成績ヲ考査表中其他欄ニ掲記セラレタシ

一四　看守教習ニ關スル件

大正七年　典獄會議指示

看守ノ能率ヲ增進シテ監獄事務ノ適實ヲ期セムカ為新ニ看守教習規程ヲ定メ看守教習所ヲ設ケ主トシテ新任看守ニ對シ其ノ職務上必要ナル知識ノ概念ヲ與ヘ時ニ又古參看守ヲ簡拔召集シテ之ニ看守部長若ハ看守長トシテノ適當ナル學術技能ヲ授ケ以テ適材ノ養成ヲ圖ラムトス然レトモ教習所ニ於ケル教習訓練ハ一部ノ看守ニ對シ短期間僅ニ統一的基礎教育ヲ施スニ過キサルカ故ニ監獄ニ於ケル不斷ノ訓練ト相俟ツニアラサレハ到底其ノ所期ノ目的ヲ達スルヲ得ス各位ハ宜シク此ノ主旨ヲ體シ一層部下看守ヲ督勵シ以テ向上ノ道ヲ圖ルヘシ

一五　職員ノ訓練教養ニ關スル件

大正十年　典獄會議局長指示

職員ノ教養訓練ハ痛切ニ其ノ必要アルヲ認メ近ク看守點檢規則、監獄官操典、監獄職員服裝規則及監獄禮式ヲ一定シテ實施セムトス、各位ハ日常職員ノ品性及紀律ニ關シテハ勿論各般ノ事務ニ付教養訓練ニ努メ單ニ之ヲ戒護看守長ニノミ委スルコトナク自ラ之ニ當リ或ハ時ニ應シテ各係主任ヲシテ其ノ主管事項ニ關スル講話ヲ為サシムル等ノ方法ヲ採リ其ノ適實ト徹底トヲ期セラレムコトヲ望ム

一六　朝鮮總督府及所屬官署職員朝鮮語獎勵規程

大正十年五月　總訓第二八號　朝鮮總督府及所屬官署

改正　一〇年六第四〇號　一一年一第三號　一二年二第一〇號

第一條　朝鮮總督府及所屬官署ノ內地人タル判任官、判任官ノ待遇ヲ受クル者及雇員ニハ當分ノ內朝鮮語獎勵手當ヲ支給ス　但シ朝鮮語ノ通譯生及特別ノ規定ニ依リ朝鮮語通譯ノ為手當ヲ受クル者ハ此ノ限ニ在ラス

第二條　朝鮮語獎勵手當ハ朝鮮語獎勵試驗ニ合格シタル者又ハ試驗委員ノ銓衡ニ依リ其ノ學力ヲ認定セラレタル者ニ之ヲ支給ス

第三條　朝鮮語獎勵試驗ハ之ヲ甲種試驗及乙種試驗ニ分ツ

甲種試驗ハ乙種試驗第一等ノ合格證書ヲ有スル者ニシテ所屬長官ノ推薦セル者ニ就キ、乙種試驗ハ各官署ノ長ニ於テ推薦セル者ニ就キ之ヲ行フ

第四條　試驗委員長ハ朝鮮總督府高等官ノ內ヨリ之ヲ命シ試驗委員ハ朝

鮮總督府又ハ所屬官署ノ官吏ノ中ヨリ之ヲ命シ又ハ囑託ス

第五條 試驗委員長ハ試驗ニ關スル一切ノ事務ヲ掌理ス

試驗委員長事故アルトキハ特ニ定ムル場合ヲ除クノ外上席ノ委員其ノ事務ヲ代理ス

第六條 試驗ニ關スル庶務ニ從事セシムル爲書記ヲ置ク朝鮮總督府又ハ所屬官署判任官ノ中ヨリ之ヲ命シ又ハ囑託ス

第七條 試驗ヲ行フヘキ期日及場所ハ左ノ區別ニ依ル　但シ必要ト認ムルトキハ臨時ニ之ヲ行フコトアルヘシ

甲種試驗　朝鮮總督府ニ於テ每年一回之ヲ行フ

乙種試驗　朝鮮總督府及道（但シ京畿道ヲ除ク）ニ於テ每年一回之ヲ行フ　但シ必要ト認ムルトキハ委員長ノ指定スル他ノ官署ニ於テ臨時ニ之ヲ行フコトアルヘシ

試驗ノ期日ハ試驗委員長之ヲ定メ豫メ朝鮮總督府官報ヲ以テ公示スヘシ

第八條 試驗ノ程度及科目左ノ如シ

甲種試驗　朝鮮語ノ通譯ニ差支ナキ程度

一　解釋　朝鮮語國譯
　　　　　國語鮮譯

二　譯文　朝鮮文國譯（諺文交リ文又ハ朝鮮式ノ漢文、熟語）
　　　　　國文鮮譯（假名交リ文）

三　書取　諺文

四　對話　朝鮮語及國語ノ解釋
　　　　　朝鮮語口述

乙種試驗　普通ノ朝鮮語ヲ解シ得ル程度

一　解釋　朝鮮語國譯
　　　　　國語鮮譯

二　譯文　朝鮮文國譯（諺文交リ文）
　　　　　國文鮮譯（假名交リ文）

三　書取　諺文

四　對話　朝鮮語國語解釋

第九條 試驗ノ合格者ヲ定ムル方法ハ試驗委員ノ議定スル所ニ依ル

第十條 試驗又ハ銓衡ノ方法、手續ハ試驗委員長之ヲ定ムヘシ

第十一條 試驗委員長ハ試驗ニ合格シタル者及銓衡ニ依リ學力ヲ認定シタル者ニ對シ種別等級ヲ附シタル證書ヲ付與シ且朝鮮總督府官報ヲ以テ之ヲ公示スヘシ

前項ノ種別等級ハ甲種、乙種ニ分チ甲種ニ在リテハ一等二等及三等トシ乙種ニ在リテハ一等及二等トス

第十二條 證書ノ付與ヲ受ケタル者ニハ證書ノ日附ヨリ甲種一等ニ在リテハ四年間其ノ他ニ在リテハ二年間別表ニ依リ證書ノ種別等級ニ相當スル手當ヲ支給ス　但シ豫算經理上手當ノ定額ヲ減額スルコトアルヘシ

前項ニ依リ手當ノ支給ヲ受クル者試驗又ハ銓衡ニ依リ更ニ上級ノ種別等級ノ證書ヲ受ケタルトキハ其ノ證書日附ノ日ヨリ二年間新ニ受ケタル證書ノ種別等級ニ相當スル當手ヲ支給ス

第十三條 既ニ證書ヲ付與セラレタル者再ヒ試驗ニ應シ又ハ銓衡ヲ受クル場合ニ於テハ前ノ等級ヲ超ユル成績ヲ認ムルニ非サレハ新ニ證書ヲ付與スルコトヲ得ス

第十四條 朝鮮語奬勵手當支給ノ方法ハ俸給又ハ給料支給ノ例ニ依ル

（別表）

朝鮮語奬勵手當月額定額表

種別	等級	手當月額
甲種	一等	五十圓
	二等	三十圓
	三等	二十圓
乙種	一等	十圓
	二等	五圓

一七　朝鮮語奬勵試驗執行ニ關スル件

大正十一年一月
秘書課長

本府各部局長
第一次所屬官署長
宛

朝鮮語奬勵試驗ノ執行ニ關シテハ左記ニ依ル議ト心得ラレ度及通牒候也

記

一　甲種試驗ハ毎年一回本府ニ於テ之ヲ行フ其ノ期日及試驗場其ノ他必要ナル事項ハ朝鮮總督府官報ヲ以テ其ノ都度之ヲ公示ス臨時ニ行フ場合亦同シ甲種試驗受驗者推薦ノ場合ハ前項ノ期日五日前ニ本府ニ到達スル日取ヲ以テ應試者ノ履歷書ヲ添付シ推薦書ヲ提出スヘシ

二　乙種試驗ハ毎年一回本府及各道（京畿道ヲ除ク以下亦同シ）各一箇所ニ於テ同日ニ之ヲ行フ　但シ止ムヲ得サル場合ハ試驗委員長ノ承認ヲケ道內數箇所ニ於テ之ヲ行フコトヲ得此ノ場合ハ其ノ試驗ヲ行フ官署ニ於テ適宜ノ方法ニ依リ試驗場ヲ公示スヘシ奬勵規定第七條第一項但書ニ依リ臨時ニ之ヲ行フ場合並同項第二號但書ニ依リ他ノ官署ニ於テ臨時ニ之ヲ行フ場合ノ試驗場ハ試驗委員長朝鮮總督府官報ヲ以テ之ヲ公示ス

乙種試驗ノ期日其ノ他必要ナル事項ハ其ノ都度朝鮮總督府官報ヲ以テ之ヲ公示ス

乙種試驗執行官署ノ委員ハ乙種試驗受驗者ノ推薦ニ付テハ前項ノ期日前五日迄ニ各履歷書ヲ添付シ其ノ推薦書ヲ提出セシムヘキ樣適宜ノ方法ニ依リ豫メ各關係官署ノ長ニ通知スヘシ

三　乙種試驗ノ問題ハ試驗委員長ニ於テ之ヲ定メ試驗委員ニ送付ス

四　試驗委員長ノ指定スル期日ニ試驗ヲ行ヒ難キ場合ハ試驗委員長ノ承認ヲ經テ別ニ期日ヲ定メ試驗ヲ行フコトヲ得此ノ場合ニ於テハ關係委員ヨリ更ニ試驗問題ヲ請求スヘシ

前項ノ期日ハ朝鮮總督府官報ヲ以テ之ヲ公示ス

五　採點ノ標準ハ試驗委員長ニ於テ之ヲ定メ試驗委員ニ通知ス

六　各道ニ於テ試驗ヲ行ヒタルトキハ五日以內ニ道試驗委員ニ於テ採點ノ上別紙樣式ニ依リ成績表ヲ作成シ受驗者人員表ト共ニ試驗委員長ニ送付スヘシ

本府及道以外ノ官署ニ於テ試驗ヲ行ヒタルトキハ關係委員ニ於テ前項ニ準シ取計フヘシ

七　試驗ノ合格不合格ハ試驗委員長審査ノ上之ヲ決定ス

八　奬勵規程第二號ニ依リ試驗委員ノ銓衡ヲ經テ學力ヲ認定セラルヘキ者ニ付テハ本府職員ノ分（地質調査所及觀測所ヲ除ク）ハ當該部局長所

屬官署職員ノ分第一次所屬官署ノ長ニ於テ取纏メ各履歷書ヲ添ヘ每年一月及七月中ニ試驗委員長ニ內申スヘシ

九　各道ニ試驗委員五人以內及書記一人ヲ置ク道知事ノ內申ニ依リ本府ニ於テ之ヲ命シ又ハ囑託ス

道以外ノ官署ニ於テ試驗ヲ行フ場合ノ委員及書記ハ別ニ之ヲ詮議ス

十　受驗ノ爲メ旅行スル者ニ對シテハ旅費ヲ支給セス

（樣　式）

成績表　（用紙美濃紙）

解釋	譯文書取	對話	合計點	平均點	在勤廳名	官職名	及落	氏名

大正　年　月施行
朝鮮語奬勵乙種試驗　受驗者人員表（道　名）

受驗志望人員	筆記受驗人員	對話受驗人員	摘要

一八　國語及朝鮮語奬勵ニ關スル件

三　年
典獄會議指示

監獄職員カ國語又ハ朝鮮語ニ習熟スルコトヲ必要トスルハ昨年會議ノ際特ニ指示シタル所ナリシニ拘ラス各監獄ニ於ケル狀況ヲ調査スルニ尙未タ講習實施ノ運ニ至ラサルモノアリ或ハ之ヲ行フモ形式ニ止マルモノアリ概シテ成績ノ見ルヘキモノナキカ如シ宜シク速ニ有效ノ方法ニ據リテ之ヲ勵行シ好果ヲ收ムルコトニ努ムヘシ

一九　朝鮮語奬勵ニ關スル件

六　年
典獄會議長官注意

內地人看守ノ朝鮮語修習ノ成績擧ラサルハ遺憾ナリ將來採用試驗ノ際朝鮮語ノ試問ヲ行フヘク又增俸賞與ノ施行ニ付其成績ノ良否ヲ斟酌スル等適當ノ方法ヲ講シ一層之ヲ奬勵シテ監務ノ敏活ヲ圖ラレタシ

第八章　分限　服務　休暇　儀禮　服忌

一　文官分限令

明治三十二年三月 勅令第六十二號
改正　三六年第一五六號

第一條　本令ハ親任式ヲ以テ敍任スル官、公吏、秘書官及法令ニ別段ノ規定アルモノヲ除クノ外一般ノ文官ニ適用ス

第二條　官吏ハ刑法ノ宣告、懲戒ノ處分又ハ本令ニ依ルニ非サレハ其ノ官ヲ免セラルルコトナシ

第三條　官吏左ノ各號ノ一ニ該當スルトキハ其ノ官ヲ免スルコトヲ得

一　不具、癈疾ニ因リ又ハ身體若ハ精神ノ衰弱ニ因リ職務ヲ執ルニ堪ヘサルトキ

二　傷痍ヲ受ケ若ハ疾病ニ罹リ其ノ職ニ堪ヘサルニ因リ又ハ自己ノ便宜ニ因リ免官ヲ願出タルトキ

三　官制又ハ定員ノ改正ニ因リ過員ヲ生シタルトキ

前項第一號ニ依リ其ノ官ヲ免スルトキハ高等官ニ在リテハ文官高等懲戒委員會、判任官ニ在テハ文官普通懲戒委員會ノ審査ニ付ス

第四條　官吏ハ癈官若ハ癈廳ノ場合ニ於テハ當然退官者トス

第五條　第十一條第一項第三號及第四號ニ依リ休職ヲ命セラレ滿期ニ至リタルトキハ當然退官者トス

第六條　官吏ハ其ノ意ニ反シテ同等官以下ニ轉官セラルルコトナシ

第七條　文官高等懲戒委員會ニ顧問醫二人ヲ置ク

審査上必要ノ場合ニ於テハ臨時顧問醫ヲ加フルコトヲ得

第八條　文官普通懲戒委員會ニ臨時顧問醫ヲ置ク

第九條　懲戒委員會ハ本令ニ依ル審査ヲ爲ス前豫メ顧問醫ノ意見ヲ徴スヘシ

第十條　第三條第二項ニ依ル懲戒委員會ノ審査ニ關シテハ文官懲戒令第十二條、第十三條、第二十四條、第二十五條、第二十九條乃至第三十四條ノ規定ヲ準用ス

第十一條　官吏左ノ各號ノ一ニ該當スルトキハ休職ヲ命スルコトヲ得

一　懲戒令ノ規定ニ依リ懲戒委員會ノ審査ニ付セラレタルトキ

二　刑事事件ニ關シ告訴若ハ告發セラレタルトキ

三　官制又ハ定員ノ改正ニ因リ過員ヲ生シタルトキ

四　官廳事務ノ都合ニ依リ必要ナルトキ

前項休職ノ期間ハ第一號及第二號ノ場合ニ在テハ其ノ事件ノ懲戒委員會又ハ裁判所ニ繫屬中トシ第三號及第四號ノ場合ニ在テハ高等官ニ付テハ滿二年、判任官ニ付テハ滿一年トス

第十二條　休職者ハ其ノ本官ヲ奉シテ職務ニ從事セス其ノ他總テ在職官吏ト異ナルコトナシ

前條第一號第三號及第四號ニ依リ休職ヲ命セラレタル者ニハ本屬長官ハ事務ノ都合ニ依リ何時ニテモ復職ヲ命スルコトヲ得

第十三條　第十一條ニ依リ休職ヲ命セラレタル者ニハ其ノ休職中俸給ノ三分ノ一ヲ給ス

第十四條　免官ハ勅任官ニ在テハ内閣總理大臣、奏任官ニ在テハ内閣總理大臣ヲ經テ本屬長官奏請シ裁可ニ依リ之ヲ行フ

休職ハ勅任官ニ在テハ内閣總理大臣奏請シ裁可ニ依リ之ヲ行ヒ奏任官ニ在テハ内閣總理大臣ノ認可ヲ經テ本屬長官之ヲ命ス其ノ復職ヲ命スルトキ亦同シ

附　則

第十五條　本令ハ明治三十二年四月十日ヨリ施行ス

官吏非職條例、明治二十三年勅令第二百八十六號其ノ他從前ノ命令ニシテ本令ノ規定ニ牴觸スルモノハ本令施行ノ日ヨリ廢止ス

第十六條　本令施行前官吏非職條例又ハ明治二十三年勅令第二百八十六號ニ依リ非職又ハ休職ヲ命セラレ未タ滿期ニ至ラサル者ハ本令第十一條第一項第四號ノ休職者ニ關スル規定ヲ適用ス　但シ本令第十三條ハ此ノ限ニ在ラス

第十七條　本令中休職トアルハ他ノ法令ニ於テ規定スル非職ト看做ス

二　官吏服務紀律

明治二十年七月
勅令第三九號

第一條　凡ソ官吏ハ　天皇陛下及　天皇陛下ノ政府ニ對シ忠順勤勉ヲ主トシ法律命令ニ從ヒ各其ノ職務ヲ盡スヘシ

第二條　官吏ハ其ノ職務ニ付本屬長官ノ命令ヲ遵守スヘシ　但シ其ノ命令ニ對シ意見ヲ述ルコトヲ得

第三條　官吏ハ職務ノ内外ヲ問ハス廉恥ヲ重シ貪汚ノ所爲アルヘカラス

官吏ハ職務ノ内外ヲ問ハス威權ヲ濫用セス謹愼懇切ナルコトヲ務ムヘシ

第四條　官吏ハ己ノ職務ニ關スルト又ハ他ノ官吏ヨリ聞知シタルトヲ問ハス官ノ機密ヲ漏洩スルコトヲ禁ス其ノ職ヲ退ク後ニ於テモ亦同樣トス

裁判所ノ召喚ニ依リ證人又ハ鑑定人トナリ職務上ノ秘密ニ就キ訊問ヲ受クルトキハ本屬長官ノ許可ヲ得タル件ニ限リ供述スルコトヲ得

第五條　官吏ハ私ニ職務上未發ノ文書ヲ關係人ニ漏示スルコトヲ禁ス

第六條　官吏ハ本屬長官ノ許可ナクシテ擅ニ職務ヲ離レ及職務上居住ノ地ヲ離ルルコトヲ得ス

第七條　官吏ハ本屬長官ノ許可ヲ得ルニ非サレハ營業會社ノ社長又ハ役員トナルコトヲ得ス

第八條　官吏ハ本屬長官ノ許可ヲ得ルニ非サレハ其ノ職務ニ關シ慰勞又ハ謝儀又ハ何等ノ名義ヲ以テスルモ直接ト間接トヲ問ハス總テ他人ノ贈遺ヲ受クルコトヲ得ス

官吏外國ノ君主又ハ政府ヨリ授與セントスル所ノ勳章榮賜俸給並贈遺ヲ受クルニハ　天皇陛下ノ裁可ヲ要ス

第九條　左ニ掲ケタル者ト直接ニ關係ノ職務ニ居ルノ官吏ハ其ノ饗燕ヲ受クルコトヲ得ス

一　官廳ノ工事ヲ受負フ者
一　官廳ノ爲替方又ハ出納ヲ引受クル者
一　官廳ノ補助金ヲ受クル起業者
一　官廳ノ用品ヲ調達スル者
一　官廳ト諸般ノ契約ヲ結フ者

第十條　凡ソ上官タル者ハ職務ノ内外ヲ問ハス所屬官吏ヨリ贈遺ヲ受クルコトヲ得ス

第十一條　官吏竝ニ其ノ家族ハ本屬長官ノ許可ヲ得ルニ非サレハ直接ト

間接トヲ問ハス商業ヲ營ムコトヲ得ス

第十二條 官吏ハ取引相場會社ノ社員タルコトヲ得ス及間接ニ相場商業ニ關係スルコトヲ得ス

第十三條 官吏ハ本屬長官ノ許可ヲ得ルニ非サレハ本職ノ外ニ給料ヲ得テ他ノ事務ヲ行フコトヲ得ス

第十四條 浪費シテ産ヲ破リ其ノ分ニ應セサル負債ヲ爲ス者ハ過失ノ一タルヘシ

第十五條 官吏ハ私立郵船會社又ハ私立鐵道會社ヨリ無賃乘船無賃乘車切符ヲ受クルコトヲ得ス

第十六條 凡ソ局長、所長其ノ他一部ノ長ハ各所屬官吏ヲ監督シ過失若シ懲戒處分ヲ行フノ區域ノ内ニ在ラサル者ハ之ヲ訓告スルコトヲ務ムヘシ若シ懲戒處分ヲ要スト認ムルトキハ事情ヲ具ヘテ之ヲ本屬長官ニ稟告スヘシ其ノ情ヲ知リ隱蔽シテ稟告セサル者亦過失タルコトヲ免レス

第十七條 本紀律ハ高等官判任官及俸給ヲ得テ公務ヲ奉スル者ニ適用ス

三 官紀振肅ニ關スル件

大正六年六月 官通牒第一四號

政務總監

各部長官、官房各局課長
所屬官署長 宛

大正六年五月二十五日官報ヲ以テ官紀振肅ニ關スル内閣訓令第一號公布相成候ニ就テハ該訓令ノ趣旨ノ存スル所ヲ充分徹底セシメ豫テ總督ヨリ訓示セラレタル服務心得ト共ニ之ヲ循行シ遺憾ナカラシメラレ度此段及通牒候也

四 官吏服務紀律ニ關スル件

大正六年十月 官通牒第一八四號

政務總監

各所屬官署ノ長宛

官吏服務紀律第七條、第八條(輕微ナルモノヲ除ク)、第十一條及第十三條ニ係ル事項ハ朝鮮總督府所屬官署主管事項規程第三條第三號但書ニ依リ處理スヘキ義ト了知相成度此段及通牒候也

五 官吏職務外ニ公衆ニ對シ演説又ハ敍述スルヲ得

明治二十二年 内閣訓令

凡ソ官吏タル者ハ自今其職務外ト雖モ公衆ニ對シ政治上又ハ學術上ノ意見ヲ演説シ又ハ之ヲ敍述スルコトヲ得 但シ各長官監督ニ從屬スヘシ

法律規則ヲ以テ特ニ制限セラレタル官吏ハ前項ノ限ニ在ラス

六 不用品拂下ノトキ其ノ他官廳所屬官吏ノ入札禁止

明治八年八月 大政官達第一五二號 院省(使)廳府縣

(官地官林及ヒ)物品等公ケノ入札法ヲ以テ拂下候節其官廳ニ屬スル官員ニ限リ本人ハ勿論其代理人ト雖モ投票爲致候儀不相成候條此旨相達候事

七 官吏服務心得書配布ノ件

明治四十五年四月 官通牒第一四八號

政務總監

各所屬官署長宛

內訓第十三號ニ基キ調製セラルヘキ官吏服務心得書ハ特ニ今回ニ限リ本府ニ於テ調製夫夫配布可致ニ付爲念此段及通牒候也

八　官吏服務心得署名方ノ件

明治四十五年五月
官通牒第一八二號

總務局長

各所屬官署長宛

本年四月內訓第十三號ニ據ル官吏服務心得書署名方左ノ通御承知相成度依命通牒候也

一　服務心得書ハ此際一般ニ署名セシムヘシト雖遠隔ノ地ニ在ル職員ハ其出廳又ハ會同等ノ節便宜署名セシムルモノトス

二　囑託員ハ專務ノ者ニ限リ其ノ待遇ニ依リ之ニ相當スル心得書ニ署名セシムルモノトス

三　判任官以下ニシテ署名セシムヘキ者ハ判任官待遇者及雇員トシ臨時雇員、給仕、傭人、職工、工夫ノ類ハ之ヲ除クモノトス

四　服務心得書ハ內訓第十三號ニ揭ケタルモノノ外左ノ官署ニ備フルモノトス

判任官以下ノ署名スヘキモノ

監獄分監ノ分　各其監獄

五　總督府武官、專屬副官及警察官ノ職ヲ行フ憲兵將校准士官下士ハ署名スルニ及ハサルモノトス

九　服務心得書格納容器ノ件

明治四十五年
人第四六七號

總務局長

各所屬官署長宛

客月十五日官通牒第一八二號官吏服務心得書署名方ノ件第六ノ服務心得書ヲ格納スヘキ容器ハ本府ニ於テハ左圖ノ木箱ヲ作製シテ格納保管致居候ニ付貴廳ニ於テモ豫算ノ許ス限度ニ於テ右ニ準シタル容器ヲ調製シ格納相成候樣致度此段申進候也

（左圖略ス）

一〇　服務心得書名狀況報告方ノ件

明治四十五年六月
官通牒第二百三十號

總務局長

各所屬官署長宛

四月二十六日附官通牒第百四十八號ヲ以テ及通牒候官吏服務心得書到達ノ上ハ速ニ署名方御取計ノ上其ノ狀況無遲滯報告相成度依命此段及通牒候也

一一　服務心得配付ノ件

大正元年十一月
官通牒第一二二號

政務總監

各所屬官署長宛

官吏服務心得別便及送付候ニ付貴各官署長室各部課長室其他各事務室ヘ

揭示相成度此段及通牒候也

追テ枚數不足ノ場合ハ直チニ請求相成度候

一二　服務規律及服務書心得讀聞セ方ノ件

大正元年十二月官通牒第一六八號

政務總監

本府及所屬官署長宛

大正二年一月ハ諒闇中ニ付新年ニ關スル儀式無之候得共本府及所屬官署ニ於テハ本年內訓第十三號ニ依リ一月四日ハ御用始メニ當リ官吏服務規律及服務心得書ヲ讀聞セ事務開始可相成此段及通牒候也

一三　職員ノ服務ニ關スル訓告ハ文書ヲ以テ之ヲ爲スヘキ件

大正二年一月官通牒第十號

政務總監

本府各部長官、官房各局課長
各所屬官所長
宛

所屬職員ノ服務ニ關シ官吏服務規律ニ依リ訓告スルノ必要アル場合ハ文書ヲ以テ之ヲ訓告シ毎年四月ニ提出可相成考科表中ニ其ノ要領ヲ記入相成度此段及通牒候也

追テ訓告文ノ結文ハ將來ヲ戒ムト記載相成度候

一四　服務心得書末尾ノ總督名ノ誦讀ヲ省略ノ件

大正五年十二月人通第二三五七號

政務總監

典獄宛

毎年御用始ニ於テ誦讀スヘキ明治四十五年內訓第十三號服務心得書末尾總督名ノ誦讀ハ其爵氏名ヲ省略スルコトニ決定相成候條御承知相成度此段及通牒候也

一五　總督訓示

明治四十三年十月總訓第四十四號

朝鮮總督府及所屬官署職員一同

今回朝鮮總督府及所屬官署官制公布セラレ次テ職員ノ任命アリ新政ノ機關ハ茲ニ一先ツ完備セリト謂フヘシ

抑モ朝鮮ノ今日アルハ一朝一夕ノ故ニ非ス帝國政府カ其ノ提撕ノ任ニ膺リテヨリ以來殆ト五年ノ歲月ヲ閱シ其ノ間效果ノ覩ルヘキモノ尠カラサリシト雖保護制度ニ由リテハ到底施政ノ改善ヲ全フスル能ハサルヲ以テ遂ニ併合ノ實行ヲ見ルニ至レリ此ノ事タルヤ素ヨリ一ノ手段ニ屬シ終局ノ目的ニ非ス之ニ依リテ複雜ナル舊制ヲ改メテ統一ノ組織ト爲シ以テ治績ヲ擧ケムトスル　叡慮ニ出テタルニ外ナラス

惟フニ目下ノ急務ハ新領土ノ秩序ヲ維持シ富源ヲ開發シ新附ノ人民ヲ扶掖シテ治平ノ恩澤ニ浴セシムルニ在リ然レトモ急劇ノ變革ハ確實ナル成功ヲ望ムノ途ニ非サルノミナラス却テ人心ノ動搖ヲ來スノ虞ナシトセス殊ニ弊習ノ矯正スヘキモノアルト同時ニ良俗ノ助長スヘキモノ亦尠カラサルコトヲ忘ルヘカラス且夫レ如何ニ善美ノ施設タリトモ實際ノ事情ニ適應スルニ非サレハ以テ其ノ效ヲ收ムルニ由ナカルヘシ故ニ常ニ世態人情ヲ審ニシ本末ヲ稽ヘ緩急ヲ量リ漸ヲ追フテ改善ノ事業ヲ進捗スルコト

ニ努ムルヲ要ス

今ヤ帝國ノ版圖ハ海ヲ越ヘテ東亞ノ大陸ニ及ヒ新ニ千有餘萬ノ人口ヲ加ヘタリ朝鮮ノ改善ヲ圖ルハ卽チ帝國全般ノ安寧ト東洋ノ平和トヲ庶幾スル所以ニシテ其ノ施政ノ成敗ハ延ヒテ國威ノ消長ニ影響スル所アラムトス然ルニ若舊態依然一新ノ實ヲ擧クル能ハスムハ終ニ併合ノ本旨ヲ空フスルニ至リ內ハ國民ノ輿望ニ背キ外ハ列國ノ誹議ヲ招カム非常ノ時運ニ際會スル者ハ亦非常ノ覺悟ナカルヘカラス本官ハ此ノ機ニ臨ミ當局職員ノ奮勵ヲ望ムコト殊ニ切ナラサルヲ得ス

凡ソ官吏ハ國家ノ選良ニシテ宜シク衆民ノ儀表タルヘシ其ノ地位ニ上下ノ差アリ其ノ職守亦相同シカラサルモノアリト雖忠誠國事ニ盡瘁スルノ義務ヲ負フニ至テハ則チ一ナリ而シテ施政機關ノ運用ハ上官下僚ノ一致ト各部機關ノ協同トニ俟タサルヘカラス各員宜シク規律ヲ重シテ放縱ヲ戒メ簡捷ヲ主トシテ繁文ヲ省キ秋毫ノ支吾渰滯ナキコトヲ勉ムルト共ニ清廉ノ操節ヲ持シ高潔ノ品位ヲ保チ勵精其ノ任務ノ遂行ニ竭シ以テ更始ノ緒業ヲ翼賛シテ　聖明ノ宏謨ニ副ヒ奉ラムコトヲ期スヘシ

一六　官吏ニ對スル訓諭

朝鮮總督府及所屬官署職員一同

不肖今次大命ヲ拜シ朝鮮總督ノ任ニ就ク　聖明優詔ヲ賜ヒ深ク朝鮮ノ休戚ニ關シテ　叡慮ヲ留メサセラレ本總督ヲシテ精勵綏撫力ヲ其ノ職ニ效スヘキヲ示シ給フ本總督　聖旨ヲ拜シ恐懼感激措ク所ヲ知ラス惟フニ朝鮮統治ノ宏謨ハ炳トシテ併合當時ノ詔勅ニ明ナル所一視同仁ノ皇化ヲシテ邊疆ノ遠キ及ハサル所ナカラシム前總督特ニ欽命ヲ奉シ始メテ其ノ任ニ當リ勤苦經營茲ニ六年有餘ノ星霜ヲ經タリ今既往施政ノ實績ヲ顧ミルニ行政司法ノ制度ヲ始メ教育產業交通通信其ノ他百般ノ施設克ク其ノ緒ニ就キ新政ノ惠澤將ニ全土ニ洽カラムトス然レトモ舊習積弊ノ深キ廢ヲ興シ存ヲ固クスルノ容易ナラサルヤ今尙創造ノ時期ニ屬シテ全ク守成ノ域ニ達セス是畢竟生產未タ一般ノ利用厚生ニ資スルニ足ラサルノ致ス所ナリ本總督特ニ力ヲ殖產興業ノ拓開ニ盡シ各位ト倶ニ前ニ繼キ後ヲ爲スノ精神ヲ一貫シ鋭意以テ終局ノ成果ヲ收メムコトヲ期ス若一時當面ノ便ニ驅ラレ愼重ノ考量ヲ缺キテ漫然施設制度ノ變改ヲ事トスルカ如キハ徒ラニ民衆ヲシテ疑惑ノ念ヲ懷カシムルノミナラス却テ多年勤勞ノ效ヲ空クスルナキヲ保シ難シ深ク之ヲ戒愼セサルヘカラス各位ハ宜ク此ノ趣旨ヲ體シテ民衆ヲ指導啓發シ其ノ業ヲ勸メ其ノ德ヲ養ヒ以テ黽勉力行ノ俗ニ移シ醇厚忠良ノ民ニ化セシメ國利民福ヲ增進セシムヘシ功ヲ期スルノ遠クシテ職ニ居ルノ久シキ者ハ常ニ惓怠ノ氣ヲ生シ易シ官吏ハ常ニ嚴正身ヲ律シ勵精職ニ務メ以テ民衆ノ儀表ト爲リ盡忠報國ノ誠ヲ竭ササルヘカラス本總督ハ各位ノ協力一致ニ賴リ時勢ニ順應シ施設宜ヲ制シ以テ　聖明ノ宏謨ヲ對揚セムコトヲ期ス

朝鮮總督　伯爵　長谷川好道

大正五年十二月十一日

一七　官吏ニ對スル訓諭

大正六年五月
內閣訓令第一號

內閣組織以來政務ノ實蹟ニ徵シ官吏ノ氣風ヲ察スルニ官紀ノ弛張ニ關シテ遺憾ナキ能ハス特ニ意ヲ致ササルヘカラサルモノアルヲ思フ蓋是レ時運ノ然ラシムル所ナリト雖內閣ノ更迭頻次ニシテ官吏ヲシテ歸趨ニ惑ハ

シムルコトアルモ亦其ノ一因タラスムハアラス今ヤ歐洲戰役ノ影響全世界ニ波及シ其ノ關繋スル所獨政治上經濟上ニ止マラス思想上風教上ニ涉リテ誠ニ恐ルヘキモノアリ是ノ時ニ當リ政務ノ職司ニ在ル者ハ須ク立國ノ大本ニ鑑ミ國體ノ尊崇スヘキヲ惟ヒ國情ヲ異ニスル海外ノ事例ニ覊サレスシテ帝國憲法ノ根義ニ致ヘ自重シテ適從スル所ヲ愆ラス紀律ヲ守リ一意奉公至誠君國ニ竭シ以テ國民ノ儀表タルヘシ官吏ノ宜ク履ムヘキ常經ニ至リテハ曾テ屢訓諭スル所アリト雖本大臣ハ内外ノ情勢ニ顧ミ官府ノ實狀ニ稽ヘ茲ニ重ネテ訓諭スル所アラムトス

一　官吏タルノ本分ヲ恪守スル事

凡ソ官吏ハ　天皇ノ任免シ給フ所ニシテ榮譽之ニ尙フルナシ宜ク　聖旨ヲ奉體シ法令ヲ遵守シテ職域ヲ踰エス事功ヲ擧ケテ責任ヲ全クシ上司ニ對シテハ服從ノ義務ヲ守リテ能ク其ノ意衷ヲ盡シ造次　天皇ノ官吏タルニ念到シ報效ノ精神ヲ以テ蹇忠匪躬ノ節ヲ致スヘシ

一　官吏タルノ品位ヲ保ツ事

淸廉鯁潔ニシテ且威嚴ノ犯スヘカラサルモノアルハ官吏ノ品位ヲ支持スル所以ナリ近時官吏ニシテ收賄橫領其ノ他破廉恥ノ罪過ニ問ハレテ刑辟ニ觸ルル者ナキニ非ス亦以テ官紀頽廢ノ一端ヲトスルニ足ル是レ最戒ムヘキ所タリ殊ニ擧世將ニ輕佻奢侈ノ風ニ趨ラムトスルノ狀アルニ方リ官吏タル者宜ク剛直質愨毅然トシテ守ル所アリ利ヲ見テ移ラサルノ士氣ヲ貴ミ常ニ浮華ヲ戒メテ儉素己ニ克チ虔敬自ラ處リテ能ク威嚴ヲ保チ以テ社會風紀ノ肅淸ニ任スルノ意氣アルヘシ

一　繁縟ヲ省キ簡捷ニ就ク事

世事日ニ匆忙ヲ加フ疎漫曠怠ヲ容スヘキニ非ス平素事務ヲ處理スルコト忠實ニシテ且敏活ナラサルヘカラス抑繁ヲ去リ簡ニ就キ疾ニ決行シテ凝滯スルコトナク勤勉職ヲ奉シ懇切人ヲ遇スルハ則上意ヲ下達シ下情ヲ上達スル所以ナリ而テ覃思熟慮能ク審議ヲ遂ケ事ヲ苟モスルコトアルヘカラス既ニ上官ノ裁決ヲ仰キ後ニ至テハ更正ヲ請フカ如キハ斷シテ之ヲ避ケサルヘカラス

一　公私ノ別ヲ明ニスル事

公務ヲ處理スルニハ私心ヲ挾ムヘカラス若公私ヲ混同シテ剖決ヲ二三ニシ一身ノ利害ヲ顧ミテ是非ヲ誤リ徒ニ一部ノ歡心ヲ求メテ其ノ好ム所ニ偏シ情實ニ泥ミ毀譽ニ拘ルコトアルニ至リテハ正邪ノ岐ルル所之ヲ假借スルコトヲ得ス宜ク職司ノ重スヘキヲ思ヒ責任ノ輕カラサルニ省ミ服務規律ヲ嚴守シ中正不偏心ヲ虛クシテ時流ノ外ニ立ツヘシ

一　秩序ヲ正シクシ言議ヲ愼ミ機密ヲ保ツ事

官廳ノ組織ハ秩序アリテ始メテ統一ヲ見ル機密ノ外部ニ漏ルルモ亦秩序ノ紊ルルニ因ル抑秩序ハ人ニ由リテ之ヲ保タル而テ官吏ノ秩序ヲ保タムト欲セハ則先ツ銓敘ヲ愼ミテ尙恪勤ヲ勸メ放曠ヲ戒ムヘシ先任者ハ規矩ヲ示シテ後進者ヲ率ヰ後進者ハ準縄ヲ守リテ先任者ニ隨ヒ上下禮節ヲ尊ミテ相提撕シ協心戮力其ノ間實務ヲ習熟シテ專ラ治績ヲ擧クルコトニ勉メサルヘカラス萬一僚屬相嫉視シ排擠之レ事トスルニ至ラハ秩序忽ニシテ斁ルヘシ且言議ヲ愼ミ機密ノ漏洩ヲ防ク能ハサルニ於テハ爲ニ紛糾ヲ釀シ事ノ重大ナルニ至リテハ施テ累ヲ國交ニ及ホスノ虞ナキニ非ス宜ク深ク互ニ戒愼シ井然タル秩序ノ下ニ政務ノ運用ヲ圓滑ニスヘシ

一八 官吏ニ對スル訓諭

朝鮮總督府及所屬官署

官吏ハ常ニ其ノ本分ヲ守リ品位ヲ保チ質實勤儉以テ世ノ儀表タルヘキコトハ既ニ屢訓示セル所ナリ近時時局ノ影響ニ因リ物價益昂騰シ一般生活ノ狀態亦前日ノ比ニアラス是ヲ以テ曩ニ朝鮮人下級職員ニ對シ臨時增俸ヲ行ヒ判任官以下ニ對シ臨時手當ヲ支給シ之ヲ極濟スルノ方法ヲ講セリト雖苟モ時風ヲ追ヒ驕侈ノ風ニ染ムカ如キコトアラムカ或ハ分ニ應セサル負債ヲ爲シ或ハ賴母子講等ニ賴リ一時ヲ彌縫シ甚シキニ至リテハ苞苴請託ヲ容レ遂ニ一身ヲ誤リ官職ノ威嚴ヲ失墜スルニ至ルヲ免レス又官吏ノ出張ニ際シ無用ノ饗宴ヲ設クルカ如キハ一切之ヲ廢止スルヲ要ス今ヤ時局益紛糾シ政務漸ク多事ナラムトス各員深ク戒愼シ勤儉ノ美風ヲ作興シ荒怠ノ弊習ヲ儆戒シ一意奉公ノ誠ヲ竭サムコトヲ期スヘシ

大正七年八月十五日

朝鮮總督 伯爵 長谷川好道

一九 監獄醫、敎誨師、敎師、藥劑師、看守及女監取締職務規程

大正三年五月
總內訓第十一號
朝鮮總督府監獄

第一章 監獄醫ノ職務

第一條 監獄醫ハ上官ノ指揮ヲ承ケ在監者ノ檢診、治療及監獄衞生ニ關スル事務ヲ掌理ス

第二條 流行病患者發生シ又ハ發生ノ兆アルトキハ直ニ典獄ニ稟議シ豫防消毒ヲ施行スヘシ

第三條 傳染病ノ豫防及消毒並淸潔方法ノ施行其ノ他衞生上必要アルトキハ當該看守及女監取締ヲ指揮スルコトヲ得

第四條 病者ヲ診察シタルトキハ其ノ氏名、病性、徵候、既往症及處方等ヲ在監者診療簿ニ記載シ典獄ノ檢閱ニ供スヘシ

第五條 急發病者アリタル場合ニ於テハ何時ニテモ直ニ診察治療スヘシ

第六條 危險ノ虞アル手術ヲ施スノ必要アリト認メタルトキハ豫メ其ノ旨ヲ典獄ニ具申シ許可ヲ受クヘシ

第七條 每日一回以上病監ニ臨ミ淸潔、溫度、換氣等ノ實況ニ注意スヘシ

第八條 死亡シタル者アルトキハ檢屍ノ上其ノ死亡ノ原因及病症、死狀等ヲ詳記シタル死亡證書又ハ檢案書ヲ作成スヘシ

第九條 死後ノ解剖ヲ請フ者アルトキハ其ノ旨ヲ典獄ニ具申スヘシ

第十條 看護夫ニ對シテハ常ニ看護心得及救急療法等ヲ講說シ且看護上必要ナル事項ヲ練習セシムヘシ

第十一條 監獄 敷地、建物及在監者ノ使用スル物品其ノ他一切ノ設備ニ付テハ常ニ衞生上ノ關係ヲ視察シ意見ヲ典獄ニ具申スヘシ

第十二條 左ノ場合ニ於テハ其ノ狀況及意見ヲ具シテ速ニ典獄ニ申報スヘシ

一　作業ノ種類、就業ノ方法、運動ノ方法、糧食其ノ他ノ給與品ニ付在監者ノ保健ニ適セサルモノアルトキ

二　新入監者又ハ在監者中精神異常ノ疑アルモノ、刑事訴訟法第三百十九條第二項各號ニ該當スル者、癈篤疾若ハ危篤ニ陷リタル者アルトキ

三　新入監者又ハ在監者ノ體質、病症其ノ他健康狀態ニ因リ拘禁、作業、給養其ノ他處遇ノ方法ヲ殊ニシ若ハ之ヲ變更スルノ必要アルトキ

四　疾病ニ因リ懲罰ノ執行又ハ釋放ニ妨アルトキ

五　疾病ヲ隱蔽、虛構又ハ作爲シタル者アルトキ

六　他人ノ所爲ニ基因シ疾病ニ罹リタル者アルトキ

七　病者ヲ病監ニ收容スル必要アルトキ

八　病者ヲ病院ニ移送シ又ハ監獄醫ニ非サル醫師ヲシテ其ノ治療ヲ補助セシムル必要アルトキ

九　前各號ノ外主管事務ニ關シ特ニ異例ニ涉ル事故アルトキ

第二章　教誨師ノ職務

第十三條　教誨師ハ上官ノ指揮ヲ承ケ在監者ノ教誨及文書圖畫ノ閱讀ニ關スル事務ヲ掌理ス

第十四條　職務ノ執行ニ付必要アルトキハ當該看守及女監取締ヲ指揮スルコトヲ得

第十五條　罪質、犯數、性情、教育、職業、年齡、境遇等在監者ノ身上ニ關スル諸般ノ情況ヲ視察シ常ニ適切ナル個人教誨ヲ行フヘシ

第十六條　分房者及在病監者ニ對シテハ一週一回以上其ノ監房ニ就キ個人教誨ヲ行フヘシ

第十七條　新入監者又ハ釋放スヘキ者ニ對シテハ個人教誨ヲ行フヘシ

第十八條　死刑ノ宣告ヲ受ケタル者ニ對シテハ特ニ教誨ヲ行ヒ精神ノ慰安ヲ圖ルヘシ

第十九條　在監者ヲ他監ニ移送スル場合ニ於テハ教誨上特ニ注意スヘキ事項ヲ到著監獄ニ通報スヘシ

第二十條　左ノ場合ニ於テハ其ノ狀況及意見ヲ具シ速ニ典獄ニ申報スヘシ

一　在監者ノ性行、境遇等ノ關係ニ因リ拘禁及處遇ノ方法ヲ變更スルノ必要アルトキ

二　在監者ノ心意上ニ異例ノ現象ヲ認メタルトキ

三　監獄ノ處置ニ對シ不服ヲ訴ヘタル者アルトキ

四　密告ヲ爲シタル者アルトキ

五　釋放スヘキ者ニ付特ニ保護ヲ必要トスルトキ

六　前各號ノ外主管事務ニ關シ特ニ異例ニ涉ル事故アルトキ

第三章　教師ノ職務

第二十一條　教師ハ上官ノ指揮ヲ承ケ在監者ノ教育ヲ掌ル

第二十二條　就學者ニ對シテハ年齡、智能、性情、境遇等ヲ斟酌シテ各人ニ適當ナル教育ヲ施スヘシ

第二十三條　左ノ場合ニ於テハ其ノ狀況及意見ヲ具シテ典獄ニ申報スヘシ

一　十八歲以上ノ受刑者ニシテ特ニ就學ヲ繼續シ若ハ新ニ就學セシムルノ必要アリト認ムルモノ又ハ就學者ニシテ教育ヲ要セサルニ至リ

タルモノアルトキ

二　就學者ノ狀態ニ因リ教科目、教授ノ程度及時數竝處遇ノ方法等ヲ變更スルノ必要アルトキ

三　前二號ノ外主管事務ニ關シ特ニ異例ニ渉ル事故アルトキ

第二十四條　教師ヲ置カサル監獄ニ在リテハ其ノ職務ハ教誨師之ヲ行フ

第四章　藥劑師ノ職務

第二十五條　藥劑師ハ上官ノ指揮ヲ承ケ調劑飲食物ノ分析鑑識及藥品其ノ他ノ醫療用品ノ保管ニ關スル事務ヲ掌理ス

第二十六條　監獄衞生ニ關シテハ監獄醫ヲ補助スヘシ

第二十七條　主管事務ニ關シ特ニ異例ニ渉ル事故アルトキハ其ノ狀況ヲ具シテ典獄ニ申報スヘシ

第二十八條　藥劑師ヲ置カサル監獄ニ在リテハ其ノ職務ハ監獄醫之ヲ行フ

第五章　看守ノ職務

第二十九條　看守ハ上官ノ指揮ヲ承ケ監獄ノ警戒、在監者ノ戒護其ノ他ノ監獄事務ニ服スヘシ

第三十條　監門ヲ守衞シ出入者ニ注意スヘシ

第三十一條　在監人員ハ毎日一回以上之ヲ點檢スヘシ

第三十二條　消防器具ハ少クモ毎月一回之ヲ檢査シ時々消防演習ヲ行フヘシ

第三十三條　戒具、銃及鑰匙ハ毎日之ヲ點檢スヘシ
戒具、劍又ハ銃ノ使用法ヲ練習シ不時ノ使用ニ支障ナカラシムヘシ

第三十四條　劍又ハ銃ヲ使用シタルトキハ速ニ上官ニ申告スヘシ

第三十五條　在監者逃走シタルトキハ非常ノ合圖ヲ爲シ逮捕ノ手段ヲ講シ且上官ニ申告シテ其ノ指揮ヲ承クヘシ若逮捕ノ機ヲ失スル虞アルトキハ直ニ之ヲ追跡スヘシ
在監者騷擾ヲ爲シタルトキハ非常ノ合圖ヲ爲シ鎭壓ノ手段ヲ講シ且上官ニ申告シテ其指揮ヲ承クヘシ

第三十六條　天災事變ニ際シテハ特ニ在監者ノ戒護ヲ嚴ニシ已ムコトヲ得サル場合ニ於テハ避難ノ準備ヲ爲シ上官ノ指揮ヲ承クヘシ　但シ事急遽ニ出テ其ノ遑ナキトキハ救護ノ爲在監者ヲシテ應急ノ用務ニ就カシメ又ハ一時之ヲ監房若ハ工場ノ外ニ出スコトヲ得

第三十七條　天災事變ノ際又ハ非常召集ノ命ニ接シタルトキハ直ニ昇廳シテ上官ノ指揮ヲ承クヘシ

第三十八條　在監者情願ヲ爲サムコトヲ申出タルトキハ速ニ上官ニ申告スヘシ
典獄、看守長、監獄醫又ハ教誨師ニ對シ面接其ノ他ニ付願出タルトキ亦同シ

第三十九條　在監者ノ暴行、脅迫、陰謀、變死、創傷、建物ノ破損其ノ他總テ拘禁ニ關スル異狀ヲ見聞シタルトキハ速ニ上官ニ申告スヘシ

第四十條　受持在監者ノ住所、氏名、罪名、犯數、刑名、刑期其ノ他行刑上必要ナル事項ハ努メテ之ヲ記憶シ毎日其ノ行狀ヲ視察シ其ノ事故ノ概要ヲ錄取シ上官ノ檢閱ニ供スヘシ

第四十一條　毎日終業ノ際作業ノ成績ヲ檢査シ且作業ニ使用シタル器具器械ヲ點檢スヘシ

第四十二條　在監者器具、器械其ノ他ノ物ニ損害ヲ加ヘタルトキハ其ノ事由ヲ具シテ上官ニ申告スヘシ

第四十三條　衣類、臥具及雜具ニ注意シ汚染又ハ破損シタルモノアルヲ認メタルトキハ上官ニ申告シ其ノ指揮ヲ承ケ交換、補綴、澣濯若ハ消毒ノ手續ヲ爲スヘシ

第四十四條　勤務時間ノ終了、休憩其ノ他ノ事由ニ因リ勤務ノ場所ヲ離ルルトキハ交代者ニ對シ事務ヲ引繼クヘシ

第四十五條　擔任ノ事務ニ付テハ勤務終了ノトキ執務ノ狀況及視察シタル事項ヲ上官ニ申告スヘシ

第四十六條　上官ノ指揮ヲ承ケ死刑及笞刑ノ執行ヲ爲スヘシ

第四十七條　左ノ場合ニ於テハ直ニ上官ニ申告シ其ノ指揮ヲ承クヘシ

一　事務上ニ付背規又ハ錯誤アリタルトキ
二　在監者ニ反則行爲アリタルトキ
三　在監者ノ身上ニ異變アリタルトキ
四　在監者ヨリ密告ヲ受ケタルトキ
五　前各號ノ外擔任事務ニ關シ特ニ異例ニ涉ル事故アリタルトキ

第六章　女監取締ノ職務

第四十八條　女監取締ハ上官ノ指揮ヲ承ケ在監婦女ノ戒護其ノ他ノ監獄事務ニ服スヘシ

第四十九條　第二十九條、第三十條、第三十二條、第三十三條第二項、第三十四條及第四十六條ヲ除クノ外前章ノ規定ハ女監取締ニ之ヲ準用ス

二〇　看守及女監取締勤務規程

大正三年五月
總內訓第十號

看守及女監取締勤務規程

第一條　看守ノ勤務ハ其ノ種類ニ依リ外勤及內勤ノ二種ニ區別ス

第二條　外勤ノ看守ハ典獄ノ定ムル所ニ從ヒ左記各號ニ從ヒ勤務スヘシ

一　每日勤務晝間八時間乃至十五時間
二　隔日勤務甲乙兩部ニ分レ相互交替シテ晝夜二十時間乃至二十六時間

內勤ノ看守ハ一般官吏ノ例ニ依リ勤務スヘシ

第三條　外勤ノ看守ニハ典獄ノ定ムル所ニ依リ勤務時間內休憩ヲ爲サシムルコトヲ得

第四條　外勤ノ看守ニ在リテハ勤務時間外ハ非番トス

第五條　每日勤務スル外勤ノ看守十日以上勤續シタルトキハ配置ヲ要セサル人員ニ限リ一日以內之ヲ非番ト爲スコトヲ得

第六條　外勤ノ看守ハ在監者ヲ就業セシメサル日ニ於テハ配置ヲ要セサル人員ニ限リ一日以內之ヲ非番ト爲スコトヲ得

第七條　典獄ニ於テ必要アリト認ムルトキハ非番ト雖勤務セシムルコトヲ得

第八條　女監取締ノ勤務ニ關シテハ外勤ノ看守ノ例ニ依ル

第九條　在監者ノ護送、非常事變其ノ他ノ事由ニ依リ本章ノ規定ニ依リ

難キ場合ニ於ケル看守及女監取締ノ勤務ニ關シテハ典獄之ヲ定ム

二一　官紀振肅ニ關スル件

大正三年
典獄會議訓示

官紀ノ振肅ニ關シテハ從來反覆訓示スル所アリ監獄ハ紀律ノ府ナルヲ以テ其ノ職ニ在ル者ハ率先紀律ヲ重シ秩序ヲ尙ヒ上ノ命スル所下之ニ服シ相信シ相倚リ敢テ乖離スヘカラス殊ニ各躬ヲ以テ罰囚感化ノ責ニ任スルモノタルカ故ニ已ヲ持スルコト謹嚴苟モ惰容ナキヲ要ス各位ハ宜シク此ノ趣旨ニ依リ自ラ率ヒ又部下ヲ指導シ以テ各其ノ職責ヲ完フスルニ於テ些ノ遺憾ナキヲ期スヘシ

二二　官紀振肅ニ關スル件

大正五年
典獄會議訓示

一般職員ノ品位ヲ正シ官紀ノ振肅ヲ圖ルハ本總督ノ夙夜焦慮スル所ニシテ或ハ官吏服務心得ヲ頒チ或ハ機ニ應シテ訓諭ヲ加ヘ尙其ノ及ハサラムコトヲ恐ル各位ハ夙ニ此ノ意ヲ諒シ自ラ儀範ヲ示シテ部下ノ指導ニ意ヲ忘ラサルヲ信スルモ今尙職員中非違ヲ敢テスルモノアルハ洵ニ遺憾ニ堪ヘス抑官紀ノ弛廢ハ風儀ノ紊亂ニ胚胎ス夫ノ上下職員間ニ於ケル物品贈答ノ如キ事少ナリト雖其弊ヤ甚大ナルモノアリ若之カ厚薄ニ因リテ親疎ノ別ヲ生センカ親シムモノ氣驕リ疎マルル者心平ナラス同僚相排擠スルノ風ヲ馴致シ遂ニ職務ニ對スル忠實ノ念ヲ銷磨スルニ至リ官紀頹廢ノ端茲ニ發セム各位ハ深ク此ニ留意シ廉直已ヲ持シ公正部下ヲ率ヰ以テ官紀ノ振肅ニ努ムヘシ

二三　監獄職員會議ニ關スル件

大正三年
典獄會議指示

監獄職員會議ハ之ニ依リテ獄務ノ統一及進捗ヲ圖ラムトスル緊要ノ制度ナルニ拘ラス未タ十分ニ之ヲ利用セス其或者ハ形式ニ陷リ然ラサル者モ徒ラニ論難ヲ事トスルモノアルカ如シ斯クノ如キハ即職員會議ノ效用ヲ沒却セルノミナラス却テ事務澁滯ノ因由タルニ至ルヲ以テ之ヲ主裁指導スルニ當リテハ秩序ヲ正シフシ濫リニ紛爭ヲ釀サシメサルト共ニ部下ヲシテ亦其ノ所思ヲ盡サシメ依テ弊竇ノ存スル所ヲ匡ササルヘカラス輓近入監者ノ增加、作業ノ發展ニ伴ヒ行刑其他ノ事項漸ク繁劇ヲ加ヘ事務簡捷ヲ圖ルノ要頗ル急ナリ宜シク會議ノ活用ニ留意シ以テ所期ノ目的ヲ完フセムコトヲ努ムヘシ

二四　監獄醫以下職員ノ執務ニ關スル件

大正五年
典獄訓示

監獄醫以下職員ノ執務ニ付テハ從來周到ト確實トヲ缺ク場合稀ナリトセス殊ニ職責上ノ自覺ニ乏シキモノアルヲ認メ先般職務規程ヲ制定スルニ至レリ自今十分ニ其趣旨ヲ服膺セシメ各自職務ヲ完フスルニ於テ遺憾ナキヲ期セシムヘシ

二五　內外勤ノ職員配置ニ關スル件

大正三年
典獄會議指示

近來各監獄ニ於テ內勤事務ニ付キ多數ノ職員ヲ配置スル傾向アルヲ認ム

蓋シ事務ノ繁劇ヲ加フルニ由ルモノナルヘシト雖偽ニ勢ノ趨ク所囚人戒護ノ力ヲ減殺スルコトアラハ其結果ヤ實ニ憂フヘキモノアリ宜シク事務ヲ簡捷ニシ内勤者ヲ減シテ戒護力ヲ充實スルコトヲ圖ルヘシ又所轄分監ニ對スル職員ノ配置ハ稍薄キヲ感スルモノナキニ非ス自今努メテ其ノ均衡ヲ保ツコトニ留意スヘシ

二六　職員ハ上訴ヲ慫慂シ又ハ投書密告ヲ戒ム件

大正三年　典獄會議長官注意

監獄吏員ハ上訴ヲ慫慂シ又ハ抑制スルカ如キコトナキヲ注意スヘシ
職員ノ投書、密告ヲ以テ他ヲ排擠スルノ弊アリ又朋竟庇圍ノ弊アリ戒飾ヲ要ス（看守ハ時ニ轉任セシムルヲ要ス）

二七　分監ニ於ケル事務簡便ヲ計ルヘキ件

大正四年　典獄會議指示

分監ニ於ケル事務取扱ヲシテ本監ト同一ノ規定ニ依ラシメムトスルハ職員ノ少數ニシテ組織ノ單純ナル分監ノ到底其煩ニ堪エサル所ナルカ故ニ能ク其實況ニ鑑ミ成ルヘク簡便ナル方法ニ依ラシメ以テ事務ノ澁滯ニ陷ルノ弊ナカラシメムコトヲ要ス

二八　看守及女監取締ノ職務上携帶セル物品使用保管ニ關スル件

大正四年　典獄會議長官注意

看守及女監取締ノ職務上携帶スル物品ノ使用及保管其宜シキヲ得サルモノアリ殊ニ日常最モ必要ナル手帳ヲ利用スルモノ甚タ稀ナルカ如シ是畢竟携帶者ノ用意周到ナラサルニ職由スルコト論ヲ待タスト雖亦其檢査ノ形式ニ了ル結果タラスンハアラス將來看守及女監取締ヲシテ深ク此ニ留意セシムルト共ニ點檢ノ任ニ當ル者ヲシテ嚴ニ其ノ勵行ヲ期セシメラレタシ

二九　訓示及指示ノ勵行ニ關スル件

大正五年　典獄會議訓示

典獄會議ノ際ニ於ケル訓示及指示事項ニ付テハ之カ勵行ヲ促カシタルコト一再ニ止マラサルモ尚往往實行ヲ闕キ或ハ之ヲ行フモ徒ニ形式ニ流レテ實質ノ之レニ伴ハサルモノアリ斯クノ如クムハ啻ニ獄務ノ成果ヲ望ム能ハサルノミナラス官紀是ヨリ紊ルルニ至ラム各位ハ爾後深ク此ニ留意シ熱誠以テ之カ實踐ヲ期スヘシ

三〇　訓示、指示事項ノ勵行ニ關スル件

大正六年　典獄會議指示

從來訓示、指示及注意シタル事項ニシテ往往其實行ヲ缺クモノアリ將來嚴ニ之カ勵行ヲ期スヘク其實行ニ困難ナル事情アルモノニ付テハ狀ヲ具シテ報告スヘシ又各位ノ部下ニ對スル訓示其他命令ハ確實ニ其實行ヲ期セシムヘシ

三一　監獄ノ事務ハ裁判所、警察官署ト連絡ニ關スル件

大正六年　典獄會議指示

監獄ノ事務ハ裁判所及警察官署ノ事務ト密接ノ關係アルヲ以テ監獄當局者ハ適當ノ機會ヲ利用シテ意見ヲ交換シ以テ獄務ノ運用ニ資スヘシ

三二　內勤看守配置按排ニ關スル件

大正六年
典獄會議長官注意

內勤看守ニ比較的多數ノ人員ヲ配置スルカ為外勤看守ニ非番勤務ヲ命スルコト多キノ嫌ヒアリ將來特ニ其ノ按排ニ注意セラレタシ

三三　勤務演習召集、演習召集及簡閱點呼ノ免除ニ付餘人ヲ以テ代フヘカラサル職務ヲ奉スル者ニ關スル件

大正八年二月
勅令第二一號

勤務演習召集、演習召集及簡閱點呼ノ免除ニ付餘人ヲ以テ代フヘカラサル職務ヲ奉スル者ニシテ內閣總理大臣ノ指定シタルモノハ陸軍軍人服役令第五條、海軍高等武官准士官服役令第十八條又ハ海軍下士卒服役條例第四十條ノ規定ニ依ル內閣ノ認可ヲ受ケタルモノト看做ス

三四　大正八年勅令第二十一號ニ依ル職務ヲ奉スル者指定

大正八年三月
內閣告示第二號
改正十年九內告第六號

大正八年勅令第二十一號ニ依リ指定スルコト左ノ如シ

一　各廳監獄看守長、看守
一　各廳警部、警部補、巡查
一　各廳航路標識管理所看守
一　臺灣總督府燈臺看守
一　皇宮警部、警手

三五　官吏召集免除ノ件

大正八年三月
人第六七四號
總務局長

各監獄典獄宛

本年二月勅令第二十一號及三月內閣告示第二號ニ依リ朝鮮總督府看守長看守ハ勤務演習召集及簡閱點呼ノ免除ニ關シ認可ノ手續ヲ要セサルコトト相成候ニ付テハ右該當者ニ關スル陸軍軍人服役令施行規則第十七條ノ通報等ハ無漏御取計相成度為念此段及通牒候也

三六　召集免除ニ關スル件

大正七年五月
司秘第三九八號
司法部長官

各監獄典獄宛

左ニ揭クル裁判所及監獄職員ニシテ豫備後備ノ軍籍ニ在ル者ニ付テハ徵兵令第二十四條又ハ陸軍軍人服役令第四條ニ依リ勤務演習及簡閱點呼ノ召集ヲ免除セラルヘキモノト思考候條貴廳所屬職員ニシテ軍籍ニ在リ召集免除ヲ受クル必要アル者ニ付テハ其ノ理由ヲ附シテ免除認可ノ具狀方總督ヘ具申相成度此段及內牒候也

記

一　判事

二　検事
三　司法官試補ニシテ検事代理勤務中ノ者
四　裁判所書記長及裁判所書記
五　裁判所通譯官及裁判所通譯生
六　典獄
七　看守長
八　監獄通譯生
九　監獄技手
十　監獄醫
十一　教誨師
十二　教師
十三　藥劑師
十四　看守

追テ右具申書ハ他ノ人事ニ關スル書類ト同シク當職宛發送相成度此旨申添候也

三七　召集免除ノ具申書式ニ關スル件

大正七年六月
司法部長官通牒

各監獄典獄宛

貴部下職員中豫備、後備又ハ補充兵役ニ在ル者ノ勤務演習召集簡閲點呼召集免除ノ件具申相成候處其ノ記載方各廳區區ニ渉リ處理上不便不尠候條該具申書ニ別紙樣式ノ人名調書二通ヲ添付シ更ニ提出相成度及照會候也

追テ別紙樣式ニ依リ調製シ既ニ提出濟ノ向ハ更ニ一通提出相成度爲念申添候

（別紙）

召集免除人名調書（用紙美濃十行罫紙）

豫後備補充ノ別	兵種官等	徴集年	所屬聯隊區名	本籍（詳細）	現在詰所	現在官職名	氏名

備考　本調書ハ奏任官ト判任官トハ之ヲ格別ニ調製シ監獄奏任待遇職員ト判任待遇職員トハ一表ニ調製スルモ差支ナシ
本調書二通ノ内一通ハ炭酸紙複寫等ニテ差支ナキモ一通ハ毛筆ヲ以テ丁寧ニ墨書シタルモノヲ要ス

三八　勤務演習簡閲點呼免除内申書類ニ關スル件

大正一一年七月
秘補第一九八七號
秘書課長

本府各局部長
第一次所屬官署長　宛

勤務演習簡閲點呼免除方御内申ノ書類ハ「准士官以上」「下士兵卒」「未教育補充兵」ニ區分シ御提出相成度候也

追テ准士官以上ニ對シテハ勤務演習召集ノミ又未教育補充兵ニ對シテハ簡閲點呼召集ノミ免除稟請セラレ可然義ニ付爲念申添候

三九　官廳ニ奉職又ハ雇傭中ノ在郷軍人召集等ノ場合ニ關スル件

大正六年八月
官通牒第一四七號　政務總監

各部長官、官房各局課長
所屬官署ノ長　宛

首題ノ件陸海軍次官ヨリ別紙ノ通申越ノ次第モ有之候條御了知相成度此段及通牒候也

（別紙）

従來官廳ニ奉職又ハ雇傭中ノ在郷軍人ニシテ演習召集又ハ簡閲點呼參會ヲ命セラレタル者ニ對シ該期間他ノ事故缺勤者ト同樣ニ取扱ハルル向モ有之候ヘ共斯ノ如キ國民ノ義務ヲ履行スル場合ニ於テ一身上ニ不利ヲ及ホサシムル取扱ハ成ル可ク之ヲ避ケ度ト存候ニ就テハ自今右召集又ハ參會者ニ對シテハ相當ノ便宜ヲ與ヘ進テ其ノ義務ヲ盡サシムル樣致度候也

追テ豫後備將校團、主計團、軍醫團、獸醫團等ノ演習會又ハ研究會ニ出場ノ爲缺勤スル者ニ對シテモ右ニ準シ取扱樣致度申添候

四〇　召集免除認可通報方ノ件

大正七年九月
人第二一八四號　總務局長

各監獄典獄宛

勤務演習及簡閲點呼免除ノ認可ヲ受ケタル監獄判任待遇職員ニ係ル陸軍軍人服役令施行規則第十七條又ハ海軍下士卒服役條例第四十條ノ通牒ハ當該典獄ニ於テ遲滯ナク御取計ヒ相成度爲念此段及通牒候也

四一　召集及點呼免除者取扱方ノ件

大正七年九月
官通牒第一五三號　總務局長

本府官房局課長、各部長官
各所屬官署長　宛

召集及點呼免除者取扱方ノ件左記ノ通御了知相成度此段及通牒候也

記

陸軍軍人服役令第五條ニ依リ召集又ハ點呼免除ノ認可ヲ得タル者ニシテ師團長ヨリ召集又ハ點呼參會ノ令狀ヲ受ケタルトキハ免除ニ關スル所屬官廳ノ證明書ヲ添ヘ召集ニ在リテハ召集部隊長ニ點呼ニ在リテハ執行官ニ宛テタル屆書ヲ令狀ト共ニ關係府尹、郡守ニ差出スモノトス

四二　官吏召集及點呼免除ニ關スル件

大正七年十二月
人第二八二〇號　總務局長

各監獄典獄宛

官吏召集及點呼免除ノ件ニ關シ左記寫ノ通通牒ノ次第モ有之候條爲念此段及通牒候也

左記

一九師召第四六五號

陸軍軍人服役令第五條取扱ニ關スル件通牒

大正七年十一月二十六日

第十九師團長　子爵　高島友武 印

朝鮮總督府政務總監山縣伊三郎殿

大正七年度演習召集及簡閲點呼實施ニ徴スルニ令狀發送後ニ於テ服役令第五條ニ據リ免除ヲ受ケタル旨ノ通牒ニ接シタル者多數ニシテ全般ノ計畫ニ齟齬ヲ生シ候次第モ有之候間大正八年度ニ於テ在鮮在郷軍人ノ官廳奉職者ニ對スル服役令第五條及施行規則第十七條ノ手續ハ可成年度ノ初期ニ於テ實施致候樣御示達相成度候也

追テ朝鮮在留地ニ於ケル勤務演習應召簡閲點呼參會許可者ニ關スル本籍地聯隊區司令官ヨリ當部ヘノ通牒期日ハ演習ニアリテハ三月二十日點呼ニアリテハ四月二十日迄ニ到着スルコトニ相成居候ニ付申添候

四三　官吏召集及點呼免除ニ關スル件

大正八年六月
人第一一五六號

總務局長

各監獄典獄宛

官吏召集及點呼免除ノ件ニ關シ大正七年十二月人第二八二〇號ヲ以テ及通牒置候次第モ候處昨今尚免除方申請相成候向有之右ハ陸軍ニ於ケル本年度演習及點呼實施上支障可有之ト認メ候ニ付年度初頭以外ニ於テハ必要已ムヲ得サル場合ノ外申請相成ラサル樣致度爲念此段及通牒候也

追テ大正八年勅令第二十一條ニ依ル者ニ付テモ本文ノ趣旨ニ依リ御取扱相成度候也

四四　官吏演習召集及簡閲點呼免除具狀方ニ關スル件

大正八年二月
官通牒第一六號

總務局長

各所屬官署ノ長宛

大正八年一月二十日地庶第七四二號ヲ以テ光州地方法院長同檢事正ヨリ照會ニ係ル首題ノ件左記ノ通了知相成度候也

記

問　官吏在職者ニシテ豫備、後備、補充兵役ノ軍籍ニ在ル者ニ付徴兵令第二四條又ハ陸軍軍人服役令第四條ニ依リ勤務演習及簡閲點呼召集免除方曩ニ認可アリタル者ニ對シテハ爾後同免除方ニ付具申ヲ要セサル義ナリヤ將タ毎年之カ免除方ニ付具申ヲ要スヘキモノナリヤ

答　前段御意見ノ通　但シ免除スヘキ事由消滅シタルトキハ其都度申報相成度

四五　官吏勤務演習及點呼免除ニ關スル件

大正八年三月
人第六九四號

總務局長

各監獄典獄宛

大正八年勅令第二十一號及同年内閣告示第二號ニ依ル者ニ關スル事務處理方ノ件ニ付別紙寫ノ通通牒有之候條此段及通牒候也

寫　拓第一〇五五號（大正八、三、一四）

拓殖局次長　立花俊吉

朝鮮總督官房總務局長荻田悦造殿

今般事務ノ簡捷ヲ圖ル爲メ大正八年勅令第二十一號ヲ以テ勤務演習召集演習召集及簡閲點呼ノ免除ニ付餘人ヲ以テ代フヘカラサル職務ヲ奉スル者ニ關スル件公布相成尚大正八年內閣告示第二號ヲ以テ右勅令ノ適用ヲ受クル官職指定相成候ニ付テハ右ニ關スル事務左記ニ依リ處理相成度旨內閣書記官長ヨリ通牒有之候條此段及移牒候也

記

豫後備役陸海軍軍人ヲ大正八年內閣告示第二號列記ノ官職ニ採用シタルトキハ（歸休兵ヲ採用シタル場合ニ在リテハ其ノ者豫備役ニ入リタルトキ）直ニ陸軍軍人服役令施行規則第十七條陸海軍高等武官准士官服役令施行規則第三條又ハ海軍下士卒服役條例第四十條第一項後段ノ規定ニ準據シ處理スルコト

四六　召集及點呼免除者通報廢止ニ關スル件

大正一〇年一一月
秘補第二三五三號　秘書課長

各監獄典獄宛

演習召集及簡閲點呼免除者通報方ニ關シ大正八年五月六日附人第九三一號ヲ以テ及通牒置候處今回別紙寫ノ通第二十師團參謀長ヨリ通報有之候條該通報ハ自今廢止ノ儀ト御承知相成度此段及通牒候也

（別紙）

二〇師召第一三二六號

勤務演習簡閲點呼免除者通報方不要ノ件通牒

大正十年十一月十四日

第二十師團參謀長　西田友幸

朝鮮總督府秘書課長守屋榮夫殿

大正九年一月十七日附二十師召第二號ヲ以テ徵兵令第二十四條並陸軍軍人服役令第四條該當者ハ調査ノ上便宜當部ヘ御通報方照會致置候處往往該通報ヲ陸軍軍人服役令施行規則第十七條ニ示ス通報ノ如ク思惟セラレ當該官廳ヨリ本人本籍地所管ノ聯隊區司令官ヘ通報セサル向モ有之樣被存候ニ付爾今當部ノ通報ハ廢止ノ義ト承知相成度及通牒候

追テ管下各官署ヘハ乍御手數通牒方御取計相成度申添候

四七　應召者通報方ノ件

大正七年八月
官通牒第一三二號　總務局長

本府官房各局課長、各部長官、各所屬官署長 宛

貴管下判任官以上（本府ニ在リテハ雇員以上）ノ者ニシテ此ノ際充員ノ爲陸海軍ヘ召集セラレタル者アルトキハ其ノ官職氏名、所屬部隊、兵種、出發年月日ヲ又右ニ該當スル者召集解除等ノ爲歸任シタルトキハ其ノ月日等ヲ直ニ通報相成度此段及通牒候也

四八　應召者通報方ノ件

大正七年九月
監第一一八五號　司法部長官

各監獄典獄宛

貴管下待遇官吏ニシテ此際充員ノ陸海軍ヘ召集セラレタル者アルトキハ本年官通牒百三十二號ニ準シ本官宛即時報告相成度此段及通牒候也

追テ從來未タ報告ナキ向ハ此際取纏メ通報相成度

四九　官廳執務時間

大正一一年七月
閣令第六號

官廳ノ執務時間ハ休日及休暇日ヲ除キ午前九時ヨリ午後四時迄トシ土曜日ハ午後三時迄トス　但シ七月十一日ヨリ九月十日迄ハ午前八時ヨリ午後三時迄トシ土曜日ハ午十二時迄トス

土地ノ狀況ニ依リ又ハ事務ノ性質上必要アル場合ニ於テハ主務大臣ハ內閣總理大臣ノ許可ヲ得テ前項ノ執務時間ノ變更、繰替又ハ延長ヲ爲スコトヲ得

事務ノ狀況ニ依リ必要アルトキハ執務時間外ト雖執務スヘキモノトス

本屬長官ハ所屬職員ニ對シ事務ノ繁閑ヲ計リ一年ヲ通シテ二十日以內ノ休暇ヲ與フルコトヲ得

現業ニ從事スル者ノ執務時間及休暇ニ付テハ主務大臣別ニ之ヲ定ムルコトヲ得

附　則

本令ハ公布ノ日ヨリ之ヲ施行ス

明治二十五年閣令第六號ハ之ヲ廢止ス

明治九年太政官達第二十七號中但書ヲ削ル

（參照）

明治二十五年十一月二十二日　閣令第六號

各官廳執務時間自今左ノ通改定ス

九月十一日ヨリ十月三十一日迄　午前八時ヨリ午後四時ニ至ル

十一月一日ヨリ翌年二月末日迄　午前九時ヨリ午後四時ニ至ル

三月一日ヨリ七月十日迄　午前八時ヨリ午後四時ニ至ル

七月十一日ヨリ九月十日迄　午前八時ヨリ午十二時ニ至ル

但土曜日日曜日ハ從前ノ通

地方ノ狀況又ハ廳務ノ性質上止ムヲ得サルモノニ限リ主務大臣ハ閣議ヲ經テ右時間ノ變更ヲ爲スコトヲ得

事務繁劇ノ場合ニ於テハ上官ノ指揮ニ依リ晝夜ニ拘ハラス執務スヘシ

明治九年三月十二日太政官達第二十七號

從前一六日休暇ノ處來ル四月ヨリ日曜日ヲ以テ休暇ト被定候條此旨相達候事

但土曜日ハ正午十二時ヨリ休暇タルヘキ事

五〇　朝鮮總督府及其所屬官廳ノ執務時間ニ關スル件

明治四十三年十二月
閣令第十六號

朝鮮總督府及其ノ所屬官廳ノ執務時間ハ朝鮮總督ニ於テ適宜之ヲ定メ施行スルコトヲ得

附　則

本令ハ公布ノ日ヨリ施行ス

五一　朝鮮總督府及所屬官署執務時間

大正一一年七月
府令第一〇三號

一　九月十一日ヨリ十月三十一日迄
　午前九時ヨリ午後四時ニ至ル
十一月一日ヨリ翌年三月三十一日迄
　午前十時ヨリ午後四時ニ至ル
四月一日ヨリ七月十日迄
　午前九時ヨリ午後四時ニ至ル
七月十一日ヨリ九月十日迄
　午前八時ヨリ午後三時ニ至ル
但シ土曜日ハ午後三時迄トシ七月十一日ヨリ九月十日迄ノ土曜日ハ正午十二時迄トス

二　土地ノ狀況ニ依リ又ハ事務ノ性質上必要アル場合ニ於テハ當該官署ノ長官ハ朝鮮總督ノ許可ヲ得テ前項ノ執務時間ノ變更繰替又ハ延長ヲ爲スコトヲ得

三　事務ノ狀況ニ依リ必要アルトキハ執務時間外ト雖執務スヘキモノトス

四　本屬長官ハ所屬職員ニ對シ事務ノ繁閑ヲ計リ一年ヲ通シテ二十日以內ノ休暇ヲ與フル事ヲ得

五　現業ニ從事スル者ノ執務時間ハ當該官署ノ長官之ヲ定ム

附　則

本令ハ大正十一年七月十一日ヨリ之ヲ施行ス
明治四十四年朝鮮總督府令第百五十四號ハ之ヲ廢止ス

（參照）
明治四十四年十二月朝鮮總督府令第百五十四號ハ朝鮮總督府及所屬官署執務時間ナリ

五二　執務時間ノ勵行ニ關スル件

大正一一年七月
文第四九號
政務總監

本府各局部長
第一次所屬官署ノ長　宛

今般府令第百三號ヲ以テ官廳執務時間改正相成候處右ハ一ニ執務能率ヲ增進シテ國務ノ進捗ヲ庶幾スルト同時ニ官廳ニ觸接交涉スル一般公衆ノ利便ヲ助長セムトスル趣旨ニ出テタル儀ニシテ舊制ヨリモ登廳時間ヲ後レシメタルハ內地ニ於ケル執務時間ヲ參酌シ實地執務ニ適切ナル時間ニ改メ以テ其ノ嚴守ヲ期待セル次第ニ有之候條其ノ高等官タルト判任官タルトヲ問ハス令規ノ所命ヲ恪守シ上下協同シテ改正ノ効果ヲ實現スルコトニ努力スヘキ樣貴部內一般ニ御示達相成度此段及通牒候也

大正十一年七月二十六日

各監獄典獄宛　法務局長

試行ニ係ル作業報告ニ關スル件

試驗的ニ作業ヲ施行スルニ何等ノ報告ヲナサス又ハ試行開始後久シキニ涉ルモ新設ノ手續ヲ爲ササル向モ有之差支不尠候條爾今作業ヲ試行セラルル場合ニ於テハ左記ニ依リ取扱相成度及通牒候也

記

一　試業開始ノ場合ハ其ノ都度業種、施行方法、就業ノ場所、就業者ノ種類、人員、科程工錢、食量、開始年月日、試業ノ期間及收支ニ關ス

ル意見ヲ具シ報告スルコト

二 試行期間ハ長クモ六ケ月ヲ超ユヘカラサルコト

三 試行開始後滿五ケ月ニ達シタルトキハ其ノ成績及將來官司業、委託業、請負業トシテ施行スヘキ見込ノ有無ニ關スル意見等ヲ具シ報告シ新設ニ適當ナリト認ムルモノニ付テハ認可申請ノ手續ヲ爲スコト

四 試行期間中ト雖新設ノ程度ニ達シタルトキハ直チニ認可申請ノ手續ヲ爲シ又試行ヲ見合セタルトキハ其ノ都度報告スルコト

五 現在試行中ノ作業ニシテ前三項ニ該當スルモノアルトキハ速ニ相當手續ヲ爲スコト

五三 休暇報告ニ關スル件

大正十一年七月
法務局長 通牒

本年七月八日府令第百三號第四項ニ依リ高等官ニ對シ休暇ヲ與ヘタルトキハ其旨即報相成度此段及通牒候也

五四 休暇報告ニ關スル件

大正十一年八月
法務局長 通牒

客月二十七日附ヲ以テ休暇報告方ノ件及通牒置候處病氣療養其他ノ事由ニ依リ旅行スル場合ニハ其ノ旅行先ヲモ附記シ報告相成候樣致度此段及通牒候也

五五 休暇日

明治六年一月
太政官告示第二號

改正 六年太達第二二一號

自今休暇左ノ通被定候事

一月一日ヨリ三日迄

十二月二十九日ヨリ三十一日迄

五六 日曜日休暇

明治九年三月
太政官達第二七號

改正 一一年七閣令第六號

従前一六日休暇ノ處來ル四月ヨリ日曜日ヲ以テ休暇ト被定候條此旨相達候事

五七 官員父母祭日休暇

明治六年九月
太政官達第三一八號

省 使 【府】 縣

自今諸官員父母ノ祭日ニハ休暇ヲ賜リ候此旨相達候事

五八 休日ニ關スル件

大正元年九月
勅令第一九號

改正 二年七第二五九號

朕休日ニ關スル件ヲ裁可シ茲ニ之ヲ公布セシム

左ノ祭日及祝日ヲ休日トス

元始祭	一月三日
新年宴會	一月五日
紀元節	二月十一日
神武天皇祭	四月三日
明治天皇祭	七月三十日

天長節　八月三十一日
天長節祝日　十月三十一日
神嘗祭　十月十七日
新嘗祭　十一月二十三日
春季皇靈祭　春分日
秋季皇靈祭　秋分日

附則

本令ハ公布ノ日ヨリ之ヲ施行ス
明治六年太政官布告第三百四十四號ハ之ヲ廢止ス

五九　朝鮮總督府始政記念日

大正四年六月
總告第一五一號

毎年十月一日ハ朝鮮總督府始政記念日トシテ本府及所屬官署ニ於テ事務ヲ休止ス

六〇　始政記念日ノ件

大正四年六月
官通牒第二〇一號

政務總監

各所屬官署ノ長宛

六月二十六日本府告示第百五十一號ヲ以テ始政記念日ノ件告示相成候處之ニ關スル趣旨別紙及通牒候也

（別紙）

明治四十三年十月一日ハ朝鮮總督府ノ設置ト共ニ新政開始セラレタル日ナリ併合條約ノ締結及其ノ實施ニ際シ秋毫ノ紛擾ヲ見サルノミナラス既定ノ方針及計畫ニ依リ總テ圓滑ニ諸般ノ政務ヲ整理シ得タルハ一ニ聖明ノ德威ト時運ノ趨勢トニ由ラスムハアラス總督府開始以來茲ニ五周年秩序ノ回復、制度ノ整理ハ勿論殖産興業ニ關スル百般ノ施設經營モ亦漸ク其ノ緒ニ就キ洪澤ノ漸潤スル所上下萬衆各其ノ堵ニ安ンシテ治平ノ慶ニ浴シ朝鮮統治ノ基礎既ニ確立シ施政ノ方針ハ長ヘニ渝ルコトナカルヘシ是レ自今毎年十月一日ヲ以テ始政記念日ト定メ永ク此ノ盛事ヲ肝銘シ一層勵精努力シテ帝國ノ隆運ニ貢獻セントスル所以ナリ

六一　囑託員ノ請暇ニ關スル件

明治四十四年三月
官通牒第三三號

政務總監

各部長官及所屬官署ノ長　宛

囑託員ニシテ他ニ本職ヲ有スル者ノ請暇ノ許可ハ自今本職ニ對スル處分ニ從ヒ囑託員トシテ所屬長官ヲ異ニスル場合ニ限リ其ノ旨屆出シムルコトニ決定相成候條此段及通牒候也

六二　拜謁敬禮式ノ件

明治四十四年十月
朝乙發第八〇號

鳳凰之間文官拜謁敬禮式別紙之通リ御治定相成右以外ニ於ケル拜謁敬禮式モ亦之ニ準スル旨其筋ヨリ通牒有之候條爲心得相達候也

鳳凰之間文官拜謁及禮式

御間ノ外ニ達シ玉座ニ面シタルトキ先ツ敬禮ヲナシ以テ御間ニ入リ直ニ敬禮ヲ行ヒ而テ徐ニ進ミテ玉座ヲ距ルコト約六歩ノ處ニ至リ最敬禮ヲ行フ最敬禮ヲ終リタルトキハ玉座ニ面シタル儘退歩シ御間ノ出口ニ

於テ最敬禮ヲ行ヒ猶ホ退歩シテ御問ノ外ニ至リ玉座ニ面シテ再ヒ敬禮ヲナシ退下ス

最敬禮

玉座ニ正面シテ直立シ兩足ヲ整ヘ兩手ヲ體ノ兩側ニ垂下シ兩股ニ接著セシメ玉座ニ注目シテ體ノ上部ヲ約四十五度前ニ傾ケ徐ニ舊ニ復ス若シ帽アルトキハ右手ヲ以テ帽ノ前庇ヲ摘ミ之ヲ垂直ニ提ケ帽ノ內部ヲ右股ニ對セシム（大禮又ハ宮內官小禮服ノ帽ナルトキハ右手ヲ以テ垂直ニ提ケ其頂ヲ前ニシ左側ヲ右股ニ對セシム）

敬禮

體ノ上部ヲ約十五度前ニ傾クルモノトス其他ハ最敬禮ニ同シ

六三　天長節ニ於ケル賀表捧呈ニ關スル件

大正二年七月
宮內省告示第一五號

天長節ニ付テハ自今八月三十一日ニ在リテハ天長節祭ノミヲ行ハセラレ特ニ十月三十一日天長節祝日ト定メ宮中ニ於ケル拜賀宴會ハ同日ニ於テ行ハセラルヘキ旨　仰出サル

天長節ニ付キ宮中ニ參賀シ又ハ賀表ヲ捧呈スル者ハ十月三十一日ニ於テ之ヲ爲スヘシ

六四　天長節祝日ニ關スル件

大正二年八月
官通牒第二六五號

各所屬官署長宛

本年勅令第二百五十九號ヲ以テ天長節ノ外ニ十月三十一日ヲ天長節祝日ト定メラレ宮中ニ於テモ天長節ニハ皇室祭祀令ニ依ル賢所皇靈殿神殿ニ於ケル天長節ノミヲ行ハセラレ拜賀參賀賀表捧呈及宴會等ハ天長節祝日ニ於テ行ハセラルルコトニ定メラレタルニ付各廳ニ於テモ右ノ趣旨ニ依リ八月三十一日ハ一般休日トシ聖壽ヲ奉祝スルニ止メ從來天長節ニ行ヒタル儀禮式典ハ總テ十月三十一日ニ擧行スヘキ儀ト御了知相成度此段及通牒候也

六五　三大節賀表差出方ノ件

明治四十三年十月
朝乙發第四三二號

三大節賀表ノ儀ハ奏任官以上ハ第一號書式ニ依リ式部職ヘ被差出度尤モ奏任官ハ連名ヲ以テスルモ妨ケ無之候又地方在勤判任官ノ賀表ハ第二號書式ニ依リ連名ヲ以テ朝鮮總督ヘ可被差出爲念此段申進候也（書式ヲ略ス）

六六　賀表奉呈方ノ件

大正二年十二月
宮內省告示第三一號

新年ニ拜賀又ハ參賀スヘキ者及紀元節又ハ天長節ニ參賀スヘキ者地方ニ在ルトキハ賀表ヲ奉呈スヘシ新年ニ青山御所及東宮假御所ニ參賀スヘキ者地方ニ在ルトキ亦同シ

判任官及判任待遇者ニ付テハ各廳ノ長官ニ於テ其ノ參賀ヲ受ケ言上書ヲ調製シテ之ヲ宮中ニ奉呈スヘシ

賀表及言上書ハ左ノ樣式ニヨリ宮中ニ奉呈スル賀表及言上書ハ式部職、青山御所ニ奉呈スル賀表ハ皇太后宮職、東宮假御所ニ奉呈スル賀表ハ東宮職ニ宛テ之ヲ送付スヘシ

樣式

賀表　連名ヲ以テスルモ妨ナシ

謹奉賀

新年（紀元節）（天長節）

年月日

官位勳功學位爵　氏　名

横二ツ折　折目　折目　折目

言上書

新年（紀元節）（天長節）ニ付判任官判任待遇一同之參賀相受此段言上候也

年月日

長官　氏　名

料紙ハ大廣奉書トス但シ美濃紙ヲ代用スルモ妨ナシ

六七　三大節賀表奉呈方ノ件

大正十年十二月
官通第一〇四號

各所屬官署長宛　　政務總監

今般大正二年十二月官通牒第四百十八號三大節賀表差出方ノ件ハ之ヲ廢止シ爾今所部判任官竝判任待遇者ノ三大節ノ賀表ハ大正二年十二月宮內省告示第三十一號ニ依リ貴官ニ於テ言上書ヲ調製シ直接之ヲ宮中ニ奉呈可相成此段及通牒候也

六八　判任官席次ノ件

明治四十三年十一月
司庶人第一三八號

判任官席次ノ件ニ關シ今村朝鮮總督府人事局長代理ヨリ別紙ノ通リ通牒相成候ニ付寫及送付候也

別　紙

判任官席次ノ件

明治四十三年朝乙發第八六二號

人事局長代理

司法部長官殿

內地人朝鮮人判任官席次ノ儀ニ付伺出ノ向有之候處今般同級內ニ於テハ俸給額ノ多キ方ヲ上席トスルコトニ被定候條依命此段及通牒候也

六九　國旗掲揚ノ件

明治四十三年十月
司庶第二二三號

本月一日以後帝國官廳ハ祝日祭日其他特殊ノ場合ヲ除ク外平日ニ於テ國旗ヲ掲揚セサルコトニ決定相成候條爲念及通牒候也

追テ管內各監獄分監ヘハ貴官ヨリ通知相成度候也

七〇　廢朝中囚人ノ服役及死刑執行ニ關スル件

大正元年七月
勅令第二號

廢朝中ハ囚人ノ服役ヲ特免シ死刑【及笞刑】ノ執行竝歌舞音曲ヲ停止ス

附　則

本令ハ大正元年七月三十一日ヨリ之ヲ施行ス

七一　服忌令京家ノ制及產穢混穢廢止

明治七年十月
太政官布告第一〇八號

服忌ノ儀追テ被　仰出ノ品モ可有之候得共差向京家ノ制武家ノ制兩樣ニ相成居候テハ法律上不都合有之ニ付自今京家ノ制被廢候條此旨布告候事

自今產穢不及憚候事

明治五年二月
太政官布告

自今混穢ノ制被廢候事

明治六年二月
太政官布告

（參考）

明治七年十一月十八日（京都府伺）

服忌令ノ儀ハ追テ被仰出ノ品モ可有之云云本年第百八號ヲ以テ御布告相成右武家制服忌令ノ儀ハ元祿年中改正元文年中增補ノ別册相用ヒ可然哉爲念伺

（別冊）

服忌令

一父母　忌五十日　服十三月（閏月ヲカゾヘス）
一養父母　三十日　服百五十日
遺跡相續【或ハ分地配當】ノ養子ハ實父母ノ如シ同姓ニテモ異姓ニテモ養方ノ親類實ノ如ク相互ニ服忌可受之實方ノ親類ハ父母ハ定式ノ服忌可受之祖父母伯叔父姑ハ半減ノ服忌可受之兄弟姉妹ハ相互ニ半減ノ服忌可受之此外ノ親類ハ服忌無之遺跡相續セ【ス或ハ分地配當セ】サル養子ハ同姓ニテモ異姓ニテモ養父母ハ定式ノ通服忌可受之養方ノ兄弟姉妹ハ相互ニ半減ノ服忌可受之此外ノ親類服忌無之實方ノ親類ハ定式ノ通相互ニ服忌可受之
一嫡母　忌十日　服三十日
對面無之候ハハ不可受服忌通路致シ候ハハ對面無之共服忌可受之父死去ノ後他ヘ嫁シ或ハ父離別スルニ於テハ（妾ノ子）不可受服忌但シ嫡母ノ親類ハ服忌無之
一繼父母　忌十日　服三十日
初メヨリ同居セサレハ無服忌
父死去ノ後繼母他ヘ嫁シ或ハ父離別スルニ於テハ不可受服忌　但シ繼父母ノ親類ニハ服忌無之
一離別之母　忌五十日　服十三月（閏月ヲカゾヘス）
一夫　忌三十日　服十三月（閏月ヲカゾヘス）
一妻　二十日　服九十日
一嫡子　忌二十日　服九十日
家督ト定メサル時ハ末子ノ服忌可受之女子ハ最初ニ生レテモ末子ニ准ス
一末子　忌十日　服三十日
養子ニ遣シ候テモ服忌差別ナシ家督ト定ムル時ハ嫡子ノ服忌可受之
一養子　忌十日　服三十日
家督ト定ムル時ハ嫡子ノ服忌可受之
一夫之父母　忌三十日　服百五十日
一祖父母　忌三十日　服百五十日
母方　忌二十日　服九十日
離別セラレ候祖母モ服忌無別儀
一曾祖父母　忌二十日　服九十日
母方ニハ服忌無之　但シ遠慮一日
一高祖父母　忌十日　服三十日
母方ニハ服忌無之　但シ遠慮一日
一伯叔父姑　忌二十日　服九十日
母方　忌十日　服三十日
一兄弟姉妹　忌二十日　服九十日
父母種替リノ兄弟姉妹ハ半減ノ服忌可受之
別腹タリトイフトモ服忌ニ無差別
一異父兄弟姉妹　忌十日　服三十日
一嫡孫　忌十日　服三十日
嫡孫承祖タル時ハ嫡子ノ服忌可受之祖父母死去ノ時モ嫡孫ノ方ヘモ五十日十三月ノ服忌可受之此外ノ親類服忌差別ナシ曾孫玄孫タリトイフ

トモ同例也

一末孫　忌三日　服七日

女子ハ最初ニ生レテモ末孫ニ准ス娵方ノ孫服忌同前

一曾孫玄孫　忌三日　服七日

娵方ニハ曾孫玄孫共ニ服忌無之

一從父兄弟姉妹　忌三日　服七日

父ノ姉妹ノ子並母方モ服忌同前

一甥姪　忌三日　服七日

姉妹ノ子モ服忌同前

異父兄弟姉妹ノ子ハ半減ノ忌服可受之

一七歳未滿ノ小兒ハ無服忌

父母ハ三日遠慮其外ノ親類ハ同姓ニテモ異姓ニテモ一日遠慮日數過承候ハヽ追テ不及遠慮但シ八歳ヨリ定式ノ服忌可受之

附七歳未滿ノ小兒ノ方ヘモ服忌無之父母死去ノ時ハ五十日遠慮其外ノ親類ハ一日遠慮父母ハ年月ヲ經テ承候共聞付ル日ヨリ五十日遠慮スヘシ

一聞忌之事

遠國ニオヰテ死去年月日ヲ經テ告來ルトイフトモ父母ハ聞付ル日ヨリ忌五十日服十三月

外ノ親類ハ聞付ル日ヨリ服忌殘ル日數可受之忌ノ日數過テ告來ラハ一日遠慮服明候トモ同前

一重ル服忌之事

父ノ服忌イマタ不明内母ノ服忌有之ハ母ノ死去ノ日ヨリ五十日十三月ノ服忌可受之オモキ服忌ノ内カロキ服忌アリテ日數終ラハ追テ不及受服忌日數アマラハ殘ル服忌ノ日數可受之

（穢之事）

【一産穢】　【夫七日】　【婦三十五日】

【遠國ヨリ告來七日過キ候ハヽ穢無之七日ノ内承リ候ハヽ殘ル日數ノ穢タル可シ血荒流産同斷尤モ妾ノ産穢ノ時モ同例】

【一血荒】　【夫七日】　【婦十日】

【一流産】　【夫五日】　【婦十日】

【形體有之ハ可爲流産形體無之ハ可爲血荒】

【一死穢】　【一日】

【家ノ内ニテ人死候時一間ニ居合候ハヽ死穢可受之數居ヲ隔候ヘハ穢無之一間ニ居合候トモ不存候ヘハ穢無之二階ニテモ揚リ口數居ノ外ニ有之候ヘハ穢無之候家ナキ所ニ死人有之時ハ其骸有之地計リ穢候家主死去候テモ死穢ノ儀差別無之死後其所ヘ參リ候者ハ骸有之候共蹈合ノ穢也】

【一蹈合】　【行水次第】

【一改葬】【遠慮一日】

【子ハ不殘遠慮　但シ不承候ハヽ追テ不及遠慮候忌掛リ候親類改葬ノ場ヘ出候者ハ遠慮ス可シ忌不掛親類ハ其場ヘ出候共不及遠慮候改葬ノ主ニナリ候ハヽ他人ニテモ一日遠慮ス可シ】

【附堀起シ候日ヨリ葬候迄月數有之候ハヽ子ハ不殘堀オコシ候日ト葬候日ト二日ノ遠慮ナリ他人ニテモ改葬ノ主ニナリ候者ハ同斷　但シ堀起シ候翌日ヨリ葬リ候前日マテハ幾日ニテモ不及遠慮候】

【改葬ノ儀遠所ニテ申付日限存候ハハ其日遠慮スヘシ日限不存相濟候後承候ハハ追テ不及遠慮候】

元祿六年十二月二十一日

追加

一養父死去以後養母同居セストイフトモ他ヘ不嫁候ヘハ忌服可受之他ヘ嫁スルニ於テハ忌服無之

一養父ノ妻養ハレサル以前ニ死去候ハハ嫡母ニ准シ其親類忌服無之

一父ノ後妻ト通路イタシ候ハハ對面無之トモ繼母ノ忌服可受之

一義絶ノ嫡子ノ忌服ハ末子ニ可准之此外ノ親類義絶トイフトモ服忌別儀ナシ

一女子婚儀以前ヨリ養ハレ或ハ入聟ヲ取家督相續ノ時ハ養方ノ親類實ノ如ク相互ニ服忌可受之

一婚儀イマタ相調ハサル內ニテモ祝儀取カハシ候ヘハ夫婦相互ニ定式ノ忌ノ日數可遠慮　但シ服無之

【一父ノ妾服忌無之】

【一妾ハ服忌無之　但シ子出生ニオイテハ三日遠慮血荒流產有之計リニテハ妾死去ノ時遠慮無之】

一遺跡相續セ【ス或ハ分地配當セ】サル養子養方ノ兄弟姉妹他家ヘ養ハルル者ニハ相互ニ服忌無之

一同姓ニテモ異姓者ニテモ一人ヘ兩樣ノ續有之ハ重キ方ノ服忌可受之

一名字ヲ授候計ニテハ相互ニ服忌無之本姓ノ方ノ親類定式ノ通服忌可受之

一離別ノ女ハタトヒ實子有之他ヘ不嫁候トモ夫婦ノ緣キレ候故相互ニ服忌無之

一子無之死去候者名跡相續ノタメ新規ニ家督相續ノ時ハ養父ノ如ク服忌可受之死去候者ノ妻ハ養母ニ可准之死去候者七歲未滿ニ候ハハ服忌無之五十日可遠慮死去候者ノ親類ハ相互ニ定式ノ服忌可受之實方ノ親類ハ父母ハ定式ノ服忌可受之祖父母伯叔父姑ハ半減ノ服忌可受之兄弟姉妹ハ相互ニ半減ノ服忌可受之此外ノ親類服忌無之

一養子願書差出之【老中】請取之其以後死去候ハハ家督不定內ニテモ養父母計リ五十日十三月ノ服忌可受之

一半減ノ日數三十日ハ十五日ナリ餘ハ准之　但シ七日ハ四日也三日ハ二日也

一一日ト有之ハ當夜ノ【九ツ時】ヨリ明ル夜ノ【九ツ時】マテ也【九ツ前】ニ候ヘハタトヒ【四ツ半】過ニテ一日ノ積也

右十六箇條元祿六年追加ノ內也

今般聊省略而書載之

一【妾腹ノ子】其父嫡母繼母ヲ以テ養母ニ定ムル時ハ忌五十日服十三月可受之母方ノ親類ノ服忌養實ノ差別家督相續ノ養子ノ如クタル可シ嫡母ノ子繼母ノ忌服ニ於テモ父ノ極メ次第右ニ同シ　但シ繼母方ノ親類ニハ服忌無之

一家督相續ノ養子タル者實方ノ養母嫡母繼母服忌無之【分地配當セサル】養子ハ右ノ服忌可受之

一養方ノ伯叔父姑兄弟姉妹人ニ養ハルル者ハ半減ノ服忌可受之實方ノ伯叔父姑兄弟姉妹他家ヨリ養ハルル者モ服忌無差別

一其身養子ニ參リ實方ノ伯叔父姑兄弟姉妹ノ內人ニ養ハルトイフトモ

其儘半減ノ服忌タル可シ
一父養子ニテ其子人ノ養子ニ參リ候時ハ父ノ父母兄弟姉妹養實トモニ半減服忌可受之或ハ父モ養子其身モ養子ノ時ハ養父ノ實方服忌無之若シ實方ニ付テ半減ノ服忌可受續有之ハ服忌可受之
一半減ノ服忌ニ祖父母伯叔父姑兄弟姉妹ト有之ハ母方ノ祖父母伯叔父姑異父兄弟姉妹モ同例
一嫡子ヲ人ノ養子ニ遣ハス時ハ服忌末子ノ如クタル可シ

右七箇條更增補之

元文元年九月十五日

（太政官指令）明治八年一月七日

伺之通

但産穢及ヒ混穢不及憚儀ハ明治五年第五十六號同六年第六十一號布告之通可相心得事

七二　僧尼服忌ノ制

明治五年六月　太政官布告第一七六號

僧尼服忌ノ儀ハ是迄御制度モ無之候處自今人民一般ノ服忌ヲ可受事

七三　忌濟ノ節除服出仕宣下ヲ止メ忌服屆出及忌濟日出仕方

明治三年正月　太政官布告

從來之着服之輩忌濟之節除服出仕　宣下有之候處自今前以忌服何日迄ト相届置忌濟之日ニ相當リ候ヘハ勝手ニ出仕可致事

【但忌濟當日御神事中ニ候得ハ可相憚於重服者御神事竝御吉日トモ可相憚事】

七四　各省奏任官除服出仕達シ方

明治六年二月　太政官布告第五十二號　諸省

奏任官ノ輩御用ノ都合ニ付除服出仕ノ儀ハ是迄宣下相成候處自今其管轄長官ニテ相達シ【其時時可届出】事

七五　遠地出張在勤官吏服忌中出仕方

明治六年十月　太政官布告第三四七號　省【使】府縣

遠地出張在勤ノ勅奏官員忌服ヲ受ケ御用差支已ムヲ得サルノ節ハ除服宣下又ハ該長官差圖ニ及ヒ候迄忌服ノ儘出仕被差許候條此旨相達候事

但判任官員之レニ准シ候場合ニ於テハ勿論同樣ノ儀ト可相心得事

七六　地方官除服出仕方

明治八年一月　太政官達第十號　【使】府縣

地方官員除服出仕ノ儀辛未十二月中相達候趣モ有之候處自今左ノ通相定候條此旨相達候事

一奏任以上ノ官員服忌中事務差支有之節ハ其長官ヨリ忌日數半減ニテ除服出仕相達長官同樣ノ節ハ代理ノ者ヨリ相達【其旨届出ヘシ】

但差懸リタル事務有之不得止節ハ半減内ト雖トモ本文ノ通取計苦シカラス

一同上在東京ノ節ハ(出張所)ヨリ【正院】ヘ申立ヘシ
一同上出張ノ節ハ明治六年第三百四十七號達ノ通タルヘシ

明治三十一年八月
閣令第四號

明治八年太政官第十號達ニ依リ除服出仕ヲ命シタルトキハ自今屆出ニ及ハス

七七 除服出仕ニ關スル件

大正二年九月
官通牒第二九八號
政務總監

各部長官、官房局長、所屬官署長宛

平安南道長官照會ニ係ル首題ノ件左記ノ通了知相成度此段及通牒候也

記

問 内地人官吏除服出仕命令方ニ關シテハ明治八年太政官達第十號ニ依リ取扱居候處朝鮮人官吏ニ對シテハ開國五百四年閣令第四號ノ規定有之彼是區分取扱ヲ要スルモノノ如ク思考セラレ候ニ付左記事項回示相成度

一 開國五百四年閣令第四號ハ今日尚效力ヲ有スルヤ
二 前項果シテ効力ヲ有スルモノトスルモ内地人ト朝鮮人トハ齊シク事務ノ繁閑ニ從ヒ除服出仕ヲモ命令シ差支ナキヤ
三 除服出仕ニ關シテハ内鮮人ニ通スル規定ヲ定メラル御内意ナルヤ

答 開國五百四年閣令第四號ハ效力ヲ有セス總テ明治八年太政官達第十號ニ依ル儀ト了知相成度

七八 除服出仕ニ關スル件

大正九年二月
官通牒第一五號
政務總監

本府各部長、官房秘書課長、外事課長參事官室、各所屬官署長 宛

從來本府及所屬官署職員ノ除服出仕ハ一一命令ヲ發スルノ取扱ニ相成居候自今特別ノ事情アル場合ノ外別表上欄ノ忌ヲ受クヘキ者下欄ノ忌引日數ヲ經過シタルトキハ當然除服ヲ命セラレタルモノトシテ出仕スヘク右期間ニ依ラサル場合ニ限リ命令ヲ發スルコトニ定メラレ候條此段及通牒候也

追テ別表下欄ノ忌引日數ヲ經過スルモ出仕シ難キ事情アル場合ハ本人ヨリ其ノ旨申出シムルコトニ御取扱相成度候

(別表)

服忌令ニ依ル日數	忌引日數
五十日	二十日
三十日	十日
二十日	七日
十日	四日
三日	一日

第九章 服制 點檢 禮式

一 朝鮮總督府監獄職員服制

大正十年三月
勅令第四〇號

改正 大正一二年一第一八號

朝鮮總督府監獄職員服制別表ノ通定ム

附 則

本令ハ公布ノ日ヨリ之ヲ施行ス

明治四十四年勅令第二百四十六號ハ之ヲ廢止ス

大正八年勅令第四百三號附則第一項中「監獄職員」ヲ削ル

從前ノ制服ハ當分ノ内仍之ヲ用井ルコトヲ得

（別表）

朝鮮總督府監獄職員制服

	正帽			略帽				
	地質	製式	徽章	地質	製式	徽章	地質	製式
典獄	黑又ハ濃紺絨	圓形黑革製前庇及幅四分ノ黑革製頤紐ヲ附シ頤紐ノ兩端ハ帽ノ兩側ニ於テ徑四分ト圓形内桐章金色鈕各一箇ヲ以テ留ム天井喰出ハ幅一分トス帽ノ周圍ニ幅五分ノ縞織金線二條ヲ纏フ形狀圖ノ如シ	前章ハ徑七分ノ黑天鵞絨ノ臺ニ徑六分ノ銀色略日章ヲ附シ臺ノ周圍ハ金色郷線二條ヲ以テ纏ヒ其ノ周圍ハモール製金色櫻（葉ハ銀色）ヲ以テ包擁ス其ノ縱徑一寸三分横徑一寸八分トス形狀圖ノ如シ	正服ニ同シ	帽ノ周圍ニ幅八分ノ隆起線二條ヲ織出シタル黑縞織線ヲ纏フ餘ハ正帽ニ同シ形狀圖ノ如シ	正帽ニ同シ	黑又ハ濃紺絨但シ夏ハ白布ヲ用井ルコトヲ得	立襟長ジャケット、前部ニ一行五箇ノ鈕鉛ヲ附ス袖長腕關節ニ止ル長臏骨ヨリ下ルコ
典獄補	同上	同上	同上	同上	同上	同上	同上	同上
看守長	同上	帽ノ周圍ニ幅五分ノ縞織金線一條ヲ纏フ餘ハ同上	同上	同上	帽ノ周圍ニ幅四分ノ隆起線一條ヲ織出シタル黑縞織線ヲ纏フ餘ハ同上	同上	同上	同上
看守部長	同上	帽ノ周圍ニ金線ヲ纏ハス餘ハ同上	前章ハ徑六分ノ略日章ヲ櫻ヲ以テ包擁シ共ニ眞鍮製打出ト爲ス其ノ縱徑一寸二分横徑一寸五分トス形狀圖ノ如シ				同上	胸部ノ左右ニ各一箇ノ物入ヲ附シ物入ニ蓋及
看守	同上	同上	同上				同上	同上

上		
	袖章	肩章
ト六寸腰部ノ左右ニ各一箇ノ物入ヲ附ス形狀圖ノ如シ	縱橫六分金色桐章二箇ヲ附シ幅一分五厘ノ蛇腹組金線三條及幅五分ノ黑縞織線一條ヲ半面ニ纓フ各線ノ間隔各一分トス但シ夏衣ニハ幅二分ノ白色縞織線三條及幅五分ノ白色縞織線一條ヲ纓フ形狀圖ノ如シ	長四寸三分幅一寸七分地質黑又ハ濃紺絨兩緣及上端緣ハ幅一分五厘ノ圈套金線繩目纁ヲ施シ其ノ中間ニ幅四分ノ縞織金線三條ヲ縱ニ附シ徑四分ノ金色釦一箇及縱橫六分ノ金色桐章二箇ヲ附ス肩章ノ差込座ハ幅四分ノ黑無地線一條トス形狀圖ノ如シ
	蛇腹組金線二條ヲ纓フ但シ夏衣ニハ幅二分ノ白色縞織線二條ヲ纓フ餘ハ同上	縞織金線二條ヲ附ス餘ハ同上
	蛇腹組金線一條ヲ纓フ但シ夏衣ニハ白色縞織線一條ヲ纓フ餘ハ同上	縞織金線一條ヲ附ス餘ハ同上
鈕鉛ヲ附ス餘ハ同上	縱橫六分金色桐章一箇ヲ附シ幅三分ノ黑縞織線一條及幅一分ノ黑蛇腹組線一條ヲ半面ニ纓フ但シ夏衣ニハ幅二分ノ白色縞織線二條ヲ纓フ餘ハ同上	長四寸幅一寸七分地質黑又ハ濃紺絨兩緣及上端緣ニハ幅三分ノ平織銀線、中間ニハ幅一分ノ平織銀線一條ヲ縱ニ附シ徑四分ノ金色釦
	黑蛇腹組線ヲ附セス但シ夏衣ニハ白色縞織線一條ヲ纓フ餘ハ同上	中間ニ平織銀線ヲ附セス餘ハ同上

衣			袴		刀
	鈕釦	領章	地質	製式	
	徑六分五厘ノ金色鈕釦ニ桐章ヲ彫刻ス形狀圖ノ如シ	縱五分橫五分五厘ノ金色桐章トス形狀圖ノ如シ	黑又ハ濃紺絨但シ夏ハ白布ヲ用ヰルコトヲ得	普通長袴兩股ニ各一箇ノ物入ヲ附ス形狀圖ノ如シ	柄ハ藍鮫、絲金線ヲ纏フ背面ヲ覆ヒタル金具ハ金色、地ハ石目、櫻唐草ヲ置キ略日章一箇ヲ附ス鍔ハ金色、櫻唐草ヲ附ス鞘ハニツケル鍍鐵長一尺六寸乃至二尺、二箇ノ釣鐶ヲ附ス中身ハ錬鐵又ハ日本刀トス形狀圖ノ如シ
	同上	同上	同上	同上	同上
	同上	同上	同上	同上	同上
一箇縱橫五分銀色桐章一箇ヲ附ス餘ハ同上	胸部左右ノ物入ニ附スル鈕釦ハ徑五分ノ金色鈕釦トス餘ハ同上	縱五分橫五分五厘ノ銀色桐章トス餘ハ同上	同上	同上	柄ハ黑革眞鍮線卷、背面ヲ覆ヒタル金具ハ眞鍮長四寸乃至六寸、鍔ハ眞鍮、鞘ニハ一箇ノ釣鐶ヲ附ス餘ハ同上
	同上	同上	同上	同上	同上

刀帯	刀緒 正緒	刀緒 略緒	外套 甲種 地質	外套 甲種 製式	外套 甲種 袖章	外套 乙種 地質	外套 乙種 製式
表ハ黒護謨革、裏ハ赤革トス長適宜幅一寸二分、釣革ハ幅七分其ノ前革長八寸後革二尺二寸其ノ下端ニ茄子鐶ヲ附ス締輪ハ幅五分前金具ノ左右ニ各一箇ヲ附ス前金具ハ徑一寸三分周圜ニ葉附櫻唐草模樣ヲ附シ中央ニ縦横七分ノ桐章ヲ附ス形狀圖ノ如シ	總ハ金絲製、總頭鞠形長一寸五分徑九分、緒ハ丸組紐徑二分ノ緒締ヲ附シ長三尺二寸ヲ折返シ兩端ヲ合シ總ヲ附ス形狀圖ノ如シ	黒絹絲製餘ハ正緒ニ同シ	黒又ハ濃紺絨	折襟胸二重、桐章ヲ彫刻シタル徑七分五厘ノ金色鈕釦ヲ前面ニハ六箇二行、側部ニ各三箇ヲ附ス左側臆骨ノ所縦ニ五寸ヲ割ク腰部ニ帶緒ヲ設ケ同鈕釦二箇ヲ附ス左右腰部ニ物入各一箇ヲ附ス襟部ニ徑五分五厘ノ黒角鈕釦五箇ヲ附シ後面ハ裾ヲ裂キ同鈕釦四箇ヲ附ス冬ハ毛皮ノ襟ヲ附スルコトヲ得頭巾ニハ徑五分五厘ノ黒角鈕釦三箇ヲ附ス形狀圖ノ如シ	縦横六分ノ金色桐章二箇ヲ附シ幅一分五厘ノ蛇腹組金線二條ヲ半面ニ纏フ其ノ間隔ハ一分トス形狀圖ノ如シ	甲種外套ニ同シ	長マント形折襟前隱、長膝ノ隱ルルヲ度トシ胸部ニ徑五分五厘ノ角鈕釦五箇、襟部ニ同鈕釦五箇ヲ附ス頭巾ハ甲種外套ニ同シ形狀圖ノ如シ
同上	同上	同上	同上	同上	同上	同上	同上
裏ハ藍革ス餘ハ同上	總頭茶壷形長一寸一分徑八分餘ハ同上	同上	同上	同上	蛇腹組金線一條ヲ纏フ餘ハ同上	同上	同上
黒象皮、長適宜幅一寸二分、釣革ハ幅六分五厘長二寸、締輪幅五分前金具ノ左右ニ各一箇ヲ附ス前金具ハ徑一寸四分眞鍮製トス形狀圖ノ如シ	赤革製形狀圖ノ如シ		同上	立襟、襟ノ幅二寸、帶緒ニ金色鈕釦一箇ヲ附ス餘ハ同上	縦横六分ノ金色桐章二箇ヲ附ス形狀圖ノ如シ	同上	通常マント形立襟、幅二寸、長前面襟下ヨリ約一尺六寸背面約一尺八寸五分、胸部ノ鈕釦ハ三箇トス餘ハ同上
同上	同上		同上	同上	桐章一箇ヲ附ス餘ハ同上	同上	同上

備考

一 典獄、典獄補及看守長ノ制服ハ黒又ハ濃紺地ノモノニ限リ大禮服又ハ通常禮服ニ代用スルコトヲ得

二 平常勤務ノ場合ニハ略帽、略緒ヲ用ヰ肩章ヲ附セス

三 夏衣ヲ用ヰル場合ニハ帽ニ白布ノ日覆ヲ附ス

四 土地ノ状況ニ依リ朝鮮總督ノ定ムル所ニ依リ必要アルトキハ防寒具ヲ用ヰルコトヲ得

五 特設監獄ニ勤務スル典獄、典獄補、看守長及看守ニ付テハ本令ノ規定ニ拘ハラス朝鮮總督ニ於テ別段ノ服制ヲ定ムルコトヲ得

帽

典獄
典獄補

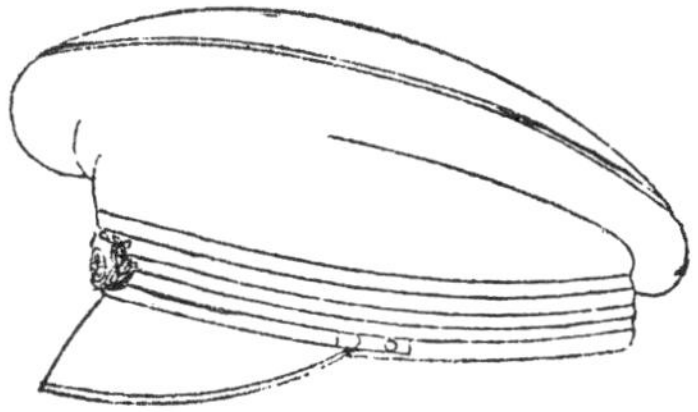

看守長

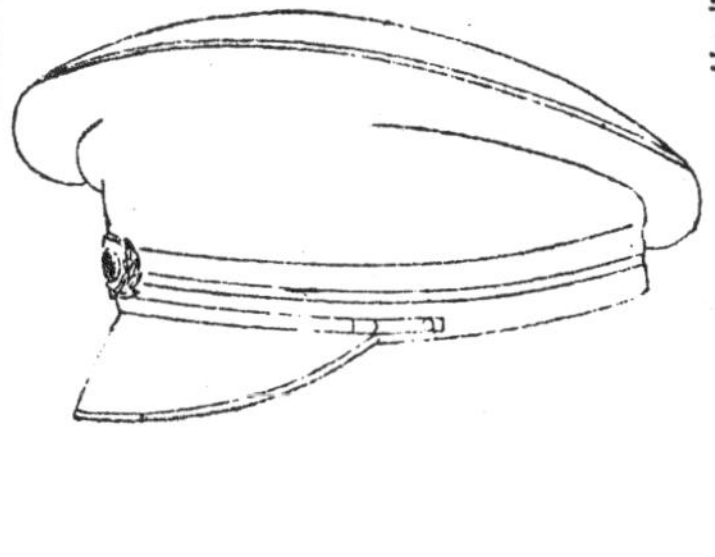

看守部長
看守

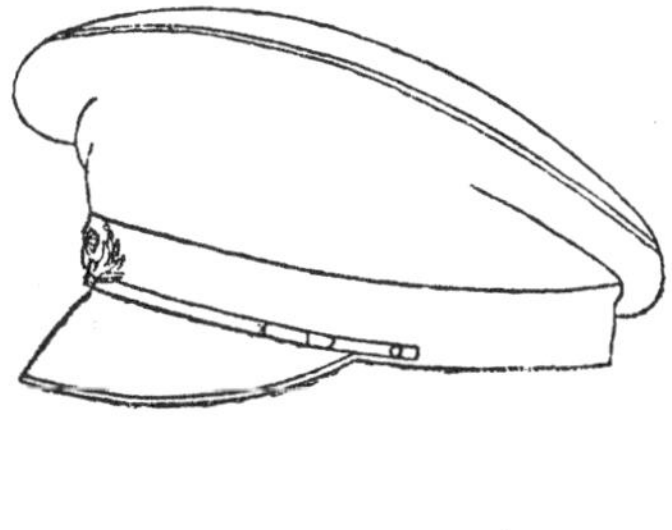

徽章

典獄
典獄補
看守長

看守部長
看守

上衣

前面

典獄
典獄補
看守長

前面

看守部長
看守

後面

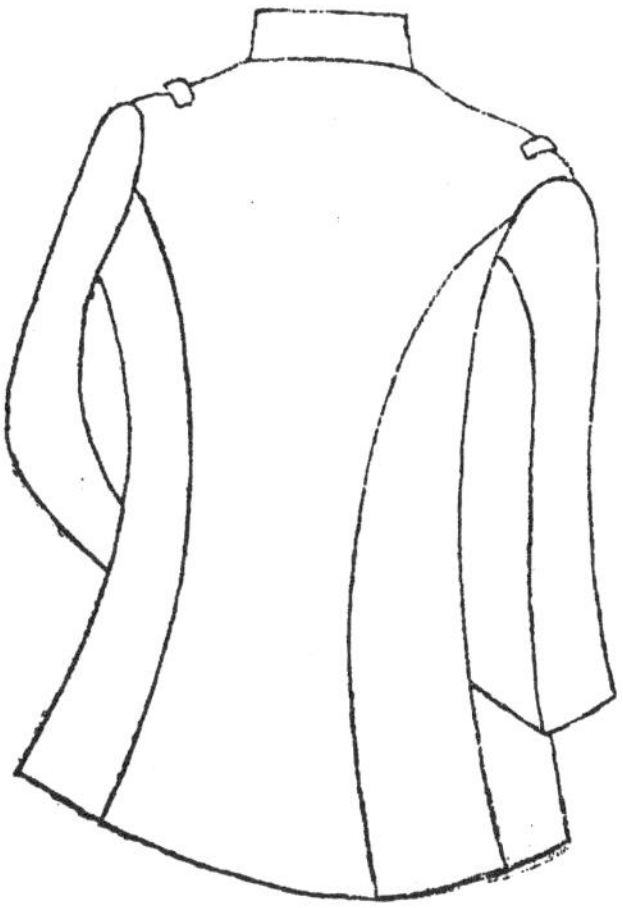

袖章

典獄

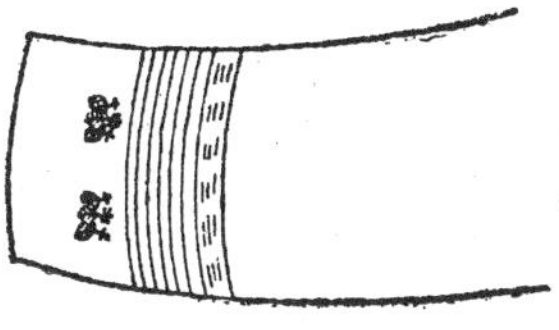

典獄補

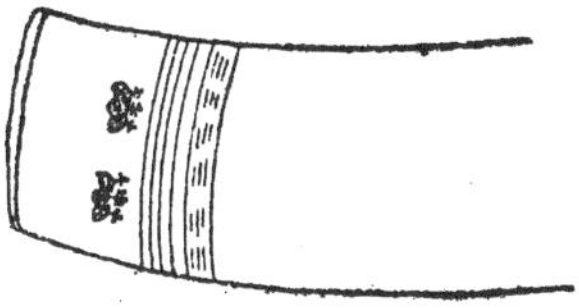

看守長

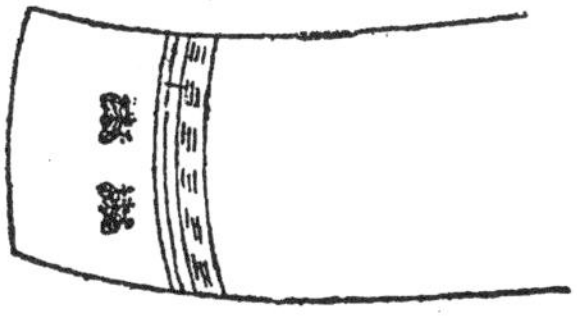

看守部長

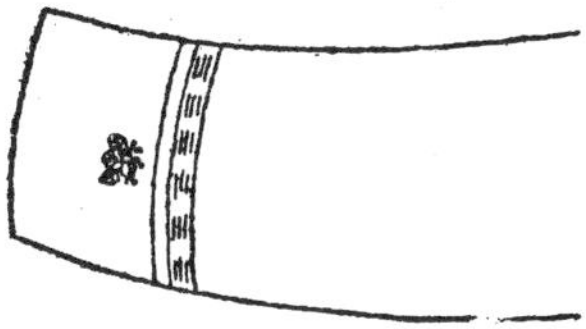

看守

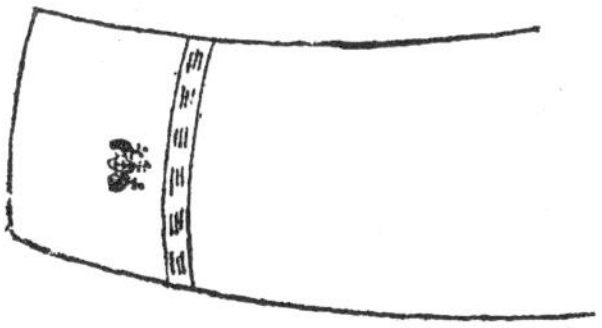

肩章

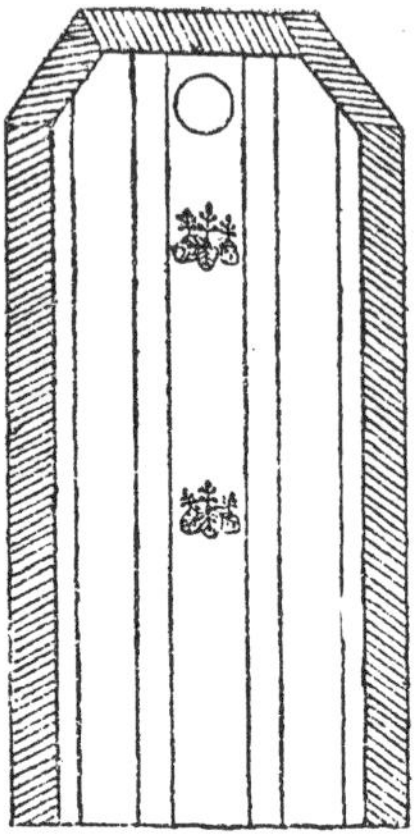
典　獄

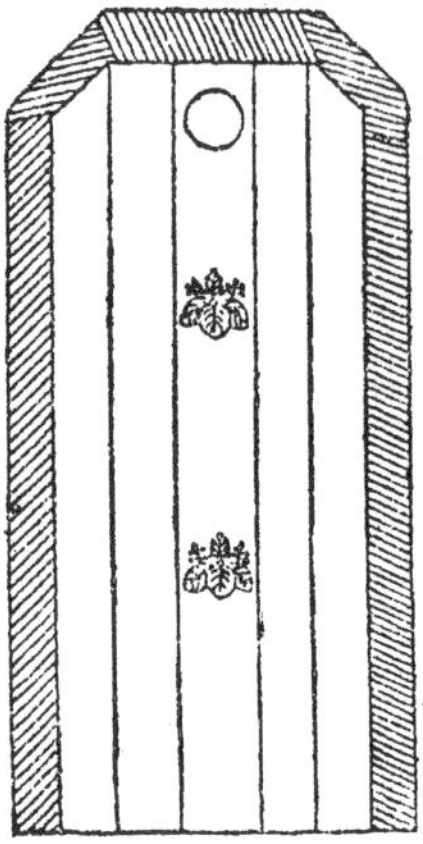
典獄補

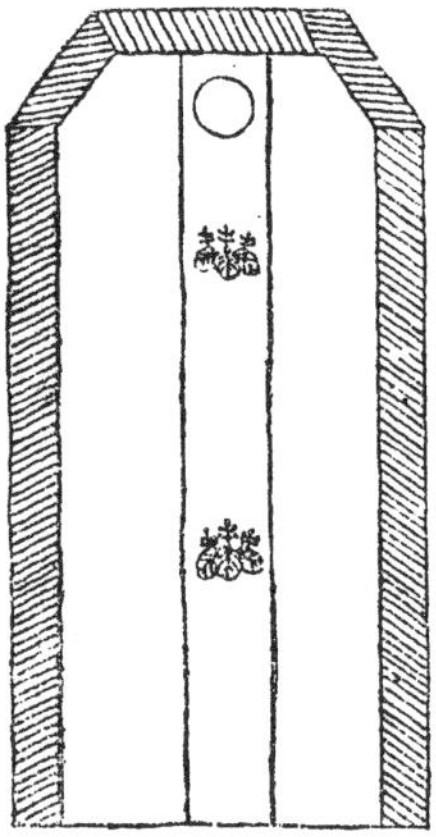
看守長

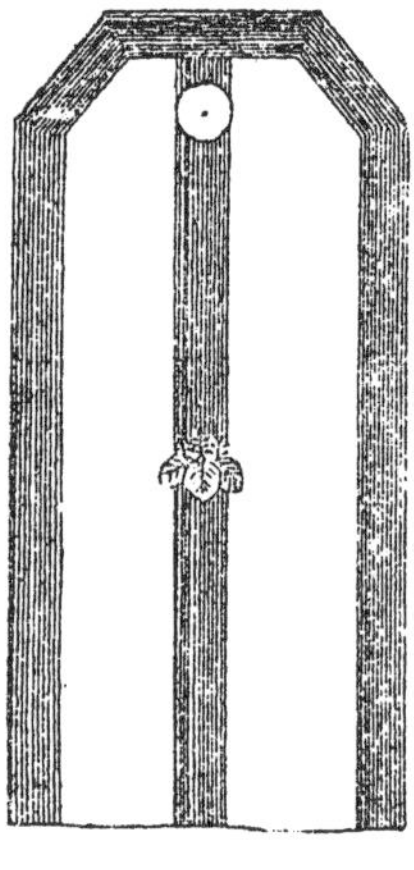
看守部長

看　守

領章

鈕釦

釦

袴

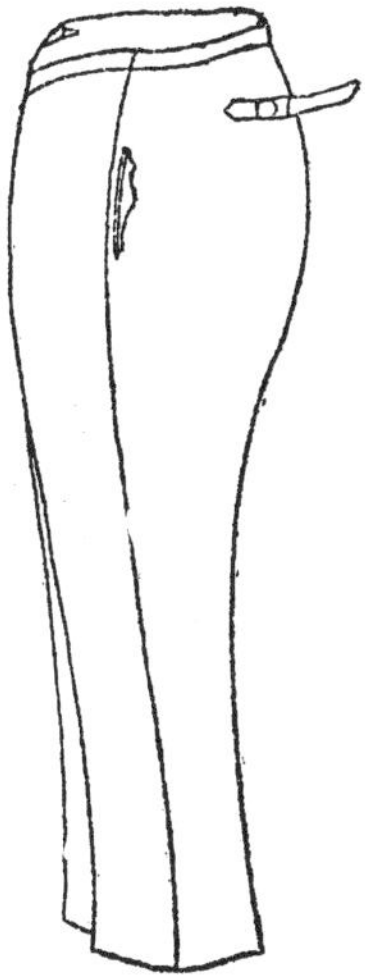

刀

典獄
典獄補
看守長

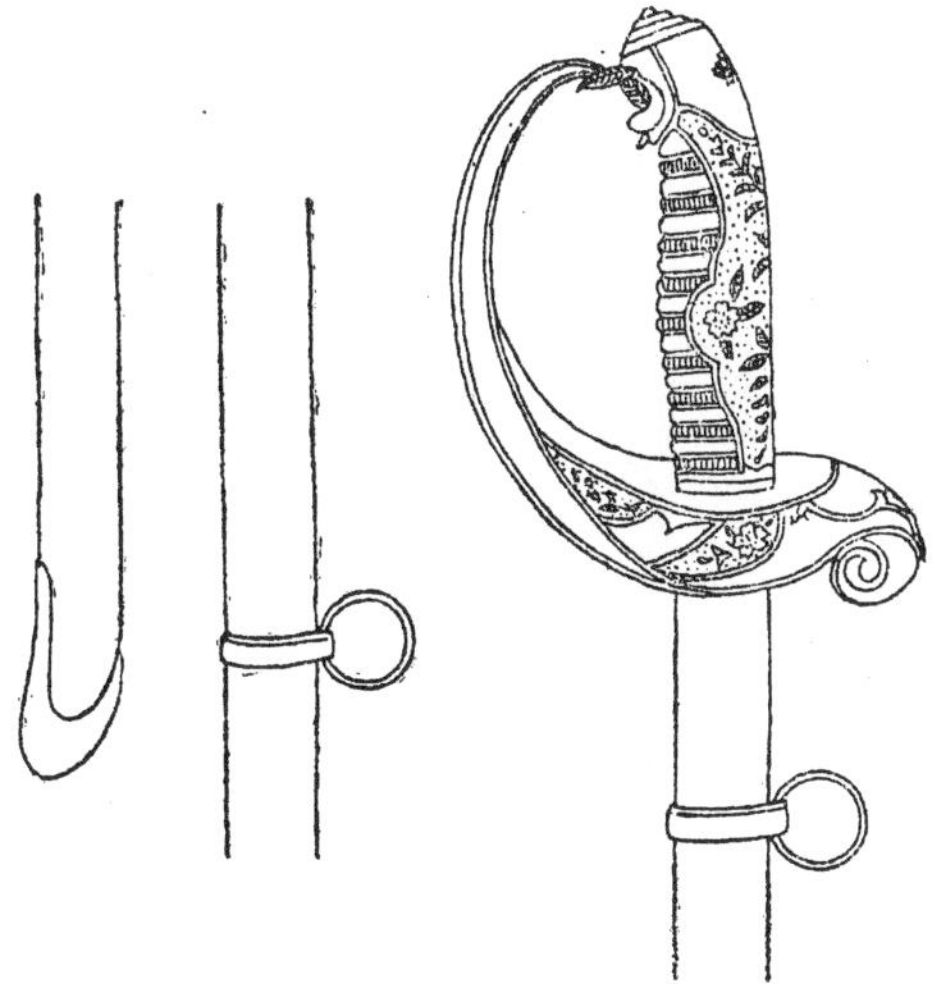

典獄
典獄補
看守長

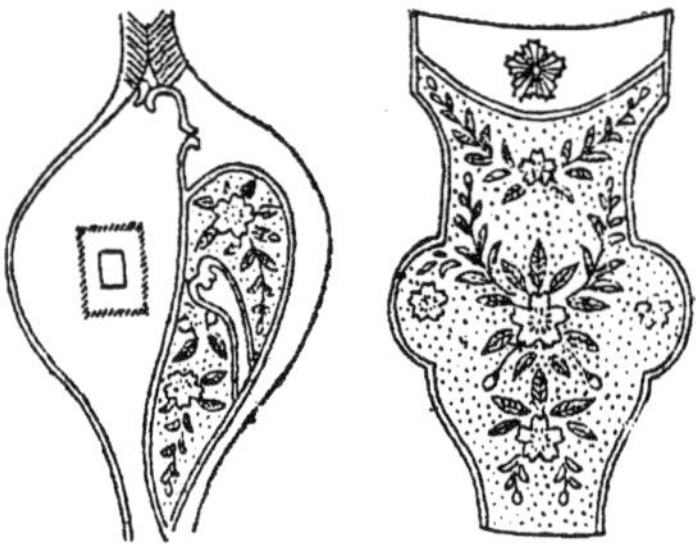

看守部長
看守

刀帶

典獄
典獄補
看守長

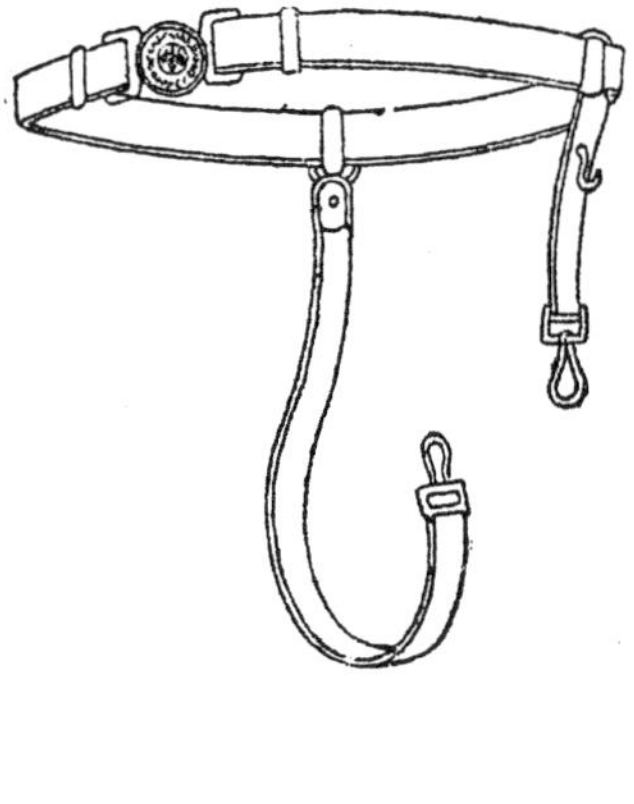

前金具

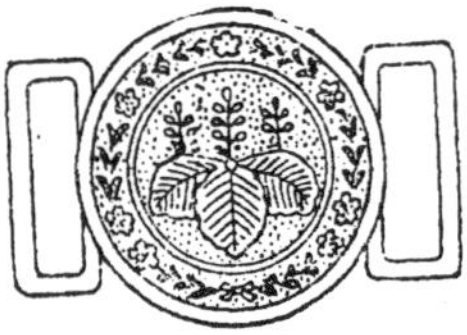

刀緒

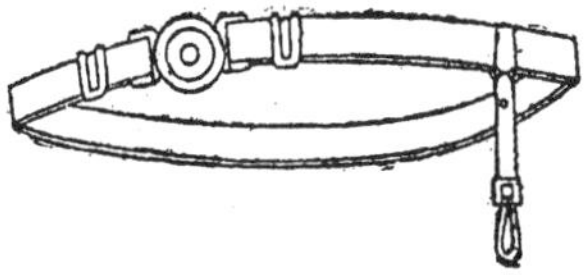
看守部長
看守

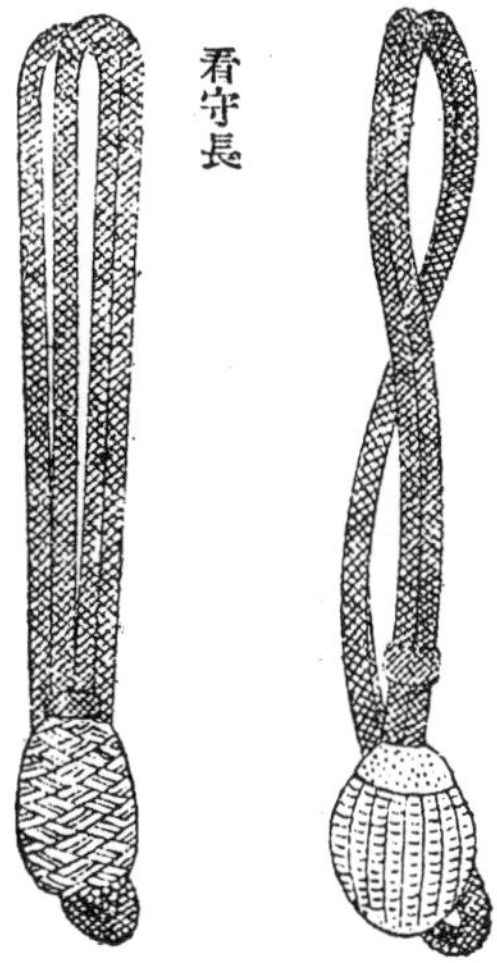
典獄
典獄補
看守長

外套

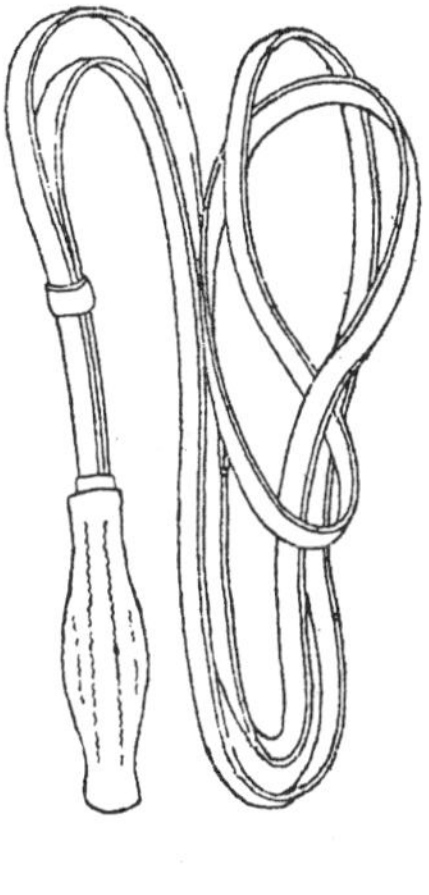
看守部長
看守

甲種外套

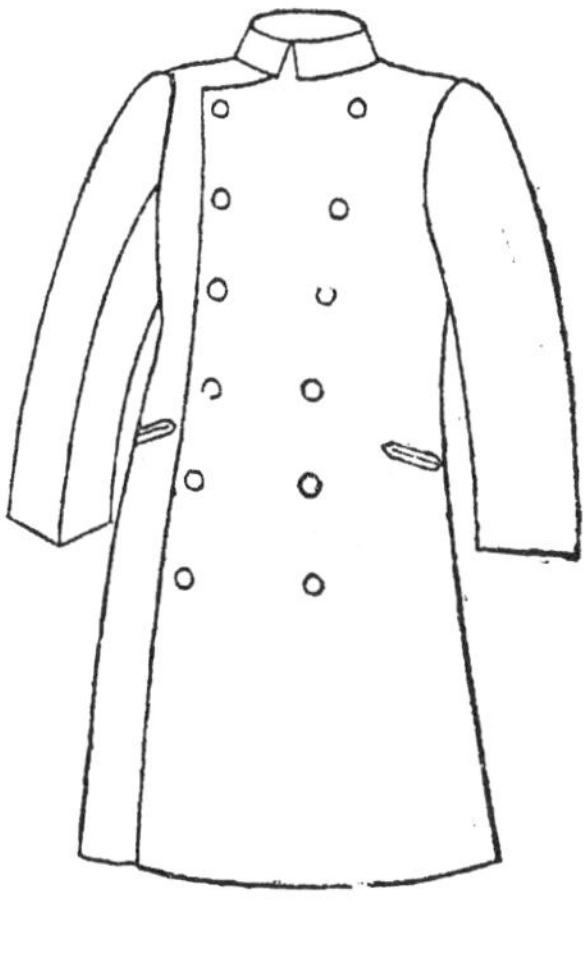
典獄
典獄補
看守長
表

看守部長
看守

表

裏

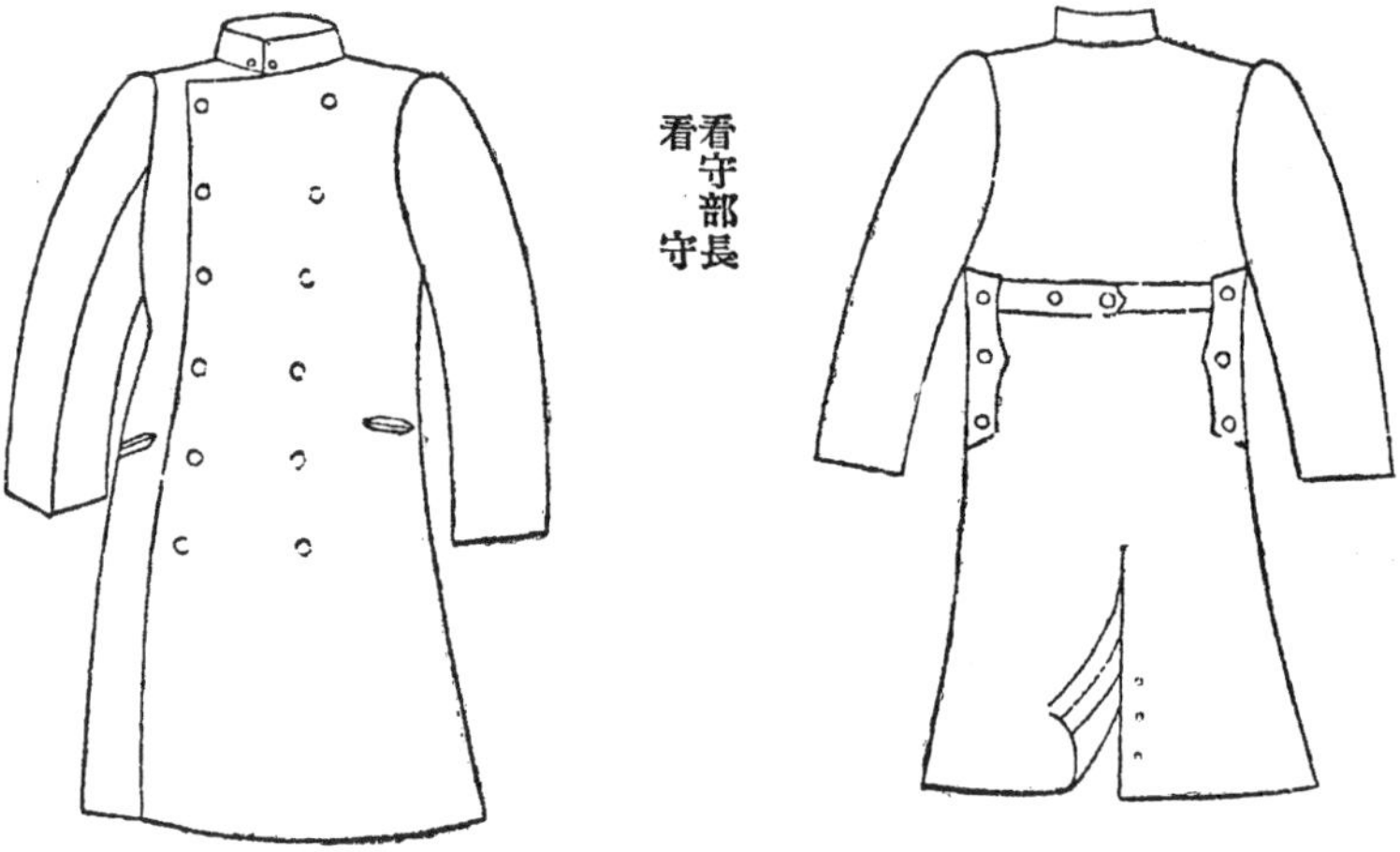

裏

袖章

典獄
典獄補

看守長

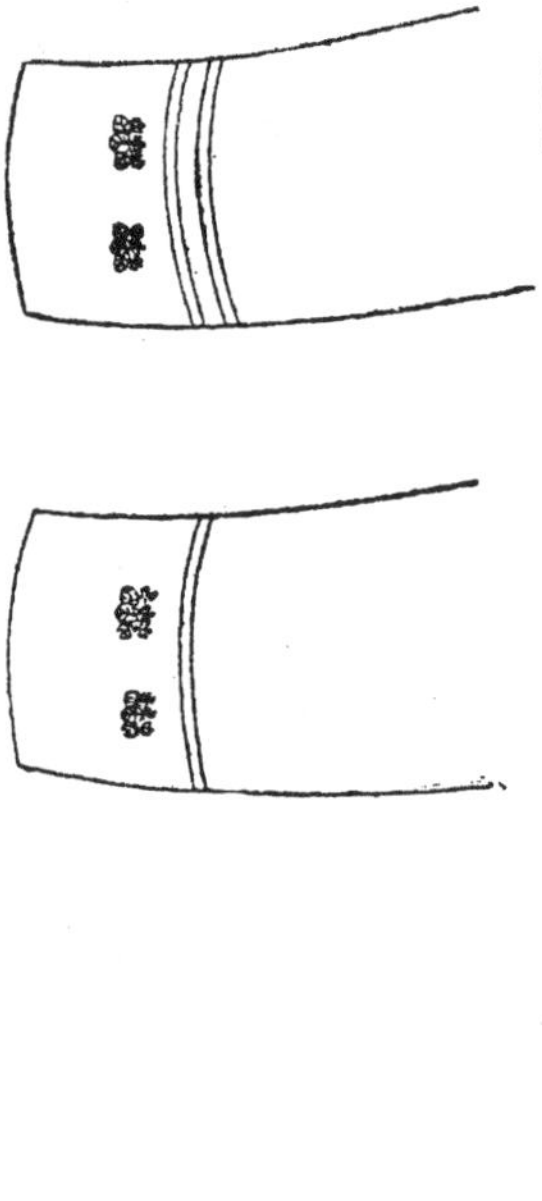

看守部長

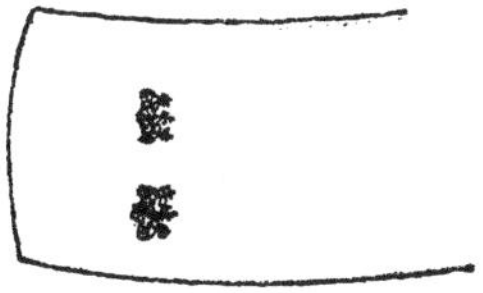

看守

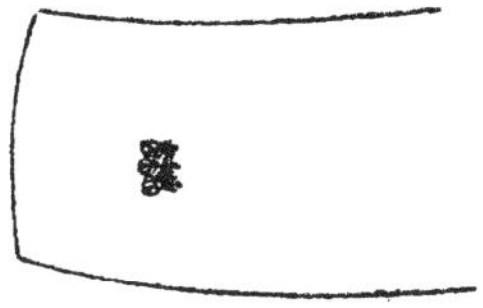

乙種外套
頭巾

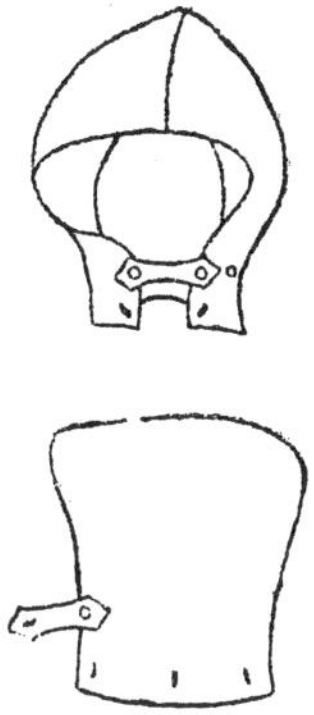

典獄
典獄補
看守長

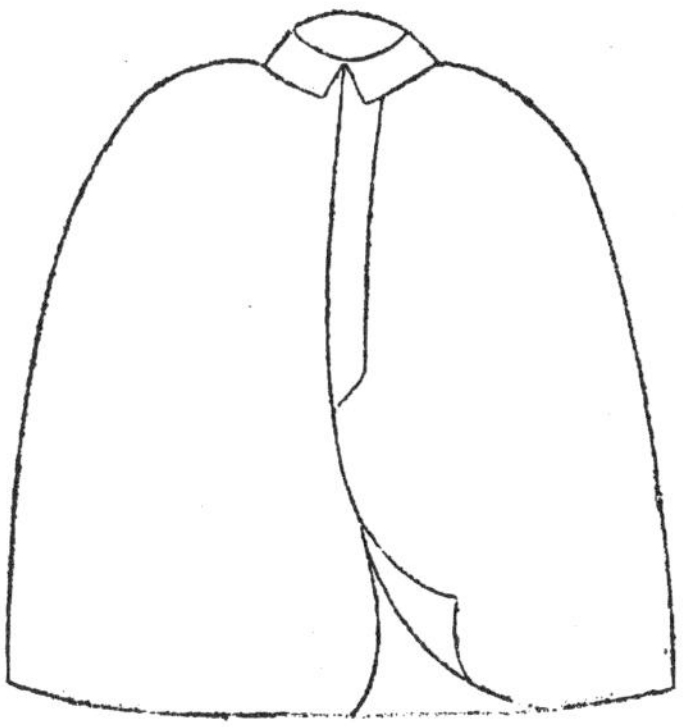

看守部長
看守

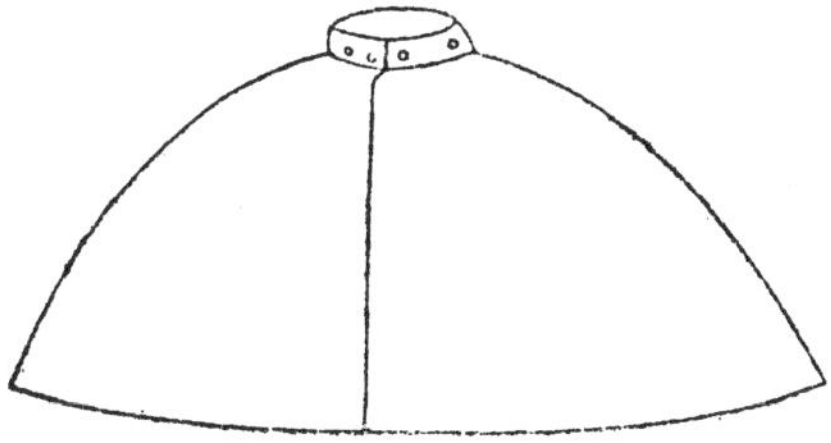

【参照】
明治四十四年九月二十六日公布勅第二百四十六號ハ朝鮮總督府看守ノ服制ナリ

二 朝鮮總督府監獄職員服裝規則

大正十一年一月
總訓第二號
朝鮮總督府監獄

朝鮮總督府監獄職員服裝規則左ノ通定ム

第一條 朝鮮總督府典獄、典獄補、看守長及看守ノ服裝ヲ分チテ正裝及常裝ノ二種トス

第二條 典獄、典獄補及看守長ノ正裝トハ正帽、衣、袴、肩章、刀、正緒、手套、下袖、下襟及短靴ヲ著裝スルヲ謂フ

看守ノ正裝トハ帽、衣、袴、肩章、刀、刀緒、手套、下袖、下襟及短靴ヲ著裝スルヲ謂フ

第三條 典獄、典獄補及看守長ノ常裝トハ略帽、衣、袴、刀、略緒、手套、下袖、下襟及短靴ヲ著裝スルヲ謂フ

看守ノ常裝トハ帽、衣、袴、刀、刀緒、手套、下袖、下襟及短靴ヲ著裝スルヲ謂フ

第四條 正裝ハ大禮服又ハ通常禮服ヲ著用スヘキ場合ニ用ヰルモノトス

常裝ハ平常勤務ノ際用ヰルモノトス

第五條 典獄、典獄補及看守長ハ六月一日ヨリ九月三十日迄常裝ニ限リ白地當又ハ白地ノ袴ヲ著用スルコトヲ得

看守ハ前項ノ期間白地當ヲ著用ス 但シ典獄ハ土地ノ狀況其ノ他必要アリト認ムルトキハ六月一日及九月三十日ノ前後各十五日以内黒若ハ濃紺地ノ衣ニ白地ノ袴ヲ著用セシムルコトヲ得

第六條 甲種外套ハ雨雪ノ際又ハ防寒ノ爲著用ス

乙種外套ハ雨雪ノ際又ハ防寒ノ爲甲種外套ノ上ニ用ヰルモノトス

但シ時宜ニ依リ乙種外套ノミヲ著用スルコトヲ得

防寒外套ハ嚴寒ノ際甲種外套ノ上ニ用ヰルモノトス

第七條 儀式祭典ノ場所及室内ニ在リテハ外套ヲ著用スルコトヲ得ス

但シ許可アリタルトキハ此ノ限ニ在ラス

第八條 外套ヲ携帶スルニハ附屬品ヲ内ニ收メ適宜捲收シ兩端ヲ締革ニテ結束シ左肩ヨリ斜ニ右腋下ニ掛ク

第九條 頭巾ハ室外ニ於テ雨雪又ハ嚴寒ノ際外套ニ附著シテ使用ス

第十條 手套、下袖及下襟ハ白色トス 但シ常裝ニ在リテハ白地服ヲ著用スル場合ヲ除クノ外鼠又ハ茶褐色ノ手套ヲ用ヰルコトヲ得

第十一條 靴ハ黒色革製トス 但シ典獄、典獄補及看守長ノ白地服著用ノ場合ニ限リ黒色革製ニ非サル短靴ヲ用ヰルコトヲ得

第十二條 雨雪泥濘ノ際又ハ乘馬ノ場合ニ於テハ常裝ノ場合ニ限リ長靴又ハ「ゲートル」ヲ用ヰルコトヲ得

職務上必要アル場合又ハ疾病其ノ他已ムヲ得サル場合ニ於テ監獄ノ長ノ許可ヲ得テ短靴、草鞋及ハ地下足袋ヲ「ゲートル」ト共ニ使用スルコトヲ得

「ゲートル」ハ茶又ハ茶褐色トシ袴ノ上ニ用ウ

第十三條 刀ハ刀柄刀ヲ前ニシ帶ヲ以テ衣ノ下ニ佩フ 但シ防寒外套ヲ著用スル場合ハ其ノ上ニ佩フ

典獄、典獄補及看守長ノ乗馬ノ場合ヲ除クノ外刀ノ第一鐶ヲ刀帯ノ釣金ニ掛ク

第十四條 拳銃ハ帯革ヲ衣又ハ甲種外套著者ハ防寒外套ノ上ニ締メ肩革ヲ以テ左肩ヨリ右腋下ニ掛ク

第十五條 手帖ハ廳印ヲ押捺セル部分ニ名刺五枚以上ヲ挾ミ衣ノ左上部物入ニ、呼子笛ハ其ノ右下部物入ニ、捕繩ハ袴ノ右物入ニ納メ甲種外套ヲ著用スルトキハ手帖及呼子笛ハ其ノ右物入ニ納ム

三 朝鮮總督府看守防寒外套制式

大正四年十二月
總令第百二十八號

朝鮮總督府看守防寒外套制式左ノ通定ム

附 則

本令ハ發布ノ日ヨリ之ヲ施行ス

朝鮮總督府看守防寒外套制式圖例

地質	制式	袖章
茶褐絨	折襟胸一重後面ノ裾ヲ割キ左右腰部ニ物入各一箇ヲ設ケ襟ノ内面ニハ毛皮ヲ附シ釦ハ茶色角製トシ一行五箇ヲ附ス形圖ノ如シ	外套甲種一例ニ準ス

前面

後面

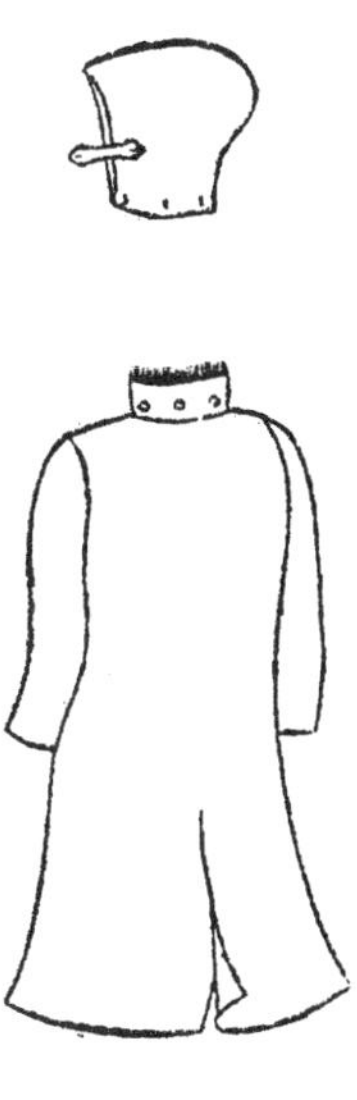

四 看守防寒外套使用ニ關スル件

大正四年十二月
官通第三四八號

改正 一〇年一〇第九〇號

司法部長官

各監獄典獄宛

今回改正相成候朝鮮總督府看守、朝鮮總督府女監取締給與品及貸與品規則第二條第二項ニ依ル防寒外套ノ貸與區域、使用期間及使用制限ニ關シ左記ノ如ク決定相成候條依命此段及通牒候也

追テ現品ハ本部ニ於テ調製ノ上貸與區域內ノ各監獄ヘ送付可致候ニ付爲念申添候

一 貸與區域

京城、西大門、公州、咸興、平壤、海州各監獄管內及永登浦、大田、清律、新義州監獄

二 使用期間

毎年十二月一日ヨリ翌年二年末日迄トス但シ典獄ニ於テ必要ト認ムルトキハ適宜伸縮スルコト得

三 使用制限

現品ハ各廳ニ之ヲ備置キ屋外又ハ夜警ノ勤務ニ從事スル者若ハ典獄ニ於テ特ニ必要アリト認メタル者ニ對シ勤務ニ就クニ當リ著用セシムルモノトス

五　女監取締服裝ニ關スル件

大正二年七月
官通第二四一號
政務總監

各監獄典獄宛

自今女監取締ニハ其ノ執務中ニ限リ別表ノ服裝ヲ爲サシムル事ニ決定相成候條此段及通牒候也

追テ給與ノ被服供用期限中ニ在ルモノハ其ノ期間滿了迄從前ノ儘トシ又既ニ準備シタル被服ハ其儘之ヲ給與使用セシムヘキ儀ニ有之候

種類	地質	製式
上衣	「セル」又ハ「アルパカ」夏鼠色、冬黒又ハ紺色	形狀圖ノ如シ、袖口三寸五分、袖附八寸、前合セ五寸、襟高サ一寸五分、胸ハ隠シ釦、襟章ハ看守襟章ニ同シ冬服ハ裏附トス
袴	「メリンス」鐵色又ハ濃緑色	形ハ普通女袴ニ同シ
雨衣	羅紗黒色	頭布附「マント形」

備考
寸法ハ曲尺ニ依ル

上衣

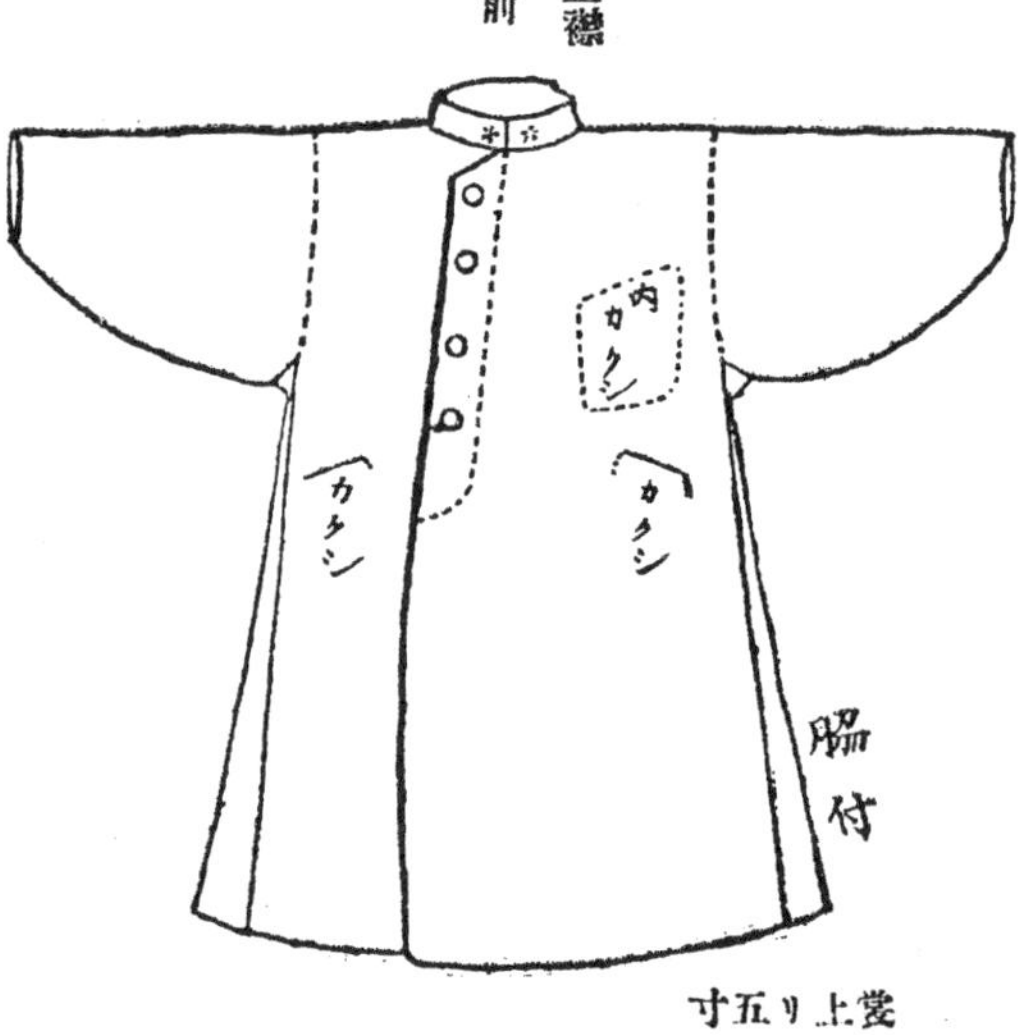

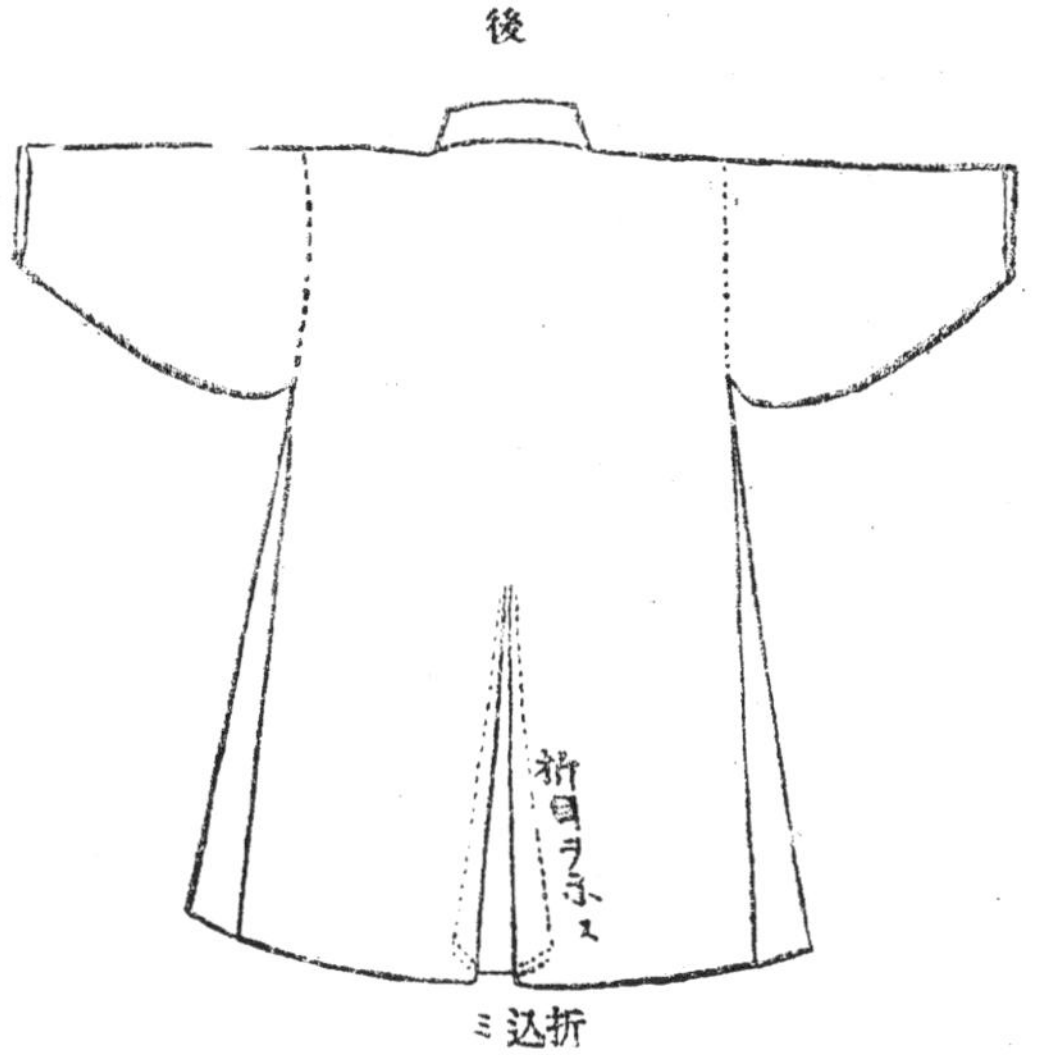

六　女監取締ノ被服ニ關スル件

大正四年七月
官通第二二八號

司法部長官

各監獄典獄宛

女監取締ニ給與スル袴ノ地質ハ從來「メリンス」ノ定メナルモ豫算ノ範圍ニ於テ自今內國製造品タル「セル」、「アルパカ」、「カシミヤ」ノ中ニ就キ適當ノモノヲ選擇使用スルコトニ相定メラレ候條依命此段及通牒候也

七　功六級勳七等以下佩用ニ關スル件

大正八年二月
內閣告示第一號

功六級勳七等以下ノ勳章及記章褒章ハ時宜ニ依リ男子ハ紋付羽織袴、婦人ハ白襟紋服（朝鮮人及臺灣人等ニ在リテハ之レニ相等スル服裝）ニ著用ノ節衣服ノ左肋ニ之ヲ佩用スルコトヲ妨ケス

八　官廳職員ノ服裝ニ關スル件

大正八年八月
人第一五五〇號

總務局長

各監獄典獄宛

首題ノ內閣書記官長ヨリ別紙通知有之候條御了知相成度此段及通牒候也

別紙

大正八年七月十九日

高橋內閣書記官長

山縣政務總監殿

今般次官會議ニ於テ官廳職員ノ服裝ニ關スル件左記ノ通申合候也

記

官廳職員服裝ニ關スル件

従前「フロックコート」ヲ用ヒタル場合ニ於テ爾今「モーニング」背廣又ハ紋付羽織袴ヲ用ユルコトヲ得　但シ宮中ニ參入スル場合及服裝ニ付特ニ別段ノ指定ヲ必要トスル場合ハ此ノ限ニ在ラス

九　朝鮮總督府及所屬官署文官禮式

明治四十四年十一月
總訓第八十七號

改正　大正二年六第三四號

朝鮮總督府及所屬官署文官禮式左ノ通定ム

第一條　本禮式ニ於テ文官ト稱スル朝鮮總督府及所屬官署高等文官判任文官竝其ノ待遇者ヲ謂ヒ上官ト稱スルハ官等等級又ハ待遇ノ上ナル者ヲ謂フ

第二條　文官ニシテ制服ヲ著用シタル者ハ特ニ規定アルモノヲ除クノ外本禮式ニ依リ上官ニ對シ敬禮ヲ行ヒ上官ハ之ニ答禮スヘシ上官タルコトヲ識別シ能ハサルトキ又ハ官等等級ノ相同シキ者ハ互ニ敬禮ヲ行フヘシ

第三條　敬禮ヲ分チテ室内ノ敬禮及室外ノ敬禮ノ二トス

第四條　室内ノ敬禮ハ敬禮スヘキ人ニ對シテ正面シ姿勢ヲ正シ左右ノ手ヲ垂下シ其ノ眼ニ注目シテ體ノ上部ヲ少シク前ニ傾ク帽ヲ持ツトキハ右手ニテ其ノ庇ヲ摘ミ内部ヲ右股ニ接シテ之ヲ提ケ刀ヲ佩フルトキハ柄ヲ後ニシ左手ニテ兩鐶ノ間ヲ握ルモノトス　但シ監獄官吏ハ刀ノ柄ヲ前ニシテ左手ニテ其ノ鞘ヲ押ヘ敬禮ヲ爲スヘシ

第五條　上官ノ居室ニ入ルトキハ其ノ席ヲ離ルルコト五六歩ノ所ニ於テ敬禮ヲ行フヘシ上官數人アルトキハ先ツ其ノ最高級ノ人ニ敬禮シ次テ他ノ一同ニ敬禮スルモノトス其ノ居室ヲ去ルトキ亦同シ

第六條　室外ニ於テハ擧手注目ノ敬禮ヲ行フヘシ　但シ右手ヲ擧クルコト能ハサルトキハ其ノ儘ニ受禮者ニ注目シ體ノ上部ヲ少シク前ニ傾クヘシ

擧手注目ノ敬禮ハ姿勢ヲ正シ右手ヲ擧ケ其ノ指ヲ接シテ伸ハシ食指ト中指トヲ帽ノ庇ノ右側ニ當テ掌ヲ稍外方ニ向ケ肘ヲ肩ノ方向ニテ略其ノ高ニ齊クシ頭ヲ向ケテ受禮者ノ眼ニ注目ス

一〇　屋外最敬禮ノ件

大正四年十月
人秘第二〇五六號

總務局長

屋外ニ於ケル最敬禮ニ關シ甲號ノ通照會ニ對シ乙號ノ通回答相成候旨其筋ヨリ通牒有之候條御含迄及通牒候也

甲號

文官制服着用ノ場合ニ於ケル屋外最敬禮ノ方法電信ニテ指示ヲ乞フ

乙號

本府及所屬官署文官禮式ハ上官ニ對スルモノニシテ最敬禮ノ規定ナシ拜神又ハ御眞影等ニ對スル最敬禮ノ場合ニハ屋外ニ於テモ陸軍禮式第二十七條ニ準シ之ヲ行フヲ適當ト認ム

【參照】（陸軍禮式拔萃）

第二章　軍人ノ敬禮

第一節　最敬禮

第二十五條　天皇ニ拜謁スルトキ室内ニ於テハ最敬禮ヲ行フヘシ

最敬禮ハ不動ノ姿勢ヲ取リ先ツ　天皇ニ注目シ次ニ體ノ上部ヲ前約

四十五度ニ傾ケ頭ヲ正シク上體ノ方向ニ保チ帽ハ右手ニテ其ノ庇ヲ摘ミ之ヲ右股ニ接シテ提ケ帽ノ内部ヲ右股ニ對セシム刀ヲ佩フルトキハ柄ヲ後ニシ左手ニテ鐶部ヲ握ルモノトス

第二十七條　賢所參拜其他拜神ノトキハ拜禮ヲ行フヘシ
拜禮ノ方法ハ神靈ニ對シ最敬禮ト同一ノ方法ヲ以テ行フモノトス

二　看守點檢ニ關スル件

大正五年
典獄會議訓示

十五　看守ノ點檢ハ紀律ノ根源ニシテ又之レニ因リテ職務執行ノ確實ヲ期スルモノナルカ故ニ其ノ施行ハ嚴正的確ニシテ苟モ形式ニ流ルルコトナキヲ期シ已ムヲ得サル場合ヲ除ク外第二課長ヲシテ之ニ當ラシムヘシ

第十章　檢閲、監督

一　朝鮮總督府所屬官署事務檢閲規程

大正三年八月
總訓第四三號

朝鮮總督府所屬官署事務檢閲規程左ノ通定ム

第一條　朝鮮總督府所屬官署ノ事務ノ檢閲ヲ分チテ特別檢閲及普通檢閲ノ二種トス

第二條　檢閲スヘキ事項ハ特ニ命セラレタルモノヲ除クノ外左ノ如シ

一　法令規則ノ實施ノ狀況及其ノ適否
二　諸般設備ノ維持及其ノ使用ノ狀態
三　職員配置ノ當否、職員ノ能否及勉否
四　規律風紀ノ張弛

第三條　特別檢閲員ハ朝鮮總督府及所屬官署ノ高等官中ヨリ朝鮮總督之ヲ命シ普通檢閲員ハ所屬官署ノ長ニ於テ部下官吏ノ中ニ就キ朝鮮總督ノ認可ヲ受ケ之ヲ命ス

檢閲員ニハ必要ニ應シ屬員トシテ朝鮮總督府及所屬官署ノ判任官ヲ附屬セシムルコトヲ得

第四條　特別檢閲ハ毎年一回之ヲ行フノ外必要アルトキハ臨時之ヲ行ヒ普通檢閲ハ所屬官署ノ長ノ定ムル所ニ依リ之ヲ行フ

第五條　特別檢閲員ハ檢閲事項ニ付必要アリト認ムルトキハ當該所屬官署ノ長ヲシテ書類ヲ提出セシメ又ハ答辯ヲ爲サシムルコトヲ得

第六條　檢閲ヲ了リタルトキハ其ノ狀況及意見ヲ具シ特別檢閲員ニ在リテハ朝鮮總督ニ報告シ普通檢閲員ニ在リテハ當該長官ニ報告スヘシ

普通檢閲員ノ報告中重要ナル事項ハ所屬官署ノ長ヨリ之ヲ朝鮮總督ニ報告スヘシ

第七條　本規程ニ定ムルモノノ外普通檢閲ニ關シ必要ナル規程ハ朝鮮總督ノ認可ヲ受ケ所屬官署ノ長之ヲ定ム

二　事務檢閲規程中疑義ノ件

大正三年十月二十八日
監第二一二號

司法部長官

各監獄典獄宛

通牒

首題ノ件ニ付平壤監獄典獄ノ別紙甲號伺出ニ對シ乙號ノ通リ回答相成候條爲參考及通牒候也

甲號平監發第一九八六號
大正三年十月十三日

平壤監獄典獄

朝鮮總督寺內正毅殿

伺

事務檢閲規程中疑義ノ件

本年八月訓令第四十三號首題規程中第三條第一項末段ノ普通檢閲員ハ當監獄ノ如キニ在リテハ判任官中ヨリ命シ得ヘキ儀ニ候哉果シテ然ラハ同條第二項ノ屬員モ判任官中ヨリ之ヲ命スル外特ニ判任待遇職員ヨリ命スルコトヲ得ル義ニ候哉檢閲規程施行手續制定上疑義相生シ候條

何分ノ儀御指示相成度此段相伺候也

乙號監第二一二號
大正三年十月二十六日

政務總監

平壤監獄典獄宛

事務檢閲規程中疑義ノ件

本月十三日付平監發第一九八六號伺出事務檢閲規程中疑義ノ件ハ御意見ノ通リ御了知相成度候

三 檢閲ノ勵行ニ關スル件

大正六年
典獄會議指示

監獄ノ檢閲ハ本分監ヲ問ハス事務監督上最重要ノ事ニ屬スル所ナルニ拘ラス或ハ之ヲ勵行セサルモノアリ將來嚴ニ之ヲ實行シ以テ獄務監督ノ周到ヲ期スヘシ

四 分監（課所）ノ事務ニ付檢閲ヲ行ヒタル場合ニ於ケル件

大正三年
典獄會議指示

所轄分監　課所ノ事務ニ付檢閲ヲ行ヒタル場合ニ於テ指示シタル事項アラハ直ニ之ヲ施行セシメ其ノ狀況ハ檢閲簿ヲ設ケテ之ニ記載シ以テ監督ノ便ニ供スヘシ

五 事務ノ監督ニ關スル件

大正三年
典獄會議訓示

所管事務ノ監督ハ各位ニ於テ常ニ之ヲ懈ラサルコトヲ信スルモ元來獄務ハ頗ル複雜ニシテ多岐ニ渉ルカ爲動モスレハ散漫ニ流レ統一ヲ缺クノ虞アリ隨時檢閲ヲ勵行シ以テ執務ノ適正ヲ圖ルヘシ

六 指示注意事項ノ部下職員ニ傳達及狀況報告ノ件

大正三年
典獄會議指示

監督官廳若ハ巡閲官吏ヨリ指示又ハ注意シタル事項ニ付テハ速ニ部下職員ニ傳達シテ共ニ實行ニ著手シ且其後ノ狀況ヲ監督スヘキ筈ナルニ動モスレハ之ヲ等閑ニ付スルノ傾ナキニ非サルヲ以テ將來ハ嚴ニ其ノ勵行ヲ期セサルヘカラス

七 分監事務監督ノ周到ヲ期スヘキ件

大正五年
典獄會議訓示

分監ノ事務ニ付テハ之ヲ分監長ニ放任シ或ハ必要ノ監督ヲ怠ル等之レヲ輕視スルノ傾向ナキニ非ス斯クノ如キハ不知不識分監事務ノ凝滯ヲ釀スノ弊ヲ生スヘシ各位ハ特ニ此ノ點ニ留意シ努メテ監督ノ周到ナラムコトヲ期スヘシ

八 範ヲ部下ニ示スヘキ件

大正五年
典獄會議訓示

看守長及看守部長ハ常ニ率先躬行シテ範ヲ部下ニ示シ紀綱ノ振作ヲ圖ルヘキモノナルニ拘ラス動モスレハ其ノ執務受動的ニ傾キ爲メニ監務ノ弛緩ヲ招致スルモノナシトセス各位ハ克ク之ヲ皷舞奬勵シ其監務執行上一段ノ奮勵ヲ促カスヘシ

九　分監事務ノ監督ニ關スル件

大正六年
典獄會議指示

分監事務ノ監督ニ付テハ曩ニ指示スル所アリタルニ拘ラス本分監ニ於テ統一ヲ要スヘキ事務ニシテ今日尙其取扱ヲ異ニスルモノアリ各位ハ速ニ之カ統一ヲ圖ルヘシ

第四編　位勳　褒章　救恤　恩給　賞罰

第四編 位勳 褒章 救恤 恩給 賞罰

第一章 位勳 褒章

一 敍位條例

明治二十年五月六日
勅令第十號

改正 三三年第一四七號 大正八年第五號

第一條 凡ソ位ハ華族勅奏任官及國家ニ勳功アル者又ハ表彰スヘキ效績アル者ヲ敍ス

第二條 凡ソ位ハ正一位ヨリ從八位ニ至ル十六階トス

第三條 凡ソ位ハ從四位以上ハ勅授トシ宮內大臣之ヲ奉ス正五位以下ハ奏授トシ宮內大臣之ヲ宣ス

第四條 有位者死刑懲役又ハ無期若ハ三年以上ノ禁錮ニ處セラレタルトキハ其ノ位ヲ失フ

有位者左ノ各號ノ一ニ該當スルトキハ情狀ニ依リ其ノ位ヲ失ハシム

一 刑ノ執行ヲ猶豫セラレタルトキ
二 三年未滿ノ禁錮ニ處セラレタルトキ
三 懲戒ノ裁判又ハ處分ニ依リ免官又ハ免職セラレタルトキ
四 素行修ラス有位者タルノ面目ヲ汚シタルトキ

前二項ノ規定ニ依リ位ヲ失ヒタル者ハ位記ヲ返上スヘシ

第四條ノ二 有位者法令ニ依リ拘禁セラレ又ハ勞役場ニ留置セラレタルトキハ其期間位ニ屬スル禮遇、特權ヲ享クルコトヲ得ス

保釋、責付、假出獄又ハ刑ノ執行猶豫ノ期間又同シ

第五條 凡ソ位ハ從四位以上ハ爵ニ准シ禮遇ヲ享ク其准例左ノ如シ

公爵	侯爵	伯爵	子爵	男爵
從一位	正二位	從二位	正從三位	正從四位

第六條 爵位ヲ併有スル者ハ高キニ從テ禮遇ヲ享ク

二 敍位條例施行細則

大正九年一二月
閣令第一八號

第一條 敍位條例第四條第一項ノ場合ニ於テハ確定裁判ヲ爲シタル官廳ノ長官又ハ檢察官ハ別記書式ニ依リ內閣總理大臣ニ申牒スヘシ

第二條 敍位條例第四條第二項第一號乃至第三號ノ場合ニ於テハ確定裁判ヲ爲シタル官廳ノ長官若ハ檢察官又ハ懲戒ノ判決若ハ處分ヲ爲シタル官廳若ハ行政廳ハ判決ノ謄本若ハ證據說明ノ部分ヲ省略シタル抄本又ハ懲戒事由明細書ヲ添ヘ別記書式ニ準シ內閣總理大臣ニ申牒スヘシ

前項ノ申牒ヲ爲シタル後失位ニ關スル決定未濟ノ者ニ對シ大赦、刑ノ言渡ノ效力ヲ失ハシムル特赦又ハ懲戒ノ免除アリタルトキハ其ノ旨內閣總理大臣ニ申牒スヘシ

第三條 前二條ノ場合ニ於テ有位者華族又ハ宮內職員ナルトキハ宮內大臣ニ申牒スヘシ

第四條 返上ヲ命セラレタル位記ハ宮內大臣ノ囑託アリタルモノト看做シ敍判條例第四條第一項及第二項第二號ノ場合ニ於テハ確定裁判ヲ爲シタル官廳ノ長官又ハ檢察官、同條第二項第一號第三號及第四號ノ場

合ニ於テハ所轄長官又ハ地方長官之ヲ回收シ宗秩寮總裁ニ送付スヘシ

附　則

本令ハ公布ノ日ヨリ之ヲ施行ス

（別記）

書式

申牒書

本籍

住所

位勳功爵　氏　名　生年月日

一　罪名
一　刑名
一　刑期
一　裁判確定ノ年月日
一　犯罪ノ情狀其ノ他參考ト爲ルヘキ事項
一　位ヲ賜リタル當時ノ職業及年月日
一　記章、褒章又ハ外國ノ勳章若ハ記章ヲ有スル者ナルトキハ其ノ種類

右敍位條例施行細則ニ依リ申牒候也

年　月　日

官職　氏　名　印

内閣總理大臣（宮内大臣）宛

三　文武官敍位進階内則

明治四十四年八月
内閣總理大臣

改正　大正四年内閣書記官長通牒

第一條　文武官ノ敍位進階ハ別ニ定アルモノヲ除クノ外本内則ニ依ル

第二條　高等官新任陞等スルトキハ別表ニ依リ其ノ初敍位ノ位記ヲ賜フ

高等官初敍位ニ敍セラレタル後勤勞ヲ累スルニ從ヒ別表ニ依リ漸次進階セシム

第三條　高等官新任陞等ノ時已ニ初敍位以上ノ位ヲ有スル者ハ其ノ位階ノ敍日ヨリ起算シ前條ノ例ニ照シ進階スルコトヲ得

第四條　高等官在職滿十年以上ニシテ左ノ場合ニ該當スルトキハ其ノ勤勞ノ狀況ニ依リ第一號ノ場合ヲ除クノ外一箇月ヲ經過セサル期間内ニ於テ特ニ位一級ヲ進ムルコトヲ得　但シ其ノ極位ヲ超ユルコトナシ

一　病氣危篤ノトキ
二　廢官退官退職ノトキ
三　陸海軍將校豫備後備（在職者ヲ除ク）若クハ退役ノトキ

前項ニ依ル進階ノ後任官就職シタルモノハ其ノ在職更ニ滿十年ヲ經過スルニ非サレハ前項ヲ適用セス

從二位以上ニ進階スルハ第一項ノ限ニ在ラス

第四條ノ二　高等官在職滿十年以上ニシテ死亡シタルトキハ危篤ノ際進階セラレサリシ者ニ限リ其ハ勤勞ノ狀況ニ依リ死亡ノ日ヨリ十日ヲ經過セサル期間内ニ於テ生前ノ日附ヲ以テ特ニ位一級ヲ追陞スルコトヲ得　但シ其ノ極位ヲ超ユルコトナシ

從二位以上ニ追陞スルハ前項ノ限ニ在ラス

第五條　勅任待遇者ハ在職滿二年ノ後正五位ニ敍シ滿五年ヲ經テ一階ヲ進ムルコトヲ得

第六條　奏任待遇者ニシテ官等ニ准シ其ノ待遇ヲ受クルモノハ在職滿三年ノ後第二條ノ例ニ準シ初敍相當位ニ敍スルコトヲ得其ノ後滿六年毎ニ進階シ相當位ヨリ陞敍二階ニ至テ止ム其ノ他ノ待遇者ハ在職滿三年以上ヲ經テ正七位以下ニ初敍シ其ノ後六年毎ニ進敍シ二階ニ至テ止ム

第七條　判任文官在職滿二十年以上、判任武官在職滿十五年以上ニシテ勤勞アル者ハ左ノ標準ニ依リ敍位セラルコトアルヘシ

正七位
　判任文官特別俸ヲ受クル者及判任官從七位ニ敍セラレシ滿五年以上ヲ經過シタル者
從七位
　判任官一等及二等ノ者
正八位
　判任官三等ノ者
從八位
　判任官四等ノ者

前項ニ依リ敍位セラレタル者俸給增加シ又ハ等級陞リタルトキハ其ノ相當位ニ進階スルコトヲ得

正七位ニ敍セラレタル後滿十年ヲ經過シ勤勞顯著ナル者ハ從六位ニ進階スルコトヲ得

第八條　進階年數ニハ文官ニ在テハ休職、待命、武官ニ在テハ待命、休職、停職、豫備役、後備役ヲ除算ス　但シ待命、豫備役、後備役ト雖モ在職者ハ此ノ限ニ在ラス

第八條ノ二　本官竝其ノ待遇者ノ在職年數ハ相互ニ之ヲ通算ス其ノ通算ニ關シテハ左ノ各號ニ依ル

一　勅任、奏任及判任待遇ノ在職年數ハ各其ノ本官ニ對シ三分ノ一ヲ減ス
二　判任官ノ在職年數ハ高等官ニ對シ二分ノ一ヲ減ス
三　判任待遇ノ在職年數ハ高等官ニ對シ三分ノ二ヲ減ス
四　奏任待遇ノ在職年數ハ勅任官ニ對シ三分ノ二ヲ減ス
五　奏任待遇ノ在職年數ハ勅任待遇ニ對シ二分ノ一ヲ減ス
六　判任待遇ノ在職年數ハ勅任及奏任待遇ニ對シ二分ノ一ヲ減ス
七　判任官ノ在職年數ハ勅任及奏任待遇ニ對シ三分ノ一ヲ減ス
八　勅任官及奏任官ノ在職年數ハ各其ノ上級ノ待遇ニ對シ三分ノ一ヲ減ス
九　奏任官ノ在職年數ハ親任待遇ニ對シ二分ノ一ヲ減ス
十　上級官階及其ノ待遇ノ在職年數ハ下級官階及其ノ待遇ニ對シ增減セス

前項第一號乃至第四號ハ第四條及第四條ノ二ノ場合ニハ之ヲ適用セス

判任文官及判任武官ノ在職年數ハ相互ニ之ヲ通算ス

神官竝官國幣社職員宮內官及其ノ待遇者ノ在職年數ハ本則ノ敍位年數ニ通算ス其ノ通算ノ方法ハ第一項各號ノ例ニ依ル

第九條　進階年數ハ懲戒懲罰及刑罰ヲ受ケタル者ニ付テハ左ノ標準ニ依リ之ヲ除算ス　但シ懲戒懲罰ノ免除ヲ得タル者ハ此ノ限ニ在ラス

懲戒懲罰

減俸減給	一箇年
十五日以上ノ謹愼營倉拘禁、三十日以上ノ禁足	一箇年
轉所	一箇年半
停職	二箇年
免官免職	既往ノ全年數

刑罰

一年未滿ノ禁錮	一箇年
失官	既往ノ全年數

文武官敍位進階表

位階＼官等	內閣總理大臣各省大臣	樞密院議長陸海軍大將	親任官親任待遇	一等	二等	三等	四等
正一位							
從一位							
正二位	進階	滿七年					
從二位	進階	滿五年	進階 滿七年				
正三位	進階	滿三年	進階 滿五年	進階 滿九年			
從三位	進階	滿二年	進階 滿三年	進階 滿五年	進階 滿十年		
正四位	初敍		進階 滿二年	進階 滿九年	進階 滿五年	進階 滿十四年	
從四位			初敍	進階 滿三年	進階 滿五年	進階 滿五年	進階 滿十四年
正五位				初敍	初敍	進階 滿五年	進階 滿五年
從五位						初敍	進階 滿五年
正六位							初敍
從六位							
正七位							
從七位							
正八位							
從八位							

五等	六等	七等	八等 九等
進階 滿四年			
進階 滿五年	進階 滿四年		
進階 滿五年	進階 滿五年	進階 滿四年	
初敍	進階 滿五年	進階 滿五年	進階 滿四年
	初敍	進階 滿五年	進階 滿五年
		初敍	進階 滿五年
			初敍

四 在京者ノ定期敍位ニ關スル件

大正十一年九月
秘書課長通牒

在京者ノ定期敍位ニ關スル件ニ付別紙寫ノ通內閣書記官長ヨリ通牒有之候條此段及通牒候也

（別紙）

大正十一年九月七日
閣第三五五號
內閣書記官長宮田光雄

朝鮮總督府政務總監有吉忠一殿

在京者ノ定期敍位ニ關スル件

從來定期敍位ニ付テハ在京者ニ限リ敍位式ヲ行ハセラレ參內者ノ服裝ハ特ニ服裝規則ナキモノハ通常禮服着用ノコトト相成居候處自今正二位以下從四位以上ハ宮中ニ於テ敍位式ヲ行ハセラレ服裝ハ特ニ服裝規則ナキモノハ通常禮服着用ノコトニ改定相成又正五位以下ノ位記辭令ハ敍位ヲ上奏セル官廳ノ長官ヲシテ傳達セシメラルルコトニ相成候旨今般宮內次官ヨリ通達有之候ニ付承知相成度

五 朝鮮貴族ノ敍位ニ關スル件

明治四十三年八月
皇室令第一六號

敍位條例ハ朝鮮貴族ノ從位ニ關シ之ヲ準用ス

附　則

本令ハ公布ノ日ヨリ之ヲ施行ス

六 朝鮮人官吏ノ敍位ニ關スル件

大正九年四月
閣議六二號

一 朝鮮人官吏ノ敍位ニ關スル在職年數ハ統監事務開始ノ日即チ明治三十九年二月一日ヲ以テ起算點トス

一 朝鮮軍人タリシ者ニ付テハ其在職年數ハ之ヲ前項ノ在職年數ニ通算ス

七　有位者改姓名轉貫轉居死亡等宮內省へ屆出方

明治二十四年六月二十五日
宮內省達乙第一號

有位者一般（華族ヲ除ク）

自今改姓名貫屬換及轉居ハ其部度本人ヨリ死亡ハ相續人又ハ親屬ヨリ直ニ當省（爵位局）ヘ屆出ツヘシ

八　婦人ノ勳勞アル者ニ瑞寶章ヲ賜フノ件

大正八年五月
勅令第二三二號

瑞寶章ハ婦人ノ勳勞アル者ニ亦之ヲ賜フ

九　敍勳內則

明治二十五年十二月
內閣總理大臣達

改正　大正三年內閣書記官室照第二〇〇號　八年閣內發第二九四號　八年閣內發第六五九號

第一條　大勳位菊花章ハ偉勳アル者ニ敍賜ス

第二條　大勳位菊花章ノ頸飾ハ本章ト倂テ之ヲ賜ヒ又ハ本章ヲ有スル者ニ特ニ賜フコトアルヘシ

第三條　勳一等旭日桐花章ハ殊ニ勳功顯著ナル者ニ敍賜ス

第四條　勳一等旭日章以下及寶冠章ハ勳功顯著ナル者ニ敍賜ス　但等十六條ニ揭ケタルモノハ此例ニ拘ハラス

第五條　勳一等瑞寶章以下ハ勳功及積年勤勞アル者ニ敍賜ス

第六條　文武官宮內官積年勤勞シ其成績顯著ナルトキハ之ヲ勘查シ勳等ニ敍ス尙ホ勤勞ヲ累スルニ隨ヒ復之ヲ進級セシム

第七條　第六條ノ主意ニヨリ勳一等ニ敍セラルヘキ者ハ左ノ如シ

一　諸大臣
　樞密院議長
　陸海軍大將
　右勳二等ヲ有セシ後備五年以上ニシテ成績アル者

二　前項ニ揭ケタル外ノ親任官（勅任）
　右勳二等ヲ有セシ後滿七年以上ニシテ成績アル者

三　陸海軍中將
　高等官一等（勅任）
　右勳二等ヲ有セシ後滿十年以上其親任官ノ待遇ヲ受クル者ハ滿八年以上ニシテ成績アル者

第八條　第六條ノ主意ニヨリ勳二等ニ敍セラルヘキ者ハ左ノ如シ

一　諸大臣
　樞密院議長
　陸海軍大將
　右奉職以來滿三年以上ニシテ成績アル者

二　前項ニ揭ケタル外ノ親任官（勅任）
　右奉職以來滿五年以上ニシテ成績アル者

三　陸海軍中將
　高等官一等（勅任）
　右勳三等ヲ有セシ後滿七年以上其ノ親任官ノ待遇ヲ受クル者ハ滿五年半以上ニシテ成績アル者

四　陸海軍少將竝相當官

高等官二等(勅任)
右勳三等ヲ有セシ後滿八年以上ニシテ成績アル者

第九條 第六條ノ主意ニヨリ勳三等ニ敍セラルヘキ者ハ左ノ如シ

一 陸海軍中將
高等官一等(勅任)
右奉職以來滿八年以上其ノ親任官ノ待遇ヲ受クル者ハ滿六年半以上ニシテ成績アル者

二 陸海軍少將並相當官
高等官二等(勅任)
右勳四等ヲ有セシ後滿四年以上ニシテ成績アル者

三 陸海軍大佐並相當官
高等官三等(奏任)
右勳四等ヲ有セシ後滿八年以上ニシテ成績アル者

四 陸軍中佐海軍大佐並相當官
高等官四等(奏任)
右勳四等ヲ有セシ後滿九年以上ニシテ成績アル者

第十條 第六條ノ主意ニヨリ勳四等ニ敍セラルヘキ者ハ左ノ如シ

一 陸海軍少將並相當官
高等官二等(勅任)
右奉職以來滿七年以上ニシテ成績アル者

二 陸海軍大佐竝相當官
高等官三等(奏任)
右勳五等ヲ有セシ後滿六年以上ニシテ成績アル者

三 陸軍中佐海軍大佐竝相當官
高等官四等(奏任)
右勳五等ヲ有セシ後滿七年以上ニシテ成績アル者

四 陸海軍少佐竝相當官
高等官五等(奏任)
右勳五等ヲ有セシ後滿八年以上ニシテ成績アル者

五 陸海軍大尉竝相當官
高等官六等(奏任)
右勳五等ヲ有セシ後滿九年以上ニシテ成績アル者

第十一條 第六條ノ主意ニヨリ勳五等ニ敍セラルヘキ者ハ左ノ如シ

一 陸海軍大佐竝相當官
高等官三等(奏任)
右勳六等ヲ有セシ後滿四年以上ニシテ成績アル者

二 陸軍中佐海軍大佐竝相當官
高等官四等(奏任)
右勳六等ヲ有セシ後滿五年以上ニシテ成績アル者

三 陸海軍少佐竝相當官
高等官五等(奏任)
右勳六等ヲ有セシ後滿六年以上ニシテ成績アル者

四 陸海軍大尉竝相當官
高等官六等(奏任)
右勳六等ヲ有セシ後滿七年以上ニシテ成績アル者

五 陸軍中尉海軍大尉竝相當官

高等官七等（奏任）
右勳六等ヲ有セシ後滿八年以上ニシテ成績アル者
六　陸海軍少尉竝相當官
高等官八等（奏任）
右勳六等ヲ有セシ後滿九年以上ニシテ成績アル者
第十二條　第六條ノ主意ニヨリ勳六等ニ敍セラルヘキ者ハ左ノ如シ
一　陸海軍大佐竝相當官
高等官三等（奏任）
右奏職以來十二年以上ニシテ成績アル者
二　陸軍中佐海軍大佐竝相當官
高等官四等（奏任）
右奏職以來滿十二年以上ニシテ成績アル者
三　陸海軍少佐竝相當官
高等官五等（奏任）
右奏職以來滿十三年以上ニシテ成績アル者
四　陸海軍大尉竝相當官
高等官六等（奏任）
右奏職以來滿十三年半以上ニシテ成績アル者
五　陸軍中尉海軍大尉竝相當官
高等官七等（奏任）
右奏職以來滿十四年以上ニシテ成績アル者
六　陸海少尉竝相當官
高等官八等（奏任）
右奏職以來滿十四年半以上ニシテ成績アル者
七　高等官九等（奏任）
右奏職以來滿十五年以上ニシテ成績アル者
八　陸海軍准士官
判任官一等
右勳七等ヲ有セシ後滿十年以上ニシテ成績アル者
第十三條　第六條ノ主意ニヨリ勳七等ニ敍セラルヘキ者ハ左ノ如シ
一　陸海軍准士官
判任官一等
右勳八等ヲ有セシ後滿六年以上ニシテ成績アル者
二　陸軍曹長竝相當官
海軍下士一等
判任官二等
右勳八等ヲ有セシ後滿七年以上ニシテ成績アル者
三　陸軍【一等軍曹】竝相當官
海軍下士二等
判任官三等
右勳八等ヲ有セシ後滿八年以上ニシテ成績アル者
四　陸軍【二等軍曹】竝相當官
海軍下士三等
判任官四等
右勳八等ヲ有セシ後滿九年以上ニシテ成績アル者
第十四條　第六條ノ主意ニヨリ勳八等ニ敍セラルヘキ者ハ左ノ如シ

一　判任官一等
右奉職以來滿十七年以上ニシテ成績アル者
二　判任官二等以下ハ毎等一年ヲ追加ス
三　陸海軍准士官下士ノ初敍ハ別ニ之ヲ定ム

第十五條　勳三等以下ノ帶勳者親任官ト爲リタルトキハ滿一年以上ニシテ勳二等マテ累進スルコトヲ得勳四等以下ノ帶勳者高等官一等ト爲リタルトキハ其親任官ノ待遇ヲ受クル者ハ滿五月以上ニシテ勳五等、滿六月以上ニシテ勳四等、滿一年以上ニシテ勳三等マテ其他ハ滿六月以上ニシテ勳五等、滿六月以上ニシテ勳四等、滿一年以上ニシテ勳三等マテ累進スルコトヲ得

勳九等以下ノ帶勳者高等官二等ト爲リタルトキハ滿六月以上ニシテ勳四等マテ累進スルコトヲ得

勳七等以下ノ帶勳者高等官一等又ハ二等ト爲リタルトキハ第十三條第十二條第八項ノ實期十分ノ一以上其奏任官ト爲リタルトキハ同五分ノ一以上ニシテ勳六等マテ累進スルコトヲ得

第十六條　左ニ掲ケタル者其成績顯著ナリト認メタルトキハ其有スル所ノ勳章ト同級ナル旭日章又ハ寶冠章ヲ賜フコトアルヘシ

一　諸大臣樞密院議長陸海軍大將ハ勳一等瑞寶章ヲ受ケタル後又既ニ勳一等瑞寶章ヲ有スル者同上ノ官ニ任セラレタル後引續キ精勤スルコト滿六年以上其他ノ親任官ハ滿七年以上親任官ノ待遇ヲ受クル者ハ滿七年以上高等官一等ハ滿八年以上トス
二　高等官二等ハ勳二等瑞寶章ヲ受ケタル後又既ニ勳二等瑞寶章ヲ有スル者同上ノ官ニ任セラレタル後引續キ精勤スルコト滿十年以上トス
三　高等官三等ハ勳三等瑞寶章ヲ受ケタル後又既ニ勳三等瑞寶章ヲ有スル者同上ノ官ニ任セラレタル後引續キ精勤スルコト滿九年以上高等官四等ハ滿十年以上トス
四　判任官一等ハ勳六等ヲ受ケタル後又既ニ勳六等瑞寶章ヲ有スル者同上ノ官ニ任セラレタル後引續キ精勤スルコト滿十年以上トス

第十七條　勳功顯著ニ依リ年限ニ拘ハラス特旨ヲ以テ勳等ニ敍シ若クハ進級セラルヘキモノハ此規定ノ限ニアラス

第十八條　官職ニ在ラサル者ニシテ學術工藝文學上最大有益ナル發明若クハ改良若クハ著述ヲ成シ又ハ未タ世ニ知レサル國土ヲ發見シ又ハ廣大ナル田野ヲ開闢シ重要ナル道路堤防橋梁ヲ修築シ又ハ盛大ナル學校病院ヲ建設シ又ハ農工商業上ニ莫大ナル裨益ヲ興シ又ハ教育ノ擴張若クハ慈善ノ美擧ニ盡力シ又ハ自己ノ身命ヲ顧ミス援災防疫ノ事ニ從事スル等其功大ニシテ成績顯著ナルトキハ相當ノ勳等ニ議敍スルコトアルヘシ

第十九條　第六條ニ據リ敍勳ヲ請フヘキ者アルトキハ所管長官ハ本人ノ履歷書ヲ具シ內閣總理大臣ヲ經テ上奏スルコトヲ得所管長官上奏ノ權限ナキトキハ內閣總理大臣ニ具申スルコトヲ得

第十八條ニ據リ敍勳ヲ請フヘキ者アルトキハ功績調書及履歷書ヲ具シ所管長官ヨリ內閣總理大臣ヲ經テ上奏スヘシ

第二十條　官吏恩給法第二條第三條第四條第十三條第二項ニ依リ退官シタル者又ハ陸海軍將校分限令ニ依リ豫備後備退役ト爲リタル者又ハ非職若クハ休職ヲ命セラレタル者在職中勤勞成績アリ且既ニ本則ノ定限

ニ達シタルトキハ敍勳セラルルコトアルヘシ此場合ニ於テハ特ニ其理由ヲ明掲スヘシ　但官吏恩給法第三條軍人恩給法第四條第二項第三項ニ掲ケタル者ハ未タ定限ニ達セスト雖モ其景狀ニヨリ敍勳ノ銓議ニ及フコトアルヘシ

第二十一條　（削除）

第二十二條　賞勳局總裁ハ各廳ノ上奏及ヒ具申ヲ檢査シ議定官ノ議決ニ付シタル後內閣總理大臣ヲ經テ上奏ス

第二十三條　（削除）

調査例則

第二十四條　勤務年數ハ左ノ例ニ照シテ計算ス

一　勅任官ハ勅任ト爲リタル日ヨリ起算ス奏任官判任官皆之ニ同シ其（等外判任）奏任勅任等歷進シタル者ハ各其前任ノ年數ヲ後任ノ半數トシテ通算スルヲ得從軍年ヲ加算スルトキモ亦此例ニ依ル

二　（有等出仕）ハ本官ノ算數ニ同シ（准勅奏判任）又ハ勅奏判任待遇若クハ勤務又ハ（無等出仕）（准官等）試補見習其他官制職制外ニ種種ノ名義ヲ設ケテ使用シ官吏ノ取扱ヲ爲シタル者ハ各本任ヨリ三分ノ一折減シテ算スルヲ得但官職ノ名義アリト雖モ一般官吏ノ取扱ヲ爲ササル者又ハ（准等外）又ハ雇ノ類ハ此限ニアラス

三　（准勅奏判任）又ハ勅奏判任待遇若クハ勤務名義ノ者又ハ名譽官ニシテ日常職務ニ服事セサル者ハ各本任ヨリ二分一ヲ折算ス

（准勅奏判任）又ハ勅奏判任待遇若クハ勤務名義ノ者ヲ擬敍セントスルトキハ其有等ノモノハ各本官ノ格ニ從ヒ無等ノモノハ各本任最下級ノ格ニ依ル

第二十五條　年月ノ計算ハ一年滿十二月ヲ以テシ（舊曆ノ閏月ハ除ク）一月ハ十五日ノ前後ヲ以テ區分ス

第二十六條　從軍シタル者ハ軍人恩給法ニ依リ從軍年ヲ加算スルヲ得

但日本國外ノ鎭戍ニ準シ又ハ一時出征軍ト看做スヘキ場合ニ於テハ議定官ノ議決ヲ以テ取捨ス

第二十七條　廢官廢廳其他退官退職後任官スル者又ハ豫備後備國民兵役ニ在リテ召集セラレタル者若クハ志願ニ依リ國民軍ニ編入セラレタル者ハ前後年數ヲ通算スルヲ得然レトモ服務紀律ニ依リテ旨ヲ諭サレ若クハ懲戒處分若クハ刑事裁判ニ依リ免官シタル者又ハ退官ノ後皇室ニ對スル罪ヲ犯シ若クハ國事犯ニ關スル刑ヲ受ケ又ハ禁錮以上ノ刑又ハ舊律ニ於テ除族若クハ懲役實決ノ刑ヲ受ケタル者任官スルコトアルモ官前年數ヲ通算スルヲ得ス

第二十八條　（削除）

第二十九條　非職休職停職待命中又ハ無任所外交官無任所領事タルノ年月（但兼官アル者ハ其兼官ニ依ル又別ニ勤務ヲ命セラレタル者ハ第二十四條第二項ニ依ル）又ハ免官後ノ御用滯在中ハ除算ス其廢官廢廳ノ際從前ノ通事務取扱又ハ舊官事務引繼ヲ特ニ命セラレタル時間ハ仍ホ在官者ト同シク算入スルヲ得

第三十條　官ニ等級ノ定メナキ者ハ其位階ト俸給トヲ視ヘ有等官ニ比準シテ算定ス

第三十一條　懲戒例ニ依リ罰俸一ケ月半以下ヲ科セラレタルトキハ勤務年數半年ヲ減算ス罰俸二ケ月以上ヲ科セラレタルトキハ一年ヲ減算ス再度以上皆此例ニ準ス

判事懲戒法ニ處セラレタルトキハ左ノ通減算ス

減俸	六月未満	半年
	六月以上	一年
轉所		一年半
停職	六月未満	二年
	六月以上	二年半

其舊律ニ觸レタル者ハ左ノ例ニ照シテ減算ス

但武官ノ減算法ハ陸海軍ニ於テ別ニ之ヲ定ム

刑名	刑期	減算年數
謹愼又ハ贖罪	二十日以上	半年
閉門又ハ贖罪	五十日以上	一年
降官		一年半
罰俸	五ヶ月以下	一年半
罰俸	六ヶ月以上	二年

明治三十年一月十二日前ニ懲戒處分ニ處セラレタル者ハ減算ノ限ニアラス

第三十二條 明治四年十一月府縣改置以前藩職及縣務ヲ奉シタル時間ハ除算ス 但維新ノ際新ニ置レタル府縣ハ此限ニアラス

第三十三條 敍勳內則ニ關スル取扱手續ハ賞勳局總裁之ヲ定メ各廳ヘ通牒ス

敍勳表

勳等＼官等	高等官 勅任：諸大臣 樞密院議長 陸海軍大將	前項外ノ親任官	任：陸海軍中將一等	奏：陸海軍少將竝相當官二等
勳一等	進級滿五年以上	進級滿七年以上	進級滿十年以上	
勳二等	初敍滿三年以上	初敍滿五年以上	進級滿七年以上	進級滿八年以上
勳三等			初敍滿八年以上	進級滿四年以上
勳四等				初敍滿七年以上
勳五等				
勳六等				
勳七等				
勳八等				

等　官

任								
三陸海軍大佐竝相當官等			進級滿八年以上	進級滿六年以上	進級滿四年以上	初敍滿十二年以上		
四陸軍中佐海軍大佐竝相當官等			進級滿九年以上	進級滿七年以上	進級滿五年以上	初敍滿十二年半以上		
五陸海軍少佐竝相當官等				進級滿八年以上	進級滿六年以上	初敍滿十三年以上		
六陸海軍大尉竝相當官等				進級滿九年以上	進級滿七年以上	初敍滿十三年半以上		
七陸軍中尉海軍大尉竝相當官等					進級滿八年以上	初敍滿十四年以上		
八陸海軍少尉竝相當官等					進級滿九年以上	初敍滿十四年半以上		
九等						初敍滿十五年以上		
判任官								
一陸海軍準士官等						進級滿十年以上	進級滿六年以上	初敍滿十七年以上
二陸軍曹長竝相當官海軍下士一等等							進級滿七年以上	初敍滿十八年以上
三陸軍(一等軍曹)竝相當官海軍下士二等等							進級滿八年以上	初敍滿十九年以上
四陸軍(二等軍曹)竝相當官海軍下士三等等							進級滿九年以上	初敍滿二十年以上

陸海軍準士官下士ノ初敍ハ別ニ定ムル所ニ依ル

貴族院竝衆議院議員敍勳ノ件（大正八年二月二十二日裁定）

一　兩院議長副議長竝議員ニハ敍勳内則中官吏ノ定期敍勳ニ關スル規定ヲ準用シ其ノ取扱ハ左ノ各項ニ依ルコト

二　兩院議長ハ親任官ト同一ニ取扱フコト

三　兩院副議長ハ高等官一等ト同一ニ取扱フコト

四　兩院議員ハ名譽官タル高等官二等ト同一ニ取扱フコト

右取扱例（大正八年二月二十五日裁可）

一議員在職年月ハ官吏ノ在職年月ト通算スルコト

一大正八年二月十二日前ニ於ケル議員ノ在職年月ヲモ計算スルコト

但シ前敍アル者ハ前敍後ノ年月ニ限ル

一大正八年二月十二日前ニ議員タリシ者ノ在職年月ハ將來議員又ハ官吏ト爲リタルトキ通算スルコト

但シ前敍アル者ハ前敍後ノ年月ニ限ル

一〇　敍勳内則取扱手續

大正元年八月
勳内第五三號

第一條　敍勳内則ニ揭クル等差及期限ハ積年勤勞シ成績顯著ナル者ヲ待ツ所以ナルヲ以テ縱令期限ニ滿ツルモ其ノ成績ヲ認ムルニ不充分ナル者ハ論ナク平素疾病其ノ他ノ事故ニ因リ曠職多キ者又ハ屢々懲戒セラレ其ノ他操行上議スヘキ實跡アル者ハ年限ノミニ拘泥シテ詮選ヲ失スルコトナキヲ要ス

第二條　敍勳内則第十九條第一項ニ據ル敍勳ノ上奏書又ハ具申書ニ添附スル履歷書ハ左ノ書式ニ依リ任免黜陟俸給ノ增減賞罰ノ要領敍位授爵等勳功勤勞ノ成績ヲ徵スヘキ事項ヲ字體明瞭ニ記載スヘシ

第三條　（削除）

第四條　敍勳上奏又ハ具申後授賜以前ニ於テ轉免黜陟死亡ノ者アルトキハ速ニ其事由ヲ賞勳局總裁ニ通知スヘシ

前項異動ノ通牒ニハ官名及有勳者ナルトキハ其勳等ヲ記入スヘシ

第五條　敍勳内則第十九條第一項ニ據ル敍勳上奏書又ハ具申書ニハ書式ニ依リ名簿ヲ添フヘシ名簿ハ進敍及初敍ニ區分シ進敍ノ者ハ勳等、初敍ノ者ハ官等順ニ依リ記載スヘシ

第六條　敍勳内則第二十四條第一項第二號及第三號ニ該當スル者ナルトキハ其ノ准官等待遇又ハ日常職務ニ服事セサル事等ヲ明記スヘシ

奏狀又ハ申牒書式（用紙美濃罫紙）

官位勳功學位爵氏名外何名儀敍勳又ハ出身以來常ニ職務ニ精勵シ勳勞不尠其ノ成績顯著ナルヲ確認ス仍テ各履歷書ヲ具シ及上奏（具申）候也

年　月　日

官學位爵　氏　名

進敍人名簿（用紙美濃紙）初敍人名簿準之（△印ハ朱書）

敍勳記番號	勤務年月	敍勳定限	擬敍勳等	官名	位	勳功	學位爵	官等	氏名
		△四年	△三		從四	四	文學博士男	△二	
		△六年	△四		正五	五		△三	

履歷書（用紙美濃紙）（△印ハ朱書）

官（兼官ノ者ハ兼官ヲモ記入スヘシ）位學位爵　氏　名

生　年　月　日

族籍　何府縣華士族平民
現住所　何府縣何郡市町村大字番地

年號	月日	任免賞罰等	資格	在職年數	通算
明治何年	月日	帝國大學法科大學卒業			
同	月日	文官高等試驗合格			奏任ノ半數何年何ヶ月
同	月日	任何省屬　何級俸	判任	何年何ヶ月	
同何年	月日	給何級俸			
同何年	月日	任何省參事官　高等官何等　何級俸下賜	奏任		勅任ノ半數何年何ヶ月
同何年	月日	敍高等官何等何級俸下賜		何年何ヶ月	
		△罰俸一ヶ月俸給百分ノ一		内六ヶ月減	
同何年	月日	敍何位			勅任ノ半數何年何ヶ月
同何年	月日	免官（依願、不具、癈疾）（傷痍、懲戒等）		殘何年何ヶ月	
同何年	月日	英國ニ留學何年何月歸朝			
同何年	月日	任何省書記官　高等官何等　何級俸下賜	奏任		
同何年	月日	官制改正何官　官等如故　何級俸		何年何ヶ月	勅任ノ半數何年何ヶ月
同何年	月日	敍高等官何等			
同何年	月日	休職被仰付			
同何年	月日	任何省何局長　高等官二等　何級俸下賜	勅任		
同何年	月日	授法學博士		何年何ヶ月	何年何ヶ月
同何年	月日	敍何位			
大正元年	十一月三十日		二等		合計何年何ヶ月

【進敍ノ者ハ左ノ書式ニ依ルヘシ】

履歷書（用紙同前）

官（職官同前）位勳功學位爵　氏　　名
舊氏名（敍勳後改氏名ノ場合）
生年月日
旭瑞第何號（現勳等ニ對スル勳記番號）　族籍（新ニ編屬ナリタルトキハ舊族籍ヲモ記載スヘシ）
現住所

年號	月日	任免賞罰等	資格	在職年數	通算
		何省何官　高等官何等	奏任		
明治何年	月日	勳何等何章（定期戰功等）			
同何年	月日	何院何官何等何級俸下賜	同	何年何ヶ月	何年何ヶ月
同何年	月日	何縣何官何等何級俸下賜（其他初敍者ノ履歷書ニ準ス）	同		
			何等		合計何年何ヶ月

二　朝鮮人官吏ノ定例敍勳ニ關スル件

大正九年四月
閣議第六一號

一　朝鮮人官吏ノ定例敍勳ニ關シテハ統監府事務開始ノ日即チ明治三十九年二月一日ヲ起算點トス

一　朝鮮軍人タリシ者ニ付テハ其在職期間ハ之ヲ前項定例敍勳ノ定限中ニ通算ス

一二　韓國併合記念章制定ノ件　明治四十五年四月 勅令第五六號

第一條　韓國併合記念ノ表章トシテ特ニ記念章ヲ設ク

第二條　記念章ノ圖式左ノ如シ

章　黃銅圓形徑一寸輪廓內表面上部ニ菊御紋、兩側緣ニ桐樹及李樹ノ花枝ノ圖、裏面上部ニ明治四十三年下部ニ八月二十九日、中央ニ韓國併合記念章ノ文字ヲ識ス

環　銀圓形

綬　織地幅一寸二分、中央紅色、其ノ左右黃色、兩緣白色

記念章ハ綬ヲ以テ左肋ニ佩フ

第三條　記念章ハ左ニ掲クル者ニ之ヲ授與ス

一　韓國併合ノ事業ニ直接關與シタル者及韓國併合ノ事業ニ伴フ要務ニ關與シタル者

二　韓國併合ノ際朝鮮ニ在勤シタル官吏及官吏待遇者竝韓國併合ノ際ニ於ケル韓國政府ノ官吏及官吏待遇者

三　從前日韓關係ニ於テ功績アリタル者

第四條　左ニ掲クル事項ノ一ニ該當スル者ニハ記念章ヲ授與セス但シ處刑、免官又ハ免職ノ後前條ニ該當スル者ハ此ノ限ニ在ラス

一　禁錮又ハ禁獄以上ノ刑ニ處セラレタルトキ

二　懲戒處分ニ依リ免官又ハ免職セラレタルトキ

第五條　記念章ハ本人ニ限リ終身之ヲ佩用シ子孫之ヲ保持スルコトヲ得

第六條　記念章ヲ授與セラルヘキ者ノ授與前死亡シタルトキハ之ヲ其ノ遺族ニ交付シテ保存セシム

第七條　記念章ヲ授與セラレタル者ノ名簿ハ賞勳局ニ於テ之ヲ保存ス前條ノ規定ニ依リ記念章ヲ交付セラレタル者ノ名簿亦同シ

（圖式略ス）

一三　勳章佩用式　明治二十一年十一月十七日 勅令第七六號

改正　二二年第一〇八號　大正八年五第一二三號

第一條　大勳位菊花章

菊花章ハ頸飾ヲ以テ喉下ニ佩ヒ其副章ヲ左肋ニ佩フ大綬ヲ以テ佩フル時ハ右肩ヨリ左脇ヘ垂レ其副章ハ左肋ニ佩フ但菊花章ヲ賜ヒタル者ハ旭日銅花大綬章瑞寶一等章ヲ併セ佩ルコトヲ得

第二條　寶冠章

一　勳一等寶冠章ハ大綬ヲ以テ右肩ヨリ左脇ニ垂レ其ノ副章ヲ左肋ニ佩フ

二　勳二等寶冠章以下ハ結蝶狀ノ綬ヲ以テ左肋ニ佩フ

第三條　旭日章

一　勳一等旭日桐花章竝旭日章ハ大綬ヲ以テ右肩ヨリ左脇ヘ垂レ其副章ヲ左肋ニ佩フ

二　勳二等旭日章ハ右肋ニ佩ヒ其副章ヲ中綬ヲ以テ喉下ニ佩フ

三　勳三等旭日章ハ中綬ヲ以テ喉下ニ佩フ

四　勳四等勳五等勳六等旭日章勳七等勳八等桐葉章ハ小綬ヲ以テ左肋ニ佩フ

第四條　瑞寶章

一　勳一等瑞寶章ハ大綬ヲ以テ右肩ヨリ左脇ヘ垂レ其副章ヲ左肋ニ佩フ

二　勳二等瑞寶章ハ右肋ニ佩フ

三　勳三等瑞寶章ハ中綬ヲ以テ喉下ニ佩フ

四　勳四等瑞寶章以下ハ小綬ヲ以テ左肋ニ佩フ

五　婦人ニ賜フ勳三等瑞寶章以下ハ結蝶狀ノ綬ヲ以テ左肋ニ佩フ

第五條　別種ノ勳章ハ之ヲ併佩ス其大綬章ハ之ヲ併佩セス

明治二十一年十一月十九日
賞勳局告示第一號

明治二十一年十一月勅令第七十六號勳章佩用式第三條第二項ニアル勳二等旭日章ノ副章ハ其製式勳三等旭日章ニ異ナルコトナシ

一四　勳章記章佩用心得

明治二十二年二月七日
賞勳局告示第一號

改正　大正五年三內閣告示第一號

第一款　一等勳章ヲ有スル者更ニ別種ノ一等勳章ヲ受ケタル時ハ（旭日桐花章ト旭日章トハ同種ナリ併佩スルコトナシ）後ニ受ケタル一等勳章ノ正章竝ニ其副章ト前ニ受ケタル一等勳章ノ副章トヲ併佩スヘシ

第二款　二等以下ノ勳章ヲ有スル者更ニ同種上級ノ勳章ヲ受ケタル時ハ其下級ノ勳章ヲ佩フルコトヲ止ム別種ノ同級若クハ上級ノ勳章ヲ受ケタル時ハ之ヲ併佩スヘシ

第三款　二等勳章若クハ一等ノ副章兩箇以上ヲ併佩スル時ハ後ニ受ケタルモノヲ前ニ受ケタルモノノ位置ニ付テ其上位ニ列佩スヘシ

第四款　三等勳章兩箇以上ヲ併佩スル時ハ後ニ受ケタルモノヲ前ニ受ケタルモノノ位置ノ上ニ佩フヘシ

第五款　四等勳章以下兩箇以上ヲ併佩スル時ハ後ニ受ケタルモノヲ前ニ受ケタルモノノ位置ノ右ニ佩ヒ其記章若クハ褒章ヲ有スル者ハ之ヲ勳章ノ位置ノ左ニ列佩スヘシ

第六款　勳章ハ男子ハ大禮服及ヒ通常禮服（燕尾服）著用ノ時佩フヘシ記章及ヒ褒章ヲ有スル者亦同シ

通常禮服著用ノ時ハ大綬章ヲ上衣ノ下ニ佩ヒ其副章ヲ上衣ノ上ヘ其位置ニ佩フ又大綬章ヲ胴衣ノ下襯衣ノ上ニ佩ヒ副章ヲ上衣ノ上ヘ其位置ニ佩フルコトアリ時宜ニ依リ大綬章ヲ省キ其副章ノミヲ佩フルコトアルヘシ

旭日二等章ヲ有スル者通常禮服著用ノ節ハ其副章ヲ省クコトアルヘシ

第七款　勳章ハ婦人ハ大中小禮服著用ノ時佩フヘシ

一等勳章ヲ有スル者大禮服ニハ大綬章及ヒ副章ヲ佩フ中小禮服ニハ時宜ニ依リ大綬章ヲ省キ副章ノミ佩フルコトアルヘシ又通常禮服ニハ時宜ニ依リ副章ノミ佩フルコトアルヘシ

二等以下ノ勳章ヲ有スル者ハ通常禮服著用ノ時ニ於テモ時宜ニ依リ之ヲ佩フルコトアルヘシ

外國勳章記章

第八款　外國勳章佩用方ハ各彼ノ規則ニ依ル

第九款　我勳章ヲ有スル者我勳章ヲ佩ヒスシテ彼ノ勳章ノミヲ佩フヘカラス

第十款　彼我ノ大綬章ヲ有スル者ハ彼ノ大綬章ヲ佩ヒ之ニ屬スル副章ノミヲ我副章ノ位置ノ下若クハ次ニ列佩スヘシ

但外交ノ時宜ニ依リ彼ノ大綬章及ヒ其副章ヲ佩フル時ハ我大綬章ヲ省キ我副章ハ併佩スヘシ

第十一款　彼我ノ綬ヲ用ヒサル勳章ヲ併佩スル時ハ彼ノ勳章ヲ我勳章ノ位置ノ下若クハ次ニ列佩スヘシ

第十二款　彼我ノ喉下ニ佩フル勳章ヲ併佩スル時ハ彼ノ勳章ヲ我勳章ノ位置ノ下ニ佩フヘシ

第十三款　彼我ノ左肋ニ佩フル勳章ヲ併佩スル時ハ彼ノ勳章ヲ我勳章ノ位置ノ左ニ列佩スヘシ

第十四款　彼ノ左肋ニ佩フル勳章ヲ我記章及ヒ褒章ト併佩スル時ハ我記章及褒章ヲ彼ノ勳章ノ位置ノ左ニ列佩スヘシ

第十五款　彼ノ記章ト我記章及ヒ褒章ト併佩スル時ハ之ヲ我記章及ヒ褒章ノ位置ノ左ニ列佩スヘシ

一五　功六級勳七等以下ノ勳章及記章褒賞ノ佩用ニ關スル件

大正八年二月
内閣告示第一號

功六級勳七等以下ノ勳章及記章褒章ハ時宜ニ依リ男子ハ紋付羽織袴婦人ハ白襟紋服（朝鮮人及臺灣人等ニ在リテハ之ニ相當スル服裝）著用ノ節衣服ノ左肋ニ之ヲ佩用スルコトヲ妨ケス

一六　外國勳章佩用願規則

明治十八年十一月二十一日
太政官布告第三五號

改正　三一年勅令第三三九號

明治十一年六月第拾五號布告外國勳章佩用免許願手續左ノ通改正ス

第一條　外國ノ勳章ヲ受領シ之ヲ佩用セントスル者ハ賞勳局總裁ヘ願出免許狀ヲ受クヘシ

第二條　佩用願書ニハ勳章勳記其他關係書類ヲ添ヘ賞勳局總裁ヘ差出スヘシ

第三條　外國ノ勳章ヲ佩用スル者死亡シタルトキハ三十日以内ニ其旨ヲ遺族又ハ親戚ヨリ賞勳局ヘ届出ヘシ

第四條　外國ノ記章（從軍記章人命救助記章博覽會記章ノ類）ヲ受領シ之ヲ佩用セントスル者ハ總テ此規則ニ準據スヘシ

右奉　勅旨布告候事

一七　略章略綬佩用心得

明治二十二年二月十二日
賞勳局告示第二號

一　各種勳章ノ略章（凡ソ徑曲尺五六分若クハ其以下ノ大サニシテ勳章ノ形ト彩色トヲ備ヘタル略小勳章ヲ謂フ）ハ通常禮服著用ノ時或ル場合ニ於テ鏈鎖或ハ小綬ヲ以テ左肋ニ佩用スルヲ得外國勳章ノ略章モ亦同シ

二　略綬ハ通常禮服通常服著用ノ節左襟見返シノ鈕孔ニ掛ケ佩フヘシ

三　略綬ハ別種二箇以上ノ勳章ヲ有スル者各其綬ト同色ナル絹ヲ以テ二箇若クハ數箇合併ノモノヲ製シ之ヲ佩用スルヲ得又内外數種ノ勳章ヲ有スル者ハ内外數箇合併ノ略綬ヲ製シ之ヲ佩用スルコトヲ得

四　我略綬ヲ佩ヒテ外國ノ勳章ヲ佩フルコトナシ

五　勳章ト褒章トヲ有スル者勳章ノ略綬ヲ佩ヒスシテ褒章ノ略綬ヲ佩フルコトナシ

六　略綬ハ勳章、記章、褒章又ハ略章ト同時ニ佩フルコトナシ外國ノ勳章、記章、褒章ニ付又同シ

附　則

本令ハ公布ノ日ヨリ之ヲ施行ス

本令施行前褒章ヲ授與セラレタル者其略綬ヲ佩用セントスルトキハ制式ニ從ヒ各自之ヲ調製スヘシ

（圖省略）

一八　勳章記章褒章ノ佩用取締ニ關スル件

明治四十一年十二月
勅令第二九二號

第一條　勳章又ハ布告、勅令ニ依リ制定セラレタル各種ノ記章、褒章ヲ佩用シタル者又ハ其ノ佩用ノ停止ニ違反シタル者ハ五十圓以下ノ罰金、拘留又ハ科料ニ處ス外國勳章記章ノ佩用禁止若ハ停止ニ違反シタル者又ハ佩用免許狀ナクシテ佩用シタル者亦同シ

第二條　勳章又ハ布告、勅令ニ依リ制定セラレタル各種ノ記章、褒章ニ類似シタル標章ヲ佩用シタル者ハ拘留又ハ科料ニ處ス外國勳章ニ類似シタル標章ヲ佩用シタル者亦同シ

附　則

明治二十八年勅令第百十八號ハ之ヲ廢止ス

日本赤十字社ノ記章ノ佩用ニ關スル例規ハ本令ニ依リ變更ヲ受クルコトナシ

一九　舊韓國勳章及記章ノ佩用ニ關スル件

明治四十三年八月
勅令第三三四號

舊韓國ノ勳章及記章ハ當分ノ內之ヲ佩用スルコトヲ得

附　則

本令ハ公布ノ日ヨリ之ヲ施行ス

二〇　勳章褫奪令

明治四十一年十二月
勅令第二九一號

改正　四二年五第一二〇號

第一條　勳章ヲ有スル者死刑、懲役又ハ無期若ハ三年以上ノ禁錮ニ處セラレタルトキハ其ノ勳等、功級又ハ年金ハ之ヲ褫奪セラレタルモノトシ外國勳章ハ其ノ佩用ヲ禁止セラレタルモノトス但シ第二條第一項第一號ノ場合ハ此ノ限ニ在ラス

前項ノ場合ニ於テハ勳章、勳記、功記、年金證書又ハ外國勳章佩用免許證ハ之ヲ沒取ス前級ノ勳記又ハ功記ニ付亦同シ

第二條　勳章ヲ有スル者左ノ各號ノ一ニ該當スルトキハ情狀ニ依リ其ノ勳等、功級又ハ年金ヲ褫奪シ外國勳章ハ其ノ佩用ヲ禁止ス

一　刑ノ執行ヲ猶豫セラレタルトキ

二　三年未滿ノ禁錮ニ處セラレタルトキ

三　懲戒ノ裁判又ハ處分ニ依リ免官又ハ免職セラレタルトキ

四　素行修ラス帯勲者タルノ面目ヲ汚シタルトキ

前項ノ場合ニ於テハ前條第二項ノ規定ヲ適用ス

第三條　勲章ヲ有スル者法令ニ因リ拘禁セラレ又ハ勞役場ニ留置セラレタルトキハ其ノ期間勲章ヲ佩用シ又ハ之ニ屬スル禮遇、特權ヲ享クルコトヲ得ス外國勲章ハ其ノ佩用ヲ停止ス保釋、責付、假出獄又ハ刑ノ執行猶豫ノ期間亦同シ

第四條　勲章年金ヲ有スル者拘留セラレ又ハ禁錮以上ノ刑ニ因リ拘禁セラレタルトキハ其ノ其期間年金ヲ受クルコトヲ得ス保釋、責付、假出獄又ハ刑ノ執行猶豫ノ期間亦同シ但シ處刑セラルルコトナクシテ釋放若ハ放免セラレ又ハ刑ノ執行猶豫ノ言渡ヲ取消サルルコトナクシテ猶豫ノ期間ヲ經過シ且其ノ期間勲章ヲ褫奪セラレサル者ハ拘留ノ日ニ遡リ年金ヲ受ク

第五條　三年未滿ノ禁錮ニ處セラレ刑ノ執行ヲ了リタルトキ又ハ懲戒ノ裁判若ハ處分ニ因リ免官若ハ免職セラレタルトキハ勲章褫奪ニ關スル決定アル迄勲章ヲ佩シ及之ニ屬スル禮遇、特權又ハ年金ヲ享受スルコトヲ得ス外國勲章ハ其ノ佩用ヲ停止ス但シ勲章褫奪ノ處分ニ及ハサルトキハ停止ノ始ニ遡リテ年金ヲ受ク

第六條　本令ハ記章、褒章ノ褫奪又ハ其ノ佩用停止及外國勲章ノ佩用禁止又ハ停止ニ之ヲ準用ス

附　則

本令ハ公布ノ日ヨリ之ヲ施行ス

明治十六年太政官布告第二十二號及明治三十二年勅令第二百九號之ヲ廢止ス本令ハ本令施行前ヨリ引續キ法令ニ因リ拘禁セラレタル者及保釋、責付、假出獄又ハ刑ノ執行猶豫中ノ者ニ之ヲ準用ス

二一　勲章褫奪令施行細則

明治四十一年十二月
閣令第二號

改正　大正二年二第一號　八年八第九號

第一條　勲章褫奪令第二條第一項第一號乃至第三號ノ場合ニ於テハ確定裁判ヲ爲シタル官廳ノ長官若ハ檢察官又ハ懲戒處分ヲ爲シタル官廳若ハ行政廳ヨリ判決ノ謄本若ハ懲戒事由明細書ヲ添ヘ第一號書式ニ依リ賞勲局總裁ニ申牒スヘシ

前項判決ノ謄本ハ證據説明ノ部分ヲ省略シタル判決ノ抄本ヲ以テ之ニ代フルコトヲ得第一項ノ申牒ヲ爲シタル後褫奪又ハ佩用禁止ニ關スル決定未濟ノ者ニ對シ刑ノ言渡ノ效力ヲ失ハシムル特赦又ハ特旨ニ依ル懲戒ノ免除アリタルトキハ其ノ旨賞勲局總裁ニ申牒スヘシ

第二條第一項第四號ノ場合ニ於テハ所轄長官又ハ地方長官ヨリ素行明細書ヲ添ヘ賞勲局總裁ニ申牒スヘシ

第二條　勲章褫奪令第四條ニ掲クル事由生シタルトキハ當該官廳又ハ行政廳ハ第二號書式ニ依リ賞勲局總裁ニ申牒スヘシ但シ拘留後ノ保釋、責付及假出獄ニ付テハ此ノ限ニ在ラス

第三條　勲章褫奪令第一條第二項ノ處分ハ賞勲局總裁ノ囑託アリタルモノト看做シ當該裁判所ノ長官若ハ檢察官之ヲ行ヒ同第二條第二項ノ處分ハ賞勲局總裁當該裁判所ノ長官若ハ檢察官又ハ申牒ヲ爲シタル官廳若ハ行政廳ニ囑託シテ之ヲ行フ

勲章褫奪令第一條第二項ノ處分ヲ爲シタルトキハ第三號書式ニ依リ賞

勳局總裁ニ申牒スヘシ

第四條 勳章褫奪令第二條第一項第二號及第三號ノ場合ニ於テ勳章褫奪ノ處分ニ及ハサルモノト決定シタルトキハ賞勳局總裁ハ當該官廳又ハ行政廳ヲシテ其ノ旨ヲ本人ニ通知セシムヘシ

第五條 本令ハ記章、褒章ノ沒取及外國勳章記章ノ佩用免許證ノ沒取ニ之ヲ準用ス

附　則

本令ハ公布ノ日ヨリ之ヲ施行ス

明治十九年閣令第十九號ハ之ヲ廢止ス但シ本令施行前已ニ手續中ノモノニ付テハ仍從前ノ例ニ依ル

第一號書式

申牒書

位勳功　氏　名

一　裁判確定年月日

調査事項／勳章、年金、記章又ハ褒章ノ種類								
勳記、功記、年金證書、記章證狀、褒章證狀、外國勳章佩用免許證又ハ外國記章佩用免許證ノ番號								
授賜又ハ佩用免許ノ年月日								
授賜又ハ佩用免許當時ノ官職								
授賜又ハ佩用免許當時ノ所屬廳又ハ部隊								
授賜又ハ佩用免許當時ノ氏名								
明治三十七八年戰役ニ關スルモノハ發表官報年月日及頁數								

右勳章褫奪令施行細則第一條第一項（第四項）ノ規定ニ依リ及申牒候也

年　月　日

官職　氏　名　印

賞勳局總裁

備　考

勳章、年金、記章又ハ褒章ノ種類ノ項ニハ左ノ順序ニ依リ記載スヘシ

一　勳章
二　勳章年金
三　記章
四　褒章
五　外國勳章
六　外國記章

勳記、功記、年金證書、記章證狀、褒章證狀、外國勳章佩用免許證又ハ外國記章佩用免許證ノ番號ヲ記載シタルトキハ他ノ調査事項ヲ記載スルコトヲ要セス

第二號書式

申牒書

本人ノ氏名

一　勾留、拘禁、釋放又ハ放免ノ日

一　刑ノ執行猶豫ノ言渡アリタルトキハ裁判確定ノ日及執行猶豫ノ期間

一 刑ノ執行猶豫ヲ受ケ勳章ヲ褫奪セラレサル者執行猶豫ノ言渡ヲ取消サルルコトナクシテ猶豫ノ期間ヲ經過シタルトキハ其ノ旨

調査事項 ＼ 年金ノ種類		
年金證書ノ番號		
年金額		
年金賜與ノ年月日		
賜與當時ノ官職		
賜與當時ノ所屬廳又ハ部隊		
明治三十七八年戰役ニ關スルモノハ發表官報年月日及頁數		

右勳章褫奪令施行細則第二條ノ規定ニ依リ及申牒候也

年　月　日　　官職　氏　名　印

賞勳局總裁

備考

年金證書ノ番號ヲ記載スルコト能ハサルトキハ勳記又ハ功記ノ番號ヲ記載スヘシ年金證書ノ番號又ハ勳記若ハ功記ノ番號ヲ記載シタルトキハ他ノ調査事項ヲ記載スルコトヲ要セス

第三號書式

申牒書

勳功　氏　名

一 罪名

一 刑名

一 刑期

一 裁判確定年月日

調査事項 ＼ 勳章、年金、記章又ハ褒章ノ種類								
勳記、功記、年金證書、記章證狀、褒章證狀、外國勳章佩用免許證又ハ外國記章佩用免許證ノ番號								
授賜又ハ佩用免許ノ年月日								
授賜又ハ佩用免許當時ノ官職								
授賜又ハ佩用免許當時ノ所屬官廳又ハ部隊								
授賜又ハ佩用免許當時ノ氏名								
明治三十七八年戰役ニ關スルモノハ發表官報年月日及頁數								

右勳章褫奪令施行細則第三條第二項ノ規定ニ依リ及申牒候也

年　月　日　　官職　氏　名　印

賞勳局總裁

備考

勳章、年金、記章又ハ褒章ノ種類ノ項ニハ左ノ順序ニ依リ記載スヘシ

一 勳章

二 勳章年金

三 記章

四　褒章
五　外國勳章
六　外國記章

勳記、功記、年金證書、記章證狀、褒章證狀、外國勳章佩用免許證又ハ外國記章佩用免許證ノ番號ヲ記載シタルトキハ他ノ調査事項ヲ記載スルコトヲ要セス

二二　勳章還納手續

明治二十二年三月二十二日
閣令第九號

第一條　同種上級ノ勳章ヲ授與セラレタル者ハ一週間以內ニ其下級ノ勳章ヲ賞勳局ヘ還納スヘシ

第二條　同種上級ノ勳章ヲ賞勳局ノ送達ニヨリ受領シタル者ハ直ニ其領票ト共ニ下級ノ勳章ヲ同局ヘ差出スヘシ

官廳ヲ經テ受領シタル者ハ其官廳ヘ差出シ官廳ハ之ヲ賞勳局ヘ送付スヘシ

第三條　外國人ノ勳等進級シ同種上級勳章ヲ受ケタル者モ亦此手續ニ從ヒ下級ノ勳章ヲ還納スヘシ其外國ニ在ル者ハ最寄我公使館又ハ領事館ヘ差出スヘシ

第四條　公使館又ハ領事館ニ於テ前條勳章ヲ領收シタルトキハ外務省ヘ送付シ同省ハ之ヲ賞勳局ヘ送付スヘシ

第五條　勳章還納ニ關スル費用ハ受章者ノ自辨トス又官廳ヨリ賞勳局ヘ送付スルモノハ其官廳ニ於テ支辨スヘシ

附　則

一　從前同種勳章ニ進敍シタル者ハ東京ハ二週間以內各地方ハ三十日以內ニ下級ノ勳章ヲ還納スヘシ我國在留ノ外國人亦同シ其外國ニ在ル者ハ手續第五條ニ依ルヘシ

但進級者既ニ死亡シタルトキハ本文ノ限ニアラス

二三　帶勳者犯罪ニ關スル往復文書經由ノ件

明治四十五年二月
官通第三六號

司法部長官

裁判所ノ長宛

勳章褫奪令施行細則及本部官報第二五四號掲載（四十四年）官通牒第二〇六號ニ依ル往復文書ハ直接賞勳局ヘ發送相成候向有之候得共右ハ裁判所及檢事局處務規程第二條ニ依リ本府經由ヲ要スル儀ニ有之候條御了知相成度此段及通牒候也

二四　褒章條例

明治十四年十二月七日
太政官布告第六三號

改正　二七年勅令第一號　大正七年九第三四九號　九年一第二四號　一〇年四第一四七號

褒賞條例別紙ノ通相定來明治十五年一月一日ヨリ之ヲ施行ス

右奉　勅旨布告候事

（別紙）

褒章條例

第一條　凡ソ自己ノ危難ヲ顧ミス人命ヲ救助シタル者又ハ孝子順孫節婦義僕ノ類ニシテ德行卓絕ナル者又ハ實業ニ精勵シ衆民ノ模範タルヘキ者又ハ學術技藝上ノ發明改良著述、敎育衞生慈善防疫ノ事業、學校病

院ノ建設、道路河渠堤防橋梁ノ修築、田野ノ墾闢、森林ノ栽培、水産ノ繁殖、農商工業ノ發達ニ關シ公衆ノ利益ヲ興シ成績著明ナル者又ハ公同ノ事務ニ勤勉シ勞效顯著ナル者又ハ公益ノ爲私財ヲ寄附シ功績顯著ナル者ヲ表彰スル爲左ノ四種ノ褒章ヲ定ム

紅綬褒章

右自己ノ危難ヲ顧ミス人命ヲ救助シタル者ニ賜フモノトス

綠綬褒章

右孝子順孫節婦義僕ノ類ニシテ德行卓絶ナル者又ハ實業ニ精勵シ衆民ノ模範タルヘキ者ニ賜フモノトス

藍綬褒章

右學術技藝上ノ發明改良著述、敎育衛生慈善防疫ノ事業、學校病院ノ建設、道路河渠堤防橋梁ノ修築、田野ノ墾闢、森林ノ栽培、水産ノ繁殖、農商工業ノ發達ニ關シ公衆ノ利益ヲ興シ成績著明ナル者又ハ公同ノ事務ニ勤勉シ勞效顯著ナル者ニ賜フモノトス

紺綬褒章

右公益ノ爲私財ヲ寄附シ功績顯著ナル者ニ賜フモノトス

第二條　本條例ニ依リ表彰セラルヘキ者團體ナルトキハ褒狀ヲ賜フ

第三條　已ニ褒章ヲ賜ハリタルモノ再度以上同樣ノ實行アリテ褒章ヲ賜フヘキトキハ其都度飾版一箇ヲ賜與シ其章ノ綬ニ附加セシメ以テ標識トス

第四條　褒章ハ本人ニ限リ終身之ヲ佩用スルコトヲ得

第五條　第一條ノ規定ニ依リ褒章ヲ賜フヘキ者ニハ褒章ト金銀木杯又ハ金圓トヲ併セ賜フコトアルヘシ

第六條　第一條ノ規定ニ準スヘキ奇特ノ行爲アリタルモノニハ金銀、木杯、金圓又ハ褒狀ヲ賜フコトアルヘシ

第七條　本條例ニ依リ表彰セラルヘキ者死亡シタルトキハ金銀木杯金圓又ハ褒狀ヲ其遺族ニ賜ヒ之ヲ追賞ス

第八條　第六條ニ依ル行賞ニシテ金銀杯ノ賜與二十圓ヲ超ユル金圓ノ賜與及千圓以上ノ寄附ニ對スル褒狀ノ賜與ハ賞勳局總裁之ヲ專行ス

第六條ニ依ル行賞ニシテ木杯ノ賜與二十圓以下ノ金圓ノ賜與及千圓未滿ノ寄附ニ對スル褒狀ノ賜與ハ地方長官之ヲ專行ス

第九條　本條例中地方長官ニ屬スル職務ハ朝鮮、臺灣、關東州及南滿洲鐵道附屬地、樺太並外國ニ於テハ各朝鮮總督、臺灣總督、關東長官、樺太廳長官、領事官之ヲ行フ

附　則（大正九年一月勅令第二十四號）

本令ハ公布ノ日ヨリ之ヲ施行ス

明治十六年太政官布告第一號ハ之ヲ廢止ス

褒章ノ圖

章	銀櫻花紋圓形徑九分
鈕竝飾版	銀
綬	幅一寸種類ニヨリ紅綠藍紺四色ノ別アリ

佩用式

一褒章ハ左助ノ邊ヘ佩フヘシ

但シ勳章及從軍記章ヲ有スル者ハ其章ノ左ヘ列シ帶フヘシ

二五　褒章條例取扱手續

明治二十七年一月六日
閣令第一號

改正　大正九年一第一號

明治十四年第百三號達褒章條例取扱手續左ノ通リ改正ス

第一條　褒章條例ニ依リ褒章ヲ賜フヘキ者アルトキハ地方長官主務大臣ニ具申シ主務大臣ハ其當否ヲ審査シ賞勳局總裁ヘ申牒スヘシ

第二條　賞勳局總裁ハ申牒書ヲ覆覈シ褒章ヲ賜フヘキモノト認ムルトキハ奏請裁可ヲ得在東京ノ者ニハ之ヲ直授シ其ノ他ノ者ニハ主務大臣ヲ經由シテ之ヲ傳達スヘシ

第三條　外國人ニ褒章ヲ賜フヘキトキハ主務大臣外務大臣ト連署シテ之ヲ申牒スヘシ授與ノトキハ外務大臣ヲ經由シテ之ヲ傳達ス其ノ公私傭ニ係ル者ハ第一條ニ依ル

第四條　褒章條例第八條第一項ニ依リ賞勳局總裁ノ專行ニ屬スル行賞ニ該ル者アルトキハ地方長官主務大臣ニ具申シ主務大臣其ノ當否ヲ審査シ賞勳局總裁ヘ申牒スヘシ授與ノトキハ主務大臣ヲ經由シテ之ヲ傳達ス

第五條　行賞ニ關シ二以上ノ地方長官具申又ハ專行スヘキ場合ニ於テハ關係地方長官ノ協議ニ依リ其ノ一地方長官之ヲ行フコトヲ得

第六條　外國人ニ對スル金銀木杯、金圓又ハ褒狀ノ賜與ハ內國人ノ例ニ依ル但シ帝室ノ貴賓又ハ外國使臣ニ對スル賜與ハ外務大臣賞勳局總裁ヘ申牒スヘシ授與ノトキハ外務大臣ヲ經由シテ之ヲ傳達ス

第七條　褒章條例ニ依リ表彰セラルヘキ者具申後行賞前ニ於テ死亡シ又

ハ罰金以上ノ刑ニ該ル罪ヲ犯シタル者ナルコトヲ知リタルトキハ地方長官ハ速ニ其旨主務大臣ニ申報シ主務大臣ハ之ヲ賞勳局總裁ニ通知スヘシ

第八條　本令中主務大臣ノ職務ハ朝鮮、臺灣、關東州及南滿洲鐵道附屬地ニ在リテハ各朝鮮總督、臺灣總督、關東長官之ヲ行ヒ地方長官ノ職務ハ朝鮮臺灣、關東州及南滿洲鐵道附屬地樺太竝外國ニ在リテハ各朝鮮總督、臺灣總督、關東長官、樺太長官、領事官之ヲ行フ

附　則

本令ハ公布ノ日ヨリ之ヲ施行ス

明治十六年太政官達第十七號金銀木杯金圓賜與手續及明治四十四年閣令第十三號ハ之ヲ廢止ス

二六　褒章條例取扱手續等ニ依リ府縣知事及主務大臣ノ職務ヲ行フ官吏

明治四十四年十一月
閣令第一三號

朝鮮、臺灣、關東洲及南滿洲鐵道附屬地、樺太、外國ニ於ケル褒章、褒狀、金銀木杯、金圓ノ賜與ニ付テハ褒章條例取扱手續及金銀木杯金圓賜與手續ニ依リ府縣知事ノ職務ハ朝鮮總督、臺灣總督、關東都督、樺太廳長官、領事官之ヲ行ヒ主務大臣ノ職務ハ朝鮮、臺灣、關東洲及南滿洲鐵道附屬地ニ在リテハ朝鮮總督、臺灣總督、關東都督之ヲ行フ

二七　褒賞ニ關スル件

明治四十五年一月
官通第三號

總務部長官

各所屬官署長宛

褒賞條例ニ依リ自己ノ危險ヲ顧ミス人命ヲ救助シタル者ヲ褒賞スル場合ハ警察賞與ヲ取扱フ關係上自今本府警務總長ヨリ申請可致事ニ決定相成候條御了知相成度依命此段及通牒候也

二八　褒賞ニ關スル件

明治四十五年七月
官通第二七二號
總務局長

各部長官
官房土木局長
各所屬官署長　宛

府縣郡市區町村及市ノ區竝町村內ノ部落又ハ水利組合（居留民團）等ヨリ（朝鮮ニ於テハ目下居留民團ノミ）國又ハ公共團體ヘ土地若クハ金品ヲ寄附シタルモノニ對スル行賞ハ自今廢止セラレ候旨賞勳局總裁ヨリ通牒有之候條此段及通牒候也

追テ本年末日迄ニ賞勳局ニ到達ノ分ニ限リ從前ノ通取扱可相成モ同日以後ノ分ハ寄附受領年月日ノ前後ヲ問ハス總テ行賞セサル旨併テ通知有之候條爲念申添候也

二九　金銀木杯金圓賜與手續第二條ニ依ル褒賞取扱方ニ關スル件

大正二年十二月
官通第四一二號
政務總監

各部長官
官房各局長
各所屬官署長　宛

壹圓未滿ノ金額又ハ價格ヲ有スル物品等ヲ寄附シタル者ノ褒賞取扱方ニ關シテハ大正三年一月一日ヨリ道長官專行ノモノハ道報ニ掲載シ褒狀ニ代フルコトニ定メラレ候條此段及通牒候也

三〇　褒賞ニ關スル件

明治四十五年七月
官通第二四九號

府縣市區町村及市ノ區竝町村內ノ部落又ハ水利組合居留民團等ヨリ（朝鮮ニ於テハ目下居留民團ノミ）國又ハ公共團體ヘ土地若ハ金品ヲ寄附シタルモノニ對スル行賞ハ自今廢止セラレ候旨賞勳局總裁ヨリ通牒有之候條此段及通牒候也

追テ本月末日迄ニ賞勳局ニ到達ノ分ニ限リ從前ノ通取扱可相成モ同日以後ノ分ハ寄附受領年月日ノ前後ヲ問ハス總テ行賞セサル旨併テ通知有之候條爲念申添候也

三一　敍勳者等族籍氏名變更屆出方

大正三年十二月二十九日
內閣告示第六號

勳等、功級ニ敍セラレ又ハ記章、褒章ヲ授與セラレタル者族籍、氏名ヲ變更シタルトキハ其ノ旨速ニ賞勳局ニ屆出ヘシ變更後未タ屆出サル者亦同シ

前項ノ者死亡シタルトキハ家督相續人、戶主又ハ親族ヨリ屆出ヘシ死亡後未タ屆出サル者亦同シ

屆書ニハ勳等、功級ニ敍セラレ又ハ記章、褒章ヲ授與セラレタル者ノ氏

名、勳等功級、勳章、記章、褒章ノ名稱、勳記功記年金證證狀章記ノ番號ヲ明記スヘシ

三二　勳等進敍ノ節同種下級ノ勳章還納方

明治二十二年三月二十二日
勅令第三八號

勳等進敍シ同種ノ上級勳章ヲ受ケタル者ハ其下級ノ勳章ヲ賞勳局ヘ還納スヘシ
但勳記ハ還納スルノ限ニアラス

三三　寄附者行賞ニ關スル件

大正九年五月
官通第四一號

秘書課長

各局長、官房各部課長
各所屬官署ノ長　宛

寄附者行狀ニ關シ左記ノ通決定相成候ニ付御了知相成度此段及通牒候也

追テ大正八年五月二十四日官通牒第七十六號ハ廢止セラレタルニ付御了知相成度

記

地方廳以外ノ官署ニ對シ寄附シタル者ノ行賞方ニ付テハ從來寄附金額百圓以上ノモノハ總テ本府ニ於テ取扱ヒタルモ所屬官署委任事項規程改正ニ依リ四月一日ヨリ寄附金額千圓未滿ノモノニ在リテハ道知事ニ於テ取扱フコトニナリタルヲ以テ其ノ寄附ヲ受領シタル官署ハ寄附者現住地ノ道知事ニ其ノ旨通知スルコト但シ朝鮮以外ノ地ニ住所ヲ有スル寄附者ニ就テハ寄附物件不動產ニ在リテハ其ノ所在地道知事、動產ニ在リテハ直接之ヲ使用スヘキ官署ノ所在地道知事ニ通知スヘキモノトス

三四　勳章記章褒章等受領者諸屆出手續

明治三十一年十月十日
賞勳局告示第一號

從來勳章記章褒章等受領者諸屆出ノ節地方廳ヲ經由シタルモノ自今其儀ニ及ハス直ニ賞勳局總裁ヘ差出スヘシ

三五　舊韓國勳章受領ノ朝鮮人犯罪申牒ノ件

明治四十四年七月
官通第二百六號

司法部長官

裁判所長宛

舊韓國勳章受領ノ朝鮮人ニシテ禁錮又ハ禁獄以上ノ刑ニ處セラレタル者アルトキハ判決裁判所ノ長ヨリ該判決ノ謄本ヲ添ヘ賞勳局總裁ヘ申牒スヘキコトニ決定候條御了知相成度此段及通牒候也

三六　勳章、勳記、功記、年金證書又ハ外國勳章佩用免許證沒收ノ場合ニ於テ犯人ノ本籍戶籍吏ニ通知ノ件

明治四十三年三月
統訓第一號

勳章褫奪令施行細則第三條ノ規定ニ依リ勳章、勳記、功記、年金證書又ハ外國勳章佩用免許證ヲ沒收シタルトキハ犯人ノ本籍地戶籍吏ニ其ノ旨通知スヘシ

三七　朝鮮警察賞與規程

明治四十四年六月
總令第七六號

改正　大正七年四第三三號　八年八月第一三五號

第一條　警察賞與ハ左ノ各號ノ一ニ關シ特ニ功勞アリト認ムル者ニ對シ之ヲ行フ

一　逃走囚人又ハ刑事被告人ノ搜索及逮捕
二　匪賊ノ討伐、搜索及警戒
三　人命救護
四　水火災、惡疫流行其ノ他天災事變ニ對スル防禦救濟
五　急遽ノ際警察官又ハ其ノ職務ヲ行フ者ノ請求ニ應シテ爲シタル補助
六　豺ノ捕殺

第二條　警察官又ハ其ノ職務ヲ行フ者ニ對シテハ其ノ功勞特ニ顯著ナルトキニ限リ賞與ヲ行フモノトス

第三條　警察賞與ヲ分チテ左ノ三種トス

一　五十圓以上五百圓以下ノ特別賞與
二　五十圓以下ノ賞與
三　賞狀

第四條　第一條第一號ノ賞與ハ犯罪ノ事實明白ナリト認ムヘキトキハ確定判決ニ至ラサル場合ト雖之ヲ行フコトヲ得

第五條　功勞者賞與ヲ受クルニ至ラスシテ死亡シ又ハ所在不明ナルトキハ賞與物件ハ左ノ順序ニ從ヒ之ヲ最近親族ニ給ス但シ同順位ノ者二人以上アルトキハ男ハ女ニ先チ長ハ幼ニ先ツ

一　配偶者
二　同一ノ家ニ在ル直系卑屬
三　同一ノ家ニ在ル直系尊屬
四　同一ノ家ニ在ル兄弟姉妹

第六條　左ノ各號ノ一ニ該當スル場合ニ於テハ賞與ヲ行ハス

一　功勞者賞與前ニ於テ禁錮以上ノ刑ニ處セラレ又ハ警察官若ハ其ノ職務ヲ行フ者懲戒處分ニ依リ官職ヲ免セラレタルトキ
二　警察官又ハ其ノ職務ヲ行フ者其ノ看守中又ハ押送中逃走シタル犯罪人ヲ逮捕シタルトキ

第七條　警察賞與ハ警務總長之ヲ施行ス

附　則

本令ハ發布ノ日ヨリ之ヲ施行ス
本令ハ本令施行前ノ行爲ニ付亦之ヲ適用ス

第二章　救恤

一　官吏療治料給與ノ件　明治二十五年九月勅令第八〇號

官吏ニシテ職務ノ爲メ傷痍ヲ受ケタル者ハ特別ノ規定アルモノヲ除ク外療治料實費ヲ以テ給與ス　但府縣ノ收入ヨリ給料ヲ受クル者ノ療治料ハ其府縣ノ負擔トス

二　朝鮮總督府看守及朝鮮總督府女監取締ノ療治料給助料及弔祭料給與ニ關スル件　明治四十四年七月勅令第二〇二號

巡査看守療治料、給助料及弔祭料給與令ハ朝鮮總督府看守及朝鮮總督府女監取締ニ之ヲ準用ス

附　則

本令ハ公布ノ日ヨリ之ヲ施行ス

統監府看守及統監府女監取締ハ本令ノ適用ニ關シテハ之ヲ朝鮮總督府看守及朝鮮總督府女監取締ト看做ス

三　巡査看守療治料、給助料及弔祭料給與令　明治三十四年七月勅令第一四九號

改正　三八年第三九號　大正四年三第三五號　七年二第一九號

第一條　巡査又ハ看守職務ノ爲傷痍ヲ受ケ又ハ職務ニ依リ健康ニ有害ナル感動ヲ受クルヲ顧ミルコト能ハスシテ勤務ニ從事シ爲ニ疾病ニ罹リ本屬長官ニ於テ治療ヲ要スルモノト認ムルトキハ其ノ治療中療治料ヲ給ス

療治料ハ一日二圓以内トス　但シ治療費一日平均二圓ヲ超過シタルトキハ適當ト認ムヘキ實費ヲ精算シテ之ヲ追給スルコトアルヘシ

第二條　療治料ヲ受クル者左ノ各號ノ一ニ當ルトキハ給助料ヲ給ス

一　治療二十日以上ニ涉リ引續在職シ治療ヲ要セサルニ至リタルトキ

二　療治料給與ニ係ル傷痍疾病ニ因リ職ニ堪ヘス退職シ治療ヲ要セサルニ至リタルトキ

前項ノ給助料ハ第一號ニ當ル者ニ在リテハ治療ヲ要セサルニ至リタル當時ノ月俸一箇月分トシ第二號ニ當ル者ニ在リテハ退職當時ノ月俸三箇月分トス

療治料ヲ受クル者治療二十日以上ニ涉ラスト雖引續在職シ本屬長官必要ト認ムルトキハ治療ヲ要セサルニ至リタル當時ノ月俸一箇月分以内ノ範圍ニ於テ給助料ヲ給スルコトアルヘシ　但シ治療七日ニ滿タサルトキハ此ノ限ニ在ラス

第三條　巡査又ハ看守在職中死亡シタルトキハ左ノ順位ニ從ヒ其ノ家ニ在ル親族ニ弔祭料ヲ給ス　但シ同順位間ニ在リテハ其ノ親等ノ最モ近キ者ヲ先ニシ同親等間ニ在リテハ男ハ女ニ先チ同性間ニ在リテハ長ハ幼ニ先ツ

一　配偶者

二　直系卑屬

三　直系尊屬

四　兄弟姉妹

前項親族ニシテ公權剝奪若ハ停止中ニ係リ又ハ行方不明ナルトキハ弔祭料ヲ給スル限ニ在ラス　但シ次位者アルトキハ之ヲ轉給ス弔祭料ハ死亡當時ニ於ケル月俸一箇月分トシ勤續一年以上九年ニ至ル迄一年ヲ加フル毎ニ死亡當時ニ於ケル月俸額三分ニヲ増加ス　但シ職務ノ爲傷痍ヲ受ケ又ハ職務ニ依リ健康ニ有害ナル感動ヲ受クルヲ顧ミルコト能ハスシテ勤務ニ從事シ爲ニ疾病ニ罹リ因テ死亡シタル者ニハ更ニ死亡當時ニ於ケル月俸六箇月分ヲ増加ス

勤續年數ノ計算ニ關シテハ巡査看守退隱料及遺族扶助料法ノ例ニ依ル

第四條　前條ニ依リ弔祭料ヲ受クヘキ者ナキトキハ死亡者ノ爲葬祭ヲ行フヘキ者ニ前條ニ定ムル金額ノ三分ノ一以内ヲ給スルコトアルヘシ

第五條　休職者ハ在職者ニ準シ休職ヲ命セラレタル當時ノ月俸額ニ依リ本令ニ依ル給與ヲ行フ

第六條　本令ニ依ル給與ハ之ヲ行フヘキ事由ノ生シタル當時ニ於テ俸給ヲ受ケタル經濟ノ負擔トス　但シ休職者ニ在リテハ休職ヲ命セラレタル際俸給ヲ受ケタル經濟ノ負擔トス

第七條　本令ハ陸軍監獄看守、海軍監獄看守、陸軍警守、海軍警査、貴族院守衞、衆議院守衞、判任官ノ待遇ヲ受クル消防手及女監取締ニ之ヲ適用ス

附　則

本令ハ明治三十四年八月一日ヨリ之ヲ施行ス

附　則（三八年勅令第三十九號）

本令ハ發布ノ日ヨリ之ヲ施行ス

女監取締ノ明治三十六年三月三十一日以前ニ於ケル勤續年數ハ巡査看守療治料、給助料及弔祭料給與令第三條ニ規定スル勤續年數ニ非サルモノト看做ス

四　巡査看守弔祭料計算方ノ件

大正二年七月
官通第二二一號

政務總監

警務總長、警務部長、典獄宛

巡査看守弔祭料ノ年數計算上明治四十年法律第四十九號ニ依ル勤續年數ノ加算ニ關シ疑義ニ渉レル向有之候處右ハ當然加算スヘキ義ニ付爲念此段及通牒候也

五　巡査看守療治料給助料及弔祭料給與令ノ解釋ニ關スル件

大正六年三月
會第八一三號

指　令

西大門監獄典獄

西監第六三六號（大正六、二、一四）

司法部長官宛

看守カ實務練習ノ爲撃劍及柔道訓練中負傷シタル場合ニ於テハ從來巡査看守療治料給助料及弔祭料給與令ノ定ムル所ニ依リ治療實費及給助料ヲ支給セラレ候處右ハ在勤監獄ノ内外ヲ問ハス他監獄警察官署又ハ武術研究所等ニ於テ武術會擧行ノ際其ノ照會ニ應シテ出張シ撃劍又ハ柔道ノ仕合ヲ爲シ負傷シタル場合ノ如キモ武術練習ノ爲メナルヲ以テ職務上ノ傷

痍ト爲シ得ヘキ樣恩料致候得共聊カ疑義相生シ候ニ付何分ノ御指示相成度右請訓候也

追テ差懸リタル事件有之候ニ付至急御指示相成度候

總務局長

西大門監獄典獄宛

巡査看守療治料給助料及弔祭料給與令ノ適用ニ關スル件

二月十五日西監第六三六號ヲ以テ首題ノ件ニ關シ司法部長官宛伺出ノ件ハ本令ニ依リ給與シ差支ナキモノト認メ候條御了知相成度此段及回答候也

六　明治三十三年法律第十五號及同年法律第三十號ノ一部ヲ朝鮮ニ施行スルノ件

明治四十四年十月
勅令第二七二號

明治三十三年法律第十五號竝同年法律第三十號中第一條乃至第五條及別表ハ之ヲ朝鮮ニ施行ス

附　則

本令ハ公布ノ日ヨリ之ヲ施行ス

七　傳染病豫防救治ニ從事スル者ノ手當金ニ關スル件

明治三十三年三月
法律第三十號

第一條　判任以上ノ官吏ニ非スシテ傳染病ノ豫防救治ニ從事スル者公務ニ因リ病毒ニ感染シ又ハ之ニ原因シテ死亡シタルトキハ本法ノ規定ニ依リ手當金ヲ給ス

第二條　手當金ハ左ノ四種トス

一　療治料
二　給助料
三　弔祭料
四　遺族扶助料

第三條　病毒ニ感染シタル者ニハ療治料ヲ給ス感染者治療シタルトキハ給助料ヲ給シ死亡シタルトキハ其ノ遺族ニ弔祭料及遺族扶助料ヲ給ス

遺族ナキトキハ葬儀ヲ行フ者ニ弔祭料ヲ給ス

遺族中遺族扶助料ヲ受クヘキ者ノ順　ハ官吏遺族扶助法ノ例ニ依ル

第四條　遺族扶助料ハ死者ノ受ケタル給與ノ金額ニ應シ別表ニ依リ一時之ヲ給ス其ノ給料ヲ受ケサル者ニ在リテハ別表ノ範圍内ニ於テ本屬長官適宜之ヲ給ス

第五條　療治料ハ命令ノ定ムル區別ニ依リ一日三圓以内ヲ給ス

給助料ハ遺族扶助料ノ二分ノ一ニ相當スル金額ヲ給ス

弔祭料ハ月給一箇月分又ハ日給三十日分ニ相當スル金額ヲ給ス其ノ給料ヲ受ケサル者ニ在リテハ本屬長官適宜之ヲ給ス

第六條　手當金ハ國庫支辨ノ事務ニ從事スル者ニ在リテハ國庫ノ負擔トシ府縣費支辨ノ事務ニ從事スル者ニ在リテハ府縣ノ負擔トス

第七條　地方長官ハ市區町村ニ指示シ本法ノ規定ニ準シ其ノ傳染病豫防救治ニ從事スル者ノ手當金支給ニ關スル規定ヲ設ケシムルコトヲ得

（別表）

等級	月給	遺族扶助料
一等	二百圓以上	千圓
二等	百六十圓以上	九百圓
三等	百三十圓以上	八百圓
四等	百圓以上	七百圓
五等	八十圓以上	六百圓
六等	七十圓以上	五百圓
七等	六十圓以上	四百五十圓
八等	五十圓以上	四百圓
九等	四十圓以上	三百五十圓
十等	三十圓以上	三百圓
十一等	二十圓以上	二百五十圓
十二等	十圓以上	二百圓
十三等	十圓未滿	百圓

八 明治三十三年法律第三十號第五條ノ療治料ノ件

大正五年十二月
總令第一〇四號

明治三十三年法律第三十號第五條ノ療治料ノ件左ノ通定ム

明治三十三年法律第三十號第五條ノ療治料ハ給料ヲ受クル者ニ在リテハ其ノ給料額ニ依リ同法別表ノ等級ニ照シ一等乃至四等ノ者ニハ一日三圓五等乃至十二等ノ者ニハ一日二圓十三等ノ者ニハ一日一圓トシ給料ヲ受ケサル者ニ在リテハ其ノ都度一日三圓以內ニ於テ其ノ額ヲ定ム

附　則

本令ハ發布ノ日ヨリ之ヲ施行ス

九 傳染病豫防救治ニ從事スル者ノ療治料ニ關スル件

大正五年十二月
官通第二二九號

政務總監

所屬官署長宛

本日府令第百四號ヲ以テ傳染病豫防救治ニ從事スル者ノ療治料ニ關スル件發令相成候處給料ヲ受ケサル者ノ療治料支給額ニ付テハ其ノ都度本府ニ經伺相成度此段及通牒候也

一〇 各廳技術工藝ノ者就業上死傷ノ手當內規

明治十二年二月
大政官達第四號

（官）省院府縣

各廳技術、工藝者就業上死傷ノ節手當內規別紙ノ通リ相定候條自今右ニ照準施行可致此旨相達候事　但シ一般官員ト雖モ技術上死傷ノ節ハ本文ニ準シ候儀ト可想得事

第一條　凡技術工藝ノ者就業上死傷ニ罹ル時ハ其原由竝傷痍ノ輕重ヲ檢察シ醫員ノ診斷證書ヲ審査シ表面ニ照シテ手當金ヲ給スヘシ

第二條　傷痍ノ輕重ヲ分テ左ノ五等トス

一等　重傷死ニ至ル者

二等　重傷死ニ至ラスト雖モ終身不具トナリ自用ヲ辨スルコト能ハサル者

三等　自用ヲ辨シ得ルト雖モ終身事業ヲ營ムコト能サル者

四等　事業ヲ營ムコトヲ得ルト雖モ身體ヲ毀傷シ舊ニ復スルコトヲ得サル者

五等　身體ヲ毀傷スト雖モ一時治療ヲ施シ止タ其瘢痕ヲ存スル迄ニテ其運用全ク舊ニ復スル者

第三條　手當金ヲ分テ療養埋葬及扶助料ノ三種トス

一等　傷ニ罹ル者ハ療養料埋葬料ヲ給シ遺族ニ扶助料ヲ給ス尤モ遺族ハ死者ニ依リ生計ヲ營ミ來リタルモノ（一戸籍内ニアルモノ）ニ限ルヘシ

但シ即死シテ療治ヲ施サヽル者ハ療治料ヲ給セス且療養中他病ノ爲メ死スル者ヘハ扶助料ヲ給セス

埋葬料ハ親戚ニ給ス親戚ナキ時ハ同僚又ハ其所在戸長ニ下付シテ埋葬セシム

二等三等四等ノ傷痍ニ罹ル者ハ療養料扶助料ヲ給ス

五等ノ傷痍ニ罹ル者ハ療治料ノミヲ給ス　但シ身體ヲ毀傷シ舊ニ復スルノ見込アリト雖モ治療數月ニ渉リ職務ヲ免スル者ハ四等傷ニ準シ扶助料ヲ給ス尤療養料ハ免職翌日ヨリ之ヲ給セス

各廳技術工藝者就業上死傷手當內規表

給與事項		奏任	判任	（等外）
一等	埋葬料	金百圓	金五十圓	金二十五圓
	遺族扶助料	金三百五十圓	金百七十五圓	金九十圓
二等	扶助料	金三百五十圓	金百七十五圓	金九十圓
三等	同上	金二百五十圓	金百二十五圓	金六十五圓
四等	同上	金百五十圓	金七十五圓	金四十圓
五等				

一　右金高ハ表面ノ額ヲ最上限トシ實際ノ情狀ヲ酌量シテ支給ス

一　療養料ハ總テ現費トス

一　傭名義ヲ以テ（等外）官吏ノ事務ヲ取扱フ者ハ月俸三百五十圓以上奏任ニ三百五十圓未滿三十圓以上ハ判任ニ三十圓未滿ハ（等外）ニ準シ日給ノ者ハ其給三十日分ヲ積算シ月俸ニ見做シ本文ノ割合ヲ以テ給ス

第三章　恩給　退隱料　扶助料

一　官吏恩給法

明治二十三年六月法律第四三號

改正　三三年第一〇九　四一年第五四號　四三年四第六〇號　四四年三第三號

第一條　文官判任以上ノ者退官シタルトキハ此法律ノ規定スル所ニ依リ恩給ヲ受クルノ權利ヲ有ス

第二條　在官滿十五年以上ノ者左ニ掲クル事項ノ一ニ當ルトキハ終身恩給ヲ給ス

一　年齡六十歲ヲ超エ退官ヲ許シタルトキ

二　傷痍ヲ受ケ若クハ疾病ニ罹リ其職ニ勘ヘス退官ヲ許シタルトキ

三　廢官廢廳若クハ官廳事務ノ伸縮又ハ非職滿期ニ依リ退官シタルトキ

第三條　左ニ掲クル事項ノ一ニ當ル者ハ前條ノ年限ニ滿タサルモ終身恩給ヲ給シ尚其最下金額十分ノ七マテノ增加恩給ヲ給ス

一　公務ニ因リ傷痍ヲ受ケ一肢以上ノ用ヲ失ヒ若クハ之ニ準スヘキ者ニシテ其職務ニ堪ヘス退官シタルトキ

二　公務ニ依リ健康ニ有害ナル感動ヲ受クルヲ顧ミルコト能ハスシテ勤務ニ從事シ爲メニ疾病ニ罹リ一肢以上ノ用ヲ失ヒ若クハ之ニ準スヘキ者ニシテ其職務ニ堪ヘス退官シタルトキ

第四條　滿五年以上國務大臣ノ職ニ在ル者退官シタルトキハ第二條ノ制限ニ拘ハラス恩給ヲ給ス

第五條　恩給ノ年額ハ退官現時ノ俸給ト在官年數トニ依リ之ヲ定ム即チ在官滿十五年以上十六年未滿ニシテ退官シタル者ノ恩給年額ハ俸給年額ノ二百四十分ノ六十トシ十五年以後滿一年每ニ二百四十分ノ一ヲ加ヘ滿四十年ニ至テ止ム　但在官四十年以上ノ者ニ給スヘキ恩給ハ四十年ノ額又十五年未滿ノ者ニ給スヘキ恩給ハ十五年ノ額トス

非職滿期ニ由テ退官シタル者ノ恩給ハ其在職最終ノ俸額ニ依テ之ヲ算定ス

交際官及領事貿易事務官等ノ恩給ハ其官等ニ對スル普通文官ノ俸額ニ依テ之ヲ算定ス

兼官ニ依テ受クル加俸ハ恩給年額ヲ算定スルニ當リ之ヲ除算スヘシ

恩給年額圓位未滿ノ數ハ圓位ニ滿タシム

第六條　恩給ヲ受ケ又ハ恩給ヲ受ケスシテ退官シタル者在官中ノ公務ニ起因スル傷痍疾病引續キ重症ニ趨キタルトキ其事由ヲ詳悉シ左ノ期限內ニ申出レハ査覈ノ上相當ノ恩給ヲ給ス

一　一肢ノ用ヲ失ヒ若クハ之ニ準スヘキ者ハ退官後二箇年

二　一肢ヲ亡シ或ハ二肢ノ用ヲ失ヒ又ハ兩眼ヲ盲シ若クハ二肢ヲ亡シ若クハ之ニ準スヘキ者ハ退官後三箇年

第七條　在官年數ハ判任官以上初任ノ月ヨリ起算シ退官ノ月ヲ以テ終リトス

明治四年八月以前ヨリ任官セラレタル者ハ同年同月ヨリ起算ス　但本項ニ掲クル者退官スルトキハ明治四年七月以前ノ勤務ニ對シテハ同年同月ノ現官等ニ相當スル月俸ノ半額ヲ以テ在官年數ノ一箇年ニ當テ其年數ニ應スル金額ヲ一時支給ス

第八條　左ニ掲クル月數及日數ハ在官年數中ニ算入スヘシ

一　判任官以上出仕官ニ在ルノ月數
二　武官ヨリ文官ニ轉シタル者又ハ軍人恩給ヲ受ケスシテ現役ヲ退キタル後文官ニ任シタル者ハ其現役中ノ日數
三　從軍年加算ノ年月
四　非職及休職中ノ月數
五　退官ノ後再ヒ任官シタル者ハ前在官ノ月數
六　宮內官ヨリ文官ニ轉シタル者又ハ恩給ヲ受ケスシテ宮內官ヲ退キタル後文官ニ任シタル者ハ宮內判任官以上在官中ノ月數

第九條　左ニ掲クル月數及日數ハ在官年數中ヨリ除算スヘシ
一　年齡二十歲未滿者ノ在官月數
二　高等官試補及判任官見習中ノ月數
三　郡區判任官及臺灣總督府地方廳稅務吏ヲ除クノ外政府ヨリ俸給ヲ受ケサル官職ニ在ル月數及商業ヲ營ムコトヲ得ヘキ官職ニ在ル月數
四　御用掛雇等外出仕勤仕ノ月數
五　第八條第二ニ掲クル者ニ在テハ軍人恩給法ニ依リ除算スヘキ日數
六　自己ノ便宜ニ依リ退官シタル後又ハ懲戒處分若クハ刑事裁判ニ依リ免官シタル後再ヒ任官シタル者ニ在テハ其前官ノ月數

第十條　文官ニシテ從軍シタル者ハ軍人恩給法ノ算則ニ照シテ其從軍年ヲ加算ス

第十一條　恩給ヲ受クル者再ヒ官ニ就キ滿一年以上在官シタル後退官シタルトキハ左ノ區別ニ依リ恩給ヲ給ス
一　退官現時ノ俸給前後相同シカラサルトキハ前官年數ヲ後官年數ニ通算シ後官ニ對スル恩給額ト前ノ恩給額トヲ比較シ其多キ方ヲ給ス
二　退官現時ノ俸給前後相同シキトキハ在官年數ニ依リ恩給ヲ增加ス但前官十五年未滿ニシテ恩給ヲ受ケタル者ニ在テハ前後通算シテ十六年以上ニ至ラサレハ增加セス

第十二條　恩給ヲ受クル者重罪ノ刑ニ處セラレ若クハ日本臣民タルノ分限ヲ失ヒタルトキハ恩給ヲ剝奪ス
左ニ掲クル事項ノ一ニ當ルトキハ其間恩給ヲ停止ス
一　判任以上ノ官ニ任シ政府ヨリ俸給ヲ受クルトキ　但商業ヲ營ムコトヲ得ヘキ官職ニ在ルトキハ此限ニアラス
二　公權ヲ停止セラレタルトキ

第十三條　年齡未タ六十歲ニ至ラスシテ自己ノ便宜ニ依リ退官シタル者又ハ懲戒處分若クハ刑事裁判ニ依リ免官シタル者ハ恩給ヲ受クルノ資格ヲ失フ
法令ヲ以テ設立シタル議會ノ議員竝市長町村長助役收入役名譽職參事會員及東京市京都市大阪市北海道ノ區長沖繩縣區制ニ依ル區長及居留民團ノ民長助役會計役ト爲リタルノ故ヲ以テ退官シタル者ハ恩給ヲ受クルノ資格ヲ失ハス

第十四條　郡區判任官及臺灣總督府地方廳稅務吏ヲ除クノ外政府ヨリ俸給ヲ受ケサル官吏及商業ヲ營ムコトヲ得ヘキ官吏竝高等官試補判任官見習ハ恩給ヲ受クルノ權ナキモノトス
商業ヲ營ムコトヲ得ヘキ官吏竝ニ高等官試補判任官見習ニシテ公務ノ爲メ傷痍ヲ受ケ若クハ疾病ニ罹リ此法律第三條ニ該當スル者ニ限リ退官又ハ罷免現時ノ俸給四分ノ一ヲ終身支給スルコトヲ得

第十五條　恩給支給ノ期ハ退官ノ翌月ヨリ始マリ死亡ノ月ヲ以テ終ルモノトス

第十六條　恩給ハ之ヲ受クヘキ事由ノ生シタル後七箇年內ニ請求セサレハ其權利ヲ拋棄シタルモノトス

第十七條　恩給ノ支給ハ本屬長官ノ證明ニ依リ恩給局ノ審查ヲ經テ內閣總理大臣之ヲ裁定ス

行政上ノ處分ニ因リ恩給ニ關スル權利ヲ障害セラレタリトスル者ハ六箇月以內ニ恩給局ニ具申シテ裁決ヲ請フコトヲ得其裁決ニ服セサル者ハ一箇年以內ニ行政裁判所ニ出訴スルコトヲ得　但左ノ事件ニ關シテハ恩給局ノ裁決ハ終審確定ノモノトス

一　傷痍疾病ノ原因及其輕重

二　職務ニ堪ヘルト否ラサルト

第十八條　恩給ハ賣買讓與質入書入スルコトヲ得ス又負債ノ抵償トシテ差押フルコトヲ得ス

第十九條　明治十七年達官吏恩給令ニ依リ恩給ヲ受ケタルモノハ總テ其恩給令ニ依ルヘシ　但其權利消滅及停止ハ此法律ニ依ル

第二十條　此法律施行前ニ退官シタル者ノ恩給ハ明治十七年達官吏恩給令ニ依ルヘシ　但此法律施行ノ日ヨリ三箇年內ニ請求セサレハ之ヲ受クヘキ權利ヲ拋棄シタルモノトス

第二十一條　此法律ハ明治二十三年七月一日ヨリ施行ス

從前ノ命令ニシテ此法律ニ牴觸スルモノハ總テ廢止ス

二　官吏恩給法施行規則

明治二十三年七月閣令第三號

改正　二七年第五號　四一年第五號　四三年第三號　大正二年七第四號　九年一一第一六號

第一章　恩給ノ請求

第一條　官吏恩給法第二條、第三條、第六條及第七條第二項、第十四條第二項ニ依リ恩給ヲ受クヘキ者ハ恩給請求書ヲ退官當時ノ本屬廳ノ長官ニ差出スヘシ　但廢官廢廳ニ當リタルトキハ其事務ノ引繼ヲ受ケタル官廳ノ長官ニ差出スヘシ

第二條　官吏恩法第四條ニ依リ恩給ヲ受クヘキ者ハ恩給請求書ヲ內閣總理大臣ニ差出スヘシ

第三條　恩給請求書ニハ左ノ書類ヲ添付スヘシ

一　在官中履歷書

二　戶籍謄本

第四條　公務ノ爲傷痍ヲ受ケ若クハ疾病ニ罹リ恩給ヲ請求スル者ハ前條ニ揭クル書類ノ外左ノ書類ヲ以テ其事實ヲ證明スヘシ官吏恩給法第六條ニ依リ恩給ヲ請求スル者亦同シ

一　現認證書又ハ之ヲ證スル公文ノ寫若クハ口供書

二　醫師ノ診斷證書

第五條　恩給ノ請求ヲ受ケタル各廳長官ハ查覈ノ上請求ノ理由アリト認ムルトキハ請求者ノ在官年數及恩給年額計算書ヲ作リ證據書類ヲ添ヘ內閣總理大臣ニ差出スヘシ

各廳長官ニ於テ請求ノ理由ナシト認ムルトキハ意見ヲ具シテ之ヲ內閣總理大臣ニ差出スヘシ

第六條　內閣ニ於テ前條ノ請求ヲ許可シタルトキハ恩給證書ヲ作リ本屬

廳ヲ經テ本人居住地ノ地方廳ヲシテ之ヲ下付セシム　但一時ノ支給ニ係ルモノハ辭令書ヲ用ユ

恩給證書若クハ辭令書ヲ下付シタルトキハ内閣ハ其旨ヲ貯金局ニ通報スヘシ

第二章　恩給ノ支給

第七條　恩給ハ其年額ヲ四分シ四月七月十月一月ニ於テ其前三箇月分ヲ支給ス　但權利消滅若クハ停止ノトキ及一時支給ノ金額ハ期月ニ拘ハラス之ヲ支給ス

恩給支給ニ關スル手續ハ遞信大臣ノ定ムル所ニ依ル

第八條　（削除）

第九條　（削除）

第十條　官吏恩給法第十二條ニ當リタル者ノ恩給支給ノ終始ハ左ノ各項ニ依ルヘシ

一　重罪ノ刑ニ處セラレタルトキハ確定裁判ノ宣告ヲ受ケタル日（刑法ノ刑ニ處セラレタル者ニ在リテハ裁判確定ノ日）日本臣民タルノ分限ヲ失ヒタルトキハ其失ヒタル日ヲ以テ支給ヲ終ル

二　判任官以上ニ任シ政府ヨリ俸給ヲ受クルトキハ俸給ノ支給ヲ始ムル日ノ前日ヲ以テ支給ヲ終リ其退官シタルトキハ俸給ノ支給ヲ終リタル日ノ翌日ヨリ支給ヲ始ム

三　公權ヲ停止セラレタルトキハ確定裁判ノ宣告ヲ受ケタル日（刑法ノ刑ニ處セラレタル者ニ在リテハ裁判確定ノ日）ヲ以テ支給ヲ終リ刑ノ執行ヲ終リタル日ノ翌日又ハ其執行ヲ受クルコトナキニ至リタル日ヨリ支給ヲ始ム

第十一條　官吏恩給法第七條第二項ニ揭クル月俸トハ明治四年六月東京淺草米廩ノ平均相場ニ依リ當時ノ官祿一箇月分ニ相當スル金額トス

第十二條　官吏恩給法第三條ニ揭クル最下金額十分ノ七マテノ增加恩給ノ等差ハ左ノ如シ

第一項	兩眼ヲ盲シ若クハ二肢以上ヲ亡シタルトキ	十分ノ七
第二項	前項ニ準スヘキ傷痍ヲ受ケ若クハ疾病ニ罹リタルトキ	十分ノ六
第三項	一肢ヲ亡シ若クハ二肢ノ用ヲ失ヒタルトキ	十分ノ五
第四項	前項ニ準スヘキ傷痍ヲ受ケ若クハ疾病ニ罹リタルトキ	十分ノ四
第五項	一眼ヲ盲シ若クハ一肢ノ用ヲ失ヒタルトキ	十分ノ三
第六項	前項ニ準スヘキ傷痍ヲ受ケ若クハ疾病ニ罹リタルトキ	十分ノ二

傷痍疾病ノ等差ハ明治十八年達文官傷痍疾病等差例ニ依ル

第三章　恩給ノ停止

第十三條　恩給ヲ受クル者重罪若クハ禁錮ノ刑ニ處セラレ又ハ刑ノ執行猶豫ノ言渡ヲ受ケ若クハ之ヲ取消サレタルトキハ其確定裁判ノ宣告ヲ爲シタル裁判所ヨリ之ヲ貯金局ニ通知スヘシ

第十四條　官吏恩給法第十二條第二項ノ第一ニ當ル者アルトキハ其任用シタル官廳ヨリ貯金局ニ通知スヘシ解任シタルトキモ亦同シ　但此通知書ニハ俸給ノ支給ヲ始ムル日（解任ノトキハ支給ヲ終リタル日）ヲ付記スヘシ

第十五條　恩給ヲ受クル者死去シタルトキハ其ノ遺族ヨリ最寄郵便局ヲ經テ貯金局ニ屆出ヘシ其ノ遺族ニシテ扶助料ヲ受クヘキ權利ナキトキ

ハ死去ノ届出ヲ為スト同時ニ恩給證書ヲ返納スヘシ

第十六條 貯金局ニ於テ第十三條若クハ第十四條ノ通知又ハ第十五條ノ届出ヲ受ケタルトキハ之ヲ内閣恩給局ニ通知スヘシ

死亡又ハ權利消滅ノ為メ返納スヘキ恩給證書ハ地方廳ニ於テ之ヲ收メ内閣恩給局ニ送付スヘシ

第四章　雜　則

第十七條 水火災盜難等ニ由リ恩給證書ヲ亡失シタル者ハ恩給支給郵便局ヲ經テ貯金局ニ届出ツヘシ

貯金局ニ於テ前項ノ届出ヲ受ケタルトキハ其事實ヲ調査シ亡失ノ事由ヲ具シテ内閣恩給局ニ申出ヘシ此場合ニ於テハ恩給局ハ恩給證書ノ謄本ヲ作リ貯金局及恩給支給郵便局ヲ經テ本人ニ下付スヘシ

前項ノ恩給證書ノ謄本ハ恩給證書ト同一ノ效力アルモノトス

第十八條 恩給ヲ受クル者改氏名シタルトキハ其ノ届書ニ恩給證書及戸籍謄本ヲ添ヘ恩給支給郵便局ヲ經テ爲替貯金局ニ届出ヘシ

貯金局ハ恩給證書ノ裏面ニ其ノ事實ヲ記載シ局長署名捺印ノ上恩給支給郵便局ヲ經テ本人ニ下附シ其ノ旨ヲ内閣恩給局ニ通知スヘシ

第十九條 明治十七年達官吏恩給令ニ依リ恩給ヲ受クル者左ノ場合ニ於テハ本則ニ依ル

一　死去又ハ權利消滅又ハ停止ノトキ

二　恩給證書ヲ亡失シタルトキ

三　改氏名シタルトキ

第二十條 官吏恩給法第二十條ニ依リ恩給ヲ請求スル者ハ本則ニ依ルヘシ

第二十一條 （削除）

附　則　（明治四十三年三月閣令第三號）

本令ハ明治四十三年四月一日ヨリ之ヲ施行ス

三　文官傷痍疾病等差例

明治十八年三月
太政官達第一六號
（官）省院廳府縣

〔官吏恩給令附則第五條〕傷痍疾病等差例左ノ通相定候條右ニ據リ取調候儀ト可心得此旨相達候事

文官傷痍疾病等ノ差例

公務ノ為メ傷痍ヲ受ケ又ハ疾病ニ罹リ遂ニ一肢以上ノ用ヲ失フニ等シキ不治ノ症トナリ〔官吏恩給令附則第五條〕ニ掲クル各項ニ該當スル者ニ等差ヲ付スルコト概ネ左ノ如シ

第一條 偏眼ヲ盲スル者全鼻ヲ失スル者ハ共ニ第五項トシ之ニ偏耳ノ官能ヲ併セ癈スル者ハ第四項トス

第二條 兩耳ヲ聾スル者ハ第四項トス

第三條 偏眼兩耳ノ官能ヲ併セ癈スル者ハ（輕重ヲ酌量シテ）第二項或ハ第三項トス

第四條 一眼ヲ失ヒ他ノ一眼昏昧シ僅ニ自己ノ用ヲ辨スルヲ得ル者ハ第二項トス

第五條 咀嚼言語ノ兩機ヲ併セ癈スル者ハ（輕重ヲ酌量シテ）第一項或ハ第二項トス

第六條 咀嚼ノ用ヲ癈スル者ハ（輕重ヲ酌量シテ）第二項或ハ第三項トシ幾分ノ障碍アル者ハ第五項其輕キ者ハ第六項トス

第七條　精神亡失或ハ錯亂シテ常ニ看護ヲ要スル者ハ第一項トス

第八條　癡呆若クハ健忘症ヲ遺シ常ニ看護ヲ要セサル者ハ（輕重ヲ酌量シテ）第三項若クハ第五項トス

第九條　神經痛ヲ遺シ常ニ看護ヲ要セサル者ハ（輕重ヲ酌量シテ）第五項或ハ第六項トス

第十條　言語ノ機能癈スル者ハ第三項トシ言語ノ機能ヲ妨ケラレタル者ハ（輕重ヲ酌量シテ）第五項或ハ第六項トス

第十一條　胃腸膀胱等ニ瘻管ヲ遺ス者ハ（輕重ヲ酌量シテ）第二項或ハ第三項トス

第十二條　腸歇爾尼亞ヲ遺ス者ハ（輕重ヲ酌量シテ）第五項或ハ第六項トス

第十三條　陰莖或ハ睾丸ヲ全失スル者ハ第一項トス

第十四條　陰莖半失スル者偏睾丸ヲ失スル者ハ共ニ第六項トス

第十五條　頸項背腰諸筋ノ運用ヲ妨クル者ハ（輕重ヲ酌量シテ）第五項或ハ第六項トス

第十六條　一肢ヲ失ヒ且他肢ノ用ヲ全癈スル者ハ第一項トス

第十七條　一上肢ヲ失フ者ハ肩關節ヨリ腕關節ニ至ル間ハ何レノ部位ヲ論セス第三項トス

第十八條　肩關節ヨリ腕關節ニ至ル間ノ關節作用ヲ癈スルモ全肢ノ用ヲ癈スルニ至ラサル者ハ第六項トス

第十九條　一手ニ於テ四指以上ヲ失スル者ハ第四項トシ五指癒着若クハ强硬等ノ爲メニ把握採摘ノ用ヲ癈スル者ハ第五項トス

第二十條　一手ニ於テ四指或ハ五指ノ各一部ヲ失スルモ尙把握ノ用ヲ爲シ得ル者ハ第六項トス

第二十一條　一手ニ於テ拇指示指ヲ併セ失スル者或ハ拇指示指ヲ除キ他ノ三指ヲ失スル者ハ第六項トス

第二十二條　一下肢ヲ失スル者ハ股關節ヨリ踝關節ニ至ルノ間ハ何レノ部位ヲ論セス第三項トス

第二十三條　股關節ヨリ踝關節ニ至ル間ノ作用ヲ妨ケラレタル者ハ（輕重ヲ酌量シテ）第五項或ハ第六項トス

第二十四條　跗骨ヨリ蹠骨ニ至ルノ部ヲ失スル者ハ何レノ部位ヲ論セス第四項トス

第二十五條　一足ニ於テ五指ヲ失スル者ハ第五項トシ第一指ヲ併セ三指ヲ失スル者ハ第六項トス

第二十六條　不治病ノ爲メ常ニ看護ヲ要スル者ハ（輕重ヲ酌量シテ）第一項或ハ第二項トス

第二十七條　不治病前項ヨリ輕キモ步行スル能ハサル者ハ第三項トス

第二十八條　不治病前項ヨリ輕キモ自己ノ用辨ニ妨碍アル者ハ第四項トス

第二十九條　不治病前項ヨリ輕キモ營業ヲ爲シ難キ者ハ第五項トス

第三十條　不治病前項ヨリ輕キモ營業ニ妨アル者ハ第六項トス

四　官吏遺族扶助法

明治二十三年六月
法律第四四號

改五　三二年第一六號　三三年第一一號　四四年第四號

第一條　文官判任以上ノ者左ニ揭クル事項ノ一ニ當ルトキハ其遺族ハ此

法律ノ規定スル所ニ依リ扶助料ヲ受クルノ權利ヲ有ス　但第二條ノ納金ヲナスヘキ義務ナキ者ノ遺族ハ此限ニ在ラス

一　在官十五年以上ノ者在官中死去シタルトキ

二　在官十五年未滿ノ者公務ノ爲メ死去シタルトキ

三　恩給ヲ受クル者死去シタルトキ

第二條　文官判官以上ノ者ハ其俸給百分ノ一ヲ國庫ニ納ムヘシ

第三條　交際官及領事貿易事務官等其俸給普通文官ヨリ多額ナルトキハ普通文官ノ俸給ニ依リ少額ナルトキハ現ニ受クル所ノ俸給ニ依リ第二條ノ納金ヲ爲スヘシ

郡判任官及臺灣總督府地方廳稅務吏ヲ除クノ外政府ヨリ俸給ヲ受ケサル官吏及商業ヲ營ムコトヲ得ヘキ官吏ハ第二條ノ納金ヲ要セス

第四條　寡婦扶助料年額ハ亡夫ノ受ケタル若クハ受クヘキ恩給年額三分ノ一トス

公務ノ爲メ受ケタル傷痍ニ原因シテ死去シ又ハ非常ノ勞働及困苦ヲ忍ヒ勤務ニ從事シ爲メニ發病死去シ又ハ公務ニ依リ傳染病者ニ接シ該病毒ニ感染シテ死去シ又ハ戰地ニ於テ若クハ公務旅行中流行病ニ罹リ死去シタル者ノ寡婦扶助料ハ亡夫ノ俸給ニ對シ官吏恩給法第五條ニ依リ算出シタル恩給年額三分ノ二トス

扶助料年額圓位未滿ノ數ハ圓位ニ滿タシム

第五條　寡婦ナキトキ又ハ扶助料ヲ受クル寡婦死去シ若クハ權利消滅シタルトキハ其扶助料ヲ孤兒ニ給ス

第六條　孤兒扶助料ハ數子アルトキハ家名繼襲者ニ給シ戶主ニ非サル者ノ孤兒ニ在テハ長子ニ給ス其繼襲者及長子死去シ若クハ權利消滅シ若クハ支給期限ノ滿ツルトキハ順次年少者ニ轉給スルモノトス　但家名繼襲者ヲ除クノ外男子ヲ先ニシ女子ヲ後ニス

第七條　恩給ヲ受ケタル者ノ寡婦ニシテ其夫退官後結婚シタル者ハ扶助料ヲ受クルコトヲ得ス

第八條　此法律ニ於テ孤兒トハ年齡二十歲未滿ノ男女子ニシテ未タ結婚セサル者ヲ云フ　但養男女子ハ家名繼襲者ニ限ル

第九條　扶助料ハ之ヲ受クヘキ事由ノ生シタル月ノ翌月ヨリ之ヲ給ス

第十條　扶助料ヲ受クヘキ寡婦及孤兒ナク若クハ扶助料ヲ受ケタル寡婦及孤兒戶籍ヲ去リ若クハ死去シ若クハ權利消滅シタルトキ父母又ハ祖父母アルトキハ寡婦ニ相當スル扶助料ノ全額ヲ其父母又ハ祖父母ニ終身給スルコトヲ得

其扶助料ハ先ツ父ニ給シ其父存在セサルトキ若クハ權利消滅シタルトキハ母ニ給ス母ヨリ祖父ニ祖父ヨリ祖母ニ轉給スルハ順次此例ニ依ル

第十一條　扶助料ヲ受クヘキ寡婦孤兒又ハ父母祖父母ナクシテ死去シタル者ノ戶籍內ニ在ル二十歲未滿又ハ癈疾若クハ不具ニシテ產業ヲ營ムコト能ハサル兄弟姉妹アリテ之ヲ給養スル者ナキトキハ寡婦ニ相當スル扶助料一箇年分ヨリ少カラス五箇年分ヨリ多カラサル金額ヲ人員ニ拘ハラス一時限リ其兄弟姉妹ニ給スルコトヲ得

第十二條　扶助料ハ之ヲ受クヘキ權利ノ生シタル日ヨリ三個年內ニ請求セサレハ其權利ヲ拋棄シタルモノトス

第十三條　扶助料ハ賣買讓與質入書入スルコトヲ得ス又負債ノ抵償トシテ差押フルコトヲ得ス

第十四條 扶助料ヲ受クルノ權利ハ左ノ時ヨリ消滅ス
一 寡婦死去又ハ婚嫁シ若クハ戸籍ヲ去リタル月ノ翌月
二 孤兒死去又ハ婚嫁シ又ハ他家ノ養子女トナリ又ハ年齡二十歲ニ滿チタル月ノ翌月
三 父母祖父母死去シ又ハ戸籍ヲ去リタル月ノ翌月

第十五條 孤兒二十歲ニ滿ツルモ癈疾若クハ不具ニシテ產業ヲ營ムコト能ハス他ニ給養スル者ナキトキハ寡婦扶助料ノ三分ノ一ヲ其孤兒ニ各終身給スルコトヲ得 但一戸籍內ニ寡婦ト同額ノ扶助料ヲ受クル者アルトキハ其間之ヲ給セス

第十六條 扶助料ヲ受クル者日本臣民タルノ分限ヲ失ヒ若クハ重罪ノ刑ニ處セラレタルトキハ扶助料ノ支給ヲ癈ス
公權ヲ停止セラレタルトキハ其間支給ヲ停止ス
扶助料ヲ受クル者公權停止中ハ其轉給ヲ受クヘキ者ニ之ヲ給ス

第十七條 在官十五年未滿ノ者在官中公務ノ故ニアラスシテ死去シタルトキハ其遺族ニ一時扶助金ヲ給ス
前項ノ扶助金ハ在職最終ノ俸給年額百分ノ一ヲ在官年數ニ乘シタル額トス 但一年未滿ノ在官月數ハ計算セス

第十八條 扶助料ノ支給ハ地方長官ノ申牒ニ依リ恩給局ノ審査ヲ經テ內閣總理大臣之ヲ裁定ス
行政上ノ處分ニ因リ扶助料ニ關スル權利ヲ障害セラレタリトスル者ハ六個月以內ニ恩給局ニ具申シテ裁決ヲ請フコトヲ得其裁決ニ服セサル者ハ一個年以內ニ行政裁判所ニ出訴スルコトヲ得

第十九條 明治十七年達官吏恩給令ニ依リ扶助料ヲ受ケタル者及恩給ヲ受ケタル遺族扶助料ハ總テ其恩給令ニ依ルヘシ 但其權利消滅及停止ハ此法律ニ依ル

第二十條 此法律ハ明治二十三年七月一日ヨリ施行ス

五 官吏遺族扶助法施行規則

明治二十三年七月
閣令第四號

改正 二七年第六號 三七年第一號 四一年第六號 四三年三第四號 大正二年七第四號 九年一第一六號

第一章 扶助料ノ請求

第一條 官吏遺族扶助法第一條第一第二及第十七條ニ當ル者アリタルトキハ本屬廳ヨリ死者ノ履歷書ヲ其遺族ニ下付スヘシ
遺族ハ之ヲ以テ扶助料又ハ一時扶助金請求ノ證ト爲スヘシ

第二條 官吏遺族扶助法第一條第三ニ當ル者ノ遺族ハ其恩給證書ヲ以テ扶助料請求ノ證ト爲スヘシ

第三條 官吏遺族扶助法第四條第二項ニ當ル者アリタルトキハ本屬廳ニ於テ事實ヲ查覈シ其傷痍若クハ疾病ノ公務ニ起因シタル證據トナルヘキ書類及醫師ノ診察ヲ爲サシメタル場合ニ於テハ其診斷書ヲ併セテ其遺族ニ下附スヘシ遺族ハ之ヲ以テ扶助料請求ノ證ト爲スヘシ

第四條 扶助料ヲ受クル者死去シ若クハ權利消滅シ若クハ支給期限ノ滿チタルトキ其扶助料ノ轉給ヲ請フ者ハ前者ノ扶助料證書ヲ以テ請求ノ證ト爲スヘシ

第五條 公權停止ニ依リ扶助料ノ轉給ヲ受クヘキ者ハ確定裁判ノ宣告書寫ヲ以テ請求ノ證ト爲スヘシ

第六條　官吏遺族扶助法第十一條及第十五條ニ當ル者ハ其事由ヲ詳記シ癈疾不具ニシテ産業ヲ營ムコト能ハサル者ハ醫師ノ診斷書ヲ添ヘ扶助料ヲ請求スヘシ

第七條　官吏遺族扶助料ヲ請求スル者ハ其ノ請求書ニ戸籍謄本及第一條乃至第六條ニ掲クル書類ヲ添ヘ住所地ノ地方長官ニ差出スヘシ

第八條　扶助料ノ請求ヲ受ケタル地方長官ハ査覈ノ上扶助料年額ノ計算書ヲ作リ證據書類ヲ添ヘ內閣總理大臣ニ差出スヘシ

內閣ニ於テ許可シタルトキハ扶助料證書ヲ作リ地方廳ヲシテ之ヲ本人ニ下付セシム　但一時ノ支給ニ係ルモノハ辭令書ヲ用ユ扶助料證書若クハ辭令書ヲ下付シタルトキハ內閣ハ其旨ヲ貯金局ニ通報スヘシ

第二章　削除

第三章　扶助料ノ支給及停止

第十條　扶助料ノ支給ハ官吏恩給法施行規則第七條及第十條第一第三ノ例ニ依ル

第十一條　扶助料ヲ受クル者死去シ若クハ權利消滅シ若クハ支給期限ノ滿チタルトキハ貯金局ニ於テ扶助料ノ支給ヲ廢シ其旨ヲ內閣恩給局ニ通知スヘシ

前項ノ場合ニ於テ扶助料ノ轉給ヲ受クヘキ者ナキトキハ貯金局ニ於テ其扶助料證書ヲ收メテ內閣恩給局ニ送付スヘシ

第十二條　官吏恩給法施行規則第十三條及第十五條ハ扶助料ヲ受クル者ニ之ヲ準用ス

第十三條　貯金局ニ於テ第十二條ニ依ル通知ヲ受ケタルトキハ官吏恩給法施行規則第十六條ノ例ニ依ル

雜　則

第十四條　水火災盜難等ニ依リ扶助料證書ヲ亡失シタルトキ及扶助料ヲ受クル者改氏名ヲ爲シタルトキハ官吏恩給法施行規則第十七條及第十八條ノ例ニ依ル

第十五條　明治十七年達官吏恩給令ニ依リ扶助料ヲ請求スル者ハ本則ニ依ルヘシ同令ニ依リ扶助料ヲ受クル者ハ左ノ場合ニ於テ本則ニ依ル

一　死去又ハ權利消滅又ハ停止ノトキ
二　恩給證書ヲ亡失シタルトキ
三　改氏名シタルトキ

第十六條（削除）

六　官吏恩給法及官吏遺族扶助法補則

明治二十九年三月
法律第三六號

改正　三三年第一二號　四四年第五號

第一條　地方稅支辨ノ俸給ヲ受ケタル郡區長ノ在官月數ハ官吏ノ恩給及遺族扶助ニ關スル在官年數中ニ算入ス

第二條　明治二十三年七月一日以後ニ退官シタル文官判任以上ノ者ニシテ地方稅支辨ノ俸給ヲ受ケタル郡區長在官中ノ月數ヲ除算シ恩給ヲ受ケ若ハ之カ爲恩給ヲ受ケサリシ者ニハ其ノ月數ヲ算入シ恩給ヲ增加シ又ハ新ニ之ヲ給スルコトヲ得

第三條　第二條ニ相當スル者在官中又ハ退官ノ後死去シ其ノ遺族ニシテ扶助料若ハ一時扶助金ヲ受ケ又ハ之ヲ受ケサリシ者ニハ第一條ニ依リ算定シタル恩給年額若ハ在官年數ニ依リ其ノ扶助料若ハ一時扶助金ヲ

增加シ又ハ新ニ之ヲ給スルコトヲ得

第四條 第二條、第三條ニ依リ新ニ恩給又ハ扶助料ヲ受クル者ハ左ノ方法ニ依リ最後ニ受ケタル退官賜金又ハ一時扶助金ノ一部ヲ返納セシム

新ニ受クヘキ恩給又ハ扶助料年額ニ其ノ退官又ハ死去以後新ニ恩給又ハ扶助料ヲ受クル日ニ至ルマテノ年數ヲ乘シ月數ハ其ノ月割額ヲ加ヘ退官賜金一時扶助金ヲ其ノ總額ニ對照シ若超過アルトキハ其超過額ヲ新ニ受クヘキ恩給又ハ扶助料中ヨリ控除ス

第五條 恩給ヲ受クル者郡判任官及臺灣總督府地方廳稅務吏ニ任用セラレタルトキハ其ノ間恩給ヲ停止ス第六條第二條第三條ニ依リ給スル恩給及扶助料ハ此ノ法律施行ノ日ヨリ起算シテ之ヲ給ス

第七條 第二條、第三條ニ依リ受クヘキ恩給、扶助料又ハ一時扶助金ハ此ノ法律施行ノ日ヨリ一箇年內ニ請求セサレハ其ノ權利ヲ拋棄シタルモノトス

第八條 此ノ法律ニ於テ特別ノ規定ヲ設ケサルモノハ總テ官吏恩給法及官吏遺族扶助法ノ例ニ依ル

第九條 此ノ法律ハ明治二十九年四月一日ヨリ施行ス

七 官吏恩給法及官吏遺族扶助法補則施行規則

明治二十九年三月
閣令第二號

第一條 官吏恩給法及官吏遺族扶助法補則第二條ニ依リ恩給ノ增加ヲ受ケ若ハ新ニ恩給ヲ受ケントスル者ハ恩給請求書ヲ退官當時ノ本屬廳ノ長官ニ差出スヘシ 但シ廢官廢廳ニ當リタルトキハ其ノ事務ノ引繼ヲ受ケタル官廳ノ長官ニ差出スヘシ

第二條 官吏恩給法及官吏遺族扶助法補則第三條ニ依リ扶助料又ハ一時扶助金ノ增加ヲ受ケ若ハ新ニ之ヲ受ケントスル者ハ其請求書ヲ居住地ノ地方長官ニ差出スヘシ

第三條 恩給又ハ扶助料若ハ一時扶助金ノ請求書ニハ左ノ書類ヲ添附スヘシ

一 在官中ノ履歷書

二 市町村長ノ證明シタル戶籍寫 但シ恩給ヲ請求スル者ニ在リテハ其退官當時ノ戶籍寫扶助料若ハ一時扶助金ヲ請求スル者ニ在リテハ元官吏タリシ者死亡當時ノ戶籍寫及明治二十九年四月一日現在ノ戶籍寫トス

三 官吏恩給法及官吏遺族扶助法補則施行前ニ恩給又ハ扶助料若クハ一時扶助金ヲ受ケタル者ニ在リテハ其ノ證書若クハ辭令書

第四條 第一條ニ依リ新ニ恩給ノ請求ヲ受ケタル各廳長官ハ官吏恩給法施行規則第五條ニ揭クル計算書ノ外退官當時給與シタル退官賜金ノ調書ヲ添付スヘシ

第五條 恩給ヲ受ケタル者ヲ郡區書記ニ任用シ若クハ解任シタルトキハ官吏恩給法施行規則第十條、第十四條及第十六條ヲ準用ス 但シ從來任用シタルモノハ直ニ本條ノ手續ヲ爲スヘシ

第六條 本規則ニ於テ特別ノ規程ヲ設ケサルモノハ總テ官吏恩給法施行規則及官吏遺族扶助法施行規則ノ例ニ依ル

八 恩給扶助料等ノ增額ニ關スル件

大正九年七月
法律第一〇號

改正　大正一〇年四第七二號

第一條　大正九年七年三十一日現在ニ於テ國庫ヨリ軍人恩給以外ノ恩給退隱料又ハ扶助料ヲ受ケ又ハ受クヘキ者ノ恩給、退隱料又ハ扶助料ノ年額ハ勅令ノ定ムル所ニ依リ其ノ年額ニ其ノ十割以内ニ相當スル金額ヲ加ヘタルモノトス　但シ七千五百圓以上ノ年俸ニ基ク恩給又ハ扶助料ニ付テハ此ノ限ニ在ラス

本法施行ノ際休職・非職、待命中ノ者又ハ其ノ遺族本法施行前ノ俸給ニ基キ國庫ヨリ軍人恩給以外ノ恩給、退隱料又ハ扶助料ヲ受クヘキ場合ニ於テハ其ノ金額算出ノ基礎タル俸給年額又ハ月俸額ハ其ノ額ニ勅令ノ定ムル金額ヲ加ヘタル額トス

第二條　大正九年七月三十一日現在ニ於テ軍人恩給(給助金及賑恤金ヲ除ク)ヲ受ケ若ハ受クヘキ者又ハ本法施行後軍人恩給ヲ受クヘキ事由ノ生シタル者ノ恩給金額ハ軍人恩給法第一號表乃至第四號表ノ金額ニ左ノ割合ヲ以テ計算シタル金額ヲ加ヘタルモノトス

官等			加俸割合
將官及相當官	高等官	一等	二・割
		二等	三・割
佐尉官及相當官		三等	四・七割
		四等	五・三割
		五等	五・七割
		六等	六・四割
		七等	七・割
		八等	七・割
准士官	判任官一等		七・割
下士及卒	判任官二等以下		一〇・割

第三條　前二條ノ規定ハ恩給、軍人恩給、退隱料又ハ扶助料ニ準スヘキモノニ之ヲ準用ス

第四條　第一條ノ規定ハ大正二年法律第七號ニ依リ休職ヲ命セラレタル判事及檢事並大正二年法律第十二號ニ依リ休職ヲ命セラレタル會計檢査院及行政裁判所ノ高等官ノ休職給ニ付之ヲ準用ス

第五條　第一條及第三條ノ規定ハ大正九年七月三十一日ノ現在ニ於テ市町村立小學校教員退隱料及遺族扶助料法、明治二十九年法律第十三號巡査看守給助例、巡査看守退隱料及遺族扶助料法又ハ明治四十三年法律第三十號ニ依リ北海道地方費又ハ府縣ヨリ退隱料、扶助料又ハ之ニ準スヘキモノヲ受ケ又ハ受クヘキ者ニ付之ヲ準用ス

第五條ノ二　本法ニ依リ退隱料ノ增額ヲ受クル者公務ニ就キ又ハ在外指定學校ノ職員トナリ退隱料ノ支給ヲ停止セラルル場合ニ於テハ其增額ノ基礎ト爲リタル俸給額ヲ以テ退職當時ノ俸給額トス

第六條　本法ニ依ル加給金額圓位未滿ハ之ヲ圓位ニ滿タシム

附　則

本法ハ大正九年八月一日ヨリ之ヲ施行ス　但シ大正九年七月三十一日現在ニ於テ恩給、軍人恩給、退隱料、扶助料又ハ之ニ準スヘキモノヲ受ケ又ハ受クヘキ者ニ付テハ大正九年七月一日以後ノ分ヨリ之ヲ適用ス

名譽進級ニ因リ階等ヲ進メラレタル軍人又ハ其遺族ニシテ大正九年七月三十一日現在ニ於テ進級前ノ階等ニ應スル恩給(給助金及賑恤金ヲ除ク)又ハ之ニ基ク扶助料ヲ受ケ又ハ受クヘキ者ハ大正九年七月一日ヨリ名譽進級ニ因ル階等ニ應スル恩給又ハ之ニ基ク扶助料ヲ受クルノ權ヲ有スルモノトス

(參照)

明治二十九年三月二十四日公布法律第十三號ハ公立學校職員退隱料等ニ關スル件同四十三年三月二十四日公布法律第三十號ハ警部補退隱料及遺族扶助料等ニ關スル件、大正二年四月七日公布法律第十二號ハ會計檢査官及行政裁判所高等官ノ休職ニ關スル件ナリ

附　則（大正十年四月第七二號）

大正九年七月以後ノ分ヨリ之ヲ適用ス

九　大正九年法律第十號ニ依ル恩給扶助料等ノ增額及明治二十三年勅令第二五四號ニ依ル休職給ノ增額ニ關スル件

大正九年八月勅令第二七八號

第一條　大正九年法律第十號第一條第一項第三條及第五條ノ規定ニ依リ恩給、退隱料、扶助料又ハ之ニ準スヘキモノノ年額ヲ增額スル場合ニ於テハ其ノ年額算出ノ基礎ト爲リタル俸給年額ニ付左ノ區分ニ依リ增額シタル金額ヲ俸給年額ト爲シ之ヲ基礎トシテ算出シタル年額ヲ以テ其ノ恩給、退隱料、扶助料又ハ之ニ準スヘキモノノ年額トス

基礎俸給年額	增額俸給年額
六千五百圓ヲ超エ七千五百圓未滿ノモノ	基礎年額ニ五百圓ヲ加ヘタル額但シ七千五百圓ヲ超ユルトキハ七千五百圓トス
五千五百圓ヲ超エ六千五百圓ヲ超サルモノ	七千圓
三千圓ヲ超エ五千五百圓ヲ超エサルモノ	基礎年額ニ千五百圓ヲ加ヘタル額
千二百圓ヲ超エ三千圓ヲ超エサルモノ	基礎年額ニ其ノ三十分ノ其ノ十三ニ相當スル金額及二百圓ヲ加ヘタル額
三百六十圓ヲ超エ千二百圓ヲ超ヘサルモノ	基礎年額ニ其ノ五割ニ相當スル金額及百二十圓ヲ加ヘタル額
三百圓ヲ超エ三百六十圓ヲ超エサルモノ	基礎年額ニ三百圓ヲ加ヘタル額
三百圓以下ノモノ	基礎年額ニ其ノ十割ニ相當スル金額ヲ加ヘタル額

退隱料、扶助料又ハ之ニ準スヘキモノニシテ月俸額ヲ其ノ年額算出ノ基礎ト爲スモノニ付テハ前項ノ基礎俸給年額及增額俸給年額ヲ十二等分シ前項ノ規定ヲ準用ス

退隱料又ハ扶助料ニ準スヘキモノニシテ俸給額ヲ其ノ年額算出ノ基礎ト爲サヽルモノニ付テハ前額ノ規定ニ準シ算出シタル金額ヲ以テ其ノ退隱料又ハ扶助料ニ準スヘキモノノ年額トス

第二條　大正九年法律第十號第一條第二項ノ規定ニ依リ加算スヘキ金額ハ左ノ區分ニ依ル

在職最終俸給年額	加算
六千五百圓ヲ超エ七千五百圓未滿ノモノ	五百圓但シ在職最終俸給年額ニ五百圓ヲ加ヘタル額カ七千五百圓
五千五百圓ヲ超エ六千五百圓ヲ超エサルモノ	在職最終俸給年額ト
三千圓ヲ超エ五千五百圓ヲ超エサルモノ	千五百
千二百圓ヲ超エ三千圓ヲ超エサルモノ	在職最終俸給年額ノ三十分ノ十三ニ
三百六十圓ヲ超エ千二百圓ヲ超エサルモノ	在職最終俸給年額ノ五割ニ相當ス
三百圓ヲ超エ三百六十圓ヲ超エサルモノ	
三百圓以下ノモノ	在職最終俸給年額十

金額
チ超ユルトキハ在職最終俸給年額ト七千五百圓トノ差額トス
七千圓トノ差額
圓
相當スル金額ニ二百圓ヲ加ヘタル額
ル金額ニ二百二十圓ヲ加ヘタル額
三百圓
割ニ相當スル金額

退隱料又ハ扶助料ニシテ月俸額ヲ其ノ年額算出ノ基礎ト爲スモノニ付テハ前項ノ加算金額ヲ十二等分シ前項ノ規定ヲ準用ス

第三條　第一條第一項ノ規定ハ大正九年法律第十號第四條ノ休職給ニ付之ヲ準用ス

第四條　大正九年七月三十一日現在ニ於テ明治二十三年勅令第二百五十四號ニ依ル休職判事ノ受クル休職給ハ第一條ノ規定ニ準シ算出シタル金額ヲ以テ其ノ休職給トス

附　則

本令ハ大正九年七月一日以後ノ分ヨリ之ヲ適用ス但シ第三條及第四條ノ規定ハ大正九年八月一日以後ノ分ヨリ之ヲ適用ス

〔參照〕

大正九年（七月三十一日公布）法律第十號抄錄

第一條　大正九年七月三十一日現在ニ於テ國庫ヨリ軍人恩給以外ノ恩給、退隱料又ハ扶助料ヲ受ケ又ハ受クヘキ者ノ恩給、退隱料又ハ扶助料ノ年額ハ勅令ノ定ムル所ニ依リ其ノ年額ニ其ノ十割以內ニ相當スル金額ヲ加ヘタルモノトス　但シ七千五百圓以上ノ年俸ニ基ク恩給又ハ扶助料ニ付テハ此ノ限ニ在ラス

本法施行ノ際休職、非職、待命中ノ者又ハ其ノ遺族本法施行前ノ俸給ニ基キ國庫ヨリ軍人恩給以外ノ恩給、退隱料又ハ扶助料ヲ受クヘキ場合ニ於テハ其ノ金額算出ノ基礎タル俸額年額又ハ月俸額ハ其ノ額ニ勅令ノ定ムル金額ヲ加ヘタル額トス

第二條　大正九年七月三十一日現在ニ於テ軍人恩給（給助金及賑恤金ヲ除ク）ヲ受ケ若ハ受クヘキ者又ハ本法施行後軍人恩給ヲ受クヘキ事由ノ生シタル者ノ恩給金額ハ軍人恩給法第一號表乃至第四號表ノ金額ニ左ノ割合ヲ以テ計算シタル金額ヲ加ヘタルモノトス

官等			加給割合
將官及相當官	高等官	一等	二割
		二等	三割
佐尉官及相當官		三等	四割七
		四等	五割三
		五等	五割七
		六等	六割四
		七等	七割
		八等	七割
准士官	判任官	一等	七割
下士及卒	判任官二等以下		一〇割

第三條　前二條ノ規定ハ恩給、軍人恩給、退隱料又ハ扶助料ニ準スヘキモノニ之ヲ適用ス

第四條　第一條ノ規定ハ大正二年法律第七號ニ依リ休職ヲ命セラレタル判事及檢事竝大正二年法律第十二號ニ依リ休職ヲ命セラレタル會計檢査院及行政裁判所ノ高等官ノ休職給ニ付之ヲ準用ス

第五條　第一條及第三條ノ規定ハ大正九年七月三十一日現在ニ於テ市町村立小學校教員退隱料及遺族扶助料法明治二十九年法律第十三號巡查看守給助例、巡查看守退隱料及遺族扶助料法又ハ明治四十三年法律第三十號ニ依リ北海道地方費又ハ府縣ヨリ退隱料、扶助料又ハ之ニ準スヘキモノヲ受ケ又ハ受クヘキ者ニ付之ヲ準用ス

明治二十三年十月二十日公布勅令第二百五十四號ハ裁判官檢察官裁判所書記ノ官名及裁判官休職ニ係ル件ナリ

一〇　大正九年法律第十號施行手續

大正九年九月
總令第一四八號

第一條　大正九年閣令第八號ハ第八條ヲ除クノ外大正九年法律第十號ニ依リ增額ヲ受クヘキ退隱料又ハ扶助料ニシテ朝鮮總督ノ管掌ニ係ルモノノ取扱ニ付之ヲ準用ス

第二條　前條ノ閣令中內閣總理大臣又ハ內閣恩給局長トアルハ朝鮮總督內閣恩給局トアルハ朝鮮總督府トス

第三條　本令中別段ノ規定ナキモノニ付テハ公立學校職員及在外指定學校職員ニ係ルモノハ公立學校職員退隱料及遺族扶助料支給規則ヲ巡査看守女監取締及警部補ニ係ルモノハ明治四十四年朝鮮總督府令第七十一號ヲ準用ス

附　則

本令ハ發布ノ日ヨリ之ヲ施行ス

〔參照〕

大正九年七月法律第十號ハ恩給扶助料等ノ增額ニ關スル件ナリ

一一　大正九年法律第十號施行手續

大正九年八月
閣令第八號

改正　九年一二第一六號

第一條　大正九年法律第十號ニ依リ增額ヲ受クヘキ恩給、軍人恩給、退隱料、扶助料又ハ之ニ準スヘキモノニシテ內閣總理大臣又ハ內閣恩給局長ノ管掌ニ係ルモノノ內大正九年七月三十一日以前ノ日附アル證書ニ依リ給セラルルモノニ付テハ受給權者ノ請求ヲ俟タス更正年額ヲ表示シタル更正證書ヲ發行ス

大正九年七月三十一日現在ニ於テ受クヘキ恩給、軍人恩給、退隱料、扶助料又ハ之ニ準スヘキモノニシテ內閣總理大臣又ハ內閣恩給局長ノ管掌ニ係ルモノノ內大正九年八月一日以後裁定セラルルモノニ付テハ從前ノ例ニ依ル證書ニ代ヘ更正年額及從前ノ年額ヲ表示シタル證書ヲ發行ス

第二條　前條第一項ノ更正證書ヲ交付スル迄ハ更正支給額票ヲ貼附シタル從前ノ證書ニ依リ更正年額ヲ給ス

第三條　更正支給額表ハ內閣恩給局ニ於テ之ヲ調製シ貯金局ニ送付ス

第四條　更正證書ハ軍人恩給又ハ之ニ準スヘキモノニ係ルモノニ付テハ陸軍省又ハ海軍省ヲ經由シ其ノ他ノモノニ付テハ直ニ貯金局ヲシテ之ヲ受給權者ニ交付セシム

更正證書ノ交付ヲ受ケムトスル者ハ交付請求書ニ居住地ノ市區町村長又ハ之ニ準スヘキ官公署ヨリ當該市區町村又ハ之ニ準スヘキ地域ノ居住者タルコトノ奧書證印ヲ受ケ戶籍抄本ヲ添附シ現支給ヲ受ケムトスル郵便局ヲ經由シテ貯金局ニ之ヲ提出スヘシ　但扶助料又ハ之ニ準スヘキモノニ係ルトキハ戶籍抄本ニ代ヘ戶籍謄本ヲ添附スヘシ

第五條　更正證書ノ交付請求書ハ遞信大臣ノ定ムル期限ニ至ル迄ハ現支給郵便局又ハ新ニ支給ヲ受ケムトスル郵便局ニ之ヲ提出シ其ノ期限後ハ郵便官署ヲ經由シ內閣恩給局ニ之ヲ提出スヘシ

第六條　更正證書ヲ交付シタルトキハ舊證書ハ其ノ效力ヲ失フ
更正證書ノ更付ヲ受ケタルトキハ舊證書ハ速ニ郵便官署ヲ經テ內閣恩給局ニ之ヲ返納スヘシ
第七條　更正支給額票亡失毀損シタルトキ其ノ他之ニ準スヘキトキハ利害關係者ノ請求ニ因リ內閣恩給局ハ更ニ之ヲ交付スヘシ
前項ノ請求ハ郵便官署ヲ經由スヘシ
第八條　本令中別段ノ規定ナキモノニ付テハ官吏恩給法施行規則ヲ準用ス

一二　大正九年法律第十號ニ依リ更正ニ係ル恩給等支給規則

大正九年九月
遞信省令第八〇號

改正　大正九年一〇第一〇四號

第一條　爲替貯金局ニ於テ大正九年閣令第八號、同年文部省令第二十號其ノ他大正九年法律第十號施行ニ關スル規定ニ依リ給與ニ關スル證書ニ其ノ金額ニ對スル更正支給額票貼付ノ手續ヲ爲サムトスルトキハ其ノ旨ヲ受給者ニ通知ス
第二條　受給者前條ノ通知ヲ受ケタルトキハ速ニ給與ニ關スル證書ヲ支給郵便局ニ差出シ更正支給額票ノ貼付ヲ請求スヘシ
支給郵便局ニ於テ前項ノ請求ヲ受ケタル給與ニ關スル證書ノ表面上部欄外ニ更正支給額票ヲ貼付シ日附印ヲ以テ契印シタル上之ヲ受給者ニ返付スヘシ
第三條　第一條ノ場合ニ於テ受給者カ現ニ年金恩給支給規則第十條ニ依リ給與ニ關スル證書ヲ貯金局ニ寄託スルモノナルトキハ貯金局ニ於テ前條ノ手續ヲ爲シ新ニ保管證書ヲ作成シ支給郵便局ニ於テ舊保管證書ト引換ニ之ヲ受給者ニ交付ス
第四條　貯金局ニ於テ大正九年法律第十號ニ依リ更正ニ係ル給與ニ關スル證書ヲ受給者ニ交付セムトスルトキハ其ノ旨ヲ受給者ニ通知ス
前項ノ場合ニ於テ受給者年金恩給支給規則第十條ニ依リ給與ニ關スル證書ヲ貯金局ニ寄託スルモノナルトキハ新證書ハ一般ノ例ニ依リ之ヲ保管ス
第五條　受給者前條第一項ノ通知ヲ受ケタルトキハ其ノ通知受領證ノ部ニ記名調印ノ上之ヲ指定ノ郵便局ニ差出シ舊證ト引換ニ新證書ノ交付ヲ受クヘシ但シ止ムヲ得サル事由ニ依リ舊證書ヲ提出スルコト能ハサルトキハ其ノ事由書ヲ以テ之ニ代フルコトヲ得
前項ノ場合ニ於テ新ニ支給郵便局ヲ定ムルモノナルトキハ郵便局ノ交付スル用紙ニ依リ印鑑屆ヲ作製シ之ヲ新支給郵便局ニ差出スヘシ
第六條　大正九年法律第十號ニ依リ更正證書ノ交付請求書ヲ受給者ヨリ貯金局ニ提出スヘキ終期ハ追テ之ヲ告示ス
第七條　本規則ニ於テ別段ノ規定ナキモノニ付テハ年金恩給支給規則ノ定ムル所ニ依ル

附　則

本規則ハ公布ノ日ヨリ之ヲ施行ス

一三　増加恩給等ノ増額ニ關スル件

大正一一年三月
法律第一八號

第一條　大正十一年三月三十一日現在ニ於テ國庫ヨリ增加恩給、增加退隱料又ハ之ニ準スヘキモノヲ受ケ又ハ受クヘキ者ニ對シテハ本法施行ノ日ヨリ當分ノ內其ノ金額ノ外症項ノ等差ニ從ヒ左記ノ金額ヲ給ス本法施行後增加恩給、增加退隱料又ハ之ニ準スヘキモノヲ受クヘキ事由ノ生シタル者ニ付亦同シ

	甲號						乙號					
症項	第一項	第二項	第三項	第四項	第五項	第六項	第一項	第二項	第三項	第四項	第五項	第六項
年額	一八〇圓	一五〇圓	一二〇圓	一〇〇圓	七〇圓	五〇圓	一六〇圓	一三〇圓	一〇〇圓	八〇圓	六〇圓	四〇圓

第二條　前條ノ規定ハ大正十一年三月三十一日現在ニ於テ市町村立小學校教員退隱料及遺族扶助料法、明治二十九年法律第十三號、巡査看守給助例、巡査看守退隱料及遺族扶助料法又ハ明治四十三年法律第三十號ニ依リ府縣其ノ他ノ地方費ヨリ增加退隱料又ハ之ニ準スヘキモノヲ受ケ又ハ受クヘキ者ニ付之ヲ準用ス

本法施行後前項ノ增加退隱料又ハ之ニ準スヘキモノヲ受クヘキ事由ノ生シタル者ニ付亦前項ニ同シ

第三條　本法ニ規定スルモノノ外必要ナル事項ニ付テハ勅令ヲ以テ之ヲ定ム

附　則

本法ハ大正十一年四月一日ヨリ之ヲ施行ス

（參照）

明治二十九年三月二十四日公布法律第十三號ハ公立學校職員退隱料等ニ關スル件同四十三年三月二十八日公布法律第三十號ハ警部補退隱料及遺族扶助料等ニ關スル件ナリ

一四　大正十一年法律第十八號施行手續

大正一一年七月
府令第一〇一號

改正　大正一二年一第一九號

第一條　大正十一年閣令第五號ハ第四條ヲ除クノ外大正十一年法律第十八號ニ依リ增額ヲ受クヘキ增加退隱料ニシテ朝鮮總督又ハ道知事ノ管掌ニ係ルモノノ取扱ニ付之ヲ準用ス

第二條　前條ノ閣令中內閣總理大臣又ハ內閣恩給局長トアルハ朝鮮總督又ハ道知事、內閣恩給局トアルハ朝鮮總督府又ハ道トス

第三條　本令中別段ノ規定ナキモノニ付テハ公立學校職員在外指定學校職員ニ係ルモノハ公立學校職員退隱料及遺族扶助料支給規則ヲ、巡査、看守、女監取締、警部補及消防手ニ係ルモノハ明治四十四年朝鮮總督府令第七十一號ヲ準用ス

附　則

本令ハ發布ノ日ヨリ之ヲ施行ス

（參照）

大正十一年三月法律第十八號ハ增加恩給等ノ增額ニ關スル件ナリ

一五　大正十一年法律第十八號施行手續

大正一一年五月
閣令第五號

第一條　大正十一年法律第十八號ニ依リ增額ヲ受クヘキ增加恩給、增加退隱料又ハ之ニ準スヘキモノニシテ內閣總理大臣又ハ內閣恩給局長ノ管掌ニ係ルモノニ付テハ左ノ區別ニ依リ增加金額ヲ支給ス

一　大正十一年三月三十一日以前ノ日附アル證書ニ依リ支給セラルル

モノニ付テハ其ノ證書ニ増加金額ヲ表示シタル増加支給額票ヲ貼附シ其ノ證書ニ依リ之ヲ支給ス

二 大正十一年四月一日以後裁定セラルルモノニ付テハ従前ノ恩給年額及増加金額ヲ表示シタル證書ニ依リ之ヲ支給ス

第二條 増加支給額票ハ請求ヲ俟タス内閣恩給局ニ於テ之ヲ調製シ貯金局ヲ經テ増加恩給、増加退隱料又ハ之ニ準スヘキモノヲ受クル者ニ交付ス

第三條 増加支給額票亡失毀損シタルトキ其ノ他之ニ準スヘキトキハ利害關係者ノ請求ニ因リ内閣恩給局ハ更ニ之ヲ交付スルコトヲ得前項ノ請求ハ郵便官署ヲ經由スヘシ

第四條 本令中別段規定ナキ事項ニ付テハ官吏恩給法施行規則ヲ準用ス

附則

本令ハ公布ノ日ヨリ之ヲ施行ス

(別表)

適用法令 ＼ 傷痍疾病等差		甲號 第一項	甲號 第二項	甲號 第三項	甲號 第四項	甲號 第五項	甲號 第六項	乙號 第一項	乙號 第二項	乙號 第三項	乙號 第四項	乙號 第五項	乙號 第六項
官吏恩給法	第十四條第二項							症項ヲ策定シテ定ム					
官吏恩給法施行規則	第十二條							第一項	第二項	第三項	第四項	第五項	第六項
官吏恩給令附則	第五條							第一號	第二號	第三號	第四號	第五號	第六號
軍人	第三表甲號	第一項	第二項	第三項	第四項	第五項	第六項						

一六 大正十一年法律第十八號ニ依ル増加恩給等ノ増額ニ關スル件

大正十一年五月
勅令第二八四號

大正十一年法律第十八號第一條又ハ第二條ノ規定ニ依リ増額セラルル増加恩給、増加退隱料又ハ之ニ準スヘキモノヲ受ケ又ハ受クヘキ者ノ傷痍疾病ノ等差ハ官吏恩給法施行規則ニ準シ之ヲ策定ス

附則

本令ハ公布ノ日ヨリ之ヲ施行ス

區分	恩給法 第三表乙號	恩給法 第十條第二項	明治四年兵部省達陸軍士官兵卒給俸諸規則	陸軍武官傷痍扶助及死亡ノ者祭粢並其家族扶助概則	明治九年太政官達陸軍恩給令	明治十六年太政官達陸軍恩給令	海軍退隱令	海軍恩給令
條	第三表乙號	第十條第二項		第一條	第十一條	第十條	第十八條	第二十條
戰鬪ノ爲傷痍ヲ受ケタル者		甲號 第一項		第一項	第一項	第一號	第一號	第一號
						第二號	第二號	第二號
				第二項	第二項	第三號	第四號	第三號
						第四號	第五號	第四號
				第三項	第三項	第五號		第五號
						第六號		第六號
戰鬪以外ノ公務ニ因リ傷痍ヲ受ケ若ハ疾病ニ罹リタル者	第一項	乙號 第一項	一等傷痍	第一項	第一項	第一號		第一號
	第二項					第二號	第三號	第二號
	第三項		二等傷痍	第二項	第二項	第三號		第三號
	第四項					第四號	第六號	第四號
	第五項		三等傷痍	第三項	第三項	第五號		第五號
	第六項					第六號		第六號

市町村立小學校教員退隱料及遺族扶助料支給規則	第十五條	第一項	第二項	第三項	第四項	第五項	第六項
公立學校職員退隱料及遺族扶助料支給規則 大正十年閣令第八號第十五條		症項ヲ策定シテ定ム					
公立學校職員退隱料及遺族扶助料支給規則 明治二十五年文部省令第一號第十七條		第一項	第二項	第三項	第四項	第五項	第六項
公立學校職員退隱料及遺族扶助料支給規則 明治四十五年朝鮮總督府令第八十二號第十七條		第一項	第二項	第三項	第四項	第五項	第六項
臺灣ニ在勤スル地方税支辨ノ俸給ヲ受クル文官判任以上ノ學校職員退隱料及遺族扶助料支給規則	第十六條	第一項	第二項	第三項	第四項	第五項	第六項
巡査看守退隱料及遺族扶助料法施行令	第一條	第一號	第二號	第三號	第四號	第五號	第六號
巡査看守給助例	第四條	第一號			第二號		

一七 增加恩給等ノ增加金支給規則

大正一一年六月
遞省令第四二號

第一條 大正十一年法律第十八號ニ依リ增額ヲ受クヘキ增加恩給、增加退隱料又ハ之ニ準スヘキモノヲ受クル者ハ大正十一年閣令第五號ニ依リ給與ニ關スル證書ヲ支給郵便局ニ差出シ增加支給額票ノ貼附ヲ請求スヘシ

前項ノ請求ニハ支給額票貼附ニ關スル內閣恩給局ノ通知書ヲ呈示スヘシ

第二條 支給郵便局ニ於テ前條ノ請求ヲ受ケタルトキハ給與ニ關スル證書ノ表面上部欄外ニ增加支給額票ヲ貼附シ日附印ヲ以テ契印シタル上之ヲ受給者ニ送付スヘシ

第三條 受給者カ現ニ年金恩給支給規則第十條ニ依リ給與ニ關スル證書ヲ貯金局ニ寄託スルモノナルトキハ貯金局ニ於テ前條ノ手續ヲ爲シ新ニ保管證書ヲ作成シ支給郵便局ニ於テ舊保管證書ト引換ニ之ヲ受給者ニ交付ス

第四條 受給者增加支給額票ヲ亡失毀損シ其ノ他之ニ準スヘキ狀態ニ至ラシメタル爲之カ再度交付ヲ請求セムトスルトキハ證書ノ記號、住所肩書氏名及請求事由等ヲ認メタル內閣恩給局長宛ノ請求書ヲ支給郵便局ニ差出スヘシ　但シ給與ニ關スル證書ヲ呈示シ之カ閱覽ヲ受クルコトヲ要ス

第五條 本令ニ於テ別段ノ規定ナキモノニ付テハ年金恩給支給規則ノ定ムル所ニ依ル

附　則

本令ハ公布ノ日ヨリ之ヲ施行ス

（參照）

大正十一年三月三十日公布 法律第十八號ハ增加恩給等ノ增額ニ關スル件ナリ

一八　朝鮮總督府及關東（都督府）等在勤官吏ノ恩給及遺族扶助料ニ關スル件

明治四十年五月 法律第四八號

改正　四四年三第六五號

朕帝國議會ノ協贊ヲ經タル統監府及關東廳等在勤官吏ノ恩給及遺族扶助料ニ關スル法律ヲ裁可シ茲ニ之ヲ公布セシム

明治三十三年法律第七十五號第一條ノ規定ハ別ニ勅令ヲ以テ定ムルモノヲ除クノ外朝鮮總督府及關東「都總府」竝其ノ所屬官署ニ在勤スル內地人タル判任以上ノ官吏ニ之ヲ準用ス

附　則

本法ハ公布ノ日ヨリ之ヲ施行ス

本法ノ規定ハ「統監府」及其ノ所屬官署ニ在勤スル者ニ關シテハ明治三十九年二月以降關東「都督府」及其ノ所屬官署ニ在勤スル者ニ關シテハ明治三十九年九月以降ノ在職月數ニモ之ヲ適用ス

附　則（四十四年三月法律第六十五號）

本法ハ公布ノ日ヨリ之ヲ施行ス

本法ハ本法施行前退官シタル者ニモ之ヲ適用ス

統監府及其ノ所屬官署竝鐵道院韓國鐵道管理局及朝鮮鐵道管理局ニ於ケル在職ハ朝鮮總督府及其ノ所屬官署ニ於ケル在職ト看做ス

一九　明治四十年法律第四十八號ヲ適用セサル官吏ニ關スル件

明治四十年五月 勅令第一八八號

朕明治四十年法律第四十八號ヲ適用セサル官吏ニ關スル件ヲ裁可シ茲ニ之ヲ公布セシム

明治四十年法律第四十八號ハ政府ヨリ俸給ノ支給ヲ受ケサル官吏ニ之ヲ適用セス

附　則

本令ハ公布ノ日ヨリ之ヲ施行ス

二〇　朝鮮人官吏ノ恩給、退隱料及遺族扶助料等ニ關スル件

大正七年四月 法律第三〇號

第一條 朝鮮人ノ舊韓國政府、統監府又ハ其ノ所屬官署ニ在官又ハ在職

シタル月數及明治四十三年勅令第三百十九號第五項ノ規定ニ依リ官吏ノ待遇ヲ受ケタル在職月數ハ本法ノ定ムル所ニ依リ官吏恩給法、官吏遺族扶助法、明治四十五年法律第十一號ノ在官年數又ハ巡査看守退隱料及遺族扶助料法ノ勤續年數ニ通算ス

第二條 左ニ掲クル月數ハ之ヲ官吏恩給法及官吏遺族扶助法ノ在官年數ニ通算ス 但シ年齡二十歲ニ滿タサル者ノ在官在職日數ハ此ノ限ニ在ラス

一 舊韓國政府、統監府又ハ其ノ所屬官署ノ文官判任官以上ノ者ノ明治三十九年二月一日以後ノ在官月數

二 明治四十三年勅令第三百十九號第五項ノ規定ニ依リ官吏ノ待遇ヲ受ケタル者ノ其ノ待遇ヲ受ケタル在職月數

第三條 左ニ掲クル月數ハ之ヲ明治四十五年法律第十一號ノ學校職員ノ在官年數ニ通算ス 但シ退職給與金ニ關シテハ明治四十四年十一月一日前ヨリ勤續シタル者ノ勤續月數ニ限リ之ヲ通算ス

一 舊韓國政府ノ文官判任以上ノ教官又ハ教育事務ニ從事スル者ノ明治三十九年二月一日以後ノ在官月數

二 明治四十三年勅令第三百十九號第五項ノ規定ニ依リ官吏ノ待遇ヲ受ケタル者ニシテ教育又ハ教育事務ニ從事シタルモノノ其ノ待遇ヲ受ケタル在職月數

第四條 左ニ掲クル月數ハ之ヲ巡査看守退隱料及遺族扶助料法ノ巡査ノ勤續年數ニ通算ス 但シ一時金ニ關シテハ明治四十三年八月二十九日前ヨリ勤續シタル者ノ勤續月數ニ限リ之ヲ通算ス

一 舊韓國政府ノ權任又ハ巡檢ノ明治三十九年二月一日以後ノ在職月數

二 舊韓國政府又ハ統監府ノ巡査ノ在職月數

第五條 舊韓國政府又ハ統監府ノ看守ノ在職月數ハ巡査看守退隱料及遺族扶助料法ノ看守ノ勤續年數ニ通算ス 但シ一時金ニ關シテハ前條但書ノ規定ヲ準用ス

第六條 前四條ノ規定ニ依リ在官在職月數ヲ通算スヘキ官職ニ在リタル者其ノ通算スヘキ在官又ハ在職中懲戒處分ニ依リ免官免職セラレ又ハ刑事裁判ニ依リ失官失職シタルトキハ其ノ免官免職又ハ失官失職前ノ在官在職月數ニ付本法ヲ適用セス

附　則

本法ハ公布ノ日ヨリ之ヲ施行ス

本法ハ本法施行後退官又ハ退職シタル者及在官又ハ在職中ニ死亡シタル者ノ遺族ニ限リ之ヲ適用ス

二 恩給退隱料及扶助料等請求書式其ノ他ニ關スル件

大正十一年五月 官通牒第三七號

秘書課長

本府各局部長
第一次所屬官署ノ長 宛

爾今本府ヘ差出スヘキ恩給退隱料及扶助料等請求書類（朝鮮公立學校職員及雇人並其ノ遺族ノ分ハ此ノ限ニアラス）ハ可成別記書式ニ依リ調製セシメラルル樣致度此段及通牒候也

追テ巡査看守退隱料及遺族扶助料法ニ依リ受クヘキ退隱料扶助料及一

時金等ノ請求書ニ添附ノ履歴書中朝鮮ニ於ケル經歴事項ニ關シテハ他官署關係ノモノハ當該官署ニ就キ之ヲ調査シ又貴廳關係ノモノハ貴廳備付履歴書ニ照合シ各事項毎ニ其ノ上欄外ニ［照合］ノ印ヲ押捺ノ上御進達相成度從來添附シタル履歴事項證明書ハ添附ノ必要無之候此段申添候

第一號書式（初メテ官吏恩給又ハ學校職員（朝鮮公立學校職員ノ分ヲ除ク）退隱料請求ノ場合）

恩給（又ハ學校職員退隱料）請求書　（用紙美濃紙）

元何官　何　某

右者｛在官十五年以上ニシテ｛病氣ノ爲／休職滿期ニ依リ／何何｝／公務ノ爲｛傷痍ヲ受ケ／疾病ニ罹リ｝職ニ堪ヘス｝退官致候ニ付｛官吏恩給法／府縣立師範學校長俸給竝公立學校職員退隱料及遺族扶助料法｝ニ依リ相當｛恩給／退隱料｝下賜度證據書類相添此段請求仕候也

他ノ退隱料若ハ恩給ハ請求致サス候（同一ノ事由ニ依リ他ノ退隱料若ハ恩給ヲ受ケ若ハ受クヘキ者府縣立師範學校長俸給竝公立學校職員退隱料及遺族扶助料法ニ依リ退隱料ヲ請求スル者ニ限ル）

年　月　日

現住所　何何

右　氏　名　㊞

朝鮮總督宛

第二號書式（官吏恩給又ハ學校職員（朝鮮公立學校職員ノ分ヲ除ク）退隱料ノ增額請求ノ場合）

恩給（又ハ學校職員退隱料）請求書　（用紙美濃紙）

元何官　何　某

右者前ニ恩給（又ハ退隱料）ヲ受ケ居リ候處再任シ｛在官一年以上ニシテ｛病氣ノ爲／休職滿期ニ依リ／何何｝／公務ノ爲｛傷痍ヲ受ケ／疾病ニ罹リ｝職ニ堪ヘス｝退官致候ニ付｛官吏恩給法／府縣立師範學校長俸給竝公立學校職員退隱料及遺族扶助料法｝ニ依リ相當｛恩給／退隱料｝下賜度證據書類相添此段請求仕候也

年　月　日

現住所　何何

右　氏　名　㊞

朝鮮總督宛

第三號書式

履歴書　（用紙美濃紙）

原籍何縣何郡何村字何何百何拾何番地

何　某

（舊氏名何　某）

何年何月何日生

明治三十五年	六月	一日	裁判所書記見習ヲ命ス	司法省
同　年	同	日	何何裁判所詰ヲ命ス	同
同　三十五年	七月	一日	任裁判所書記	同

同　年	同　日	月俸何圓給與	同
同　年	同　日	補何何裁判所書記	同
同　三十六年	六月三十日	給何級俸	同
同　三十六年	八月三十一日	文官分限令第十一條第一項第何號ニ依リ休職ヲ命ス	同
同　三十七年	四月一日	復職ヲ命ス	同
同　三十八年	六月三十日	給何級俸	同
同　年	同　日	依願免本官(家事ノ都合)又ハ(疾病)	同
同　三十八年	十月一日	臨時教育召集トシテ歩兵第何聯隊補充大隊ヘ應召	
同　年	十月三十一日	補充召集ニ變更	
同　年	同　日	一等卒	
同　年	十一月一日	看護卒	
同　年	同　日	後備混成第何旅團衛生隊ヘ編入	
同　年	十二月二日	宇品港出發	
同　年	十二月六日	清國大連上陸	
同　三十九年	何月何日	柳樹屯出發	
同　年	何月何日	神戸港歸着	
同　年	八月三十一日	召集解除	
同　四十年	五月五日	任何縣何郡書記	何縣

同　年	同　日	給六級俸	同
同　四十一年	三月三十一日	在官ノ儘韓國政府ノ聘用ニ應シ並同國政府ヨリ給與ヲ受クルノ件許可ス	同
同　年	同　日	韓國政府聘用中在職者ニ關スル規定ヲ適用ス	
△同　四十一年	四月三日	釜山港上陸	
△隆熙二年	四月三日	任何郡主事　敍判任官二等	內部大臣
△同　年	同　日	給何級俸	同
明治四十三年	八月二十九日	勅令第三百十九號ヲ以テ從來韓國政府ニ屬シタル官廳ハ內閣表勳院ヲ除ク外朝鮮總督府所屬官署ト見做シ當分存置セラレ判任官ノ待遇ヲ受ク	
同　年	十月一日	任朝鮮總督府道書記(朝鮮ニ在リテ任官)	朝鮮總督府
明治四十三年	十月一日	給五級俸	同
同　年	同　日	何道在勤ヲ命ス	同
明治四十四年	二月二十八日	兼任朝鮮總督府府書記	同
同　年	同　日	何道在勤ヲ命ス	同
同　年	十二月卅一日	給四級俸	同

大正元年	十一月三十日	免本官専任朝鮮總督府府書記	同
同年	同日	給四級俸	同
同五年	十二月卅一日	給三級俸	同
同年	同日	依願免本官(疾病△)	同
同六年	三月一日	官吏恩給年額金何圓ヲ受ク	
△大正六年	四月三十日	任朝鮮總督府臨時土地調査局書記(朝鮮ニ在リテ任官△)	朝鮮總督府
同年	同日	給四級俸	同
大正七年	十一月五日	朝鮮總督府臨時土地調査局官制廢止廢官	
同年	同日	任朝鮮總督府道書記	同
同年	同日	給四級俸	同
同年	同日	何道在勤ヲ命ス	同
同年	十二月卅一日	給三級俸	同
△大正九年	八月十八日	判任官俸給令中改正公布八月分ヨリ適用俸給月額一〇八圓	
△同十年	二月十二日	地方官官制改正朝鮮總督府道屬トナル	
同年	三月一日	任朝鮮總督府郡守敍高等官七等	内閣
同年	同日	七級俸下賜	朝鮮總督府
同年	同日	何何道何何郡在勤ヲ命ス	同
同十一年	九月三十日	陞敍高等官六等	内閣
同年	同日	六級俸下賜	朝鮮總督府
同年	十月三日	依願免本官(疾病△)	内閣

右之通相違無之候也

大正何年何月何日

右 何 某 ㊞

備考

△印ノ行及括弧内ハ朱書スヘシ

注意 (官吏恩給請求書 學校職員(朝鮮公立學校職員ヲ除ク)退隱料請求書)

(イ)請求書及添付書類ニ就テ

一 恩給(又ハ退隱料)請求ニ必要ナル書類左ノ如シ

(1) 請求書

(2) 履歷書

(3) 戸籍謄本又ハ民籍謄本

(4) 辭職願寫

(5) 退官ニ關スル診斷書寫

(6) 恩給(退隱料)證書(恩給又ハ退隱料ヲ受ケタル者其ノ增額ヲ請求スル場合)

公務ノ爲傷痍ヲ受ケ若ハ疾病ニ罹リ恩給又ハ退隱料ヲ請求スル者ハ右ニ掲ケタル書類ノ外尙左ノ書類ヲ必要トス

(7) 現認證書又ハ之ヲ證スル公文ノ寫若ハ口供書

二 恩給又ハ退隱料請求ニ必要ナル書類ハ各書必ス正副二通ヲ要ス

但シ副本ハ寫ニテ可ナリ

三　請求書、履歴書其ノ他添付書類ニ記載シタル原籍地名、氏名ノ字畫及生年月日等ハ必ス戸籍謄本又ハ民籍謄本ト照合スヘシ

四　戸籍（民籍）謄本ハ退官（廢官）後調製シタルモノタルコト

但シ抄本ニテハ處理不相成

五　恩給若ハ退隱料請求準備中死亡シタル場合遺族ハ其ノ遺志ヲ繼承シタル旨ヲ請求書ニ記載シ生前ニ受クヘカリシ恩給若ハ退隱料ヲ請求スルコトヲ得

（ロ）履歴書調製ニ就テ

一　履歴書ニハ位勳、出張、賞與、物品會計官吏、收入官吏、各種委員會委員及書記等ノ事項ハ省略スヘシ

二　履歴書ニハ捺印ヲ要ス

三　改氏名者ハ必ス舊氏名ヲ記載スヘシ

四　官制及俸給令改正、韓國政府應聘許可、應聘中ノ韓國政府官吏ノ命免等ニ關スル事項ハ漏ナク記載シ朱書スヘシ

五　內地人ニシテ朝鮮到著後任官ノ者ハ其ノ旨又朝鮮到著前任官ノ者ハ到著ノ年月日竝其ノ港灣名ヲ記載スヘシ

第四號書式

（官吏又ハ朝鮮公立學校ヲ除ク學校ノ職員）｛恩給（退隱料）ヲ受ケ死亡／在官（在職）中死亡／公務ノ爲死亡｝ノ場合

扶助料（一時扶助金）請求書　（用紙美濃紙）

故何官職　何　某

右者｛何何恩給（何何退隱料）ヲ受ケ居リ候處／在官（在職）中――――／公務ノ爲｛傷痍ヲ受ケ／疾病ニ罹リ｝――――｝何年何月何日死亡致候ニ就テハ｛官吏遺族扶助法――――／府縣立師範學校長俸給竝公立學校職員退隱料及遺族扶助料法｝ニ依リ相當扶助料（一時扶助金）下賜度證據書類相添此段請求仕候也

他ノ扶助料ハ請求致サス候（同一ノ事由ニ依リ他ノ扶助料ヲ受ケ若ハ受ノヘキ者府縣立師範學校長俸給竝公立學校職員退隱料及遺族扶助料法ニ依リ扶助料ヲ請求スル者ニ限ル）

年　月　日

原籍地　何何

現住所　何何

元（故）官職何某寡婦（孤兒、父、母等）　氏　名　㊞

（請求者無能力者ナルトキハ法定代理人）

原籍地　何何

現住所　何何

氏　名　㊞

朝鮮總督宛

第五號書式（官吏又ハ朝鮮公立學校ヲ除ク學校ノ職員遺族扶助料轉給ノ場合）

扶助料轉給請求書　（用紙美濃紙）

元
故何官（職）何某寡婦（孤兒、父、母等）

氏　　名

右者從來扶助料相受居リ候處何年何月何日死亡致シ（又ハ何何ニ依リ云云）候ニ就テハ｛官吏遺族扶助法／府縣立師範學校長俸給竝公立學校職員退隱料及遺族扶助料法｝ニ依リ私ニ轉給相成度別紙扶助料證書、戸籍（民籍）謄本（及證據書類）相添此段請求仕候也

年　月　日

原籍地　何何

現住所　何何

元
故官職何某（孤兒、父、母等）

氏　　名　㊞

（請求者無能力者ナルトキハ法定代理人）

原籍地　何何

現住所　何何

氏　　名　㊞

朝鮮總督宛

注意（官吏遺族扶助料又ハ一時扶助金請求者／學校職員遺族扶助料又ハ一時扶助金請求者／官吏又ハ學校職員遺族扶助料轉給請求者）

（イ）請求書及添付書類ニ就テ

一　扶助料又ハ一時扶助金請求ニ必要ナル書類左ノ如シ

(1)　請求書

(2)　本屬廳ヨリ下付ノ履歷書　下付書共

(3)　戸籍謄本又ハ民籍謄本

死亡者戸主ニシテ相續屆出後ナルトキハ現在ノ謄本ノ外除籍謄本共

(4)　恩給（退隱料）證書（恩給又ハ退隱料ヲ受ケ死亡シタル場合）

公務ノ爲傷痍ヲ受ケ若ハ疾病ニ罹リ死亡シ扶助料ヲ請求スル者ハ右ニ掲ケタル書類ノ外尙左ノ書類ヲ必要トス

(5)　傷病カ公務ニ起因シタルコトノ證明書類ニシテ本屬廳ヨリ下付セラレタルモノ

(6)　診斷書、死體ノ檢案書等本屬廳ヨリ下付セラレタルトキハ其ノ下付セラレタル書類

二　扶助料轉給請求ニ必要ナル書類左ノ如シ

(1)　請求書

(2)　前者ノ扶助料證書

(3)　戸籍謄本又ハ民籍謄本

死亡者戸主ニシテ相續屆出後ナルトキハ現在ノ謄本ノ外除籍謄本共

三　扶助料、一時扶助金又ハ扶助料轉給請求ニ必要ナル書類ハ各書必ス正副二通ヲ要ス

但シ副本ハ寫ニテ可ナリ

四　請求書、履歷書其ノ他添付書類ニ記載シタル原籍地名、氏名ノ字劃及生年月日等ハ必ス戸籍謄本又ハ民籍謄本ト照合スヘシ

五　戸籍（民籍）謄本ハ死亡ノ事實ヲ記載シタルモノタルコト

但シ抄本ニテハ處理不相成

六　扶助料又ハ一時扶助金請求準備中死亡シタル場合遺族ハ其ノ遺志ヲ繼承シタル旨ヲ請求書ニ記載シ生前ニ受クヘカリシ扶助料又ハ一時扶助金ヲ請求スルコトヲ得

第六號書式（警部補、巡査、消防手、看守、女監取締初メテ退隱料ヲ請求スル場合）

退隱料請求書（用紙美濃紙）

元朝鮮總督府（道警部補／道巡査／道消防手／看守／女監取締）　何　某

右者（勤續十年以上ニシテ（病氣／休職滿期／事務ノ都合／何何ニ轉職／年齢五十歳ヲ超エ）ニ依リ／公務ノ爲（傷痍ヲ受ケ／疾病ニ罹リ）職ニ堪ヘス）退職致候ニ付巡査看守退隱料及遺族扶助料法ニ依リ相當退隱料下賜度證據書類相添此段請求仕候也

年　月　日

現住所　何何

右　氏　名　㊞

朝鮮總督宛

第七號書式（警部補、巡査、消防手、看守、女監取締退隱料ノ増額請求ノ場合）

退隱料增額請求書（用紙美濃紙）

元朝鮮總督府（道警部補／道巡査／道消防手／看守／女監取締）　何　某

右者前ニ退隱料相受居リ候處再任シ（在職一年以上ニシテ（病氣／休職滿期／事務ノ都合／何何ニ轉職／年齢五十歳ヲ超エ）ニ依リ／公務ノ爲（傷痍ヲ受ケ／疾病ニ罹リ）職ニ堪ヘス）退職致候ニ付巡査看守退隱料及遺族扶助料法ニ依リ相當增額相成度證據書類相添此段請求仕候也

年　月　日

現住所　何何

右　氏　名　㊞

朝鮮總督宛

第八號書式（警部補、巡査、消防手、看守、女監取締一時金請求ノ場合）

一時金請求書（用紙美濃紙）

元朝鮮總督府（道警部補／道巡査／道消防手／看守／女監取締）　何　某

右者勤續一年以上ニシテ（病氣／休職滿期／事務ノ都合／何何ニ轉職／年齢五十歳ヲ超エ）ニ依リ退職ニ致候ニ付巡査看

守退隱料及遺族扶助料法ニ依リ相當一時金下賜度證據書類相添此段請求仕候也

年　月　日

現住所　何何

右　氏　名　㊞

朝鮮總督宛

第九號書式（警部補、巡査、消防手、看守、女監取締扶助料請求場合）

扶助料請求書（用紙美濃紙）

元朝鮮總督府｛道警部補　道巡査　道消防手　看守　女監取締｝故　何　某

右者｛在職十年以上ニシテ在職中　公務ノ爲在職中　退隱料ヲ受ケ居リ候處｝大正何年何月何日死亡致候ニ付巡査看守退隱料及遺族扶助料法ニ依リ相當扶助料下賜度證據書類相添此段請求仕候也

年　月　日

原　籍　何縣何郡何町字何何番地（何道何郡何洞（里）何番地）

現住所　何何

元朝鮮總督府｛道警部補　道巡査　道消防手　看守　女監取締｝故　何某寡婦（孤兒、父、母等）

氏　名　㊞

（請求者無能力者ナルナキハ法定代理人）

原籍地　何何

現住所　何何

氏　名　㊞

朝鮮總督宛

第十號書式（警部補、巡査、消防手、看守、女監取締扶助料ノ轉給ヲ請求スル場合）

扶助料轉給請求書（用紙美濃紙）

元朝鮮總督府｛道警部補　道巡査　道消防手　看守　女監取締｝故　何某寡婦（孤兒、父、母等）

氏　名

右者大正何年何月何日死亡（又ハ何何ニ依リ云云）致候ニ付巡査看守退隱料及遺族扶助料法ニ依リ私ニ轉給相成度證據書類相添此段請求仕候也

年　月　日

原籍地　何何

現住所　何何

元朝鮮總督府｛道警部補　道巡査　道消防手　看守　女監取締｝故　何某寡婦（孤兒、父、母等）

氏　名　㊞

（請求者無能力者ナルトキハ法定代理人）

原籍地　何何

現住所　何何

氏　名　㊞

朝鮮總督宛

第十一號書式（警部補、巡査、消防手（内地人））一時金／退隱料請求ノ／退隱料ノ增額場合

履歴書（用紙美濃紙）

原籍　何縣何郡何村大字何何何番地ノ何

何　某

（舊氏名何　某）

何年何月何日生

明治三十五年	四月一日	何何縣巡査ヲ命ス	何何縣
同　三十八年	四月二日	月俸十五圓給與（退職當時ノ俸給）	同
同　年	同　日	願（又ハ事務ノ都合）ニ依リ巡査ヲ免ス △右勤續ニ對シ一時金三十圓ヲ受ク	同
同　三十八年	七月三十一日	何何縣巡査ヲ命ス	何何縣
同　三十九年	五月一日	統監府ヘ出向ヲ命ス	同
同　年	五月五日	統監府巡査ヲ命ス	統監府
△同　年	五月十日	釜山港上陸	
同　四十年	二月一日	在職ノ儘韓國政府應聘許可	
△光武十年（明治四十年）	二月一日	命巡査	内部
明治四十二年	十一月一日	統監府巡査ヲ命ス	統監府
△同　四十三年	七月一日	統監府令第三十二號ニ依リ當然勤續	
△同　年	十月一日	朝鮮總督府令第十六號ニ依リ朝鮮總督府巡査トナル	
△大正八年	八月二十日	朝鮮總督府令第百三十四號ニ依リ朝鮮總督府道巡査トナル	
同　九年	十月三十一日	任朝鮮總督府道警部補 給月俸六十圓（退職當時ノ俸給）	朝鮮總督府
同　年	同　日	依願免本官（疾病職ニ堪ヘス） △右退職ノ節退隱料年額二百五十八圓ヲ受ク	同
同　十年	二月十日	△任朝鮮總督府道警部補（朝鮮ニ在リテ任官）	同
同　十一年	三月三十一日	給月俸七十圓（退職當時ノ	同

同 年四月一日	任朝鮮總督府道警部（俸給）	同 同

右之通相違無之候也

年 月 日

右 何 某 ㊞

備考

△印ノ行及△印括弧内ハ朱書スヘシ

第十二號書式（警部補、巡査、消防手（朝鮮人））（一時金・退隱料・退隱料ノ増額）請求ノ場合

履歴書（用紙美濃紙）

原籍 何道何郡何面何洞何番地

何 某

（舊氏名何 某）

何年何月何日生

光武九年（明治三十八年）七月七日	命巡檢（權任）	内部
△隆熙二年（明治四十一年）一月一日	官制改正韓國政府巡査トナル	
△明治四十三年七月一日	統監府令第三十二號ニ依リ統監府巡査補トナル	
同 年八月一日	統監府巡査ヲ命ス	統監府
同 年十月一日	朝鮮總督府令第十六號ニ依リ朝鮮總督府巡査補トナル	
同 年十一月三十日	朝鮮總督府巡査ヲ命ス	朝鮮總督府
大正七年十二月三十一日	月俸九圓ヲ給ス（退職當時ノ俸給）	同
同 年同 日	願（事務ノ都合）ニ依リ巡査ヲ免ス	同
	△右勤續ニ對シ一時金四十八圓給與	
大正八年五月五日	朝鮮總督府巡査ヲ命ス	同
△同 年八月二十日	朝鮮總督府令第百三十四號ニ依リ朝鮮總督府道巡査トナル	
同 十年四月一日	任朝鮮總督府道警部補	同
同 年十二月廿一日	給月俸六十圓（退職當時ノ俸給）	同
同 十一年三月三十一日	任朝鮮總督府道警部	同

右之通相違無之候也

年 月 日

右 氏 名 ㊞

備考

△印ノ行ハ朱書スヘシ

第十三號書式（看守、女監取締（一時金／退隱料）（退隱料ノ増額）請求ノ場合）

履歴書（用紙美濃紙）

原籍　何道何郡何面何洞里／何縣何郡何町字何何番地ノ何

何　某

（舊氏名何　某）

何年何月何日生

明治四十年	四月一日	京城理事廳看守ヲ命ス（△朝鮮ニ在リテ拜命）	統監府
同　四十一年	四月七日	永登浦監獄在勤ヲ命ス	同
同　年	五月一日	月俸十二圓ヲ給ス（退職當時ノ俸給）	同
同　年	七月三十一日	願（又ハ事務ノ都合）ニ依リ看守ヲ免ス △右勤續ニ對シ一時金八圓給與（又ハ一時金ヲ受ケス）	同
隆熙二年（明治四十一年）	十月一日	京城監獄看守ヲ命ス	京城監獄
△明治四十二年	十一月一日	統監府監獄官制制定	
同　年	同　日	京城監獄看守ヲ命ス	統監府
△同　四十三年	十月一日	朝鮮總督府令第十三號ニ依リ朝鮮總督府看守トナル	
大正元年	九月三十日	月俸十五圓ヲ給ス（退職當時ノ俸給）	朝鮮總督府
同　年	同　日	願ニ依リ看守ヲ免ス（病氣△） △右勤續ニ對シ一時金二十圓給與	同
大正二年	三月三日	巣鴨監獄看守ヲ命ス	巣鴨監獄
同　三年	四月一日	朝鮮總督府ヘ出向ヲ命ス	同
同　年	四月二日	朝鮮總督府看守ヲ命ス	朝鮮總督府
△同　年	四月七日	釜山港上陸	
同　九年	六月三十日	月俸五十圓ヲ給ス（退職當時ノ俸給）	同
同　年	十二月廿一日	事務ノ都合ニ依リ看守ヲ免ス △右勤續ニ對シ退隱料年額百六十圓給與	同
大正十年	二月一日	朝鮮總督府看守ヲ命ス（△朝鮮ニ在リテ拜命）	同
同　十一年	三月三十一日	月俸五十五圓ヲ給ス（退職當時ノ俸給）	
同　年	同　日	任朝鮮總督府看守長	同

右之通相違無之候

年　月　日

右　氏　名　㊞

備考

△印ノ行及△印括弧内ハ朱書スヘシ

注意　警部補、巡査、看守、消防手及女監取締｛一時金・退隱料・退隱料ノ增額・扶助料｝請求ノ場合

(イ)請求書及添付書類ニ就テ

一　一時金請求ニ必要ナル書類左ノ如シ

(1)　請求書

(2)　履歴書

(3)　退職ニ關スル診斷書寫

二　退隱料若ハ退隱料ノ增額請求ニ必要ナル書類左ノ如シ

(1)　請求書

(2)　履歴書

(3)　退職ニ關スル診斷書寫

戸籍謄本又ハ民籍謄本

(4)　退隱料證書(退隱料ヲ受ケタル者再任ノ後增額ヲ請求スル場合)

職務ノ爲傷痍ヲ受ケ又ハ疾病ニ罹リ退隱料ヲ請求スル者ハ右ニ揭ケタル書類ノ外尙左記書類ヲ必要トス

(5)　傷痍又ハ疾病ノ職務ニ起因シタル事實ヲ證スヘキ書面

(6)　負傷又ハ發病ノ原因、症候經過及豫後等詳細記載シタル醫師ノ診斷書

三　扶助料請求ニ必要ナル書類左ノ如シ

(1)　請求書

(2)　本屬廳ヨリ下付ノ履歴書下付書共

(3)　戸籍謄本又ハ民籍謄本

死亡者戸主ニシテ相續屆出後ナルトキハ現在ノ謄本ノ外除籍謄本共

(4)　退隱料證書(退隱料ヲ受ケタル者死亡シタル場合ニ限ル)

職務ノ爲傷痍ヲ受ケ若ハ疾病ニ罹リ死亡シ扶助料ヲ請求スル者ハ右ニ揭ケタル書類ノ外尙左ノ書類ヲ必要トス

(5)　傷痍又ハ疾病ノ職務ニ起因シタル證據トナルヘキ書類ニシテ本屬廳ヨリ下付シタルモノ

(6)　診斷書又ハ死體ノ檢案書等本屬廳ヨリ下付セラレタルトキハ其ノ下付セラレタル書類

四　扶助料ノ轉給請求ニ必要ナル書類左ノ如シ

(1)　請求書

(2)　前者ノ扶助料證書

(3)　戸籍謄本又ハ民籍謄本

死亡者戸主ニシテ相續屆出後ナルトキハ現在ノ謄本ノ外除籍謄本共

五　請求書、履歴書其ノ他添付書類ニ記載シタル原籍地名、氏名ノ字劃及生年月日等ハ必ス戸籍謄本又ハ民籍謄本ト照合スヘシ

六　戸籍(民籍)謄本ハ退隱料ノ請求ニ在リテハ退職後調製シタルモノ

扶助料請求ニ在リテハ(前者死亡ノ爲轉給請求ノ場合ヲ含ム)

死亡ノ事實ヲ記載シタルモノタルコト
但シ抄本ニテハ處理不相成

七 退隱料、扶助料又ハ一時金等ノ請求準備中死亡シタル場合遺族ハ其ノ遺志ヲ繼承シタル旨ヲ請求書ニ記載シ生前ニ受クヘカリシ退隱料、扶助料若ハ一時金ヲ請求スルコトヲ得

(ロ)履歷書調製ニ就テ

一 履歷書ニハ位勳、出張、賞與、練習生、精勤證書等ノ事項ハ省略スヘシ

二 履歷書ニハ捺印ヲ要ス

三 改氏名者ハ必ス舊氏名ヲ記載スヘシ

四 韓國政府應聘許可、應聘中ノ韓國政府官吏ノ命免事項等ハ漏ナク記載シ可成朱書スヘシ

五 內地人ニシテ朝鮮到著後拜命ノ者ハ其旨又朝總到著前拜命ノ者ハ到著ノ年月日竝其ノ港灣名ヲ記載スヘシ

六 俸給ハ退職當時又ハ在職最終ノ俸給ノミヲ記載シ外ハ省略スルモ妨ケス
但シ退職當時又ハ在職最終ノ俸給事項ノ直下ニハ必ス「退職當時俸給」又ハ「在職最終俸給」ト記載スヘシ

二三 看守、女監取締退隱料扶助料等請求ニ關シ關係官署ヘ附箋照會事項ノ概要

自大正十年四月
至大正十一年四月 調

請求書

一 諸求書記載ノ任免轉職死亡年月日及俸給額等履歷書ト又ハ他ノ書類ト相違ニ付調査方

二 請求書記載ノ在職年數ト添付ノ履歷書ニ依リ計算シタル在職年數ト相違ニ付訂正方

三 求請者ノ氏名戶籍民籍謄本ト不突合ニ付調査方

四 請求者ノ氏名、字劃戶籍、民籍謄本ト不突合ニ付調査方

五 一時金ヲ請求スヘキモノナルニ退隱料ヲ請求シタル爲調査方

六 請求書記載ノ本籍地名謄本ト不突合ニ付調査方

履歷書

七 履歷書中官制改正ノ結果職名ニ異動ヲ生シタル事項(總督府看守)其他必要事項(一時金ノ有無、再ヒ前職ニ就キタルモノノ其前ノ事項)等ノ脫漏又ハ誤記ニ付記入並訂正方

八 履歷書中朝鮮ニ在リテ拜命ナルヤ否、朝鮮到着年月日等記載ナキ爲記載方

九 履歷事項誤記ニ付訂正方

十 履歷書記載ノ生年月日戶籍民籍謄本ト不突合ニ付調査方

十一 改氏名シタル者ニシテ舊氏名ヲ記載セサル爲記載方

十二 履歷書ニ捺印漏ニ付押捺方

十三 履歷書ニ公用紙ヲ使用シタル爲私用紙ニ書換方

戶籍、民籍謄本

十四 死亡事實ヲ記載シタル謄本ヲ添付スヘキ處生存中ノ謄本添付ニ付引換方

十五 請求書ヘ添付シタル戶籍民籍謄本ノ誤記(氏名字劃數字ノ不明瞭

及誤記訂正方

十六　在職中調製ノ謄本ヲ添付シタルニ付退職後調製ノ謄本ト引換方

十七　戸籍民籍ノ謄本ヲ添付スヘキ處抄本ヲ添付シタルニ付引換方

十八　死亡者戸主ニシテ相續屆出後ナル爲現在ノ謄本ノ外除籍謄本ヲモ添付スヘキモノナル處添付ナキニ付提出方

右ノ場合除籍謄本ノミヲ添付シタル爲更ニ現在ノ謄本ヲモ提出方

診斷書

十九　診斷書ニ診斷年月日記入ナキニ付記入方

二十　診斷書ハ退職ノ際辭表ヘ添付シタルモノト同一ノモノヲ必要トスルモノナル處退職後調製シタルモノヲ添付シタル爲引換方辭表ヘ添付シタル診斷書ヲ後日寫シ取リタル場合原本タル診斷書記載ノ年月日ヲ寫シ取ラス別ニ斷リ書モセス單ニ寫シタル當時ノ年月日ノミヲ記入シタルモノハ異リタル診斷書ト看做サル

添付書類等

二十一　請求書ニ添付スヘキ證據書類（一時金請求者ナルトキハ履歴書病氣退職ナラハ診斷書、退隱料請求者ナルトキハ右書類ノ外戸籍（民籍）謄本、退隱料ノ增額請求者ナルトキハ退隱料請求者ノ添付スヘキ書類ノ外更ニ前ノ退隱料證書退隱料ヲ受ケ死亡シタル者ノ遺族ヨリ扶助料ヲ請求スルトキハ退隱料證書、戸籍(民籍)謄本、扶助料ヲ受ケタル者死亡ニ付扶助料ノ轉給請求者ナルトキハ前者ノ扶助料證書戸籍(民籍)謄本、在職中死亡シタルモノノ遺族ヨリ扶助料請求スルトキハ下付シタル履歴書戸籍(民籍)謄本等添付漏ニ付提出方

附

一　履歴書證據書類等下付シタル場合下付書ヲ添付セシメス進達スル向アルモ右ハ下付書ヲモ添付セシメ進達スヘキモノトス

二　五月三日官通牒第三十七號ニ依リ履歴書證明書添付ノ必要ナキニ至レルヲ以テ履歴書中朝鮮ニ於ケル經歴事項ニ關シテハ他官署關係ノモノハ當該官署ニ就キ之ヲ調査シ又遺道關係ノモノハ遺道備付履歴書ニ照合シ各事項毎ニ其ノ上欄外ニ照合ノ印ヲ押捺ノコト履歴書中内地人ニシテ朝鮮到着後拜命ノ者ハ『在鮮中拜命』ト又朝鮮到着前拜命ノ者ハ到着ノ年月日並其ノ港灣名ヲ記載セシムルコト

俸給ハ退職當時又ハ在職最終ノ俸給事項ノ直下ニハ必ス『退職當時俸給』又ハ『在職最終俸給』ト記載セシムルコト

二三　戸籍謄本提出ニ關スル件

大正八年三月
官通第三六號

總務局長

本府官房秘書課長武官、參事官外事課長
官房各局長、各部長官所屬官署ノ長
宛

官吏遺族扶助法施行規則第一條ニ依リ履歴書下付ノ必要アルトキハ其ノ都度遲滯ナク死者ノ死亡事實ヲ記載セル戸籍謄本又ハ民籍謄本（死亡者戸主ナルトキハ除籍謄本）ヲ徴シ人事課長宛御提出相成度此段及通牒候也

追テ扶助金又ハ扶助料ヲ受クヘキ遺族ナキ爲歴履書下付ノ必要ナキモノニ付テハ整理上ノ都合モ有之候條其旨一應御通知相成度申添候

二四　恩給退隱料證書等郵送ニ關スル件

大正七年八月
官通牒第一三三號

恩給退隱料ニ關スル證書及辭令書ニシテ郵送ヲ要スルモノハ爾今必ス書留郵便ヲ以テ送付相成度此段及通牒候也

一二五　巡査看守死亡者履歷書下付ニ關スル件

大正九年五月十九日
秘第一三一四號

秘書課長

各監獄典獄宛

巡査看守退隱料及遺族扶助料法第七條第一項第一號又ハ第二號ニ當リタルモノアリタルトキ本屬廳ヨリ其ノ遺族ニ下付スヘキ死亡者ノ履歷書ハ爾今別紙樣式ニ依リ調製御下付相成度候也

追而同法第七條第一項第一號又ハ同條第二項但書ニ當リタル者アルトキハ其事實ヲ査覈シ其傷痍又ハ疾病ノ職務ニ起因シタル證據トナルヘキ書類及醫師ノ診斷ヲ爲サシメタル場合ハ其診斷書ヲモ併セテ其遺族ニ下付スヘキ義ニ有之尚本件通牒ハ同法ヲ準用セラルヘキ警部補ニ付テモ亦同樣取扱フヘキ義ト御了知相成度爲念申添候

樣式

履歷書

原籍　族稱

何　某

舊　氏　名

生年　月　日

年號月日		履歷事項	官廳
明治　年	月　日	何府縣巡査ヲ命ス	何府縣
同	同	願ニ依リ巡査ヲ免ス	同
同	同	右勤續ニ對シ一時金又ハ退隱料金圓ヲ受ク	何府縣又ハ内閣恩給局
同	同	何縣監獄又ハ何何監獄看守ヲ命ス	何何監獄
同	同	何何ニ依リ看守ヲ免ス	同
		右勤續ニ對シ一時金ノ支給ナシ	
同	同	理事廳巡査ヲ命ス	何　何
同	同	韓國政府應聘許可	
同	同	統監府巡査ヲ命ス	
明治四十二年	十一月一日	何何監獄看守ヲ命ス	
同四十三年	七月一日	統監府令第三十二號ニ依リ統監府巡査トナル	
同四十三年	十月一日	朝鮮總督府令第十三號ニ依リ朝鮮總督府看守トナル	
大正八年	八月二十日	朝鮮總督府令第百三十四號ニ依リ朝鮮總督府道巡査トナル	
大正　年	月　日	月俸金　圓ヲ給ス（死亡當時ノ俸給）	
同	同	死亡	

大正　年　月　日

何道
又ハ何何監獄　印

備考
一、内地人ニシテ朝鮮ニ在リテ就職シタル者ハ其ノ就職事項ノ下部ニ（朝鮮ニ在リテ拜命）ト記載ノコト
二、内地人ニシテ朝鮮以外ノ地ニ在リテ就職シタル者ハ何年何月何日釜山又ハ何年何月何日何地到着ト記載ノコト
三、韓國聘用及死亡ニ關スル事項ハ朱書スルコト
四、俸給ハ死亡當時ノモノ限リ記載ノコト

二六　傭人扶助金

大正七年十一月
勅令第三八二號

第一條　政府ハ其ノ雇傭スル職工、鑛夫其ノ他ノ傭人業務上負傷シ疾病ニ罹リ又ハ死亡シタル場合ニ於テハ本令ニ依リ扶助金ヲ支給ス　但シ傭人自己ノ重大ナル過失ニ因ル場合ハ此ノ限ニ在ラス扶助金ノ支給ヲ受クヘキ者法令ニ依リ同一ノ原因ニ付損害賠償ヲ受ケタルトキハ其ノ金額ハ扶助金ノ額ヨリ之ヲ控除ス
扶助金ノ支給ハ傭人ヲ解雇スルモ變更スルコトナシ

第二條　扶助金ハ療治料、休業、扶助料、障害扶助料、一時扶助料、遺族扶助料及葬祭料ノ六種トシ左ノ區別ニ從ヒ別表ニ依リ之ヲ支給ス
一　療治料ハ負傷シ又ハ疾病ニ罹リ療養ヲ要スル者ニシテ官費治療ヲ受ケサルモノニ之ヲ支給ス
二　休業扶助料ハ療養ノ爲勞務ニ服スルコト能ハサルニ因リ賃金ヲ受ケサル者ニ之ヲ支給ス
三　障害扶助料ハ負傷又ハ疾病ノ治癒シタル時ニ於テ仍身體ニ障害ヲ存スル者ニ之ヲ支給ス
四　一時扶助料ハ療養開始後三年ヲ經過スルモ負傷又ハ疾病ノ治癒セサル者ニ之ヲ支給ス
五　遺族扶助料ハ死亡シタル者ノ遺族ニ之ヲ支給ス
六　葬祭料ハ葬祭ヲ行フ遺族ニ之ヲ支給ス葬祭ヲ行フ遺族ナキ場合ニ於テハ葬祭ヲ行フ者ニ之ヲ支給スルコトヲ得
一時扶助料ヲ支給スルトキハ以後本令ニ依ル他ノ扶助金ハ之ヲ支給セス

第三條　障害扶助料、一時扶助料、遺族扶助料又ハ葬祭料ノ額ハ別表金額ノ範圍内ニ於テ負傷、疾病又ハ死亡ノ原因、身體障害ノ輕重、勤務年限ノ長短其ノ他各種ノ事情ヲ斟酌シテ之ヲ定ム

第四條　療治料又ハ休業扶助料ハ毎月一回以上之ヲ拂渡スモノトス

第五條　負傷又ハ疾病ノ再發ニ因リ身體障害ノ程度ヲ加重シタル場合ニ於テハ障害扶助料ノ額ハ新ニ之ヲ定メ既ニ支給シタル障害扶助料ノ金額ヲ控除シテ之ヲ支給ス

第六條　遺族扶助料ノ支給ヲ受クヘキ者ニ關シテハ工場法施行令第十條乃至第十二條ノ規定ヲ準用ス

第七條　負傷又ハ疾病カ傭人ノ解雇後ニ再發シタル場合ニ於テハ扶助金ハ之ヲ支給セス

第八條　解雇後一年ヲ經過シタルトキハ本令ニ依ル扶助金ハ之ヲ請求スルコトヲ得ス　但シ解雇前ニ又ハ解雇後一年内ニ請求シタル扶助ノ原

因タル負傷又ハ疾病ニ基キ扶助金ヲ請求スルトキハ此ノ限ニ在ラス

第九條　扶助金算出ノ標準タル賃金ノ額ヲ定ムル方法ニ關シテハ工場法施行令第十六條第一號及第二號ノ規定ヲ準用ス

前項ノ規定ニ依リテ金額ヲ算出スルコトヲ得サル場合ニ於テハ主務官廳之ヲ定ム

第十條　政府ヨリ給與金ヲ受クル相互救濟ヲ目的トスル組合員タル傭人ニハ本令ヲ適用セス

附　則

本令ハ大正八年一月一日ヨリ之ヲ施行ス

本令施行ノ際官役職工人夫扶助令ニ依リ療治料又ハ給助料ヲ受ケ又ハ受クヘキ者ニハ本令施行ノ日ヨリ本令ニ依ル扶助金ヲ支給ス

官役職工人夫扶助令ハ之ヲ廢止ス

（別　表）

種別		金額
治療料		實費
休業扶助料	休業三月以内一日ニ付	賃金日額二分ノ一
	休業三月ヲ超ユル日數一日ニ付	賃金日額三分ノ一
	終身自用ヲ辨スルコト能ハサル者	賃金百七十日分以上三百日分以下
	終身勞務ニ服スルコト能ハサル者	賃金百五十日分以上二百五十日分以下
障害扶助料	從來ノ勞務ニ服スルコト能ハサル者促、康舊ニ復ルコト能ハサル者又ハ女子ニシテ其ノ外ニ醜痕ヲ殘シタル者	賃金百日分以上二百日分以下
	身體ニ障害ヲ存スト雖引續キ從來ノ勞務ニ服スルコトヲ得ル者	賃金三十日分以上百二十日分以下
一時扶助料		賃金百七十日分以上三百日分以下
遺族扶助料		賃金百七十日分以上三百日分以下
葬祭料		十圓以上三十圓以下

二七　巡查看守退隱料及遺族扶助料法

明治三十四年七月
法律第三八號

改正　三八年第二八號　一〇年三第六號　大正四年一第二號　七年三第二號

第一條　巡查又ハ看守勤續十年以上ニシテ左ノ各號ノ一ニ當ルトキハ退隱料ヲ給ス

一　年齡五十歲ヲ超ヘ退職シタルトキ
二　傷痍ヲ受ケ又ハ疾病ニ罹リ其ノ職ニ堪ヘス退職シタルトキ
三　廢官廢廳ニ依リ退職シタルトキ
四　身體若ハ精神ノ衰弱又ハ事務ノ都合ニ依リ退職ヲ命セラレタルトキ

前項ノ退隱料年額ハ退職當時ニ於ケル月俸三箇月分トシ勤續十年以上三十年ニ至ル迄一年ヲ加フル毎ニ退職當時ノ月俸額十分ノ一ヲ增加ス

第二條　巡查又ハ看守勤續一年以上十年未滿ニシテ第一條第一項各號ノ一ニ當ルトキハ一時金ヲ給ス但シ退隱料ヲ受クル者又ハ受クヘキ者ハ

此ノ限ニ在ス
一時金ハ退職當時ニ於ケル月俸額ノ三分ノ二ニ勤續年數ヲ乘シタル額トス

第三條 退隱料ヲ受クル者又ハ受クヘキ者再ヒ前職ニ就キ勤續一年以上ニシテ第一條第一項各號ノ一ニ當ルトキハ前後通算シテ勤續三十年ニ至ル迄後ノ勤續一年ヲ加フル毎ニ後ノ退職其時ニ於ケル月俸額十分ノ一ヲ退隱料年額ニ增加ス　但シ後ノ勤續年數ニ付第一條ニ依リ算定シタル退隱料年額本條ニ依リ算定シタル年額ヨリ多キトキハ其ノ額ニ依ル
一時金ヲ受ケタル者又ハ受クヘキ者再ヒ前職ニ就キ第一條第一項各號ノ一ニ當ルトキハ前後通算シテ勤續十年以上ニ至ル者ニハ第一條ニ依リ退隱料ヲ給シ十年未滿ノ者ニハ第二條ニ依リ後ノ勤續年數ニ對スル一時金ヲ給ス

第四條 巡査又ハ看守職務ノ爲傷痍ヲ受ケ又ハ疾病ニ罹リ一肢以上ノ用ヲ失ヒ又ハ之ニ準スヘキ者ト爲リ其ノ職ニ堪ヘス退職シタルトキハ退隱料ヲ給ス
前項ノ退隱料年額ハ退職當時ノ月俸三箇月分乃至六箇月分トス
第一條及第三條ニ依リ退隱料ヲ受クル者又ハ受クヘキ者本條第一項ニ當ルトキハ其ノ退隱料年額ニ退職當時ノ月俸四箇月分以內ヲ增加ス
前二項ニ依ル退隱料年額及增加金額ハ傷痍疾病ノ輕重ニ依リ之ヲ定ム

第五條 前條ノ規定ハ職務ノ爲傷痍ヲ受ケ又ハ疾病ニ罹リ退職シタル後一年以內ニ其ノ傷痍疾病ニ起因シ前條第一項ニ當ルニ至リタル者ニ之ヲ準用ス

第六條 巡査又ハ看守交互ニ轉職シ又ハ他ノ官職ニ轉シタルトキハ事務ノ都合ニ依リ退職ヲ命セラレタル者ト見做ス

第七條 巡査又ハ看守左ノ各號ノ一ニ當ルトキハ遺族ニ扶助料ヲ給ス
一　職務ノ爲傷痍ヲ受ケ又ハ疾病ニ罹リ在職中死亡シタルトキ
二　勤續十年以上ニシテ在職中死亡シタルトキ
三　退隱料ヲ受ケ又ハ受クヘクシテ死亡シタルトキ
扶助料年額ハ前項第一號ノ場合ニ在リテハ第四條ニ依リ査定シタル金額ノ三分ノ二トシ第二號ノ場合ニ在リテハ第一條又ハ第三條ニ依リ査定シタル金額ノ三分ノ一トシ第三號ノ場合ニ在リテハ其ノ退隱料年額ノ三分ノ一トス但シ職務ノ爲傷痍ヲ受ケ又ハ疾病ニ罹リ退職シタル後一年以內ニ其ノ傷痍疾病ニ起因シテ死亡シタルトキハ第四條、第五條ニ依リ査定シタル金額ノ三分二トス

第八條 扶助料ハ寡婦ニ給ス寡婦死亡シ又ハ扶助料ヲ受クヘカラサルトキハ子ニ給ス
數子間ニ在リテハ法定家督相續ノ順位ニ依リ最先者ニ給ス最先者死亡シ若ハ扶助料ヲ受クヘカラサルトキハ順次次位者ニ轉給ス民法第九百六十九條ニ依リ家督相續人タルコトヲ得サル者及推定家督相續人ニシテ廢除セラレタル者ニハ扶助料ヲ給セス　但シ疾病其ノ他身體又ハ精神ノ狀況ニ依リ家政ヲ執ルニ堪ヘサルカ爲廢除セラレタル者ハ此ノ限ニ在ラス
養子ハ家督相續人ニ非サレハ扶助料ヲ給セス

第九條 扶助料ヲ受クヘキ寡婦及子ナキトキハ扶助料ハ直系尊屬ニ給ス
前項ノ場合ニ在リテハ先ツ父ニ給シ父死亡シ又ハ扶助料ヲ受クヘカラサルトキハ母ニ給ス母ヨリ祖父ニ祖父ヨリ祖母ニ轉給スルハ順次此ノ

例ニ依ル

第十條　扶助料ヲ受クル者ナクシテ死亡シタル者ノ家ニ在ル兄弟姉妹二十歳未滿又ハ篤疾若ハ癈疾ニシテ自活スルコト能ハサルトキハ扶助料ニ相當スル金額ノ三箇年分以內ヲ一時限リ給スルコトアルヘシ

第十一條　退隱料ヲ受ケタル者又ハ受クヘキ者左ノ各號ノ一ニ當ルトキハ之ヲ給セス

一　國籍ヲ喪失シタルトキ
二　重罪ノ刑ニ處セラレタルトキ
三　在職中ノ犯罪ニ依リ禁錮以上ノ刑ニ處セラレタルトキ

第十二條　遺族ニシテ左ノ各號ノ一ニ當ルトキハ扶助料ヲ給セス

一　前條第　號又ハ第二號ニ當ルトキ
二　寡婦婚姻シタルトキ
三　子年齡二十歳ニ滿チタルトキ
四　尊屬ノ女婚姻シタルトキ

第十三條　子二十歳ニ滿ルモ篤疾又ハ癈疾ニシテ自活スルコト能ハス他ニ扶助料ヲ受クル者ナキトキハ其ノ事由ノ存續スル間扶助料ノ三分ノ一ヲ給スルコトアルヘシ

第十四條　退隱料ヲ受クル者又ハ受クヘキ者左ノ各號ノ一ニ當ルトキハ其ノ間退隱料ノ支給ヲ停止ス

一　公權ヲ停止セラレタルトキ
二　六箇月以上行方不明ナルトキ

退隱料ヲ受クル者又ハ受クヘキ者再ヒ判任官待遇以上ノ官職ニ就キタル場合ニ於テハ其ノ俸給月額ニ退隱料月割額ヲ合シ退職當時ニ於ケル俸給月額ニ超過スルトキハ其ノ超過額ニ對スル退隱料ノ支給ヲ停止ス

第十五條　扶助料ヲ受クル者又ハ受クヘキ者前條第一項各號ノ一ニ當ルトキハ其ノ間扶助料ノ支給ヲ停止シ第八條、第九條ノ順位ニ依リ之ヲ次位者ニ轉給ス

第十六條　退隱料及扶助料ノ年額竝一時金ノ圓位未滿ハ圓位ニ滿タシム

第十七條　巡査又ハ看守ノ勤續年數ハ就職ノ月ヨリ起算シ退職ノ月ヲ以テ終ル但シ十一箇月未滿ノ端數ハ之ヲ算入セス

休職及教習中ノ月數ハ勤續年數ニ算入ス

第十八條　巡査又ハ看守其ノ職務ヲ以テ從軍シタルトキハ軍人恩給法ノ算則ニ照ラシテ從軍年ヲ加算ス

第十九條　本法ニ於テ寡婦、子、尊屬ト稱スルハ巡査又ハ看守タリシ者死亡ノ當時ヨリ引續キ其ノ家ニ在ル者ヲ謂フ　但シ父死亡後出生シタル嫡出ノ子ハ死亡當時其ノ家ニ在ル者ト看做ス

第二十條　退隱料及扶助料ノ支給、停止及廢止ハ其ノ事由ノ生シタル翌月ヨリ之ヲ行フ第五條ニ依ル退隱料ノ支給ハ事由認定ノ翌月ヨリ始マリ前條但書ニ依ル扶助料ノ支給ハ出生ノ翌月ヨリ始マル

第二十一條　退隱料、一時金及扶助料ハ之ヲ受クヘキ事由ノ生シタル日ヨリ三年以內ニ請求スルニ非サレハ之ヲ給セス

第二十二條　退隱料ハ民事訴訟法第五百七十條及第六百十八條ノ規定ニ關シテハ恩給ト看做ス

第二十三條　本法ニ依ル給與金ノ支給ニ關スル事項ヲ裁定スヘキ行政官廳ハ勅令ヲ以テ之ヲ定ム

第二十四條　本法ニ依ル給與金ハ巡査又ハ看守最後ノ退職又ハ死亡當時

ニ於テ俸給ヲ受ケタル經濟ノ負擔トス

第二十五條　本法ニ依ル給與金ノ一部又ハ全部ヲ拒否セラレタル者其ノ拒否ヲ不當ナリトスルトキハ訴願ヲ提起スルコトヲ得違法ニシテ權利ヲ傷害セラレタリトスルトキハ行政訴訟ヲ提起スルコトヲ得

第二十六條　本法ハ陸軍監獄看守、海軍監獄看守、陸軍警査、海軍警査貴族院守衛、衆議院守衛、判任官ノ待遇ヲ受クル消防手、女監取締及其ノ遺族ニ之ヲ適用ス

第二十六條ノ二　巡査及判任官ノ待遇ヲ受クル消防手ノ勤續年數ハ相互ニ之ヲ通算シ其ノ交互ノ轉職ハ第六條ノ規定ニ拘ラス之ヲ勤續ト看做ス

附　則

第二十七條　本法施行ノ期日ハ勅令ヲ以テ之ヲ定ム（三十四年勅令第百四十七號ヲ以テ明治三十四年八月一日ヨリ施行ス）

第二十八條　明治十五年太政官達第四十一號巡査看守及給助例ハ巡査、看守、陸軍監獄看守、海軍監獄看守、海軍警査、貴族院守衛、衆議院守衛及其ノ遺族ニ之ヲ適用セス但シ巡査看守給助例ニ依リ現ニ給助ヲ受クル者又ハ既ニ受クヘキ事由ノ生シタル者又ハ其ノ事由ニ起因シテ一年以内ニ重症ニ趨キ又ハ死亡シタル者ニ對シテハ其ノ第一條乃至第七條ヲ適用スルノ外本法第三條、第十一條、第十二條、第十四條、第十五條、第二十條第一項、第二十一條、第二十三條及第二十五條ヲ準用ス

明治十五年太政官達第六十六號ハ巡査、看守ニ明治三十三年法律第三十號ハ巡査、看守、陸軍監獄看守、陸軍警査、海軍監獄看守、海軍警査、貴族院守衛、衆議院守衛、女監取締及其ノ遺族ニ之ヲ適用セス

第二十九條　陸軍會計卒ニシテ陸軍監獄看守ノ職ヲ奉シ引續キ陸軍看守卒ト爲リ尙引續キ陸軍監獄看守ト爲リタル者又ハ陸軍看守卒ヨリ陸軍監獄看守トナリタル者ニ付テハ前在職中ノ年月數ヲ陸軍監獄看守ノ在職年月數ニ通算ス　但シ軍人恩給法ニ依リ免除恩給ヲ受ケタル者ハ此ノ限ニ在ラス

前項ニ依リ通算シタル會計卒及看守卒ノ在職年月數ハ官吏恩給法ニ依ル在官年數及軍人恩給法ニ依ル服役年數ニハ之ヲ算セス

附　則（三十八年法律第二十八號附則）

本法ハ發布ノ日ヨリ之ヲ施行ス

第二十九條ノ規定ハ明治三十四年八月一日以後本法施行以前ニ於テ退隱料、扶助料若ハ一時金ヲ受ケ又ハ受クヘキ事由ノ生シタル場合及勤續十年未滿ニシテ在職中死亡シタル者アリタル場合ニモ之ヲ適用ス

前項ノ期間内ニ於テ既ニ一時金ヲ受ケタル者又ハ其ノ遺族ニシテ前項ニ依リ退隱料又ハ扶助料ヲ受クルトキハ一時金ヲ返納セシム其ノ完納ニ至ル迄退隱料又ハ扶助料ヲ以テ返納金ニ充ツ

第二項ニ依リ退隱料、扶助料又ハ一時金ヲ請求シ得ヘキ期間ハ本法施行ノ日ヨリ之ヲ起算ス

女監取締ノ明治三十六年三月三十一日以前ニ於ケル勤續年數ハ巡査、看守退隱料及扶助料法ニ規定スル勤續年數ニ非サルモノト看做ス

一八　巡査看守退隱料及遺族扶助料法施行令

明治三十四年七月
勅令第一四八號

改正　四〇年五第一九〇號　四四年七第二〇一號　一一年三第一二九號
　　　一二年一第三二號

第一條　巡査看守退隱料及遺族扶助料法第四條第二項ノ退隱料年額及同條第三項ノ增加金額ノ等差ハ左ノ如シ

	退隱料年額	增加金額
第一　兩眼ヲ盲シ若ハ二肢以上ヲ亡シタルトキ	六箇月分	四箇月分
第二　前項ニ準スヘキ傷痍ヲ受ケ若ハ疾病ニ罹リタルトキ	五箇月分	三箇月半分
第三　一肢ヲ亡シ若ハ二肢ノ用ヲ失ヒタルトキ	五箇月分	三箇月分
第四　前項ニ準スヘキ傷痍ヲ受ケ若ハ疾病ニ罹リタルトキ	四箇月半分	二箇月半分
第五　一眼ヲ盲シ若シハ一肢ノ用ヲ失ヒタルトキ	四箇月分	二箇月分
第六　前項ニ準スヘキ傷痍ヲ受ケ若ハ疾病ニ罹リタルトキ	三箇月分	一箇月分

傷痍疾病ノ等差ハ文官傷痍疾病等差例ニ依ル

第二條　巡査看守退隱料及遺族扶助料法第二十三條ノ行政官廳ハ國庫ヨリ給與金ヲ支給スヘキ者ニ在リテハ內閣恩給局長其ノ他ニ在リテハ地方長官（東京府ニアリテハ警視總監）トス

前項ノ行政官廳ハ朝鮮總督府所屬ノ者ニ在リテハ道所屬以外ノ者ハ朝鮮總督、道所屬ノ者ハ朝鮮總督府道知事、臺灣總督府所屬ノ者ニ在リテハ臺灣總督府、關東廳所屬ノ者ニ在リテハ關東長官、樺太廳所屬ノ者ニ在リテハ樺太長官、南洋廳所屬ノ者ニ在リテハ南洋廳長官トス

附　則

本令ハ公布ノ日ヨリ施行ス

二九　朝鮮總督府等在勤ノ內地人タル警部補、巡査、看守及女監取締ノ退隱料及遺族扶助料ニ關スル件

明治四十年五月
法律第四九號

改正　四四年四第六六號　大正一一年三第二八號　大正一二年一第三二號

朕帝國議會ノ協贊ヲ經タル朝鮮總督府、關東廳及樺太等在勤內地人タル警部補、巡査、看守判任ノ待遇ヲ受クル消防手及女監取締ノ退隱料及遺族扶助料ニ關スル法律ヲ裁可シ玆ニ之ヲ公布セシム

明治三十五年法律第二十九號第一條ノ規定ハ別ニ勅令ヲ以テ定ムルモノヲ除クノ外朝鮮總督府及關東廳竝其ノ所屬官署ニ在勤スル內地人タル警部補、巡査、看守判任ノ待遇ヲ受クル消防手及女監取締ニ之ヲ準用ス樺太ニ在勤スル者ニ付亦同シ

附　則

本法ハ公布ノ日ヨリ之ヲ施行ス

本法ノ規定ハ朝鮮總督府及其ノ所屬官署ニ在勤スル者ニ關シテハ明治三十九年二月以降、關東廳及其ノ所屬官署ニ在勤スル者ニ關シテハ明治三十九年九月以降ノ在職月數ニモ之ヲ適用ス

附　則（四十四年四月法律第六六號）

本法ハ本法施行前退官又ハ退職シタル者ニモ之ヲ適用ス

本法ハ本法施行前ノ警部補ノ在職月數ニモ之ヲ適用ス
統監府及其ノ所屬官署ニ於ケル在職ハ朝鮮總督府及其ノ所屬官署ニ於ケル在職ト看做ス

附　則（大正一一年三月第二八號）

本法ハ公布ノ日ヨリ之ヲ施行ス
本法ハ本法施行前ニ於ケル判任官ノ待遇ヲ受クル消防手ノ在職月數ニモ之ヲ適用ス

附　則（大正一二年一月第三二號）

本令ハ公布ノ日ヨリ之ヲ施行ス
本令施行ノ際現ニ請求中ニ係ルモノニ在リテハ仍從前ノ例ニ依ル

三〇　朝鮮總督府巡查、看守退隱料及遺族扶助料取扱ニ關スル件

明治四十四年六月
總令第七一號

改正　大正一二年一第一八號

第一條　朝鮮總督府巡查看守退隱料及遺族扶助料ノ取扱ニ付テハ明治三十四年閣令第一號內閣恩給局長ノ管掌ニ屬スル巡查看守退隱料及遺族扶助料取扱規程ニ依ル

第二條　前條ノ閣令中內閣恩給局長又ハ地方長官ニ屬スル事項ハ道所屬以外ノ者ニ在リテハ朝鮮總督、道所屬ノ者ニ在リテハ道知事、內閣恩給局ニ屬スル事項ハ道所屬以外ノ在リテハ朝鮮總督、府道所屬ノ者ニ在リテハ道、市町村長ニ屬スル事項ハ朝鮮ニ在住スル者ニ付テハ府尹又ハ面長之ヲ行フ

附　則

本令ハ發布ノ日ヨリ之ヲ施行ス

三一　內閣恩給局長管掌ニ屬スル巡查、看守退隱料及遺族扶助料取扱規程

明治三十四年八月
閣令第一號

改正　四一年第七號　四三年第七號　大正二年第四號
九年一一第一六號

巡查看守退隱料及遺族扶助料法施行令ニ依リ內閣恩給局長ノ管掌ニ屬スル巡查看守退隱料及遺族扶助料取扱規程左ノ通之ヲ定ム

第一條　巡查看守退隱料及遺族扶助料法ニ依リ退隱料又ハ一時金ヲ受クヘキ者ハ退職當時ノ本屬廳ノ長官ニ請求スヘシ　但シ廢官廢廳ニ當リタルトキハ其ノ事務ノ引繼ヲ受ケタル官廳ノ長官ニ請求スヘシ

第二條　前第ノ請求書ニハ左ノ書類ヲ添付スヘシ

一　在職履歷書
二　戶籍謄本

但シ一時金請求書ニハ戶籍謄本ノ添付ヲ要セス

巡查看守退隱料及遺族扶助料法第三條第一項及第四條第三項ニ依ル退隱料年額增加ノ請求書ニハ前項書類ノ外前ニ受ケタル退隱料證書ヲ添付スヘシ

第三條　職務ノ爲傷痍ヲ受ケ又ハ疾病ニ罹リ退隱料ヲ請求スル者ハ前條ニ掲クル書類ノ外左ノ書類ヲ以テ其ノ事實ヲ證明スヘシ

一　傷痍又ハ疾病ノ職務ノ起因シタル事實ヲ認ムヘキ證據書類

二　醫師ノ診斷書

第四條　巡査看守退隱料及遺族扶助料法ニ依リ扶助料ヲ受クヘキ遺族ハ戸籍謄本及第五條乃至第十一條ノ書類ヲ添付シ住所地ノ地方長官ニ請求スヘシ

第五條　巡査看守退隱料及遺族扶助料法第七條第一項第一號又ハ第二號ニ當ル者アリタルトキハ本屬廳ヨリ死亡者ノ履歷書ヲ其ノ遺族ニ下付スヘシ同條第一項第三號末段又ハ同條第二項但書ニ當ル者ノ遺族ノ請求アルトキ亦同シ

第六條　巡査看守退隱料及遺族扶助料法第七條第一項第一號又ハ同條第二項但書ニ當ル者アリタルトキハ本屬廳ニ於テ事實ヲ査覈シ其ノ傷痍又ハ疾病ノ職務ニ起因シタル證據トナルヘキ書類及醫師診察ヲ爲サシメタル場合ニ於テハ其ノ診斷書ヲ併セテ其ノ遺族ニ下付スヘシ

第七條　退隱料ヲ受ケタル後死亡シタル者ノ遺族ニシテ扶助料ヲ請求スルモノハ死亡者ノ受ケタル退隱料證書ヲ添付スヘシ

第八條　扶助料ヲ受クル者死亡シ又ハ權利消滅シタルトキ其ノ扶助料ノ轉給ヲ請求スル者ハ前者ノ扶助料證書ヲ添付スヘシ

第九條　重罪ノ刑ニ處セラレ又ハ公權ヲ停止セラレタルニ因リ扶助料ノ轉給ヲ請求スル者ハ其ノ事實ヲ證明スヘキ確定裁判ノ謄本ヲ添付スヘシ

第十條　六箇月以上行方不明トナリタルニ因リ扶助料ノ轉給ヲ請求スル者ハ其ノ事實ニ關スル市町村長ノ證明ヲ添付スヘシ

第十一條　巡査看守退隱料及遺族扶助料法第十條又ハ第十三條ニ當リ扶助料ヲ請求スル者ハ自活スルコト能ハサル事實ニ付テハ市町村長ノ證明書、篤疾癈疾ニ付テハ醫師ノ診斷書ヲ添付スヘシ

第十二條　退隱料又ハ一時金ノ請求ヲ受ケタル各廳長官ハ査覈ノ上請求ノ理由アリト認ムルトキハ請求者ハ在職年數及退隱料年額又ハ一時金計算書ヲ作リ證據書類ヲ添ヘ内閣恩給局長ニ差出スヘシ

扶助料ノ請求ヲ受ケタル地方長官ハ査覈ノ上扶助料年額ノ計算書ヲ作リ證據書類ヲ添ヘ内閣恩給局長ニ差出スヘシ

第十三條　内閣恩給局ニ於テ退隱料、扶助料又ハ一時金ノ支給ヲ許可シタルトキハ證書ヲ作リ本人住所地ノ地方廳ヲ經テ之ヲ下付スヘシ　但シ退隱料又ハ一時金ノ證書ヲ下付スルトキハ先ツ第一條ニ依リ請求ヲ爲シタル官廳ヲ經由スヘシ

前項ノ證書ヲ下付シタルトキハ内閣恩給局ハ其ノ旨ヲ貯金局ニ通知スヘシ

第十四條　退隱料及扶助料ハ其ノ年額ヲ四分シ四月、七月、十月、一月ニ於テ其ノ前三箇月分ヲ支給ス但シ退隱料又ハ扶助料ヲ受クル者死亡シ又ハ權利ノ消滅若ハ停止ノトキ及一時支給ノ金額ハ期月ニ拘ラス之ヲ支給ス

退隱料及扶助料ノ支給ニ關スル手續ハ遞信大臣ノ定ムル所ニ依ル

第十五條　退隱料又ハ扶助料ヲ受クル者重罪若ハ禁錮ノ刑ニ處セラレ又ハ刑ノ執行猶豫ノ言渡ヲ受ケ若ハ之ヲ取消サレタルトキハ其ノ確定裁判ノ宣告ヲ爲シタル裁判所ヨリ之ヲ貯金局ニ通知スヘシ

第十六條　巡査看守退隱料及遺族扶助料法第十四條第二項ニ當ル者アルトキハ其ノ任用シタル官廳ヨリ貯金局ニ通知スヘシ爾後其ノ俸給額ニ異動アルトキ及解任シタルトキ亦同シ　但シ該通知書ニハ俸給額及其

ノ支給ヲ始ムル日（解任ノトキハ支給ヲ終リタル日）ヲ付記スヘシ

第十七條　貯金局ニ於テ前二條ノ通知ヲ受ケタルトキハ之ヲ内閣恩給局ニ通知スヘシ

第十八條　退隱料又ハ扶助料ヲ受クル者死亡シ若ハ權利消滅シタルトキハ其ノ遺族又ハ本人ヨリ最寄郵便局ヲ經テ之ヲ貯金局ニ届出ヘシ

第十九條　貯金局ニ於テ退隱料又ハ扶助料ノ支給ヲ廢止シ若ハ停止シタルトキハ其ノ事由ヲ具シ之ヲ内閣恩給局ニ通知スヘシ

第二十條　退隱料又ハ扶助料證書ヲ亡失シタル者ハ退隱料又ハ扶助料ノ支給ヲ爲スヘキ郵便局ヲ經テ貯金局ニ届出ヘシ

貯金局ニ於テ前項ノ届出ヲ受ケタルトキハ其ノ事實ヲ調査シ亡失ノ事由ヲ具シテ内閣恩給局ニ申出ヘシ此ノ場合ニ於テ恩給局ハ證書ノ謄本ヲ作リ貯金局及支給郵便局ヲ經テ本人ニ下付スヘシ

前項證書ノ謄本ハ本證書ト同一ノ效力アルモノトス

第二十一條　退隱料又ハ扶助料ヲ受クル者氏名ヲ改メタルトキハ其ノ届書ニ戸籍謄本及第十三條ノ證書ヲ添ヘ支給郵便局ヲ經テ貯金局ニ届出ヘシ

貯金局ハ證書ノ裏面ニ其ノ事實ヲ記載シ局長署名捺印ノ上本人ニ下付シ其ノ旨ヲ内閣恩給局ニ通知スヘシ

附　則

第二十二條　巡査看守給助例ニ依リ退隱給助傷痍給助又ハ死亡給助ヲ受クル者若ハ受クヘキ者ハ其ノ給與ノ種類ニ從ヒ退隱料、一時金又ハ扶助料ヲ受クル者若ハ受クヘキ者ニ準シ本令ノ規定ヲ準用ス

第二十三條　市制町村制ヲ施行セサル地方ニ於テハ本令ニ於テ市町村長ノ爲スヘキ職務ハ月長又ハ之ニ準スヘキ者ニ於テ之ヲ行ヘシ

第二十四條　本令ハ發布ノ日ヨリ之ヲ施行ス

三二　明治四十年法律第四十九號ヲ適用セサル巡査、看守及女監取締ニ關スル件

明治四十年、五月
勅令第百八十九號

朕明治四十年法律第四十九號ヲ適用セサル巡査、看守及女監取締ニ關スル件ヲ裁可シ玆ニ之ヲ公布セシム

明治四十年法律第四十九號ハ政府ヨリ俸給ノ支給ヲ受ケサル巡査、看守及女監取締ニ之ヲ適用セス

附　則

本令ハ公布ノ日ヨリ之ヲ施行ス

三三　文官判任以下ノ者退官賜金ノ件

明治二十三年六月二十一日
勅令第九八號

改正　二六年第二〇號　大正四年第二〇一號

文官判任以上ノ者在官滿一年以上ニシテ退官シタル者ニハ退官現時ノ俸給半箇月分ヲ以テ在官年數ノ一箇年ニ當テ其年數ニ應スル金額ヲ一時支給ス但非職滿期ニ由リ退官シタル者ハ其在職最終ノ俸給額ニ依リ之ヲ給ス

文官ヨリ退職給與金ヲ受クヘキ官職ニ轉任シタル者退官退職シタルトキハ文官ノ在官年數ニ應シ前項ノ賜金ヲ給ス　但シ退職給與金ヲ受クヘキ

文官ノ在官年數ニ付テハ此ノ限ニ在ラス
本令施行前ニ滿年賜金若クハ一時賜金ヲ受ケタル者又ハ第一項ノ賜金ヲ受ケタル者再ヒ任官シ自後退官退職シタルトキハ第一項ニ掲クル在官年數ヲ其再任ノ日ヨリ起算ス
恩給又ハ退隱料ヲ受クル者竝自己ノ便宜ニ由リ退官退職シタル者又ハ懲戒處分若クハ刑事裁判ニ由リ免官免職シタル者ニハ本令ノ賜金ヲ給セス
本令ハ明治二十三年七月一日ヨリ施行ス

三四　朝鮮人官吏ノ文官退官賜金ニ關スル件

大正七年四月
勅令第六二號

朝鮮人ニシテ舊韓國政府、統監府又ハ其ノ所屬官署ノ文官判任以上ノ者ノ明治三十九年二月一日ヨリ明治四十三年八月二十八日ニ至ル期間內ニ於ケル在官日數及朝鮮人ニシテ明治四十三年勅令第三百十九號第五項ノ規定ニ依リ官吏ノ待遇ヲ受ケタル者ノ其ノ待遇ヲ受ケタル在職日數ハ引續キ判任以上ノ文官ニ任セラレタル者ノ勤續日數ニ限リ之ヲ明治二十三年勅令第九十八號ノ在官年數ニ通算ス

附　則

本令公布ノ日ヨリ之ヲ施行ス
本令ハ本令施行後退官シタル者ニ限リ之ヲ適用ス

三五　文官退官賜金年數計算方ノ件

大正元年十一月
官通第一一七號

總務局長

各所屬官署宛

文官退官賜金ニ關スル年數計算方ハ明治二十三年勅令第九十八號ノ解釋上總テ日數計算ニ依ルヘキ義ニ候處往往月數計算ニ依レル向有之候ニ付取扱上御留意相成度此段及通牒候也

三六　退官賜金及死亡賜金支出關係書類提出方ノ件

大正二年七月
官通第二三〇號

政務總監

中樞院議長、高等法院長、同檢事長、覆審法院長、同檢事長、典獄、臨時土地調査局長、醫院長、濟生院長、勸業模範場長、中央試驗所長、道長官、稅關長　宛

諸支出金ニ屬スル退官賜金及死亡賜金支出ニ關シ關係書類提出方區區ニ涉リ處理上差支不尠候條爾今退官賜金ニ就テハ退官賜金計算書（第一樣式）辭令書寫、死亡賜金ニ就テハ死亡賜金計算書（第二樣式）、辭令書寫戶籍（又ハ民籍）謄本（又ハ寫）ヲ必ス御送付相成度此段及通牒候也
追テ送金上差支有之候條前記書類送付ト同時ニ送金先通知相成度申添候

第一樣式

退官賜金計算書

發令年月日	敍任辭令	官廳	計算
年月日	任何何官給何級俸	何廳	何年何箇月
同	在官ノ儘韓國政府傭聘ノ件許可ス	何何	
同	任何何官給何級俸	同	
同	給何級俸	同	
同	依願免本官(事由)	同	

在官何年以上一年ニ對シ現時俸給月額何圓ノ半箇月分計何圓何十何錢也

右取調候處相違無之候也

年月日　取調主任　官　氏名　㊞

第二樣式

死亡賜金計算書

發令年月日	敍任辭令、事故	官廳
年月日	任何何官給何級俸	何何
同	死亡	

在官中死亡現俸給何圓ノ三箇月分(又ハ年俸ノ三分ノ一)

右取調候處相違無之候也

年月日　取調主任　官　氏名　㊞

三七 郵便官署ヲシテ年金、恩給等ノ支給事務ヲ取扱ハシムル件

明治四十三年三月
勅令第二五條

朕郵便官署ヲシテ年金、恩給等ノ支給事務ヲ取扱ハシムルノ件ヲ裁可シ茲ニ之ヲ公布セシム

國庫ノ支辨ニ屬スル年金、恩給、遺族扶助料及退隱料ノ支給ニ關スル事務ハ遞信省、(統監府)臺灣總督府、關東都督府及樺太廳ノ所管ニ屬スル郵便官署ヲシテ之ヲ取扱ハシム

前項給與金ノ支給手續ニ關シテハ遞信大臣ノ定ムル所ニ依ル

第一項給與金ノ支拂ニ關シテハ歲入金歲出金並歲入歲出外現金ノ交互振替及繰替受拂ヲ爲スコトヲ得

三八 年金恩給支給規則

明治四十三年三月
遞信省第六號

改正　四三年三第六〇號　四五年五第二五號　大正二年四第六號　大正二年六第五二號　五年七第三七號　六年一第一號　七年四第二〇號　七年一一第五二號　九年一〇第九六號

第一條　國庫ノ支辨ニ屬スル左記給與金ノ支給手續ニ關シテハ別ニ定ムルモノヲ除クノ外本規則ノ定ムル所ニ依ル

一　明治二十三年法律第四十三號官吏恩給法ニ依ル給與金

二　明治二十三年法律第四十四號官吏遺族扶助法ニ依ル給與金

三　明治二十三年法律第四十五號軍人恩給法ニ依ル給與金

四　明治二十三年法律第九十一號府縣立師範學校長俸給並公立學校職員退隱料及遺族扶助料法ニ依ル給與金

五　明治二十四年法律第四號明治七年以後ノ戰役ニ死歿シタル軍人軍族ノ遺父母及祖父母扶助ニ關スル法律ニ依ル給與金
六　明治二十九年法律第十三號公立學校職員退隱料等ニ關スル法律ニ依ル給與金
七　明治二十九年法律第三十六號官吏恩給法及官吏遺族扶助法補則ニ依ル給與金
八　明治二十九年法律第七十八號臺灣總督府所屬雇員ニ官吏恩給法及官吏遺族扶助法ヲ適用スルノ法律ニ依ル給與金
九　明治三十三年法律第七十五號臺灣又ハ樺太ニ在勤スル官吏ノ恩給及遺族扶助料ニ關スル法律ニ依ル給與金
十　明治三十三年法律第七十六號臺灣又ハ樺太ニ服役スル軍人ノ恩給及遺族扶助料ニ關スル法律ニ依ル給與金
十一　明治三十三年法律第七十七號臺灣ニ於テ地方稅支辨ノ俸給ヲ受クル文官判任以上ノ學校職員ノ退隱料及遺族扶助料ニ關スル法律ニ依ル給與金
十二　明治三十四年法律第三十八號巡査看守退隱料及遺族扶助料法ニ依ル給與金
十三　明治三十五年法律第二十九號臺灣ニ在勤スル巡査看守陸軍監獄看守陸軍警守女監取締退隱料及遺族扶助料ニ關スル法律ニ依ル給與金
十四　明治三十八年法律第六十四號在外指定學校職員退隱料及遺族扶助料法ニ依ル給與金
十五　明治三十九年法律第二十九號癈兵院法ニ依ル給與金
十六　明治四十年法律第四十八號統監府及關東都督府等在勤官吏ノ恩給遺族扶助料ニ關スル法律ニ依ル給與金
十七　明治四十年法律第四十九號統監府、關東都督府及樺太等在勤巡査看守及女監取締ノ退隱料及遺族扶助料ニ關スル法律ニ依ル給與金
十八　明治四十一年法律第三十五號樺太廳立小學校敎員退隱料及遺族扶助料ニ關スル法律ニ依ル給與金
十九　明治四十三年法律第三十號警部補退隱料及遺族扶助料等ニ關スル法律ニ依ル給與金
二十　明治四十五年法律第十一號朝鮮ニ於ケル學校職員ニシテ國庫ヨリ俸給ノ支給ヲ受ケサル文官判任以上ノ者ノ退隱料及遺族扶助料ニ關スル法律ニ依ル給與金
二十一　明治二十七年勅令第百七十三號金鵄勳章年金令ニ依ル給與金
二十二　前各號ノ外文官恩給令、陸軍恩給令、海軍恩給令、海軍退隱令其ノ他舊令ニ依ル給與金竝ニ特ニ賜金ニ係ル年金、恩給ノ給與金

第二條　前條ノ給與金ハ特別ノ場合ヲ除クノ外受給者ノ指定シタル郵便局ニ於テ之ヲ支給ス

第三條　給與金ノ支給期日ハ之ヲ告示ス

第四條　受給者ハ郵便局ノ交付スル用紙ニ依リ印鑑屆ヲ作製シ給與金ノ支給ヲ受ケムトスル郵便局ニ差出スヘシ　但シ一時限ノ給與ヲ受クル者ハ此ノ限ニアラス

受給者印章ヲ改メタルトキハ適宜ノ用紙ニ依リ改印屆ヲ作製シ支給郵便局ニ差出スヘシ

第五條　受給者給與金ノ支給ヲ受ケムトスルトキハ年金證書、恩給證書

其ノ他給與ニ關スル證書ヲ支給郵便局ニ呈示シ權利者タルコトヲ證明シタル上郵便局ノ交付スル用紙ニ依リ作製シタル給與金受領證書ト引換ニ現金ヲ受取ルヘシ

前項給與金受領證書ノ用紙ハ郵便局ノ交付スル用紙ト同一樣式ノモノニ限リ之ヲ私製シ使用スルコトヲ得

第五條ノ二　代人ニ於テ本規則ニ依リ各種ノ請求ヲ爲サムトスルトキハ本人ノ委任狀ヲ差出シ代人タルコトヲ證明シ且記名調印ヲ要スル書類ニハ代人タルノ肩書ヲ附シ記名調印スヘシ

前項ノ委任狀ハ本人ニ於テ當該書類ニ委任文ヲ記載シ記名調印シ之ヲ作成スルコトヲ得

第六條　受給者支給期月ヲ經過シタル後ニ於テ給與金ノ支給ヲ受ケムトスルトキハ給與ニ關スル證書ノ種類及記號、番號、給與金高竝指定支給郵便局名等ヲ記載シタル支給請求書ヲ貯金局ニ差出スヘシ

第七條　一時限ノ給與金ヲ受クルモノハ給與金額及支給ヲ受ケムトスル郵便局名等ヲ記載シタル支給請求書ニ給與ニ關スル辭令書ノ寫ヲ添ヘ貯金局ニ差出スヘシ

前項ノ請求書ハ之ヲ無料郵便物トシテ差出スコトヲ得

第八條　受給者第六條又ハ第七條ノ請求ニ對シ貯金局ヨリ支給ノ通知ヲ受ケタルトキハ第五條ノ例ニ依リ現金受領ノ手續ヲ爲スヘシ

第九條　（削除）

第十條　受給者ハ給與ニ關スル證書ヲ豫メ貯金局ニ寄託シ其ノ給與金ヲ支給期毎ニ自己ノ郵便貯金ニ振替預入ノ請求ヲ爲スコトヲ得

受給者前項ノ請求ヲ爲サムトスルトキハ振替預入ヲ受ケムトスル郵便貯金通帳ノ記號、番號、給與ニ關スル證書ノ種類及記號、番號、竝請求ノ要旨ヲ記載シタル請求書ニ給與ニ關スル證書ヲ添ヘ之ヲ支給郵便局ニ差出スヘシ

第十一條　貯金局ニ於テ前條ノ請求ニ依リ給與ニ關スル證書ノ寄託ヲ受ケタルトキハ其ノ保管證書ヲ當該受給者ニ交附ス

第十二條　第十條ニ依リ郵便貯金ニ振替預入ノ請求アリタル給與金ハ其ノ支給期毎ニ貯金局ニ於テ之ヲ受給者ノ郵便貯金ニ組入レ其ノ旨ヲ受給者ニ通知ス

受給者前項ノ通知ヲ受ケタルトキハ其ノ通知書ニ郵便貯金通帳ヲ添ヘ支給郵便局ニ差出シ通帳ニ振替預入金ノ記入ヲ受クヘシ

第十三條　受給者第十條ニ依ル振替預入ヲ廢止セムトスルトキハ其ノ旨ヲ記載シタル屆書ニ保管證書ヲ添ヘ之ヲ貯金局ニ差出スヘシ

貯金局ニ於テ前項ノ屆出ヲ受ケタルトキハ其ノ保管スル給與ニ關スル證書ハ之ヲ受給者ニ還附ス

第十四條　受給者居所ヲ變更シタルトキハ其ノ屆書ニ給與ニ關スル證書ノ種類、記號、番號ヲ附記シ支給郵便局ニ差出スヘシ

第十五條　受給者轉居又ハ其ノ他ノ事由ニ依リ支給郵便局ヲ變更セムトスルトキハ給與ニ關スル證書ノ種類、記號、番號及新舊支給郵便局名ヲ記載シタル變更請求書ヲ作製シ新支給郵便局又ハ舊支給郵便局ニ差出スヘシ

郵便局ニ於テ支給郵便局變更ノ手續ヲ了シタルトキハ其ノ旨ヲ受給者ニ通知ス

附　則

第十六條　本規則ハ明治四十三年四月一日ヨリ之ヲ施行ス　但シ明治四十三年三月三十一日迄ニ支給期ノ到來シタル給與金ニシテ同年五月三十一日迄ニ支給ヲ爲スモノハ仍從前ノ手續ニ依ル

明治四十三年四月ニ於テ支給期ノ到來スル受給者ニ對シテハ郵便貯金局ニ於テ其支給郵便局ヲ指定ス

三九　郵便局ニ於テ取扱フ年金、恩給、遺族扶助料及退隱料等ノ支給期日

明治四十三年三月
遞信省告示第三四一號

本年四月以降郵便局所ニ於テ取扱フ年金、恩給、遺族扶助料及退隱料等ノ支給期日ハ當該支給期月ノ十一日ヨリ二十日迄トス　但シ東京市內ニ在ル郵便局ニ於テ支給スヘキモノハ左ノ期日ニ依ル

年金　十一日ヨリ十五日マテ

文官恩給、學校職員竝巡査看守退隱料同上遺族扶助料　十一日ヨリ十五日マテ

陸軍竝海軍恩給同上遺族扶助料　十六日ヨリ二十日マテ

一時限ノ給與金ニ付テハ前項ノ期日ニ拘ハラス之ヲ支給ス

郵便局所ニ於ケル給與金ノ支給事務取扱時間ハ郵便爲替貯金受拂ノ例ニ依ル

四〇　退官賜金及死亡賜金ニ關スル件

大正元年九月十八日
人第二四五號

總務局長

休職官吏ノ退官賜金及死亡賜金ノ給與ハ其休職ヲ命セラレタル當時ノ所轄官署長ニ於テ委任事項第三條又ハ第七條ニ依リ處理スヘキ義ト御承知相成度爲念此段及通牒候也

四一　退官賜金仕拂ニ關スル件

大正二年一月
官通第一二號

政務總監

各官署ノ長宛

退官賜金仕拂證憑書中履歷書ニ退官事由記載漏ノ向有之處理上差支候條爾後如此不都合無之樣御留意相成度依命此段及通牒候也

四二　朝鮮人官吏ノ文官退官賜金ニ關スル件

大正七年四月十五日
人第八八一號

政務總監

各監獄典獄宛

朝鮮人官吏ノ履歷書中舊韓國政府ノ經歷ニ付テハ往々明瞭ヲ缺クモノナキニ非サルヲ以テ大正七年勅令第六十二號ニ依リ明治四十三年八月二十八日以前舊韓國政府ノ在官日數ヲ通算シ文官退官賜金ヲ給與セラルヘキ者アルトキハ一般調査ノ外特ニ本人ヨリ其ノ期間ノ官歷ヲ明記シタル履歷書ヲ提出セシメ之ニ其ノ官署備付ノ履歷書ヲ照合シ充分其ノ事實ノ相違ナキコトヲ確認ノ上其ノ期間ヲ通算シ賜金ヲ給與スヘキモノト了承相成度此段及通牒候也

追テ履歴書照合ノ結果本人提出ニ係ル履歴書記載ノ事項ヲ正當ト認定シ賜金ヲ給與シタルトキハ本府備付ノ履歴書モ訂正シ置ク必要有之候ニ付其ノ旨御申出相成度

四三　退官賜金死亡賜金ニ關スル件

大正八年五月　官通第六八號

總務局長

所屬官署ノ長宛

大正八年度以降本府ニ於テ支拂フヘキ退官賜金死亡賜金ノ關係書類提出ニ際シテ之ニ本人俸給支辨費目附記相成度此段及御通知候也

追テ四月一日以降發布ニ係ルモノニシテ之カ記入ナキ分ハ此際一括御報告相成度申添候

四四　行政整理又ハ軍備制限整理ニ際シ職ヲ離レシメタル者ノ特別賜金等ニ關スル件

大正十一年十一月　勅令四七九號

第一條　今回ノ軍備ノ制限又ハ整理ニ際シ現役ヲ退カシメラルル陸海軍武官、憲兵上等兵、陸軍樂手補又ハ海軍志願兵ニハ特別ノ賜金ヲ支給スルコトヲ得志願ニ依リ現役者ト同　ノ職務ニ從事スル豫備役後備役ニ在ル陸軍武官又ハ憲兵上等兵ニシテ退職セシメラルル者ニ付亦同シ

第二條　文官若ハ官吏ノ待遇ヲ受クル者又ハ憲兵補ニシテ今回ノ行政整理又ハ軍備ノ制限若ハ整理ニ際シ退官退職シ又ハ休職ヲ命セラルル者ニハ特別ノ賜金ヲ支給スルコトヲ得

囑託員、雇員、傭人又ハ職工（大正十一年勅令第四百二十八號ノ適用ヲ受クル職工ヲ除ク）ニシテ今回ノ行政整理又ハ軍備ノ制限若ハ整理ニ際シ解職又ハ解傭セラルル者ニハ特別ノ手當ヲ支給スルコトヲ得

第三條　前二條ニ規定スル特別ノ賜金又ハ手當ノ金額其ノ支給ノ範圍及時期其ノ他支給ニ關スル事項ニ付テハ所管大臣大藏大臣ト協議シテ之ヲ定ム

特別ノ賜金又ハ手當ハ大藏大臣ノ定ムル所ニ從ヒ國債ヲ以テ之ヲ交付スルコトヲ得

第四條　朝鮮、臺灣、樺太、又ハ千島國在勤者ニシテ第二條ニ該當スル者ノ歸鄉旅費ニ付テハ所管大臣大藏大臣ト協議シテ内國旅費規則第二十一條ノ規定ニ對シ特例ヲ設クルコトヲ得

第五條　今回ノ軍備ノ制限若ハ整理又ハ行政整理ニ際シ死亡シタル者ニ付テハ本令ニ準シ特別ノ賜金又ハ手當ヲ支給スルコトヲ得

（參照）

大正十一年十月七日公布勅令第四百二十八號ハ軍備ノ制限又ハ整理ニ因リ解傭セラルル陸海軍職工ノ特別手當ニ關スル件ナリ

明治四十三年勅令第二百七十四號内國旅費規則抄錄

第二十一條　當分ノ内朝鮮、臺灣、樺太又ハ千島國在勤二年以上ニシテ退官、退職、休職又ハ非職ト爲リ三十日以内ニ同地出發歸鄉スル者ニハ前官又ハ本官相當ノ旅費ヲ支給スルコトヲ得但シ刑事裁判若ハ懲戒處分ニ依リ失官シ若ハ免官セラレ又ハ自己ノ便宜ニ依リ退官若ハ退職シタル者ハ此ノ限ニ在ラス前項ノ旅費ニ關シテハ所管大臣

大藏大臣ト協議シテ之ヲ定ム
在職中死亡シタルトキハ第一項ノ例ニ準シ旅費ニ相當スル金額ヲ遺族ニ支給スルコトヲ得

四五　大正十一年勅令第四百七十九號ニ依リ特別ノ賜金又ハ手當ヲ國債ヲ以テ交付スル場合ニ於ケル交付價格ニ關スル件

大正十一年二月
大藏省令五六號

大正十一年勅令第四百七十九號ニ依リ特別ノ賜金又ハ手當ヲ國債ヲ以テ交付スル場合ニ於テハ其ノ交付價格ハ時價ヲ參酌シテ隨時之ヲ定ム

附　則

本令ハ公布ノ日ヨリ之ヲ施行ス

第四章　賞與　懲戒

一　朝鮮總督府看守及朝鮮總督府女監取締精勤證書授與規則

明治四十四年六月
總訓第五一號
朝鮮總督府監獄

第一條　精勤證書ハ看守及女監取締ノ精勤ヲ證シ其ノ名譽ヲ表彰スルモノトス

第二條　精勤證書ハ左ノ事項ニ該當スル者ニ對シ典獄之ヲ授與ス

一　品行方正
二　職務勉勵
三　事務熟達
四　滿三年間勤續

第三條　左ニ記載シタル者ニ付テハ前條第四號ニ掲クル期間ハ處分ノ翌月ヨリ之ヲ起算ス

一　懲戒處分ニ因リ月俸百分ノ二十以上ニ相當スル減俸ニ處セラレタル者又ハ一年內ニ二回以上月俸百分ノ二十未滿ニ相當スル減俸ニ處セラレタル者
二　奉職中處刑セラレタル者

第四條　精勤證書ヲ有スル者懲戒處分ニ因リ免職セラレタルトキ、奉職中處刑セラレタルトキ又ハ退職後禁錮以上ノ刑ニ處セラレタルトキハ其ノ精勤證書ヲ無效トス

第五條　精勤證書ハ別記雛形ニ依リ調製スヘシ

附　則

第六條　第二條第四號ノ期間ハ當分ノ內二年迄ニ減縮スルコトヲ得

第七條　明治四十三年朝鮮總督府訓令第二十號ハ之ヲ廢止ス

（雛　形）

六　寸

第　　號

朝鮮總督府（看守、女監取締）精勤證書

朝鮮總督府（看守、女監取締）　氏　　名

右品行方正ニシテ職務ニ勉勵シ事務ニ熟達ス因テ此證ヲ附與スル者也

明治　年　月　日

朝鮮總督府典獄位勳氏名印

八　　寸

二 看守及女監取締精勤證書雛形ニ關スル件

大正二年五月
官通牒第一六六號

政務總監

各監獄典獄宛

看守及女監取締精勤證書ニハ之ヲ授與セラルヘキ者ノ職氏名ノ右肩ニ其在勤廳名ヲ記載スヘシ此段及通牒候也

三 看守及女監取締精勤證書雛形ニ關スル件

明治四十四年六月
官通第一七五號

司法部長官

各監獄典獄宛

朝鮮總督府看守及同女監取締ニ授與スヘキ精勤證書ノ用紙ハ鳥ノ子紙トシ尚之ニ刷込ムヘキ桐章及輪廓ハ金色トスルコトニ決定相成候條此段及通牒候也

四 看守精勤證書ニ關スル件

明治四十四年六月
司刑發第四〇二號

司法部長官

典獄宛

朝鮮總督府看守採用規則第一條第二項ノ看守精勤證書中ニハ內地監獄及臺灣總督府等ノ看守精勤證書ヲモ包含スルモノト解スヘキ義ニ有之候條為念此段及通牒候也

五 看守等精勤證書授與規則ニ依ル勤續期間ニ關スル件

明治四十四年六月
司刑發第三七六號

刑事課長

典獄宛

本年六月十二日附京監發第六九一號ヲ以テ看守及女監取締精勤證書授與規則第二條第四號ノ勤續期間ニ關シ御問合之趣了承右ハ左記ノ通御承知相成度此段及回答候也

一 舊韓國監獄看守ノ勤續期間ハ算入スルヲ得サルモノトス

二 統監府看守ノ勤續期間ハ算入スヘキモノトス（四十三年朝鮮總督府令第十三號參照）

三 統監府女監取締囑託勤續ノ期間ハ算入スルヲ得サルモノトス

監發第六九一號

明治四十四年六月十二日

典獄

刑事課長宛

看守等精勤證書ニ關スル件

今回朝鮮總督府訓令第五十一號ヲ以テ朝鮮總督府看守等ノ精勤證書授與規則御發布相成候處左記ノ場合ハ同規則第二條第一項第四ノ勤續期間ニ算入スルモ差支無之候哉御意見承知致度此段及問合候也

一 舊韓國ノ監獄看守ニシテ統監府看守採用規則施行ノ際統監府看守ヲ採用セラレタル者ノ其ノ前殘（即チ舊韓國監獄看守）ノ勤續期間

二 統監府看守ノ勤續期間

一三　統監府女監取締囑託ノ勤續期間

六　看守及女監取締精勤證書授與又ハ無效ニ歸シタル場合ニ報告ヲ要スル件

大正五年一月
監第八七號

司法部長官

監獄典獄宛

看守及女監取締ニ對シ精勤證書ヲ授與シタルトキ又ハ精勤證書ノ無效ニ歸シタル場合ハ其年月日在勤廳名職氏名勤續期間及無效ニ歸シタル事由等報告相成度此段及通牒候也

追テ右報告ニ依リ官報ニ登載セラルヘク別途官報原稿ノ送付ヲ要セサル儀ニ付了知相成度

七　年末賞與辭令書式ノ件

大正六年十一月
人第二五八九號

總務局長

各監獄典獄宛

年末賞與辭令書左ノ通定メラレ候條此段及通牒候也

追テ貴廳ニ於テ發令セラルヘキ者ノ辭令書用紙ハ貴廳ニ於テ調製可相成申添候也

左記

（辭令書式）（用紙美濃半截形罫紙）

官氏名

金　圓

右事務格別勉勵ニ付賞與ス

年月日

朝鮮總督府

（但シ見習ヲ除ク判任官待遇、有給專務囑託及雇員ハ其ノ屬スル官署ノ名ヲ以テス）

八　文官懲戒令

明治三十二年三月
勅令第六三號

改正　三三年第一二二號　三四年第二一六號　三八年第二七九號
四〇年第一〇七號　四二年第五號　四三年九第四〇四號
一一年三第一二〇號

第一章　總則

第一條　親任式ヲ以テ敍任スル官及法令ニ別段ノ規定アルモノヲ除クノ外官吏ハ本令ニ依ルニ非サレハ懲戒ヲ受クルコトナシ

第二條　官吏ノ懲戒ヲ受クヘキ場合左ノ如シ

一　職務上ノ義務ニ違背シ又ハ職務ヲ怠リタルトキ

二　職務ノ内外ヲ問ハス官職上ノ威嚴又ハ信用ヲ失フヘキ所爲アリタルトキ

第三條　懲戒ハ左ノ如シ

一　免官
二　減俸
三　譴責

第四條　免官ノ處分ヲ受ケタル者ハ其ノ官職ヲ失ヒタル日ヨリ二年間官職ニ就クコトヲ得ス

免官ノ處分ヲ受ケ其ノ情重キ者ハ位記ヲ返上セシム

第五條　減俸ハ一月以上一年以下年俸月割額若ハ月俸ノ三分ノ一以下ヲ減ス

第六條　勅任官ノ免官及減俸ハ懲戒委員會ノ議決ヲ具シ内閣總理大臣之ヲ奏請シ奏任官ノ免官ハ懲戒委員會ノ議決ヲ具シ内閣總理大臣ヲ經テ本屬長官之ヲ奏請シ裁可ニ依リ之ヲ行フ

奏任官ノ減俸及判任官ノ免官及減俸ハ懲戒委員會ノ議決ニ依リ本屬長官之ヲ行フ

譴責ハ本屬長官之ヲ行フ

第七條　懲戒ニ付セラルヘキ事件刑事裁判所ニ繫屬スル間ハ同一事件ニ對シ懲戒委員會ヲ開クコトヲ得ス

懲戒委員會ノ議決前懲戒ニ付スヘキ者ニ對シ刑事訴追ノ始マリタルトキハ事件ノ判決ヲ終ハルマテ懲戒委員會ノ開會ヲ停止ス

第二章　懲戒委員會

第一款　總則

第八條　懲戒委員會ヲ分テ文官高等懲戒委員會及文官普通懲戒委員會トス

第九條　文官高等懲戒委員會ハ高等官ノ懲戒ヲ議決シ文官普通懲戒委員會ハ判任官ノ懲戒ヲ議決ス

第二款　文官高等懲戒委員會

第十條　文官高等懲戒委員會ハ委員長一人委員六人ヲ以テ組織ス

第十一條　委員長ハ樞密顧問官ノ中ヨリ委員ハ行政裁判所長官、勅任行政裁判所評定官、勅任判事及其ノ他ノ勅任文官ノ中ヨリ内閣總理大臣ノ奏請ニ依リ之ヲ命ス

委員會ニ豫備委員六人ヲ置キ前項ノ例ニ依リ之ヲ命ス

第十二條　委員會ハ委員長及委員ヲ併セ五人以上出席スルニ非サレハ會議ヲ開クコトヲ得ス

委員會ノ議事ハ多數ニ依リ之ヲ決ス可否同數ナルトキハ委員長之ヲ決ス

第十三條　委員長事故アルトキハ上席ノ委員之ヲ代理ス

委員中事故アルトキ又ハ闕員アルトキハ委員長ハ豫備委員ノ中ヨリ代理ヲ命ス

第十四條　委員及豫備委員ノ任期ハ三年トス

委員及豫備委員中闕員アリテ補闕ノ爲任命セラレタル者ハ前任者ノ殘任期間在任ス

第十五條　委員長及委員ハ左ノ事項ニ該當スルトキハ之ヲ免ス

一　其ノ官職ヲ失ヒタルトキ
二　委員會所在地以外ニ任所ヲ轉シタルトキ

第十六條　委員會ニ幹事一人ヲ置ク

第十七條　幹事ハ高等官ノ中ヨリ內閣總理大臣ノ奏請ニ依リ之ヲ命ス

第十八條　幹事ハ委員長ノ命ヲ承ケ委員會ノ議事ヲ準備シ庶務ヲ統理ス

第十九條　委員會ニ書記三人ヲ置ク

第二十條　書記ハ判任官ノ中ヨリ委員長之ヲ命ス

第二十一條　書記ハ幹事ノ命ヲ承ケ庶務ニ從事ス

第三款　文官普通懲戒委員會

第二十二條　文官普通懲戒委員會ハ左ノ各官廳ニ之ヲ置ク

一　內閣
一　樞密院
一　各省
一　朝鮮總督府
一　臺灣總督府
一　關東廳
一　樺太廳
一　南洋廳
一　會計檢査院
一　行政裁判所
一　警視廳
一　北海道廳
一　府縣
一　朝鮮總督府道
一　臺灣總督府州
一　貴族院事務局
一　衆議院事務局

前項ノ外各省大臣ニ於テ必要アリト認ムルトキハ其ノ所轄官廳ニ文官普通懲戒委員會ヲ置クコトヲ得

第二十三條　委員長ハ各官廳ノ長官ヲ以テ之ニ充ツ但シ內閣ニ在リテハ法制局長官、樞密院ニ在リテハ書記官長、各省ニ在リテハ次官、朝鮮總督府ニ在リテハ政務總監、臺灣總督府ニ在リテハ總務長官、關東廳ニ在リテハ事務總長ヲ以テ之ニ充ツ

委員ハ二人乃至六人トシ當該官廳高等官ノ中ヨリ本屬長官之ヲ命ス但シ內閣ニ在テハ賞勳局、法制局及內閣所屬高等官ノ中ヨリ之ヲ命ス

特別ノ事情アルトキハ上級官廳ノ高等官ヲ以テ下級官廳ノ委員ニ充ツルコトヲ得

第二十四條　委員會ハ委員長及委員二名以上出席スルニ非サレハ會議ヲ開クコトヲ得ス

第二十五條　委員長事故アルトキハ上席ノ委員之ヲ代理ス

第二十六條　委員會ニ書記二人ヲ置ク

第二十七條　書記ハ委員長所屬官廳ノ判任官ノ中ヨリ委員長之ヲ命ス

第二十八條　書記ハ委員長ノ命ヲ承ケ庶務ニ從事ス

第三章　懲戒手續

第二十九條　本屬長官ハ所部ノ官吏ニシテ懲戒ニ當ルヘキ所爲アリト思料スルトキハ證憑ヲ具ヘ書面ヲ以テ懲戒委員會ノ審査ヲ要求スヘシ

第三十條　前條ノ要求アリタルトキハ委員長ハ期日ヲ定メテ委員會ヲ招集スヘシ

委員會ハ必要ト認ムル場合ニ於テハ本人ノ出頭ヲ命スルコトヲ得
前項ノ場合ニ於テハ本人所屬官廳ヨリ本官相當ノ旅費ヲ給スヘシ
第三十一條 委員會ニ於テ議決ヲナシタルトキハ其ノ理由ヲ具シ本屬長官ニ覆申スヘシ
第三十二條 委員長及委員ハ自己又ハ其ノ親族ニ關スル事件ノ會議ニ參與スルコトヲ得
第三十三條 委員會ノ審査手續ハ委員會之ヲ定ム

附　則

第三十四條 高等官試補ハ高等官ニ準シ判任官見習ハ判任官ニ準シ本令ヲ適用ス
第三十五條 本令ハ明治三十二年四月十日ヨリ施行ス
官吏懲戒例ハ本令施行ノ日ヨリ廢止ス

九　朝鮮總督府監獄所屬職員中奏任待遇者ノ懲戒ニ關スル件

明治四十四年五月
總令第六三號

朝鮮總督府監獄所屬ノ職員中奏任待遇者ノ懲戒ニハ文官懲戒令中高等官ニ關スル規定ヲ準用ス

附　則

本令ハ發布ノ日ヨリ之ヲ施行ス

一〇　臺灣總督府、朝鮮總督府及關東廳ノ巡査及判任官待遇監獄職員ノ懲戒ニ關スル件

大正九年八月
勅令第三六二號

朝鮮總督府部內ノ巡査、臺灣總督府部內ノ巡査又ハ關東廳部內ノ巡査若ハ判任官待遇監獄職員ノ懲戒ニ關スル規程ハ各朝鮮總督臺灣總督又ハ關東廳長之ヲ定ム

附　則

本令ハ大正九年十月一日ヨリ之ヲ施行ス

一一　判任待遇【統監府】監獄職員ノ懲戒ニ關スル件

明治四十二年十一月
統令第四九號

判任待遇【統監府】監獄職員ノ懲戒ニ付テハ監獄判任待遇職員懲戒規程ヲ準用ス

附　則

本令ハ明治四十二年十一月一日ヨリ之ヲ施行ス

一二　監獄判任待遇職員懲戒規程

明治三十六年三月
司法省令第七號
改正　大正二年七第三〇號

監獄官制第十條第一項ニ依リ監獄判任待遇職員ノ懲戒規程左ノ通相定ム
第一條 監獄判任待遇職員ノ懲戒ヲ受クヘキ場合ハ左ノ如シ
一　職務上ノ義務ニ違背シタルトキ

二　職務ニ怠慢ノ所爲アリタルトキ
三　職務ノ内外ヲ問ハス監獄官吏タルノ威信ヲ失フヘキ所爲アリタルトキ

第二條　懲戒ハ左ノ如シ
一　免職
二　減俸　一箇月以上五箇月以下月俸百分ノ二十以下ヲ減ス
三　譴責

第三條　懲戒ハ懲戒委員會ノ決議ニ依リ之ヲ行フ
但譴責ハ典獄之ヲ專行ス

第四條　懲戒委員會ニハ委員長一名委員二名乃至四名書記一名ヲ置ク

第五條　委員長ハ典獄トス
委員ハ典獄補又ハ看守長ノ中ヨリ典獄之ヲ命シ司法大臣ニ報告スヘシ
書記ハ委員長之ヲ命ス
委員長事故アルトキハ上席ノ委員之ヲ代理ス

第六條　委員會ハ委員長委員二名以上出席スルニアラサレハ之ヲ開クコトヲ得ス
委員會ノ議事ハ多數決トシ可否同數ナルトキハ委員長之ヲ決ス
委員長又ハ委員中自己ノ親屬ニ關スル事件ニハ決議ニ加ハルコトヲ得ス

第七條　書記ハ委員長ノ命ヲ承ケ庶務ニ從事ス

第八條　典獄ハ判任官待遇職員ニシテ懲戒ニ當ルヘキ行爲アリト認メタルトキハ證憑ヲ具ヘ書面ヲ以テ懲戒委員會ノ審査ヲ要求スヘシ
前項ノ要求アリタルトキ委員長ハ隨時委員會ヲ開キ其決議ノ事由ヲ典獄ニ報告スヘシ委員會ハ必要ト認ムルトキハ本人ヲ召喚シ取調ヲ爲スコトヲ得

第九條　懲戒ハ辭令書ヲ作リ之ヲ本人ニ達スヘシ

一三　免官免職及停職者免除ノ件

明治三十年十二月
勅令第一四號

明治三十年一月十二日前ニ於テ懲戒又ハ懲罰ニ依リ免官、免職セラレタル者並停職ヲ命セラレタル者ハ其ノ懲罰ヲ免除ス

一四　懲戒又ハ懲罰ノ免除ニ關スル件

大正元年十月
勅令第三〇號

官吏又ハ官吏待遇者ニシテ大正元年七月三十日前ノ所爲ニ付懲戒又ハ懲罰ノ處分ヲ受ケタル者ニ對シテハ將來ニ向テ其ノ懲戒又ハ懲罰ヲ免除ス
未タ處分ヲ受ケサル者ニ對シテハ懲戒又ハ懲罰ヲ行ハス
陸軍懲罰令又ハ海軍懲罰令ノ適用ヲ受クル者亦前項ニ同シ
懲戒又ハ懲罰ニ基ク既成ノ效果ハ免除ニ因リ變更セラルルコトナシ
停職中ノ海軍軍人ニシテ其停職ヲ免除セラレタル者ハ待命トス

附　則

本令ハ公布ノ日ヨリ之ヲ施行ス

一五　恩赦令及大正元年勅令第三十號ノ解釋ニ關スル件

大正二年十月
官通第三二五號

政務總監

官房各局長、各部長官、所屬官署長宛

首題ノ件左記ノ通了知相成度此段及通牒候也

追テ履歴書中ニハ刑事裁判、懲戒、懲罰ヲ受ケタルコト及恩赦、免除アリタル旨ヲ記載スヘキ儀ニ有之候

記

一　恩給、退隱料、退官賜金、給助金又ハ退職給與ヲ受クル資格ハ恩赦又ハ免除ニ因リテ復活スルコトナシ

二　恩赦又ハ免除ヲ受ケタル者ノ遺族ニハ除扶助料ヲ受クルノ權利ヲ發生スルコトナシ

三　恩赦又ハ免除ヲ受ケタル者再任スルモ免官、免職、失官、失職以前ノ在官職年數ハ恩給又ハ退隱料ノ年數ニ通算セス

四　懲戒免官ニ處セラレタル者二年間官職ニ就クコトヲ得サル制限ハ免除ノ日ヨリ消滅ス

一六　朝鮮總督府及所屬官署雇員ノ懲戒免除ニ關スル件

大正元年十月
官通第九十二號

政務總監

大正元年勅令第三十號ノ趣旨ニ依リ朝鮮總督府及所屬官署ノ雇員ニシテ大正元年七月三十日前ノ所爲ニ付懲戒ノ處分ヲ受ケタル者ニ對シテハ將來ニ向テ其ノ懲戒ヲ免除シ其ノ未タ處分ヲ受ケサル者ニ對シテハ懲戒ヲ行ハサルコトニ決定相成候ニ付承知相成度候也尤モ懲戒ニ基ク既成ノ效果ハ免除ニ依リ變更セラルコト無之儀ニ候

一七　官吏待遇者及雇員懲戒ニ由ル減俸處理ノ件

大正元年十月
官通第一〇九號

政務總監

各所屬官署長宛

恩赦ニ依リ懲戒減俸ノ處理上ニ關シ左記決定相成候條此段及通牒候也

（左記）

本年勅令第三十號ニ依リ官吏及官吏待遇者ニシテ大正元年七月三十日前ノ所爲ニ付減俸ノ處分ヲ受ケタル者ニ對スル處理方ハ右勅令公布ノ前日迄ニ於テ減額支給濟ノモノニ止メ減額支給未濟ノ分ニ對シテハ其ノ未濟ノ原因如何ニ拘ラス之ヲ免除ス

大正元年十月十二日官通牒第九十二號ニ依ル雇員ノ減俸ニ付テモ前記同樣ニ取扱フヘシ

一八　懲戒又ハ懲罰ノ免除ニ關スル件

大正四年十一月
勅令第二〇六號

官吏又ハ官吏待遇者ニシテ大正四年十一月十日前ノ所爲ニ付懲戒又ハ懲罰ノ處分ヲ受ケタル者ニ對シテハ將來ニ向テ其ノ懲戒又ハ懲罰ヲ免除ス未タ處分ヲ受ケサル者ニ對シテ懲戒又ハ懲罰ヲ行ハス

陸軍懲罰令又ハ海軍懲罰令ノ適用ヲ受クル者亦前項ニ同シ

懲戒又ハ懲罰ニ基ク既成ノ效果ハ免除ニ因リ變更セラルルコトナシ

停職中ノ陸海軍軍人ニシテ其ノ停職ヲ免除セラレタル者ハ待命トス

附則

本令ハ公布ノ日ヨリ之ヲ施行ス

一一九 本府及所屬官署雇員ノ懲戒免除ニ關スル件

大正四年十一月官通第三一八號

政務總監

所屬官署ノ長宛

大正四年勅令第二百六號ノ趣旨ニ依リ朝鮮總督府及所屬官署ノ雇員ニシテ大正四年十一月十日前ノ所爲ニ付懲戒ノ處分ヲ受ケタル者ニ對シテハ將來ニ向テ其ノ懲戒ヲ免除シ其ノ未タ處分ヲ受ケサル者ニ對シテ懲戒ヲ行ハサルコトニ決定相成候間右御了知相成度尤モ懲戒ニ基ク既成ノ效果ハ免除ニ依リ變更セラルルコト無之儀ニ候條此段及通牒候也

一二〇 傭人ノ懲戒又ハ懲罰免除ニ關スル件

大正四年十一月官通第三二七號

總務局長

本府各部局長、各所屬官署長宛

本府及所屬官署ノ傭人ニシテ大正四年十一月十日前ノ所爲ニ關スル首題ノ件右ハ本年十一月十九日官通牒第三百十八號政務總監通牒ニ準スル義ト承知相成度此段及通牒候也

韓国併合史研究資料 ⑫

朝鮮刑務提要（上）

2018 年 4 月　復刻版第 1 刷発行

原本編著者　朝鮮総督府看守教習所
発 行 者　北 村 正 光
発 行 所　株式会社 龍 溪 書 舎
〒179-0085　東京都練馬区早宮 2-2-17
TEL 03-5920-5222・FAX 03-5920-5227

ISBN978-4-8447-0476-8
朝鮮刑務提要(上・中・下) 全 3 冊　**分売不可**
落丁、乱丁本はお取替えいたします。

印刷：大 鳳 印 刷
製本：高橋製本所